D1647726

JACK REACHER
Podejrzany

Tego autora

Jack Reacher

POZIOM ŚMIERCI
UPROWADZONY
WRÓG BEZ TWARZY
PODEJRZANY
ECHO W PŁOMIENIACH
W TAJNEJ SŁUŻBIE
SIŁA PERSWAZJI
NIEPRZYJACIEL
JEDNYM STRZAŁEM
BEZ LITOŚCI
ELITA ZABÓJCÓW
NIC DO STRACENIA
JUTRO MOŻESZ ZNIKNĄĆ
61 GODZIN
CZASAMI WARTO UMRZEĆ
OSTATNIA SPRAWA
POSZUKIWANY
NIGDY NIE WRACAJ
SPRAWA OSOBISTA

oraz

NAJLEPSZE AMERYKAŃSKIE OPOWIADANIA KRYMINALNE 2010
(współautor)

LEE CHILD

JACK REACHER
Podejrzany

Z angielskiego przełożył
KRZYSZTOF SOKOŁOWSKI

ALBATROS

Wydawnictwo
A. Kuryłowicz

Tytuł oryginału:
THE VISITOR

Polish edition copyright © Wydawnictwo Albatros Andrzej Kuryłowicz s.c. 2014

Polish translation copyright © Krzysztof Sokołowski 2010

Redakcja: Jacek Ring
Ilustracja na okładce: Krivosheev Vitaly/Shutterstock
Projekt graficzny okładki: Wydawnictwo Albatros Andrzej Kuryłowicz s.c.
Projekt graficzny serii: Andrzej Kuryłowicz
Skład: Laguna

ISBN 978-83-7885-498-2

Książka dostępna także jako e-book

Dystrybutor
Firma Księgarska Olesiejuk sp. z o.o. sp. j.
Poznańska 91, 05-850 Ożarów Mazowiecki
tel. (22) 721 30 00, faks (22) 721 30 01
www.olesiejuk.pl

Sprzedaż wysyłkowa – księgarnie internetowe
www.empik.com
www.merlin.pl

Wydawca
WYDAWNICTWO ALBATROS ANDRZEJ KURYŁOWICZ S.C.
Hlonda 2A/25, 02-972 Warszawa
www.wydawnictwoalbatros.com

2015. Wydanie V
Druk: Read Me, Łódź

Rodzicom, Audrey i Johnowi,
którzy nauczyli mnie, jak czytać i po co.

Jack Reacher: CV

Imiona i nazwisko:
Jack Reacher
(drugiego imienia nie ma)

Narodowość:
Amerykańska

Urodzony:
29 października 1960 roku

Charakterystyczne dane:
195 cm; 99–110 kg;
127 cm w klatce piersiowej

Ubranie:
Kurtka 3XLT, długość
nogawki mierzona
od kroku 95 cm

Wykształcenie:
Szkoły na terenie
amerykańskich baz
wojskowych w Europie
i na Dalekim Wschodzie;
Akademia Wojskowa
West Point

Przebieg służby:
13 lat w żandarmerii armii
Stanów Zjednoczonych;
w 1990 zdegradowany
z majora do kapitana,
zwolniony do cywila w randze
majora w 1997 roku

Odznaczenia służbowe:
Wysokie:
Srebrna Gwiazda,
Za Wzorową Służbę
Service Medal, Legia Zasługi
Ze środkowej półki:
Soldier's Medal, Brązowa
Gwiazda, Purpurowe Serce
Z dolnej półki:
„Junk awards"

Matka:
Josephine Moutier Reacher,
ur. 1930 we Francji, zm. 1990

Ojciec:
Żołnierz zawodowy, korpus
piechoty morskiej, służył
w Korei i Wietnamie

Brat:
Joe, ur. 1958, zm. 1997;
5 lat w wywiadzie armii
Stanów Zjednoczonych;
Departament Skarbu

Ostatni adres:
Nieznany

Czego nie ma:
Prawa jazdy; prawa do
zasiłku federalnego; zwrotu
nadpłaconego podatku;
dokumentu ze zdjęciem; osób
na utrzymaniu

1

Mówi się, że wiedza to potęga. Im więcej wiedzy, tym więcej potęgi. Załóżmy, że znasz wygrywające numery loterii. Tak, wszystkie. Nie zgadywałeś, nie przyśniły ci się, po prostu wiesz, które wygrają. Co robisz? Biegniesz zagrać, nie? Skreślasz je i, oczywiście, wygrywasz.

To samo, jeśli chodzi o akcje. Załóżmy, że wiesz, co pójdzie w górę. Nie chodzi o przeczucie, o wewnętrzne przekonanie. Nie mówimy o trendach, procentach, plotkach, cynku. Nie, mówimy o wiedzy! Prawdziwej, solidnej wiedzy. Powiedzmy, że masz tę wiedzę. Jak ją wykorzystujesz? Czy to nie oczywiste? Dzwonisz do maklera. Kupujesz. Po jakimś czasie sprzedajesz i jesteś bogaty.

Tak samo jest z koszykówką. Z końmi. Ze wszystkim: z futbolem, hokejem, przyszłoroczną ligą baseballu, w ogóle z każdym sportem; jeśli możesz przewidzieć przyszłość, jesteś w domu. Żaden problem. I z Oscarami, i z Noblem, i z pierwszym śniegiem nadchodzącej zimy. Wszystkim.

Z zabijaniem też.

Załóżmy, że chcesz kogoś zabić. Jeśli chcesz kogoś zabić, z góry musisz wiedzieć, jak to zrobić. Nic w tym szczególnie trudnego, w końcu są sposoby, niektóre dobre, inne jeszcze lepsze. Większość ma swoje wady. Używasz zatem swojej wiedzy i wymyślasz coś nowego. Myślisz, myślisz, myślisz... i wreszcie wymyślasz coś doskonałego pod każdym względem.

9

Wiele uwagi poświęcasz podstawom. Doskonała metoda to metoda trudna, więc najważniejsze jest drobiazgowe przygotowanie. Ale dla ciebie to kaszka z mleczkiem. Nie masz żadnych kłopotów z drobiazgowym przygotowaniem. Żadnych, nawet najmniejszych. Bo jak inaczej? Z twoją inteligencją? Z tak perfekcyjnym wyszkoleniem?

Wiesz, że prawdziwe problemy pojawią się po fakcie. Jak możesz zapewnić sobie bezkarność? Odpowiedź jest prosta: wiedza. Lepiej od wielu innych wiesz, jak pracują gliniarze. Ich służba nie ma dla ciebie tajemnic. Znasz szczegóły tej służby. Wiesz, czego szukają gliny, więc nie zostawiasz niczego, co mogłyby znaleźć. Myślisz o tym wielokrotnie, raz za razem, bardzo precyzyjnie, bardzo dokładnie, bardzo ostrożnie. Tak ostrożnie, jak skreśla się numery na kawałku papieru, kiedy wie się z całą pewnością, że przyniosą fortunę.

Ludzie mówią, że wiedza to potęga. Im więcej wiedzy, tym więcej potęgi. Właśnie ona czyni cię najpotężniejszym człowiekiem na świecie. Jeśli chodzi o zabijanie ludzi. I unikanie konsekwencji.

• • •

Życie polega na podejmowaniu decyzji, wydawaniu sądów snuciu, przypuszczeń i wreszcie nadchodzi moment, kiedy tak się do tego przyzwyczajasz, że podejmujesz decyzje, wydajesz sądy i snujesz przypuszczenia, choć tak naprawdę nie jest ci to do niczego potrzebne. Zaczynasz zastanawiać się, „A co, jeśli...?". Spekulować, co też byś zrobił, gdybyś stanął przed problemem, przed którym stoi ktoś inny. Wchodzi ci to w nawyk.

Dla Jacka Reachera to nie był nawyk, tylko wręcz nałóg. To z jego powodu siedział samotnie w restauracji, gapił się na plecy dwóch facetów przy stoliku odległym o jakieś pięć metrów i próbował rozstrzygnąć, czy powinien ich tylko ostrzec, czy też posunąć się nieco dalej i połamać im ręce.

Problem należał do dziedziny dynamiki. W tej chwili dynamika miasta nakazywała, by nowiutka włoska knajpa w Tribecy, taka, jaką właśnie odwiedził, pozostawała praktycznie pusta do chwili, gdy opisze ją recenzent kulinarny „New York Timesa" albo gość z „Observera" spotka tam sławę spędzającą w lokalu drugi wieczór z rzędu. Na razie nie zdarzyło się ani jedno, ani drugie, w restauracji ciągle było pustawo, co czyniło ją miejscem wręcz idealnym dla samotnego faceta, pragnącego zjeść kolację niedaleko mieszkania swojej dziewczyny, akurat dziś pracującej do późnego wieczora. Dynamika miasta. To ona sprawiła, że Reacher po prostu musiał tu być. I musieli tu być dwaj faceci, których obserwował. Ponieważ dynamika miasta nakazuje, by każde nowe, obiecujące przedsięwzięcie komercyjne wcześniej czy później doczekało się gości reprezentujących kogoś, kto zażąda trzystu dolców tygodniowo, za które skłoni się chłopców, by nie skorzystali z możliwości, jakie dają kije baseballowe i trzonki siekier.

Dwaj obserwowani przez Reachera faceci rozmawiali cicho ze stojącym przy barze właścicielem. Sam bar pełnił funkcje raczej symboliczne. Po prostu zagradzał jeden z rogów sali, tworząc przyjemny dla oka trójkąt ostrokątny o mniej więcej dwumetrowym boku. Nigdy nie miał pełnić funkcji praktycznych, nigdy nie miał usiąść przy nim ktoś mający ochotę na drinka. Jego zadaniem było przyciągnąć wzrok. Był miejscem, gdzie trzymano butelki. Stały na szklanych półkach w trzech rzędach, odbijając się w lustrach. Najniższą półkę zajmowała kasa i terminal kart kredytowych. Właściciel był niskim, nerwowym człowieczkiem. Skulił się w wierzchołku trójkąta, przylgnął plecami do szuflady na gotówkę. Splótł ręce na piersiach, jakby się przed czymś bronił. Reacher siedział przy stoliku, ale widział oczy tego faceta. Rozbiegane, wyrażające coś pośredniego pomiędzy niedowierzaniem a paniką.

Sala była duża, może dwadzieścia na dwadzieścia metrów, idealnie kwadratowa. I wysoka na sześć, siedem metrów. Sufit zrobiono z tłoczonej blachy, lekko matowej. Sam budynek liczył sobie przeszło sto lat i pewnie używano go do wszystkiego, co tylko można sobie wyobrazić. Niewykluczone, że zaczynał jako fabryka, okna miał wystarczająco duże i było ich wystarczająco wiele, by dopuścić światło do czegoś, co produkowano tu w czasach, gdy tutejsze domy wznosiły się najwyżej na pięć pięter.

Potem zapewne został sklepem, może nawet salonem samochodowym. Z pewnością był na to wystarczająco wielki. A teraz stał się włoską restauracją. Nie taką z obrusami w czerwoną kratkę na stolikach i domowym sosem, ale taką, której sam prosty, lecz awangardowy wystrój kosztował ze trzysta tysięcy dolarów, a posiłkiem nazywano siedem, osiem ręcznie zwijanych pierożków ravioli. W ciągu czterech tygodni Reacher jadł tu dziesięć razy i zawsze wychodził głodny, ale smak miały wystarczająco dobry, by chwalił je ludziom, a to o czymś jednak świadczyło, bo nie należał do smakoszy. Nazywała się Mostro, co, o ile znał włoski, oznaczało „Potwór". Nie był pewien, do czego miało się to odnosić, z pewnością nie do rozmiaru dań, stwarzało jednak pewien nastrój, a w ogóle całe wnętrze o ścianach częściowo z jasnego klonu, a częściowo białych, z akcentami matowego aluminium, z pewnością nie było odpychające. Pracowali tu ludzie sympatyczni i pewni siebie. Z doskonałej jakości głośników wiszących wysoko pod sufitem płynęły dźwięki oper, puszczanych od początku do samego końca. Niefachowa opinia Reachera brzmiała: tak oto rodzi się doskonała reputacja.

Ale owa doskonała reputacja rodziła się powoli. Oszczędny awangardowy wystrój dopuszczał umieszczenie zaledwie dwudziestu stolików w sali o powierzchni czterystu metrów kwadratowych, ale przez te cztery tygodnie z dwudziestu zajęte były najwyżej trzy naraz, a zdarzył się też wieczór taki, że całe półtorej godziny spędził samotnie jako jedyny klient. Dziś towarzyszyła mu para siedząca pięć stolików dalej. Naprzeciw siebie, bokiem do niego, po przeciwnych stronach stołu, zajęli miejsca mężczyzna i kobieta. Mężczyzna był średniego wzrostu, piaskowy: krótkie piaskowe włosy, całkiem przyzwoite wąsy, jasnobrązowy garnitur, brązowe buty, kobieta była chuda i ciemna, ubrana w żakiet i spódnicę. Oparta o nogę stołu, przy jej prawej stopie, stała torba z imitacji skóry. Oboje mieli jakieś trzydzieści pięć lat, wyglądali na przepracowanych, zmęczonych i nieco zaniedbanych. Widać było, że dobrze czują się w swoim towarzystwie, ale prawie się do siebie nie odzywali.

Za to faceci przy barze mieli sporo do powiedzenia. Co do

tego nikt nie mógł mieć żadnych wątpliwości. Stali zgięci w pasie, opierali się łokciami o bar, mówili szybko i przekonująco twardo. Właściciel stał przy kasie, zgięty jak oni. Zupełnie jakby wszyscy trzej opierali się wiejącej przez salę wichurze. Goście byli wzrostu o wiele więcej niż średniego, obaj mieli na sobie identyczne ciemne wełniane płaszcza, dodające im szerokości w barkach; wyglądali w nich na jeszcze potężniejszych, niż byli w rzeczywistości. Reacher widział ich twarze w lustrach za butelkami alkoholu. Oliwkowa skóra, ciemne oczy. Nie byli Włochami, raczej Syryjczykami lub Libańczykami, których arabską niechlujność wypełniły lata spędzone w Stanach. Pracowicie wyjaśniali punkt po punkcie. Ten po prawej wykonywał szerokie gesty ręką; łatwo było zrozumieć, że przedstawiał zniszczenia, jakie może wyrządzić wśród butelek kij do baseballu. Potem machnął z góry w dół, demonstrował łatwość zniszczenia wszystkich półek. „Starczy jedno uderzenie, koleś". Właściciel był bardzo blady, kątem oka raz po raz zerkał nas cenne półeczki.

Facet po lewej podciągnął rękaw płaszcza, postukał w zegarek i odwrócił się do wyjścia. Jego kumpel wyprostował się i ruszył za nim. Po drodze przeciągnął ręką po najbliższym stole, strącił z niego półmisek. Półmisek rozbił się na płytkach podłogi z głośnym trzaskiem, jakże niepasującym do unoszącej się w powietrzu operowej muzyki. Piaskowy facet i towarzysząca mu kobieta znieruchomieli, spojrzeli w bok. Obaj intruzi powoli zmierzali do drzwi; szli z podniesionymi głowami, pewni siebie. Reacher odprowadził ich wzrokiem, póki nie wyszli na ulicę.

Właściciel wyszedł zza baru. Przyklęknął, przesunął palcem po odłamkach półmiska.

— Wszystko w porządku?

Reacher nie skończył jeszcze zadawać pytania, a już uświadomił sobie, jak głupio brzmi. Właściciel tylko wzruszył ramionami i przybrał żałosny wyraz twarzy z tych na każdą okazję. Dłońmi zagarniał na kupkę odłamki porcelany. Reacher ześlizgnął się z krzesła, położył na podłodze serwetkę i metodycznie układał na niej okruchy półmiska. Odległa o pięć stolików para przyglądała mu się i na tym poprzestała.

— Kiedy wrócą?

— Za godzinę — odparł właściciel.

— Ile chcieli?

Facet wzruszył ramionami. Uśmiechnął się gorzko.

— Dostałem premię dla nowego klienta. Dwieście tygodniowo teraz, czterysta, kiedy zacznie się prawdziwy ruch.

— Będziesz płacił?

Właściciel posmutniał jak na zawołanie.

— Gdybym miał wybierać, wolałbym jednak pozostać w biznesie. Tylko że dwa rachunki w tygodniu raczej mi w tym nie pomogą.

Wąsaty gość i ciemna kobieta wpatrywali się w ścianę, ale słuchali, słuchali. Przez głośniki leciała aria w minorowej tonacji, diwa łkała cichym, żałosnym głosem.

— Kim byli? — spytał Reacher. Cicho.

— Włochami raczej nie. Ot, śmiecie.

— Mogę skorzystać z telefonu?

Właściciel skinął głową.

— Znasz otwarty do późna sklep z materiałami biurowymi?

— Jest taki na Broadwayu, dwie przecznice stąd. Czemu pytasz? Masz do nich jakiś interes.

— Właśnie. Jakiś interes. — Reacher skinął głową. Wstał z klęczek, przeszedł za bar. Nowiutki telefon stał obok nowiutkiej książki rezerwacji, wyglądającej tak, jakby ani razu jej jeszcze nie otworzono. Wybrał numer. Odczekał dwa uderzenia serca, póki słuchawki nie podniesiono półtora kilometra i czterdzieści pięter dalej.

— Halo? — odezwał się kobiecy głos.

— Cześć, Jodie — powiedział Reacher.

— Cześć. Co u ciebie?

— Kończysz już może?

W słuchawce usłyszał ciężkie westchnienie.

— Nie. To robota na całą noc. Sprawa skomplikowana prawnie, a opinię chcą na wczoraj. Przepraszam.

— Nic się nie martw. Mam coś do załatwienia, a potem chyba wrócę do Garrison.

— W porządku. Uważaj na siebie. Kocham cię.

Zdążył jeszcze usłyszeć szelest papierów i połączenie zostało przerwane. Odłożył słuchawkę, wrócił do stolika. Pod spodkiem od filiżanki espresso zostawił czterdzieści dolarów. Ruszył w kierunku drzwi.

— Powodzenia! — krzyknął na pożegnanie.

Właściciel, nadal tkwiący przy szczątkach półmiska, tylko lekko skinął głową, para przy odległym stoliku odprowadziła go wzrokiem. Reacher postawił kołnierz, poruszył ramionami poprawiając płaszcz, pozostawił za sobą operę. Przystanął na chodniku. Było po jesiennemu chłodno, wokół zapalonych latarni błyszczały kręgi gęstniejącej mgły. Poszedł na wschód, w stronę Broadwayu. Wśród morza neonów szukał wzrokiem tego właściwego i odnalazł go; wąska wystawa oblepiona cenami wypisanymi na kawałkach świecącego kartonu przyciętego w gwiazdki. Wszystkie towary przecenione, co mu bardzo odpowiadało. Kupił małą metkownicę oraz tubkę kleju. Po czym skulił się, ciaśniej owinął płaszczem i poszedł na północ, do mieszkania Jodie.

Jego wóz z napędem na cztery koła stał w podziemnym garażu domu, w którym mieszkała. Wyjechał rampą, skręcił w Broadway na południe, a potem na zachód, z powrotem do restauracji. Podjechał blisko, spojrzał przez wielkie okna. Halogenowe światła odbijały się od białej farby i jasnego drewna ścian. Klientów nie było, nikt nie siedział przy stolikach, a właściciel ukrył się za barem. Reacher odwrócił się, objechał przecznicę i zaparkował w niedozwolonym miejscu, u wylotu poprzecznej alejki, prowadzącej do kuchennego wyjścia. Wyłączył silnik, zgasił światła, usiadł wygodnie i czekał.

Dynamika miasta. Silniejsi terroryzują słabszych. Robili to od zawsze i będą robić w przyszłości, chyba że trafią na kogoś jeszcze silniejszego, mającego jakiś arbitralny, ludzki powód, by ich powstrzymać. Kogoś takiego jak Reacher, który przecież nie miał żadnych prawdziwych powodów, żeby pomagać facetowi, bo ledwie go znał. Nie wchodziła tu w grę żadna logika. Nic nie załatwiał. Tu, w siedmiomilionowym mieście, setki silnych ludzi krzywdziło setki słabych. Może nawet tysiące. Właśnie teraz, w tej chwili. Nie miał zamiaru ich szukać. Nie miał zamiaru organizować jakiejś wielkiej kampanii, lecz nie zamierzał pozwolić, żeby coś takiego działo się przed jego nosem. Nie mógł tak po prostu odwrócić się i odejść. To by nie było w jego stylu. Wyjął z kieszeni metkownicę. Wystraszyć tych dwóch to była tylko połowa roboty. Chodziło przede wszystkim o to, żeby się im wydawało, że wiedzą, kto ich wystraszył. Zatroskany obywatel występujący samotnie w imieniu jakiegoś właściciela restauracji to nic, zero, choćby na początku był bardzo dzielny i skuteczny. Nikt nie boi się samotnego obywatela, bo można go załatwić w kilku albo kilkunastu, a poza tym wcześniej czy później samotny zatroskany obywatel umiera albo się wyprowadza, albo po prostu przestaje go to wszystko obchodzić. Wrażenie robi wyłącznie organizacja.

Uśmiechnął się, przyjrzał metkownicy i postanowił sprawdzić, jak działa. Dla próby wypisał własne nazwisko, oderwał kawałek taśmy, przyjrzał mu się uważnie. REACHER. Siedem liter wybitych na biało na plastikowej wstążce, długiej na dwa i pół centymetra, może o włos dłuższej. No, to metka na pierwszego faceta będzie miała ze trzynaście centymetrów, a na drugiego ponad dziesięć. Idealny rozmiar. Reacher się uśmiechnął. Wydrukował dwa napisy, położył je obok siebie na siedzeniu pasażera. Metkownica drukowała na taśmie klejącej zabezpieczonej od spodu paskiem papieru, ale potrzebował czegoś lepszego i dlatego kupił klej. Otworzył mała tubkę, przekłuł metalizowaną folię plastikowym szpikulcem, przycisnął ją lekko, wypełniając końcówkę. Był gotów. Schował taśmę i tubkę do kieszeni, wysiadł z samochodu, ukrył się w cieniu i marznąc, czekał.

Dynamika miasta. Matka Reachera bała się miasta. Jej strach stał się częścią wpojonych synowi nauk. Powtarzała mu, że to „niebezpieczne miejsce". Że na każdym kroku spotyka się „twardych, przerażających facetów". On sam był wprawdzie twardym chłopakiem, ale jako nastolatek wierzył w każde jej słowo i ufał mu bezgranicznie. Szybko zorientował się, że mama ma rację, że ludzie na ulicach boją się, nie chcą, żeby zwracano na nich uwagę. Trzymają się z dala od niego, wolą przejść na drugą stronę ulicy, byle się do niego nie zbliżyć. Robili to w sposób jawny, przez długi czas był pewien, że jakiś twardy, przerażający facet idzie tuż za nim, że czuje na karku jego oddech. Aż w pewnej chwili uświadomił sobie, że nie, że to on jest taki przerażający, że jego się boją. Było to jak objawienie. Przyjrzał się swojemu odbiciu w szybach wystawowych i zrozumiał, dlaczego tak się dzieje. Przestał rosnąć, gdy miał piętnaście lat, metr dziewięćdziesiąt pięć wzrostu i ważył sto kilogramów. Gigant. Jak większość nastolatków w owych czasach ubierał się w stylu włóczęgi. Wpojone mu przez matkę ostrzeżenie odbijało się w jego twarzy i oczach, nieruchomych, obojętnych. Boją się mnie. Ta myśl go rozbawiła, uśmiechał się, a wtedy ludzie ustępowali mu z drogi jeszcze szybciej. W jednej chwili dowiedział się, że miasto to miejsce jak każde inne i że na jednego człowieka, którego powinien się obawiać, wypada dziewięciuset dziewięćdziesięciu obawiających się jego. Używał tej wiedzy jako taktyki, a spokojna pewność siebie w ruchach i spojrzeniu podwoiła wywierany przez niego efekt. Po prostu dynamika miasta.

W pięćdziesiątej piątej minucie wyczekiwania wyszedł z cienia. Stanął na rogu i oparł się o ścianę budynku restauracji. Nadal czekał. Znów słyszał operę; najcichszy szept muzyki, docierający przez pobliską szybę. Na ulicy hałasowały wpadające w kolejne dziury w jezdni samochody. Po przeciwnej stronie na rogu znajdował się bar, wentylacja działała na pełny regulator, bardzo hałaśliwie, mgła unosiła się wprost w blask neonów. Było zimno, ludzie przemykali chodnikami z nosami wtulonymi w szaliki. Reacher stał nieruchomo, oparty ramieniem o ścianę, z rękami w kieszeniach, przyglądając się płynącemu w jego stronę ruchowi ulicznemu.

Dwaj faceci pojawili się o czasie. Przyjechali czarnym mercedesem. Zaparkowali przy sąsiedniej przecznicy jednym kołem na chodniku, zgasły światła, przednie drzwi otworzyły się jak na komendę. Jak na komendę wysiedli, otoczeni powiewającymi połami szerokich płaszczy, otworzyli tylne drzwi, chwycili leżące na tylnym siedzeniu kije baseballowe. Schowali je pod płaszczami, zatrzasnęli drzwi, rozejrzeli się, ruszyli przed siebie. Mieli do przejścia dziesięć metrów chodnikiem, przez ulicę, i kolejne dziesięć metrów do celu. Poruszali się swobodnie; wielcy, pewni siebie faceci idący swobodnym, długim krokiem.

Reacher odkleił się od ściany. Spotkał się z nimi, kiedy wchodzili na krawężnik.

— W alejce, panowie — powiedział.

Z bliska przedstawiali się rzeczywiście imponująco. Jako para wyglądali tak, jakby w pełni dorośli do sytuacji. Byli młodzi, nieco przed trzydziestką. I potężni, nabici twardym ciałem, które nie do końca jest mięśniami, choć nieźle spełnia ich funkcję. Szerokie szyje, jedwabne krawaty, koszule i garnitury kupione z pewnością nie z katalogu. Kije trzymali za główki przy lewym boku, przez kieszenie płaszczy.

— Kim do diabła jesteś? — spytał ten po prawej.

Reacher obrzucił go krótkim spojrzeniem. Pierwszy, który się odzywa, jest w grupie osobnikiem dominującym, a w sytuacji jeden na dwóch tego dominującego załatwia się najpierw.

— Kim do diabła jesteś?

Reacher zrobił krok w lewo i odwrócił się nieco, blokując chodnik, kierując ich w alejkę.

— Kierownik finansowy — powiedział. — Chcecie forsy? Mogę ją wam załatwić.

Facet zastanawiał się przez chwilę, a potem skinął głową.

— W porządku, ale pieprzyć alejkę. Załatwimy to w środku.

Reacher potrząsnął głową.

— To nielogiczne, przyjacielu. Płacimy ci za to, żebyś trzymał się z dala od restauracji. Od tej chwili zaczynając. Zgoda?

— Masz forsę?

— Jasne. Dwieście dolców.

Stanął przed nim i poprowadził ich w alejkę. Powitała go para, buchająca z kuchennych wentylatorów. Pachniała włoską kuchnią. Deptał śmiecie i gruby żwir, echo jego kroków odbijało się od ścian ze starej cegły. Zatrzymał się i obrócił; zniecierpliwiony facet, mocno zdziwiony tym, że nie idą za nim. Widział ich sylwetki na tle czerwonej poświaty ulicznego światła, które dla przechodniów lada chwila miało zmienić się na zielone. Widział, że spojrzeli najpierw na niego, a potem na siebie nawzajem. No i ruszyli naprzód, ramię w ramię. Weszli w alejkę. Nie musieli się niczym przejmować. Wielcy, pewni siebie faceci, kije baseballowe pod płaszczami, dwóch na jednego. Reacher odczekał moment i w jednej chwili przekroczył ukośną granicę między światłem i cieniem. I znów się zatrzymał. Usunął się na bok, jakby chciał, żeby go wyprzedzili. Prosta grzeczność. A oni podeszli bliżej. Powoli, lecz jednak.

Faceta po prawej Reacher uderzył łokciem w skroń. Zgodnie z wymaganiami biologii. Najogólniej mówiąc, ludzka czaszka jest twardsza od ludzkiej pięści. Jeśli dojdzie do ich zderzenia, ucierpi przede wszystkim pięść. Łokieć jest lepszy. A skroń jest lepsza od czoła czy potylicy. Ludzki mózg jest w stanie znieść przesunięcie przód—tył dziesięciokrotnie lepiej niż przesunięcie na boki. Z jakiś skomplikowanych ewolucyjnych powodów. No więc łokieć, no i skroń. Cios był mocny, krótki, dobrze zadany, ale trafiony jeszcze dobrą sekundę stał na gumowych nogach. Potem puścił kij, który przeleciał przez płaszcz i uderzył główką w beton alejki z donośnym łupnięciem. Reacher uderzył po raz drugi, tym samym łokciem, w to samo miejsce. Ten sam trzask. Facet padł, jakby ktoś otworzył mu pod nogami zapadnię.

Jego kumpel prawie wyrobił się w czasie. Złapał kij prawą ręką, potem lewą. Zdołał wyciągnąć go spod płaszcza, nawet się nim zamachnąć, ale popełnił błąd, który popełnia większość ludzi: odciągnął kij o wiele za daleko i o wiele za nisko. Zamierzał uderzyć z wielką siłą w środek ciała przeciwnika. Nie powinno się tego robić z dwóch powodów. Wielki zamach zabiera wiele czasu, a przed uderzeniem w środek ciała łatwo się obronić. Lepiej mierzyć albo wyżej, w głowę, albo niżej, w kolana.

Sposobem na skuteczne uniknięcie ciosu kijem baseballowym jest skrócenie dystansu do atakującego możliwie jak najwcześniej. Siła uderzenia jest wynikiem masy samego kija pomnożonego przez przyśpieszenie, jakie mu się nadaje. Prosta matematyka. Pęd to z kolei iloczyn masy prędkości. Na masę kija niewiele da się poradzić, kij będzie ważył dokładnie tyle samo niezależnie od tego, gdzie go się zaniesie. No więc trzeba oddziałać na prędkość. Trzeba zbliżyć się do wykonującego zamach i przejąć inicjatywę dokładnie w chwili, w której ten zamach się kończy. Kiedy kij dopiero zaczyna przyspieszać. Kiedy ciągle jeszcze porusza się bardzo powoli. To dlatego wielki zamach jest złym pomysłem. Im bardziej się odchylisz, tym później zaczniesz nadawać mu przyspieszenie. Tracisz czas.

Reacher był jakieś ćwierć metra od przyspieszającego kija. Obserwował jak zatacza łuk, po czym złapał go obiema dłońmi nisko, przed własnym brzuchem. Ćwierć metra nic nie daje, już klaps jest gorszy. No i pęd, jaki stara się nadać broni ktoś nią walczący, staje się bronią, której można użyć przeciwko niemu. Reacher obrócił się, szarpnął kijem, poderwał w górę jego rączkę, pozbawił faceta równowagi i kopnął go w kostkę. Wyrwał mu kij. Dźgnął. Dźgnięcie to doskonały pomysł, w odróżnieniu od uderzenia. Facet padł na kolana, walnął głową w mur restauracji. Reacher kopnął go jeszcze w plecy, przykucnął przy nim, przycisnął mu gardło kijem, przydepniętym z cieńszej strony, ściskanym prawą ręką od tej grubszej. Lewą ręką dokonał przeszukania. Zdobył pistolet powtarzalny, gruby portfel i komórkę.

— Od kogo jesteście? — spytał.

— Od pana Petrosjana — sapnął facet.

Nazwisko nic mu nie mówiło. No, owszem, słyszał o radzieckim szachiście Petrosjanie i niemieckim czołgiście z ostatniej wojny, Petrosjanie, ale żaden z nich nie zajmował się wymuszeniami w Nowym Jorku.

Uśmiechnął się z niedowierzaniem.

— Petrosjana? To chyba jakiś żart!

Dopilnował, by jego głos brzmiał odpowiednio kpiąco, jakby z całego spektrum przerażających rywali, spośród wszystkich, którzy przyszli mu do głowy, ten był tak nieważny i malutki, że praktycznie niewidzialny.

— Kpisz sobie, co? Petrosjan? Czy on oszalał?

Pierwszy z napastników zaczął się poruszać. Poruszał rękami i nogami, przesuwał je, szukał dla nich oparcia. Reacher na chwilę przycisnął kij, a potem oderwał go od szyi drugiego faceta i przyłożył pierwszemu w czubek głowy. Kij wrócił na miejsce w półtorej sekundy. Drugi facet zaczął się dławić pod ciężarem drewna na szyi, pierwszy leżał bezwładnie. Nie tak, jak w kinie. Trzy uderzenia w łeb i nikt nie będzie walczył dalej, tylko przez tydzień rzygał. I z trudem utrzymywał się na nogach.

— Mamy wiadomość dla pana Petrosjana — powiedział cicho Reacher.

— Jaką? — sapnął ten nadal przytomny.

Reacher znów się uśmiechnął.

— Ty jesteś wiadomością. — Sięgnął do kieszeni po metki i klej. — A teraz... ani drgnij.

Drugi facet ani drgnął. Pomacał się po szyi, to wszystko. Reacher zdarł z folii pasek papieru zabezpieczający warstwę kleju, dodał grubo kleju z tubki i przylepił metkę na czole leżącego. Przesunął po niej palcem dwukrotnie, mocno.

Na metce widniał napis: „Mastro's już ma ochronę".

— Ani drgnij — powtórzył.

Zabrał kij, podszedł do pierwszego, nieprzytomnego faceta. Złapał go za włosy, odwrócił jego twarz i nie szczędząc kleju, jemu też nalepił na czoło metkę, tym razem z napisem „Nie opłaci się wam wojna o terytorium". Jemu też sprawdził kieszenie, z niemal identycznym skutkiem: powtarzalny pistolet, portfel, komórka. Plus kluczyki do mercedesa. Odczekał, aż facet znów zaczął się ruszać, po czym spojrzał na jego kumpla. Prawie udało mu się podnieść, w każdym razie klęczał i próbował zdrapać metkę.

— Nie zejdzie — poinformował go uprzejmie. — A jeśli nawet, to zabierze ze sobą sporo skóry. Najpierw przekażcie wyrazy uszanowania panu Petrosjanowi, potem jedźcie do szpitala.

Odwrócił się i resztę kleju wycisnął na dłonie pierwszego faceta. Przycisnął je do siebie, odczekał dziesięć sekund. Chemiczne kajdanki. Złapał go za kołnierz, podniósł, przytrzymał i czekał, aż przypomni sobie, co to znaczy stać. Kluczyki rzucił drugiemu facetowi.

— Zdaje się, że tobie przyszło prowadzić — powiedział. — Wynocha stąd.

Facet po prostu stał, patrząc to w prawo, to w lewo. Reacher potrząsnął głową.

— Nawet o tym nie myśl. Bo wyrwę ci uszy i dam do zeżarcia — ostrzegł. — I jeszcze jedno: nie wracajcie tu. Nigdy. Albo wyślemy kogoś znacznie gorszego ode mnie. W tej chwili jestem waszym najlepszym przyjacielem. Rozumiecie? Czy wyraziłem się wystarczająco jasno?

Facet pogapił się na niego jeszcze chwilę, po czym ostrożnie skinął głową.

— No, to w drogę.

Ten ze sklejonymi dłońmi nie bardzo mógł się poruszać. Właściwie to nawet nie mógł. Drugi miał poważny problem z udzieleniem mu pomocy. Brakowało mu wolnego ramienia. Przez sekundę zastanawiał się, co robić, a potem przykucnął. Wyprostował się pomiędzy zlepionymi rękami, praktycznie wziął kumpla na barana. Powoli ruszył przed siebie, przystanął przy wyjściu z alejki; płaska sylwetka rzucona na tło ulicznych świateł, zgarbił się jeszcze bardziej, skręcił i znikł.

Reacher został z dwoma berettami M9 w ręku. Dziewięciomilimetrowymi, wojskowymi. Nosił identyczną broń przez trzynaście długich lat. W M9 numer seryjny tłoczony jest na aluminiowej ramie, zaraz pod słowami Pietro Beretta wygrawerowanymi na zamku. Numery obu pistoletów zatarto. Ktoś użył pilnika z okrągłym czubkiem, pracując nim w kierunku od lufy do osłony spustu. Niezbyt elegancki kawałek roboty. Oba magazynki były pełne, lśniły miedzią amunicji Parabellum. Rozłożył beretty w ciemności. Magazynki, zamki i pociski wylądowały w pojemniku na śmiecie stojącym przy drzwiach kuchennych. Resztę rzucił na ziemię, nasypał do środka żwiru i ściągał spusty raz za razem, póki nie zatarł mechanizmów. One też powędrowały do śmieci. Telefony zmiażdżył kijami baseballowymi i zostawił, gdzie leżały.

W portfelach znajdowały się karty kredytowe, prawa jazdy i gotówka, w sumie ze trzysta dolców. Gotówkę schował do kieszeni, portfele kopnął w kąt. Potem wyprostował się, odwrócił i wyszedł uśmiechnięty na ulicę. Rozejrzał się. Ani śladu czarnego mercedesa. Wóz zniknł. Wrócił do opustoszałej restauracji. Orkiestra grała donośnie, tenor zbierał siły przed heroicznym wysokim C. Właściciel siedział za barem zamyślony. Podniósł wzrok. Tenor dopiął swego, a skrzypce, wiolonczele i kontrabasy natychmiast pospieszyły jego tropem. Z pliku dolców Reacher wyjął dziesiątkę i rzucił ją za bar.

— To za półmisek, który stłukli — wyjaśnił. — Zmienili zdanie.

Właściciel popatrzył na dychę bez słowa. Reacher odwrócił się i wyszedł. Zobaczył parę z restauracji. Stała po przeciwnej stronie ulicy i patrzyła w jego kierunku: wąsaty facet i ciemna kobieta z teczką. Stali otuleni płaszczami i gapili się na niego. Podszedł do terenówki, otworzył drzwi, wsiadł, włączył silnik. Obejrzał się przez ramię, sprawdzając, czy może włączyć się do ruchu. Nadal się gapili. Ruszył. Dodał gazu. Przy następnej przecznicy spojrzał w lusterko. Ciemna kobieta z teczką zeszła z chodnika i wyciągnęła szyję. Gapiła się.

A potem znikła za kurtyną neonowego blasku i już jej nie widział.

2

Garrison leży na wschodnim brzegu Hudsonu, w głębi hrabstwa Putnam, nieco ponad dziewięćdziesiąt kilometrów na północ od Tribeki, licząc odległości drogowe. Późnym jesiennym wieczorem ruch nie był problemem. Rząd automatów do opłaty za przejazd, na pasach pusto, możesz wyciągnąć każdą średnią, jaką odważysz się wyciągnąć. Ale Reacher prowadził ostrożnie. Pomysł odbywania regularnych podróży z punktu A do punktu B ciągle był dla niego nowością. Prawdę mówiąc, nowością było dla niego mieć jakieś A i jakieś B. W niezmiennym, zawsze takim samym otoczeniu czuł się obco i jak każdy czujący się obco człowiek zachowywał ostrożność. Toteż prowadził akurat tak szybko, by nikt nie zwracał na niego uwagi, pozwalając i z prawej, i z lewej wyprzedzać się eleganckim samochodom spóźnialskich. Przejechanie nieco ponad dziewięćdziesięciu kilometrów zajęło mu godzinę i siedemnaście minut.

Na jego ulicy było bardzo ciemno, bo znajdowała się daleko od centrum, praktycznie na wsi. Kontrast ze sztucznym blaskiem miasta nie mógł być bardziej uderzający. Zjechał w drogę dojazdową do domu; reflektory samochodu ślizgały się po gęstej roślinności zarastającej z obu stron pasmo asfaltu. Liście schły już i brązowiały, w elektrycznym świetle wydawały się nierealne, baśniowe. Wyjechał z ostatniego zakrętu. Ostre promienie świateł jego terenówki prześlizgnęły się po bramie garażu... i dwóch czekających na niego, zaparkowanych tyłem do bramy samochodach.

Wcisnął hamulce z całej siły, panicznie. W tym momencie zapłonęły reflektory, oślepiając go, a jednocześnie blask identycznych reflektorów odbił się w lusterku. Reacher uchylił się, zdołał dojrzeć biegnących ku niemu z obu stron ludzi z potężnymi latarkami, rzucającymi przed siebie chwiejne promienie światła. Spojrzał za siebie. Dwa kolejne samochody hamowały tuż za nim; ich reflektory oświetliły ziemię, podskoczyły. Z nich także wybiegli ludzie. Terenówka tkwiła unieruchomiona, uchwycona w sieć jaskrawego blasku, przecinaną sylwetkami to pojawiających się, to niknących w mroku postaci. Postaci uzbrojonych nie tylko w latarki, postaci z kamizelkami na kurtkach. Otaczały go. Z bliska dostrzegł, że niektóre z latarek przyczepione były do luf. Zaciskający się krąg oświetlały reflektory samochodów. Znad rzeki nadpłynęła mgła, wisiała w powietrzu, promienie światła cięły ją, krzyżowały się, rysowały skomplikowane, poziome, dwuwymiarowe wzory.

Jedna z postaci podeszła do jego terenówki. Pojawiła się dłoń zaciśnięta w pięść, zastukała w szybę tuż obok jego głowy, rozluźniła się i stała po prostu dłonią, małą, bladą, smukłą. Kobiecą. Światło latarki padło wprost na nią. Dłoń trzymała odznakę. Odznaka miała kształt tarczy i kolor złota. Na jej szczycie przysiadł orzeł z łbem obróconym w lewo. Przysunęła się bliżej i Reacher mógł już odczytać wytłoczone na niej słowa, złote na złotym tle. Zagapił się na nie. „Federalne Biuro Śledcze. Departament Sprawiedliwości Stanów Zjednoczonych".

Kobieta przycisnęła odznakę do szyby, rozległo się ostre, metaliczne brzęknięcie. Zawołała coś. Usłyszał jej głos dobiegający z cienia.

— Wyłącz silnik! — krzyknęła.

Reacher nie widział nic, z wyjątkiem promieni oślepiającego światła. Wyłączył silnik i teraz także nic nie słyszał, z wyjątkiem zgrzytu deptanego butami żwiru podjazdu.

— Połóż obie dłonie na kierownicy!

Położył obie dłonie na kierownicy. Siedział nieruchomo, z odwróconą głową, wpatrzony w drzwi własnego wozu. Otwarto je z zewnątrz. Jednocześnie zapaliła się lampka na suficie, oświetlając sylwetkę ciemnej kobiety z restauracji. Tuż przy niej stał facet z dużymi wąsami. Kobieta w jednym ręku trzymała odznakę, w drugim pistolet, z którego mierzyła w jego głowę.

— Wysiadaj — powiedziała. — Tylko grzecznie, powoli.

Cofnęła się o krok, śledząc lufą ruchy głowy Reachera, który obrócił się, oparł nogi na stopniu. Znieruchomiał z jedną ręką na oparciu, drugą nadal spoczywająca na kierownicy, pochylony tak, by móc lekko ześlizgnąć się z siedzenia. W świetle nadal włączonych reflektorów widział kilka postaci przed sobą, zdawał sobie również sprawę, że za plecami też ma ich kilka. Zapewne kilku ludzi znajdowało się w tej chwili blisko domu. I kilku na początku podjazdu. Kobieta cofnęła się jeszcze krok.

Reacher stanął naprzeciw niej.

— Obróć się — powiedziała kobieta. — Połóż ręce na dachu samochodu.

Posłusznie wykonał jej polecenie. Metal karoserii był zimny w dotyku i wilgotny od nocnej rosy. Dłonie obmacały każdy centymetr kwadratowy jego ciała. Wyjęły mu portfel z kieszeni płaszcza i skradzioną forsę z kieszeni spodni. Ktoś przechylił się nad jego ramieniem, wyjął kluczyki ze stacyjki.

— Podejdź do samochodu! — krzyknęła kobieta.

Wyciągnęła rękę z odznaką. Reacher spojrzał we wskazanym kierunku, zobaczył światła reflektorów ginące we mgle, mijające niespełna metr od jego nóg. Ruszył w kierunku jednego z samochodów stojących przed garażem. Za plecami usłyszał wydawany rozkaz: „Przeszukajcie jego wóz!".

Przy samochodzie czekał już na niego facet w ciemnogranatowej kevlarowej kamizelce. Otworzył tylne drzwiczki, odstąpił o krok. Na siedzeniu stała kobieca teczka z imitacji skóry; nędznej imitacji, na plastiku niedbale naniesiono gruboziarnisty wzór. Usiadł obok niej. Facet w kamizelce zatrzasnął drzwiczki po jego stronie, a jednocześnie otworzyły się te drugie. Obok niego usiadła ciemna kobieta. Płaszcz miała rozpięty, więc widział bluzkę i kostium. Spódniczka była matowoczarna, krótka. Zaszeleścił nylon, pojawił się pistolet, nadal wymierzony w jego głowę. Z przodu do samochodu wsiadł wąsacz, klęknął na siedzeniu. Sięgnął po teczkę. Reacher widział jasne włoski porastające przegub jego ręki. Pasek zegarka. Facet otworzył teczkę, wyciągnął z niej plik papierów. Oświetlił je latarką. Kartki zapisane były ciasno, drobnym drukiem. Na górze pierwszej strony nazwisko widniało wytłuszczone nazwisko: Reacher.

— Nakaz przeszukania — wyjaśniła Reacherowi kobieta. — Twojego domu.

Piaskowy wysiadł, trzasnął drzwiczkami. W samochodzie zapadła cisza. Reacher słyszał kroki znikające we mgle. Przez krótką chwilę damska sylwetka rysowała się wyraźniej blaskiem padającym z zewnątrz, potem kobieta wyciągnęła rękę i włączyła wewnętrzną lampkę rzucającą ciepłe, żółte światło. Siedziała bokiem, obrócona do niego kolanami, opierając się plecami o drzwi, a bokiem o siedzenie. Ramię miała lekko zgięte, łokieć spoczywał swobodnie na tylnej półce; w ten sposób wygodnie trzymała wymierzony w niego pistolet. Sig-sauera, wielkiego, skutecznego i drogiego.

— Stopy płasko na podłodze — powiedziała.

Skinął głową. Dobrze wiedział, czego chce kobieta. On też opierał się plecami o drzwiczki od swojej strony, a teraz wsunął stopy pod przednie siedzenie. W tej pozycji, na pół obrócony, nie mógł poruszyć się szybko. Gdyby czegokolwiek spróbował, miałaby aż za dużo czasu, żeby rozwalić mu łeb.

— Ręce na widoku.

Wyprostował ramiona, zacisnął dłonie na zagłówku przedniego siedzenia, oparł brodę na ramieniu. Kątem oka obserwował lufę sig-sauera, nieruchomą jak skała. Za lufą widział palec, zaciśnięty na spuście. Za palcem twarz.

— W porządku. A teraz się nie ruszaj.

Twarz nie miała żadnego wyrazu.

— Nie pytasz, o co chodzi — zauważyła kobieta.

Nie może chodzić o to, co zdarzyło się godzinę siedemnaście minut temu — powiedział Reacher sam do siebie. Nie ma sposobu, żeby zorganizować coś takiego w godzinę siedemnaście minut. Nic nie mówił, siedział absolutnie nieruchomo. Niepokoiła go biel kostki zaciśniętego na spuście palca. Wypadki się zdarzają.

— Nie chcesz wiedzieć, o co chodzi?

Spojrzał na nią wzrokiem bez wyrazu. Nie założyli mi kajdanek — pomyślał jeszcze. Dlaczego?

Wzruszyła ramionami. Przekazała mu informację: „W porządku, niech będzie po twojemu". Już się nie odzywała, twarz miała nieruchomą. Nie była to piękna twarz, ale interesująca, owszem. Świadczyła o silnym charakterze. Kobieta miała może trzydzieści pięć lat, to nie starość, ale na twarzy widział zmarszczki. Pewnie częściej krzywi się z niechęcią, niż uśmiecha — pomyślał. Czarne włosy, niezbyt gęste, przeświecała przez nie skóra. Bardzo jasna. Kobieta wyglądała na zmęczoną, może nawet niezdrową, ale jej oczy świeciły jasno. Spojrzała przez boczne okno za nim w ciemność. Byli tam ludzie, którzy robili coś w jego domu.

Uśmiechnęła się. Przednie zęby miała krzywe, odrobinę pochylony prawy ledwo widocznie zachodził na lewy. Interesujące usta. Sugerowały pewnego rodzaju zdecydowanie. Rodzice nie skorygowali tego defektu, ona też. Z pewnością miała okazję, ale postanowiła pozostać przy tym, czym obdarowała ją natura. Zapewne słusznie. Dzięki temu wyróżniała się, miała charakter.

Pod obszernym płaszczem była szczupła. Miała na sobie czarny żakiet, taki sam jak spódnica, i kremową bluzkę, luźną na małych piersiach. Bluzka wyglądała na poliestrową, często praną. Układała się w kilka fałd i znikała pod spódniczką. Siedziała bokiem, spódniczka sięgała zaledwie do połowy ud, cienkich i twardych pod czarnym nylonem. Kolana przyciskała do siebie, ale między udami została szczelina.

— Proszę, żebyś natychmiast przestał to robić. — Jej głos stał się bardzo zimny. Ręka z pistoletem przesunęła się.

— Co robić? — spytał Reacher.

— Patrzeć na moje nogi.

Przesunął spojrzenie na jej twarz.

— Jeśli ktoś mierzy do mnie z broni — powiedział — to chyba wolno mi przyjrzeć mu się od stóp do głów, prawda?

— Lubisz to?

— Lubię co?

— Patrzeć na kobiety.

Reacher wzruszył ramionami.

— Powiedziałbym, że bardziej niż patrzeć na kilka innych rzeczy.

Lufa znów odrobinę przybliżyła się do jego głowy.

— Nie ma w tym nic śmiesznego, dupku. Nie podoba mi się, jak na mnie patrzysz.

Nie przestał patrzyć, tylko spytał:

— A jak na ciebie patrzę?

— Sam wiesz.

Potrząsnął głową.

— Nie. Nie wiem.

— Jakbym ci się podobała. Jesteś obrzydliwy, wiesz?

Słyszał pogardę w jej głosie, widział jej rzadkie włosy, skrzywioną twarz, krzywy ząb, twarde, suche ciało, groteskowo tani uniform kobiety interesów.

— Więc sądzisz, że mi się podobasz?

— A nie? Nie chcesz mnie poderwać?

Potrząsnął głową.

— Nie teraz, kiedy na ulicy pełno psów.

• • •

Przez blisko dwadzieścia minut siedzieli w ciszy przesyconej wzajemną wrogością. Piaskowy wreszcie wrócił, wślizgnął się na siedzenie obok kierowcy. Swoje miejsce zajął też kierowca, trzymający w ręce kluczyki. Patrzył w lusterko wsteczne, czekał, aż kobieta przyzwalająco skinie głową, a kiedy skinęła, włączył silnik, dodał gazu i ruszył podjazdem do drogi, mijając terenówkę.

— Mam prawo do rozmowy? — spytał Reacher — Czy też FBI nie wierzy w takie głupoty?

Piaskowy ani drgnął, patrzył przez przednią szybę na drogę.

— W ciągu pierwszych dwudziestu czterech godzin, tak — powiedział. — Nie dopuścimy, by odmówiono komuś jego konstytucyjnych praw.

Kobieta pilnowała, by lufa sig-sauera nie oddaliła się od głowy Reachera ani na sekundę. Tak im minęła droga z powrotem na Manhattan, blisko dziewięćdziesiąt mrocznych, mglistych kilometrów.

3

Zaparkowali w podziemiach gdzieś na południe od Midtown. Wyciągnęli go z samochodu w garażu o bardzo białych ścianach, pełnym jaskrawego blasku lamp i bardzo czarnych samochodów. Kobieta zaliczyła pełny obrót wokół własnej osi, w panującej ciszy jej pantofle przeraźliwie zgrzytnęły na betonowej podłodze. Sprawdzała, czy coś się kryje w tak zatłoczonym wnętrzu. Ostrożność godna pochwały. Bez słowa wskazała czarne drzwi windy w odległym narożniku. Przed nimi stało kolejnych dwóch facetów. Ciemne garnitury, białe koszule, stonowane krawaty. Przez całą drogę po przekątnej garażu ani na chwilę nie spuścili wzroku z kobiety i wąsacza. Patrzyli na nich z szacunkiem. To byli ci młodsi stopniem. Ale wyczuwało się w nich także jakaś swobodę, a nawet dumę. Jakby byli tu gospodarzami. Reacher zrozumiał nagle, że ciemna i wąsacz nie byli agentami nowojorskimi, lecz gośćmi, ludźmi z zewnątrz. Znaleźli się nie na swoim terenie. Kobieta nie rozglądała się po garażu tylko dlatego, że była ostrożna. Po prostu nie wiedziała, gdzie tu jest winda.

Umieścili Reachera w środku kabiny, otoczyli ze wszystkich stron. Kobieta, piaskowy, kierowca, dwóch miejscowych chłopaków. Pięć osób, pięć sztuk broni. Mężczyźni stanęli w rogach, kobieta na środku, blisko Reachera, jakby uważała go za swojego. Jeden z chłopaków wcisnął guzik, drzwi zasunęły się i winda ruszyła.

Jechała długo. Zatrzymała się z szarpnięciem, gdy na wskaźniku pięter ukazała się liczba 21. Drzwi rozsunęły się, miejscowi poprowadzili grupę korytarzem pozbawionym jakichkolwiek ozdób. Szarym korytarzem: szary dywan, szara farba, szare światło. Cichym, jakby wszyscy z wyjątkiem niepoprawnych zapaleńców wrócili do domu wiele godzin temu. W ścianach, w regularnych odstępach znajdowały się drzwi, wszystkie zamknięte. Kierowca, ten, który przywiózł ich z Garrison, zatrzymał się przy trzecich z kolei. Otworzył je. Reachera doprowadzono na próg; przed sobą zobaczył nagą przestrzeń o powierzchni mniej więcej trzy na cztery metry, betonową podłogę, ściany z pustaków, a wszystko pomalowane grubą warstwą szarej farby niczym kadłub krążownika. Sufitu nie dokończono, widać było wiązki kabli poprowadzonych w kwadratowych w przekroju szynach z cienkiego, poplamionego rdzą metalu. Na łańcuchach wisiały fluorescencyjne lampy, które nieco rozświetlały wszechobecną szarość. W rogu stało samotne plastikowe krzesełko ogrodowe, jedyny mebel w tym pokoju.

— Siadaj — powiedziała kobieta.

Reacher usiadł na podłodze w rogu naprzeciw krzesła. Oparł się o betonową ścianę. Beton był zimy, farba śliska. Założył ręce na piersi, wyciągnął nogi, skrzyżował je w kostkach. Oparł głowę o ścianę, pochylił na ramię pod kątem czterdziestu pięciu stopni, tak że patrzył wprost na stojących w drzwiach ludzi. Ludzie wycofali się na korytarz, zamykając za sobą drzwi. Nie usłyszał trzasku zamka, ale nie musieli zamykać go na zamek, bo od środka w drzwiach nie było klamki.

Czuł najdelikatniejsze drżenie podłogi, ślad oddalających się kroków. A potem został sam, za towarzystwo mając wyłącznie ciszę, ulatującą na skrzydłach najcichszego szeptu płynącego przewodami wentylacyjnymi. Siedział w ciszy może pięć minut, a potem znów poczuł kroki w korytarzu, otworzyły się drzwi, jakiś facet wsadził głowę do środka: facet o starszej twarzy, wielkiej, czerwonej, napuchłej od napięcia i podwyższonego ciśnienia; wrogiej twarzy i oczach patrzących wprost, bez wahania i mówiących: „To ty, co?". Patrzył tak trzy, może cztery długie sekundy, a potem cofnął głowę, zatrzasnął drzwi. Wróciła cisza.

To samo zdarzyło się kolejne pięć minut później. Kroki w korytarzu, twarz w drzwiach, patrzące wprost oczy. „To ty, co?". Tym razem twarz była szczuplejsza i ciemniejsza. Młodsza. Koszula, pod szyją krawat, brak marynarki. Reacher odpowiedział spojrzeniem na spojrzenie, trwało to trzy, może cztery sekundy, twarz znikła, zatrzasnęły się drzwi.

Tym razem cisza trwała dłużej, dobre dwadzieścia minut. I pojawiła się nowa, trzecia twarz. Kroki, szczęknięcie klamki, otwierają się drzwi, pojawiają oczy, skupione spojrzenie, „To ty, co?". Trzecia twarz znów była starsza, należała do mężczyzny około pięćdziesiątki, kompetentnego, ze strzechą siwych włosów. Mężczyzna nosił grube okulary, kryjące oczy, spokojne, poważne, zamyślone. Wyglądał na faceta odpowiedzialnego, może był jakimś szefem Biura? Reacher odpowiedział mu zmęczonym spojrzeniem. Nie padły żadne słowa, nie doszło do żadnej komunikacji, facet po prostu patrzył chwilę, a potem jego twarz znikła i zamknęły się drzwi.

Cokolwiek działo się poza pokojem, trwało prawie godzinę. Reachera zostawiono samemu sobie, siedzącego wygodnie na podłodze, niemającego do roboty nic poza oczekiwaniem. A potem oczekiwanie się skończyło. Wrócił cały tłum ludzi, hałasowali w korytarzu jak zaniepokojone czymś stado. Reacher czuł łomot i szuranie ich kroków. Drzwi otworzyły się i do pokoju wszedł siwy facet w okularach. Tylną nogę zostawił na progu, stanął, wychylony w głąb pokoju.

— Pora pogadać — powiedział.

Dwaj młodzi agenci przepchnęli się do przodu i stanęli obok niego niczym eskorta. Reacher odczekał chwilę, po czym wstał i wyszedł z narożnika.

— Chcę zadzwonić — oznajmił.

Siwy potrząsnął głową.

— To później. Najpierw porozmawiamy, dobrze?

Reacher wzruszył ramionami. Problem naruszenia czyichś praw polega na tym, że ktoś musi być świadkiem ich naruszenia, bo same słowa nic nie znaczą. Ktoś musi coś widzieć. A dwaj młodzi agenci nie widzieli nic. Albo może widzieli samego

Mojżesza schodzącego z góry i czytającego konstytucję z wielkich kamiennych tablic. I może, gdy dojdzie co do czego, właśnie na nią przysięgną?

— No to idziemy — powiedział siwy.

I Reachera wyprowadzono z pokoju do szarego korytarza, gdzie otoczył go tłum ludzi. Była wśród nich kobieta i piaskowy wąsacz, i starszy facet z nadciśnieniem, i młodszy facet o pociągłej twarzy, ten bez marynarki. Wszyscy bardzo podekscytowani. Mimo późnego wieczoru aż gotowali się z podniecenia. Niemal ulatywali nad ziemię, taką lekkością obdarzała ich upajająca świadomość „czynienia postępów". To uczucie Reacher potrafił rozpoznać. Znał je i przeżywał za często, by myśleć o nim z przyjemnością.

Ale byli też podzieleni. Na dwa jasno zdefiniowane zespoły. A między zespołami panowało napięcie. Stało się to oczywiste, kiedy ruszyli szarym korytarzem. Kobieta trzymała się jego lewego boku, a piaskowy i ten z nadciśnieniem trzymali się kobiety. To był jeden zespół. Po prawej szedł facet z pociągłą twarzą i to był drugi zespół, jednoosobowy, liczebnie wyraźnie słabszy i przez to bardzo nieszczęśliwy. Reacher niemal czuł jego rękę przy swym łokciu, jakby facet gotów był w każdej chwili łapać swoją cenną zdobycz.

Szli korytarzem szarym jak wnętrzności krążownika. Wydaliły ich do szarej sali, którą niemal w całości zajmował długi stół o wygiętych dłuższych bokach, a krótszych obciętych prosto. Przy jednym dłuższym boku, tyłem do drzwi, rozmieszczono siedem stojących daleko od siebie krzeseł; sam kształt stołu sprawiał, że siedzący przy nim koncentrowali wzrok na krześle stojącym naprzeciw, dokładnie w połowie drugiego długiego boku.

Reacher przystanął w drzwiach. Nietrudno mu przyszło domyślić się, które krzesło zarezerwowano dla niego. Okrążył stół i usiadł posłusznie. Było to liche krzesło. Ugięło się pod jego ciężarem, plastikowe oparcie wbiło mu się w mięśnie pod łopatkami. Pokój miał ściany z pustaków pomalowanych na szaro, jak poprzedni, tylko że tu wykończono sufit. Brudnymi płytami wygłuszającymi w pokrzywionych ramach. Wisiał na nich rząd lamp, wielkich metalowych lamp w kształcie puszek, skierowanych w dół i w jego stronę. Blat stołu zrobiony był z taniego mahoniu, pokrytego grubą warstwą lśniącego werniksu. Światło odbijało się od niego, raziło w oczy.

Dwaj młodzi agenci stanęli przy ścianie, przy krótszych bokach stołu; wyglądali jak na warcie. Marynarki mieli rozpięte, nie ukrywali kabur naramiennych. Ręce trzymali wygodnie, skrzyżowane na wysokości pasa. Obaj obrócili głowy i patrzyli na Reachera. A naprzeciw niego formowały się dwa zespoły. Siedem krzeseł, pięć osób. Siwy zajął miejsce pośrodku; światło odbiło się od jego okularów, zmieniając je w nieprzezroczyste lustra. Obok niego, po prawej, zasiadł facet z nadciśnieniem, dalej kobieta i wreszcie piaskowy. Facet z pociągłą twarzą siedział sam, na środkowym z trzech krzeseł po lewej. Koślawa inkwizycja, cała skierowana przeciw niemu, niewyraźna w oślepiającym blasku.

Siwy pochylił się, położył ramiona na lśniącym blacie. Zaznaczał swój autorytet. No i podświadomie dzielił zespoły na lewy i prawy.

— Kłóciliśmy się o ciebie — powiedział.

— Czy zostałem zatrzymany? — spytał Reacher.

Siwy potrząsnął głową.

— Nie, jeszcze nie.

— Więc mogę wstać i wyjść?

Spojrzał na niego znad okularów.

— Cóż... wolelibyśmy, żebyś został. Dzięki temu moglibyśmy zachowywać się jak ludzie cywilizowani, przynajmniej przez jakiś czas.

Przez długą chwilę panowała cisza.

— A więc zachowujmy się jak ludzie cywilizowani — powiedział Reacher. — Nazywam się Jack Reacher. A wy kim, do diabła, jesteście?

— Co?

— Przedstawmy się sobie. Przecież tak zachowują się ludzie cywilizowani, prawda? Przedstawiają się sobie. A potem rozmawiają grzecznie o Jankesach, giełdzie i w ogóle.

Znowu cisza. Wreszcie siwy skinął głową.

— Jestem Alan Deerfield. Zastępca dyrektora FBI. Prowadzę nowojorskie biuro terenowe.

Odwrócił się, spojrzał na piaskowego, siedzącego na samym końcu. Czekał.

— Agent specjalny Tony Poulton — powiedział ten i spojrzał w lewo.

— Agentka specjalna Julia Lamarr — przedstawiła się kobieta i spojrzała w lewo.

— Agent prowadzący Nelson Blake — rzekł facet z nadciśnieniem. — Nasza trójka przyjechała z Quantico. Prowadzę jednostkę do spraw seryjnych zabójstw. Agenci specjalni Lamarr i Pulton pracują tam dla mnie. Przyjechaliśmy pogadać.

Kolejna chwila ciszy. Deerfield spojrzał w drugą stronę, na człowieka po swojej lewej stronie.

— Agent prowadzący James Cozo — przedstawił się facet. — Przestępczość Zorganizowana, tutaj, w Nowym Jorku. Zajmuję się wymuszeniami.

I znów zapadła cisza. Przerwał ją Deerfield.

— Teraz w porządku? — spytał.

Reacher zmrużył oczy, patrzył na wprost poprzez jaskrawy blask. Widział, że oni wszyscy przyglądają mu się z napięciem. Piaskowy, Poulton. Kobieta, Lamarr. Cierpiący na nadciśnienie, Blake. Cała trójka z Seryjnych Zabójstw. Z Quantico. Przyjechali pogadać. Deerfield, szef nowojorskiego biura, prawdziwa szycha. I ten szczupły, Cozo. Przestępczość Zorganizowana. „Zajmuję się wymuszeniami". Powoli przesunął wzrokiem w lewo, potem w prawo, w prawo i w lewo. Skończył, patrząc wprost na Deerfielda.

Skinął głową.

— W porządku. Miło mi was poznać. Jak to jest z Jankesami? Uważacie, że powinni uzupełnić skład? Wymienić kilku zawodników?

Patrzyło na niego pięcioro różnych ludzi, wyrażających irytację na pięć różnych sposobów. Poulton obrócił głowę, jakby został spoliczkowany. Lamarr prychnęła pogardliwie. Blake zacisnął

35

wargi i zrobił się jeszcze czerwieńszy. Deerfield westchnął, nie spuszczając z niego wzroku. Cozo zerknął na Deerfielda z ukosa; oczekiwał interwencji.

— Nie będziemy rozmawiać o Jankesach — powiedział Deerfield.

— A jak tam indeks giełdowy? Przewidujecie krach w najbliższej przyszłości?

Deerfield potrząsnął głową.

— Nie zaczynaj ze mną, Reacher. W tej chwili jestem twoim najlepszym przyjacielem.

— Nie. Ernesto A. Miranda jest moim najlepszym przyjacielem. Miranda przeciw Arizonie, wyrok Sądu Najwyższego z czerwca tysiąc dziewięćset sześćdziesiątego szóstego roku. Wysoki Sąd orzekł, że naruszono prawa Mirandy wynikające z Piątej Poprawki, bo gliniarze nie poinformowali go, że może zachować milczenie i poprosić o adwokata.

— Więc?

— Więc nie możecie ze mną rozmawiać, jeśli nie odczytacie mi Mirandy. A kiedy już odczytacie, nie będziecie mogli ze mną rozmawiać, ponieważ moja prawniczka nie od razu przyjedzie, a kiedy już przyjedzie, to i tak zabroni mi z wami rozmawiać.

Trójka z Seryjnych Zabójstw uśmiechała się szeroko. Zupełnie jakby Reacher mozolnie starał się ich zadowolić.

— Twoim prawnikiem jest Jodie Jacob? — spytał Deerfield. — Przyjaciółka, tak?

— Co wiecie o mojej przyjaciółce?

— O twojej przyjaciółce wiemy wszystko. O tobie zresztą też.

— To dlaczego chcecie ze mną rozmawiać?

— Pracuje u Spencera Gutmana, tak? Jako asystentka cieszy się doskonałą reputacją. Mówi się, że zostanie wspólnikiem. Wiesz coś o tym?

— Coś słyszałem.

— I że nie będzie musiała długo czekać.

— Coś słyszałem — powtórzył Reacher.

— Ale wasza znajomość nie bardzo jej pomoże. Nie jesteś

dobrym kandydatem na korporacyjnego męża, chyba zdajesz
sobie z tego sprawę?

— Nie jestem dobrym kandydatem na męża. To tyle.

Deerfield się uśmiechnął.

— Tak mi się powiedziało. Bo Spencer Gutman to taki super-
elegancki biznes. Dla nich pewne rzeczy naprawdę mają znaczenie; rozumiesz, o co mi chodzi? Poza tym specjalizują się
w finansach, prawda? Wszyscy wiemy, że są potęgą w bankowo-
ści. Ale z prawem kryminalnym nie mają aż takiego doświadczenia. Jesteś pewien, że chcesz ją na adwokata? W tej sytuacji?

— W jakiej sytuacji?

— Sytuacji, w której się znalazłeś.

— A w jakiej sytuacji się znalazłem?

— Ernesto A. Miranda był kretynem, wiesz? — oznajmił
Deerfield. — Brakowało mu więcej niż paru klepek. Dlatego ten
cholerny sąd potraktował go tak łagodnie. Nienormalny człowiek,
potrzebujący pomocy. A ty... jesteś kretynem, Reacher? Jesteś
nienormalny?

— Znoszę to gówno, więc pewnie tak.

— Tak czy inaczej prawa są dla winnych. Twierdzisz, że
jesteś czemuś winny?

Reacher potrząsnął głową.

— Niczego nie twierdzę. Nie mam wam nic do powiedzenia.

— Stary Ernesto i tak trafił do więzienia, wiesz? Ludzie wolą
o tym nie pamiętać. Powtórzono proces i tym razem go skazano.
Siedział pięć lat. A wiesz, co się stało potem?

Reacher wzruszył ramionami. Milczał.

— Pamiętam, pracowałem w Phoenix — powiedział Deerfield. — W Arizonie. W wydziale zabójstw policji miejskiej.
Zaraz potem przeniosłem się do Biura. Był styczeń tysiąc dziewięćset siedemdziesiątego szóstego. Dostaliśmy wezwanie do
baru. Na podłodze leżał wielki kawał cholernego gówna, a z tego
gówna sterczała rękojeść cholernie wielkiego noża. Słynny Ernesto A. Miranda krwawił jak zarzynana świnia. Jakoś nikomu
nie spieszyło się przesadnie do wezwania karetki. Biedak zmarł
kilka minut po naszym przybyciu.

— Więc...?

— Więc nie marnuj mojego czasu. Już poświęciłem godzinę na uspokajanie tych gości, tak zażarcie o ciebie walczyli. Jesteś mi coś winien. Odpowiesz na ich pytania, a ja ci powiem, czy i kiedy potrzebujesz prawnika.

— O co będą pytali?

— A o co pyta się człowieka? — Deerfield się uśmiechnął. — O to, co chce się wiedzieć. Takie to proste.

— A co chcecie wiedzieć?

— Chcemy wiedzieć, czy jesteśmy tobą zainteresowani.

— Dlaczego mielibyście się mną interesować?

— Odpowiedz na pytania, to wszyscy się dowiemy.

Reacher przemyślał to sobie. Położył ręce na stole dłońmi do góry.

— Sprawę Brewer przeciw Williamsowi też znasz, co? — spytał ten, który nazywał się Blake. Był stary, gruby, rozlazły, ale gadane miał.

— Albo Duckworth przeciw Eaganowi? — dodał Poulton.

Reacher obrzucił go wzrokiem. Poulton miał może trzydzieści pięć lat, ale wyglądał młodziej. Należał do tych, którzy wyglądają młodo aż do śmierci, wieczny absolwent wyższej uczelni. Miał na sobie garnitur w obrzydliwym kolorze pomarańczowego światła, a jego wąsy sprawiały wrażenie fałszywych, jakby je sobie przykleił.

— Illinois i Perkins? — spytała Lamarr.

— A co z Minnick przeciw Missisipi? — spytał Blake.

Poulton się uśmiechnął.

— McNeil i Wisconsin?

— Arizona i Fulminante? — spytała Lamarr.

— Wiesz, czego dotyczyły sprawy? — spytał Blake.

Reacher szukał w ich pytaniach jakiejś sztuczki, ale żadnej nie znalazł.

— Kolejne decyzje Sądu Najwyższego — powiedział. — Po Mirandzie. Brewer to siedemdziesiąty siódmy rok, Duckworth osiemdziesiąty dziewiąty, Perkins i Minnick dziewięćdziesiąty, McNeil i Fulminante dziewięćdziesiąty pierwszy. Wszystkie modyfikowały Mirandę i zmieniały jej brzmienie.

— Doskonale. — Blake skinął głową.

Lamarr pochyliła się w krześle. Światło odbite od lśniącego blatu stołu rzuciło jaskrawy blask na jej twarz jak czaszka.

— Nieźle znałeś Amy Callan, co?

— Kogo? — zdziwił się Reacher.

— Słyszałeś, sukinsynu.

Reacher gapił się na nią i nagle kobieta o imieniu Amy Callan wypłynęła z przeszłości i powstrzymała go od odpowiedzi na chwilę wystarczająco długą, by na kościstej twarzy Lamarr pojawił się wyraz zadowolenia.

— Ale za nią nie przepadałeś?

Zapadła cisza, rosnąca wokół niego jak mur.

— W porządku, moja kolej — powiedział Cozo. — Dla kogo pracujesz?

Reacher powoli zwrócił głowę w prawo. Patrzył na agenta nieruchomym wzrokiem.

— Nie pracuję dla nikogo.

— „Nie zaczynajcie z nami wojny o terytorium" — zacytował. — „Nami" to liczba mnoga. Oznacza więcej niż jedną osobę. Co to za „my", Reacher?

— Nie ma żadnych „nas".

— Gówno prawda, Reacher. Petrosjan sięgnął po restaurację, ale ty już tam byłeś. Kto cię wysłał?

Reacher nie odpowiedział.

— A co z Caroline Cooke? — spytała Lamarr. — Ją też znałeś?

Reacher powoli przeniósł na nią ciężkie spojrzenie. Nadal się uśmiechała.

— Za nią też nie przepadałeś.

— Callan i Cooke — powtórzył Blake. — Opowiedz nam wszystko, Reacher. Od samego początku, dobrze?

— Co mam opowiedzieć?

I znów zapadła cisza.

— Kto wysłał cię do restauracji — spytał znów Cozo. — Odpowiedz od razu, to może zaproponuję ci układ.

Reacher spojrzał w drugą stronę.

— Nikt mnie nigdzie nie wysyłał.

Cozo potrząsnął głową.

— Pieprzysz, człowieku. Masz dom w Garrison, nad rzeką, ćwierć miliona dolców. Jeździsz półrocznym SUV-em za czterdzieści pięć tysięcy. Jeśli chodzi o urząd skarbowy to wie tyle, że przez blisko trzy lata nie zarobiłeś ani centa. Ktoś chciał wysłać do szpitala najlepszych chłopców Petrosjana, więc oddelegował ciebie. Jeśli złożyć to do kupy, wychodzi, że pracujesz dla kogoś, a ja chcę, do cholery, wiedzieć, kim jest ten ktoś.

— Nie pracuję dla nikogo — powtórzył Reacher.

— Pracujesz dla siebie, tak? — spytał Blake. — To chcesz nam powiedzieć?

Reacher skinął głową.

— Na to wychodzi — przyznał.

Spojrzał na Blake'a uśmiechającego się z satysfakcją.

— Tak mi się właśnie wydawało — rzekł agent. — Kiedy odszedłeś z wojska?

Reacher wzruszył ramionami.

— Jakieś trzy lata temu.

— Jak długo byłeś w armii?

— Całe życie. Syn oficera, potem oficer.

— Żandarmeria, tak?

— Tak.

— Kilkakrotnie awansowany?

— Byłem majorem.

— Kilkakrotnie odznaczany?

— Tak.

— Srebrna gwiazda?

— Jedna.

— Wzorowy przebieg służby?

Na to pytanie Reacher nie odpowiedział.

— Nie bądź taki skromny — powiedział Blake. — Odpowiedz.

— Nie był najgorszy.

— W takim razie dlaczego zwolniłeś się z wojska?

— To już moja sprawa.

— Masz coś do ukrycia?

— I tak byś nie zrozumiał.

Blake tylko się uśmiechnął.

— No więc... trzy lata. Co robiłeś przez ten czas?

Reacher znowu wzruszył ramionami.

— Niewiele. Powiedziałbym, że dobrze się bawiłem.

— Pracowałeś?

— Nieczęsto.

— Po prostu się opieprzałeś?

— Można to i tak ująć.

— Z czego żyłeś?

— Z oszczędności.

— Skończyły się trzy miesiące temu. Sprawdziliśmy w twoim banku.

— No cóż, tak bywa z oszczędnościami, prawda?

— I teraz żyjesz z łaski panny Jacobs, tak? Przyjaciółki i prawniczki. Jak się z tym czujesz?

Reacher zerknął poprzez oślepiający blask na wytartą obrączkę miażdżącą gruby różowy palec agenta.

— Chyba nie gorzej niż twoja żona żyjąca z łaski męża.

Blake milczał przez chwilę. Potem chrząknął.

— No więc... odszedłeś z wojska i od tej pory właściwie nic nie robiłeś, nie mylę się?

— Nie mylisz.

— Byłeś raczej samotny?

— Raczej.

— Bawiło cię to?

— Całkiem.

— Bo jesteś samotnikiem.

— Gówno prawda, on dla kogoś pracuje — wtrącił Cozo.

— Facet właśnie powiedział, że jest samotnikiem, do cholery! — warknął Blake.

Deerfield patrzył to na jednego, to na drugiego; kręcił głową, jakby obserwował mecz tenisowy, silne światło odbijało się od soczewek jego okularów. Podniósł rękę, nakazując ciszę, spojrzał na Reachera. Był spokojny.

— Opowiedz mi o Amy Callan i Caroline Cooke — powiedział.

— A co tu jest do opowiadania? — spytał Reacher.

— Znałeś je, prawda?

— Jasne, dawno temu. W armii.

— Więc mi o nich opowiedz.

— Callan była drobna, czarna. Cooke wysoka, jasnowłosa. Callan była sierżantem, Cooke porucznikiem. Callan służyła jako urzędniczka w intendenturze, Cooke w Planowaniu Operacji Militarnych.

— Gdzie?

— Callan w Fort Withe pod Chicago, Cooke w kwaterze NATO w Belgii.

— Uprawiałeś seks z którąś z nich? — spytała Lamarr.

Reacher spojrzał na nią.

— A co to za pytanie?

— Bezpośrednie.

— No więc nie. Nie uprawiałem.

— Obie były ładne, prawda?

Reacher skinął głową.

— Z całą cholerną pewnością ładniejsze od ciebie.

Lamarr odwróciła wzrok i zamknęła się. Blake zaczerwienił się jak piwonia, ale przerwał milczenie.

— Znały się?

— Bardzo wątpię. W armii służy milion ludzi, a je dzieliło sześć i pół tysiąca kilometrów. Oraz czas.

— I nie było żadnych związków seksualnych między tobą a którąś z nich?

— Nie. Nie było.

— Próbowałeś? Z którąś?

— Nie. Nie próbowałem.

— Dlaczego nie? Bałeś się, że cię odtrącą?

Reacher potrząsnął głową.

— Jeśli naprawdę chcecie wiedzieć, to w obu wypadkach byłem akurat z kimś innym. A jedna naraz zazwyczaj mi wystarcza.

— Chciałbyś uprawiać z nimi seks?

Reacher uśmiechnął się i zaraz spoważniał.

— Potrafię wyobrazić sobie gorsze rzeczy.

— Powiedziałyby ci „tak"?

— Może tak, może nie?

— A ty jak myślisz?

— Byłeś w wojsku?

Blake potrząsnął głową.

— Więc nie wiesz, jak to jest — podsumował Reacher. — Większość ludzi z armii gotowa jest uprawiać seks ze wszystkim, co się rusza.

— Zatem nie sądzisz, żeby ci odmówiły?

Reacher patrzył wprost w oczy Blake'a.

— Nie, nie sądzę, żeby to był poważny problem.

Na długą chwilę zapadła cisza.

— Pochwalasz obecność kobiet w wojsku? — spytał Deerfield.

Reacher przeniósł wzrok na niego.

— Co?

— Odpowiedz na pytanie. Czy pochwalasz obecność kobiet w wojsku?

— A czego tu można nie pochwalać?

— Twoim zdaniem są dobrymi żołnierzami?

— Głupie pytanie. Przecież wiesz, że tak.

— Wiem?

— Byłeś w Wietnamie, prawda?

— Byłem?

— No pewnie. Detektyw wydziału zabójstw w Arizonie, w tysiąc dziewięćset siedemdziesiątym szóstym? Wkrótce potem przenosi się do Biura? Niewielu z tych, co unikali powołania, zrobiło taką karierę, nie tam, nie wtedy. Przesłużyłeś turę w siedemdziesiątym, może siedemdziesiątym pierwszym. Z takim wzrokiem nie zrobili z ciebie pilota. Okulary zesłały cię wprost do piechoty, a jeśli tak, to przez rok kopano cię w tyłek po dżungli. Dobrą jedną trzecią kopiących były kobiety. Niezłe snajperki, co? Oddane sprawie, jak słyszałem.

Deerfield skinął głową raz, powoli.

— Więc lubisz walczące kobiety?

Reacher wzruszył ramionami.

— Jeśli chodzi o walkę, kobiety radzą sobie jak wszyscy inni. Front wschodni w czasie drugiej wojny światowej? Szło im nieźle. Byłeś kiedyś w Izraelu? Tam też walczą na froncie, a nie chciałbym wysłać przeciw nim za wielu amerykańskich chłopców, przynajmniej jeśli przywiązujemy wagę do tego, kto wygra.

— Czyli nie widzisz żadnego problemu?

— Osobiście, nie.

— Masz jakieś problemy inne niż osobiste?

— Chyba są problemy wojskowe. Dowody z Izraela wskazują, że żołnierz piechoty dziesięć razy chętniej zatrzyma się, by pomóc rannemu towarzyszowi, jeśli ten towarzysz jest kobietą, nie mężczyzną. A to znacząco spowalnia natarcie. Wykorzenienie tego odruchu wymaga dodatkowych ćwiczeń.

— Nie sądzisz, że ludzie powinni sobie pomagać? — spytała Lamarr.

— Jasne. Ale nie wtedy, kiedy najpierw trzeba osiągnąć cel.

— Gdybyśmy nacierali razem, a ja zostałabym ranna, to byś mnie zostawił?

— Jeśli o ciebie chodzi, bez chwili wahania — powiedział Reacher z uśmiechem.

— Jak spotkałeś Amy Callan? — spytał Deerfield.

— Jestem pewien, że wiesz.

— Opowiedz, jak spotkałeś Amy Callan. Do nagrania.

— Jesteśmy nagrywani?

— Jasne.

— Bez odczytania mi praw?

— Nagranie wykaże, że twoje prawa były przestrzegane, kiedy zechce mi się oznajmić, że ich przestrzegam.

Reacher milczał.

— Opowiedz mi o Amy Callan — powtórzył Deerfield.

— Miała problem w swojej jednostce i przyszła z nim do mnie.

— Jaki problem.

— Napastowanie seksualne.

— Potraktowałeś ją życzliwie?

— Tak. Potraktowałem ją bardzo życzliwie.

— Dlaczego?

— Ponieważ nigdy nie byłem źle traktowany z powodu płci i nie widziałem powodu, by ona miała być źle traktowana z tego samego powodu.

— Więc co zrobiłeś?

— Aresztowałem oficera, którego oskarżyła.

— A potem?

— Nic. Byłem policjantem, nie prokuratorem. Sprawa nie należała do mnie.

— I co?

— Oficer wygrał w sądzie. Amy Callan odeszła z armii.

— Ale kariera oficera i tak została zrujnowana?

Reacher skinął głową.

— Tak, została zrujnowana.

— Jak się wtedy czułeś?

Reacher wzruszył ramionami.

— Można powiedzieć, że byłem zdezorientowany. Facet wydawał się w porządku, ja przynajmniej nic złego o nim nie słyszałem. Ale w końcu uwierzyłem Callan, nie jemu. Moim zdaniem był winny. Pewnie cieszyłem się, że odszedł. Ale w idealnych warunkach to nie powinno działać w ten sposób. Werdykt „niewinny" nie powinien rujnować kariery.

— Było ci go żal?

— Nie. Było mi żal Callan. I armii. Zrobił się z tego straszny bałagan. Dwie kariery legły w gruzach, a w normalnych warunkach dowolny wyrok zrujnowałby tylko jedną.

— A co z Caroline Cooke?

— Z Caroline Cook było inaczej.

— Jak inaczej?

— Inne miejsce, inny czas. Zagranica. Uprawiała seks z jakimś pułkownikiem. Moim zdaniem trwało to dobry rok. Nazwała to napastowaniem dopiero wtedy, gdy nie dostała awansu.

— Jaka to różnica?

— To było niepowiązane. Facet ją pieprzył, bo mu na to

radośnie pozwalała, a nie awansował jej, bo nie była wystarczająco dobra. Te dwie rzeczy się ze sobą nie wiązały.

— Może traktowała rok w łóżku jako inwestycję.

— Wtedy byłaby to kwestia kontraktowa. Jak z prostytutką, która nie dostała zapłaty. Nie ma nic wspólnego z napastowaniem.

— Nic nie zrobiłeś?

Reacher potrząsnął głową.

— Nie. Aresztowałem pułkownika, ponieważ wówczas istniały już pewne zasady. Seks między partnerami różniącymi się rangą został praktycznie zakazany.

— I?

— Został dyscyplinarnie zwolniony, żona go rzuciła i popełnił samobójstwo. A Cooke i tak odeszła.

— A ty?

— Przeniosłem się z kwatery głównej NATO.

— Dlaczego? Wyprowadziło cię to z równowagi?

— Nie. Potrzebowali mnie gdzie indziej.

— Potrzebowali? Dlaczego ciebie?

— Ponieważ byłem dobrym śledczym. Marnowałem się w Belgii. Tam się niewiele dzieje.

— Widziałeś później jakieś przypadki napastowania seksualnego?

— Jasne. Zrobiła się z tego wielka sprawa.

— I mnóstwo dobrych facetów o złamanych karierach? — spytała Lamarr.

Reacher odwrócił głowę, przyjrzał się jej uważnie.

— Trochę. Zaczęło się polowanie na czarownice. Mnóstwo spraw miało solidne podstawy, przynajmniej moim zdaniem, ale niewinni też obrywali. Wiele zwykłych związków raptem znalazło się na tapecie. Niespodziewanie zmieniły się zasady. Niektóre z niewinnych ofiar były mężczyznami. A niektóre kobietami.

— Cholerny bałagan, co? — spytał Blake. — A wszystko przez te nieznośne baby, takie jak Callan czy Cooke.

Reacher milczał. Cozo stukał palcami w mahoniowy blat stołu.

— Chcę wrócić do sprawy Petrosjana — oznajmił.

Reacher przeniósł spojrzenie na niego.

— Sprawa Petrosjana nie istnieje. Nigdy nie słyszałem o żadnym Petrosjanie.

Deerfield ziewnął. Spojrzał na zegarek. Przesunął okulary na czoło, potarł oczy kostkami palców.

— Jest po północy, wiecie? — spytał.

— Czy Callan i Cooke traktowałeś uprzejmie? — zainteresował się Blake.

Reacher jeszcze raz zerknął na Coza poprzez jaskrawy blask lampy, a potem całą uwagę skupił na Blake'u. W padającym z góry intensywnym, żółtym świetle, odbijającym się od czerwieni mahoniowego blatu, jego nabrzmiała twarz wydawała się szkarłatna.

— Owszem, traktowałem je uprzejmie.

— Spotkałeś się z nimi po tym, kiedy już przekazałeś ich sprawy prokuraturze?

— Być może, przelotnie. Raz i drugi.

— Ufały ci?

Reacher znów wzruszył ramionami.

— Powiedziałbym, że tak. Między innymi na tym polegała moja praca, żeby mi ufały. Musiałem przecież poznać mnóstwo intymnych szczegółów.

— Musisz postępować w ten sposób z wieloma kobietami?

— Były setki takich spraw. Ja prowadziłem kilkadziesiąt, a potem powołano do nich specjalną jednostkę.

— Podaj nazwisko jakiejś kobiety, której sprawę ty prowadziłeś.

Kolejne wzruszenie ramion. Reacher przywoływał z pamięci obrazy kolejnych biur w gorącym klimacie i chłodnym klimacie: wielkie biurka, małe biurka, za oknem słońce lub chmury, a w biurze jakaś skrzywdzona, gniewna kobieta powoli, jąkając się, podaje szczegóły zdrady, której ofiarą padła.

— Rita Scimeca — powiedział. — Wybrałem ją na chybił trafił.

Blake umilkł. Lamarr pochyliła się, wyjęła z teczki gruby plik akt. Pchnęła akta do Blake'a, a on zaczął je kartkować. Przesunął grubym paluchem po liście, skinął głową.

— W porządku — powiedział. — Co się przydarzyło pani Scimecie?

— Pani porucznik Scimeca — poprawił go Reacher. — Z Fort Bragg w Georgii. Oni nazwali to „falą", ona „gwałtem zbiorowym".

— Jak to się skończyło?

— Wygrała. Trzech facetów odsiedziało swoje w więzieniu wojskowym, a potem zostało dyscyplinarnie zwolnionych.

— A co się stało z panią porucznik Scimecą?

Reacher jeszcze raz wzruszył ramionami.

— Na początku wydawała się całkiem zadowolona. Poczuła się zrehabilitowana. A potem okazało się, że armia już nie istnieje, przynajmniej dla niej. Odeszła.

— Gdzie jest teraz?

— Nie mam pojęcia.

— Powiedzmy, że gdzieś ją zobaczysz. Powiedzmy, że jesteś gdzieś, w jakimś miasteczku i widzisz ją w sklepie albo restauracji. Co by zrobiła?

— Nie mam pojęcia. Pewnie powiedziałaby mi „cześć". Może pogadalibyśmy chwilę, wypili drinka albo coś.

— Byłaby zadowolona z tego, że cię widzi.

— Może? Zapewne.

— Ponieważ zapamiętała cię jako fajnego faceta?

Reacher skinął głową.

— Jest cholernie ciężko. Nie chodzi tylko o samo zdarzenie, ale też o to, co dzieje się później. Oficer śledczy musi wytworzyć więź. Musi być przyjacielem, wspierać.

— A więc ofiara staje się twoim przyjacielem?

— Jeśli postępuję właściwie, tak.

— Co by się stało, gdybyś zapukał do drzwi porucznik Scimeki?

— Nie wiem, gdzie mieszka.

— Ale gdybyś wiedział? Wpuściłaby cię do domu?

— Nie wiem.

— Poznałaby cię?

— Prawdopodobnie.

— Wspominałaby cię jako przyjaciela?

— Przypuszczam, że tak.

— Czyli gdybyś zapukał do jej drzwi, to pozwoliłaby ci wejść, tak? Otworzyłaby drzwi, zobaczyła starego przyjaciela, zaprosiła go do środka, zaproponowała kawę albo coś takiego. Pogadalibyście o dawnych czasach.

— Może — przytaknął Reacher. — Prawdopodobnie.

Blake skinął głową i zamilkł. Lamarr położyła mu dłoń na ramieniu; pochylił się w jej kierunku, słuchał tego, co szeptała mu do ucha. Znowu skinął głową, odwrócił się, poszeptał w ucho Deerfielda. Deerfield zerknął na Coza. Trójka agentów z Quantico poruszyła się w krzesłach, usiadła wygodnie; ruch niemal niewidoczny, ale wystarczająco charakterystyczny, by można było zrozumieć, co przekazywał: „W porządku, jesteśmy zainteresowani". Cozo odpowiedział Deerfieldowi spojrzeniem pełnym niepokoju. Deerfield pochylił się, poprzez okulary spojrzał wprost na Reachera.

— Sytuacja jest mocno skomplikowana — powiedział.

Reacher nie zareagował, nie poruszył się. Czekał.

— A dokładnie: co zaszło w tej restauracji?

— Nic nie zaszło.

Deerfield potrząsnął głową.

— Byłeś pod obserwacją. Moi ludzie chodzą za tobą od tygodnia. Agenci specjalni Poulton i Lamarr dołączyli do nich wczoraj. Wszystko widzieli.

Reacher spojrzał mu w oczy.

— Chodzicie za mną od tygodnia?

— Dokładnie od ośmiu dni.

— Dlaczego?

— Tym zajmiemy się później.

Lamarr poruszyła się, sięgnęła do teczki. Wyjęła z niej kolejny plik akt. Wyciągnęła kilka kartek, cztery czy pięć, połączonych spinaczem. Ciasno zadrukowanych. Uśmiechnęła się lodowato do Reachera, odwróciła kartki i popchnęła je ku niemu przez stół. Podmuch powietrza rozwiał je, spinacz szurał po stole, zatrzymał kartki dokładnie przed nim.

W aktach Reacher figurował po prostu jako „obiekt", a opisane w nich było wszystko, co robił, każde miejsce, które odwiedził w ciągu ostatnich ośmiu dni. I każda chwila, z dokładnością do sekundy. Wszystko zgadzało się bezbłędnie.

Spojrzał na uśmiechniętą twarz Lamarr, skinął głową.

— No cóż, FBI ma chyba cholernie dobre cienie — powiedział. — Nic nie zauważyłem.

Odpowiedziała mu cisza.

— Co się zdarzyło w restauracji? — powtórzył Deerfield.

Reacher milczał. Uczciwość jest najlepszą polityką, pomyślał i natychmiast odsunął tę myśl. Przełknął ślinę. Ruchem głowy wskazał Blake'a, Lamarr, Poultona.

— Ci niedorobieni prawnicy nazwaliby to pewnie „wyższą koniecznością". Popełniłem mniejsze przestępstwo, żeby zapobiec popełnieniu większego.

— Działałeś sam? — spytał Cozo.

Reacher skinął głową.

— Tak, sam.

— Więc o co chodziło z tym „nie opłaci się wam wojna o terytorium"?

— Chciałem być przekonujący. Chciałem, żeby Petrosjan, kimkolwiek jest ten facet, potraktował sprawę poważnie. Jakby miał do czynienia z organizacją.

Deerfield pochylił się nad stołem, wyciągnął ręce, zabrał akta sprzed nosa Reachera. Odwrócił je i przejrzał szybko.

— Nie ma tu wzmianki o spotkaniu z kimkolwiek poza panną Jodie Jacob — zauważył. — A ona nie zajmuje się wymuszeniami i ochroną. Połączenia telefoniczne?

— Założyliście mi podsłuch na telefon? — spytał Reacher.

Deerfield skinął głową.

— Przeglądaliśmy nawet twoje śmiecie.

— Czyste — powiedział Poulton. — Nie rozmawiał z nikim oprócz panny Jacob. Prowadzi spokojne życie.

— Czy to prawda, Reacher? — spytał Deerfield. — Prowadzisz spokojne życie?

— Zazwyczaj — przytaknął Reacher.

— A więc działałeś sam — powiedział Deerfield. — Po prostu zwykły zatroskany obywatel. Żadnych kontraktów z gangsterami, żadnych instrukcji telefonicznych. — Spojrzał na Coza pytająco. — Czy to cię zadowala, James?

Cozo wzruszył ramionami. Skinął głową.

— Wygląda na to, że musi.

— Zatroskany, tak, Reacher?

Reacher skinął głową. Milczał.

— Możesz nam to udowodnić? — spytał Deerfield.

Reacher wzruszył ramionami.

— Mogłem im zabrać broń. Gdybym dla kogoś pracował, to właśnie bym zrobił. A nie zrobiłem.

— Nie. Wrzuciłeś ją do śmieci.

— Ale najpierw uszkodziłem.

— Wtarłeś żwir w mechanizm. Dlaczego to zrobiłeś?

— Gdyby nawet ktoś ją znalazł, i tak nie mógłby zrobić z niej użytku.

Deerfield skinął głową.

— Zatroskany obywatel. Zauważył niesprawiedliwość i postanowił jej zaradzić.

Reacher również skinął głową.

— Chyba tak — przyznał.

— Ktoś musi to robić, nie?

— Chyba tak.

— Nie lubisz niesprawiedliwości, co?

— Chyba nie.

— Oczywiście potrafisz powiedzieć, co jest dobre, a co złe.

— Mam nadzieję, że tak.

— Nie czekasz na interwencję odpowiednich władz, bo sam potrafisz podejmować decyzję.

— Zazwyczaj tak.

— Jesteś pewny swojego kodeksu moralnego.

— Raczej tak.

Zapadła cisza. Deerfield przyglądał się Reacherowi przez oślepiający blask lampy.

— Więc... dlaczego ukradłeś ich pieniądze?

Reacher wzruszył ramionami.

— Chyba można by je nazwać łupem wojennym. Albo trofeum.

Deerfield skinął głową.

— Kodeks, co?

— Coś w tym rodzaju.

— Grasz według własnych reguł, tak?

— Zazwyczaj.

— Nie okradłbyś staruszki, ale zabrać forsę dwóm twardzielom to już inna sprawa?

— Chyba tak.

— Postąpili w sposób, którego nie akceptujesz, więc dostali na co zasłużyli, tak?

— Dostali.

— Osobisty kodeks moralny?

Reacher znów wzruszył ramionami. Nie odpowiedział. Cisza się przedłużała.

— Wiesz coś o portrecie psychologicznym? — spytał nagle Deerfield.

Reacher milczał, a potem powiedział:

— Tylko tyle, ile czytałem w gazetach.

— To nauka — wtrącił Blake. — Opracowana w Quantico, doskonalona od wielu lat. Agentka specjalna Lamarr jest obecnie naszą główną specjalistką. Agent specjalny Poulton to jej asystent.

— Badamy miejsce przestępstwa — przejęła teraz pałeczkę Lamarr. — Badamy pewne uwarunkowania psychologiczne i otrzymujemy określony typ osobowości człowieka, zdolnego do popełnienia akurat tego przestępstwa.

— Jakiego przestępstwa? — spytał Reacher. — Jakie miejsce?

— Ty sukinsynu — powiedziała Lamarr.

— Amy Callan i Caroline Cooke — wyjaśnił Blake. — Obie zostały zamordowane.

Reacher przyglądał mu się w milczeniu.

— Pierwsza była Callan — mówił dalej Blake. — Bardzo szczególny *modus operandi*, ale jedno zabójstwo to tylko zabójstwo, nie? A potem zginęła Cooke. Ten sam *modus opeandi*. To już początek serii.

— Szukaliśmy związku — wtrącił Poulton. — Między ofiarami. Nietrudno było go znaleźć. Skarga na napastowanie seksualne w armii, rezygnacja ze służby.

— Niezwykle zorganizowane miejsce zbrodni — powiedziała Lamarr. — Może to wskazywać na wojskową precyzję. Przedziwny, znaczący sposób działania. Sprawca nic po sobie nie pozostawił. Żadnych wskazówek. Z całą pewnością ma osobowość zorganizowaną, zna procedury śledcze. Być może sam jest śledczym.

— Żadnych śladów włamania do miejsc zamieszkania — oznajmił Poulton. — W obu wypadkach morderca został zaproszony do środka, bez wahania, bez zadawania pytań.

— A więc obie go znały — powiedział Blake.

— To ktoś, komu obie ufały — rzekł Poulton.

— Taki przyjaciel, gość — dodała Lamarr.

W pokoju zapadła cisza.

— No więc taki właśnie był — przerwał ciszę Blake. — Gość. Ktoś, kogo uważały za przyjaciela. Z kim czuły jakiś związek.

— Gość. Przyjaciel — dorzucił Poulton. — Puka do drzwi, a one otwierają i mówią: „Cześć, miło znów cię zobaczyć".

— A on wchodzi — powiedziała Lamarr. — Tak po prostu.

W pokoju zapadła cisza.

— Rozpracowaliśmy zbrodnię od strony psychologicznej — kontynuowała Lamarr. — Dlaczego te kobiety wkurzyły kogoś do tego stopnia, że zdecydował się je zamordować? Zaczęliśmy szukać w armii kogoś, kto miał rachunki do wyrównania. Powiedzmy: wściekłego, że nieznośne baby rujnują kariery dobrych żołnierzy, a potem i tak odchodzą. Niepoważne babska, doprowadzające przyzwoitych facetów do samobójstwa.

— Kogoś, kto ma jasne pojęcie o tym, co dobre, a co złe — powiedział Puolton. — Kogoś wystarczająco pewnego swych racji, swego kodeksu, by własnoręcznie naprawiać niesprawiedliwość świata. Kogoś szczęśliwego, gdy może działać poza zasięgiem władz, żeby mu nie właziły w drogę, rozumiesz?

— Kogoś, kogo znały obie kobiety — dodał Blake. — Kogoś, kogo znały wystarczająco dobrze, by wpuścić go do domu bez

53

zadawania pytań, niczym jakiegoś, powiedzmy, przyjaciela z dawnych czasów.

— Kogoś zdecydowanego — powiedziała Lamarr. — Tak dobrze zorganizowanego, że wystarczy mu sekunda namysłu, a potem idzie do sklepu i kupuje metkownicę oraz tubkę kleju, narzędzia, które wystarczają mu do rozwiązania drobnego, powstałego *ad hoc* problemu.

I znowu zapadła cisza.

— Armia przepuściła je przez komputery — przerwała ciszę Lamarr. — Masz rację, one się nie znały. I miały bardzo niewielu wspólnych przyjaciół. Bardzo niewielu... a ty jesteś jednym z nich.

— Chcesz dowiedzieć się czegoś interesującego? — spytał Blake. — Seryjni zabójcy jeździli volkswagenami garbusami. Niemal wszyscy. Potem przerzucili się na SUV-y. Wielkie wozy z napędem na cztery koła, takie jak twój. To mocna, znacząca wskazówka.

Lamarr pochyliła się, przyciągnęła do siebie leżące przed Deerfieldem akta, postukała w nie palcem.

— Prowadzą samotne życie. Nawiązują bliższe kontakty najwyżej z jedną osobą. Żyją z pieniędzy innych ludzi, często krewnych lub przyjaciół, często kobiet. Nie postępują jak inni, rzadko rozmawiają przez telefon, są spokojni, cisi, skryci.

— Są fanami egzekwowania prawa — wtrącił Poulton. — O tym wiedzą wszystko. Na przykład o precedensach definiujących ich prawa.

Tym razem cisza trwała dłużej. Przerwał ją Blake.

— Tworzenie portretu psychologicznego to precyzyjna nauka. W większości północnych stanów dowód z portretu psychologicznego uważany jest za wystarczający do wystawienia nakazu aresztowania.

— Portret psychologiczny nigdy nie zawodzi. — Lamarr nie spuszczała wzroku z Reachera. Poprawiła się w krześle, pokazała krzywy ząb w uśmiechu. W pokoju zapadła cisza.

— I co? — spytał Reacher.

— I to, że ktoś zabił te dwie kobiety — powiedział Deerfield.

— I?

Deerfield przechylił głowę w prawo. Kiwnął nią, wskazując Blake'a, Lamarr, Poultona.

— I ci agenci sądzą, że był to ktoś bardzo podobny do ciebie.

— I co?

— I to, że dlatego zadawaliśmy ci te wszystkie pytania.

— I?

— I moim zdaniem mają całkowitą rację. Był to ktoś dokładnie taki jak ty. A może nawet ty?

4

— Nie — powiedział Reacher. — To nie byłem ja.

Blake się uśmiechnął.

— Oni wszyscy tak mówią.

Reacher spojrzał na niego.

— Gadasz jak potłuczony, Blake. Macie dwie kobiety, to wszystko. Obie służyły w armii? Przypadek, nic więcej. Są setki kobiet, napastowanych i odchodzących z wojska, być może tysiące. Skąd pomysł, że jest tu jakiś związek?

Blake milczał.

— I czemu akurat ktoś taki jak ja? — kontynuował Reacher. — Przecież to także tylko przypuszczenie. I do tego właśnie gówna sprowadza się całe to profilowanie. Mówicie, że zrobił to facet taki jak ja, bo myślicie, że zrobił to facet taki jak ja. Nie macie dowodów ani nic.

— Bo nie ma dowodów — powiedział Blake.

— Facet nie zostawił po sobie żadnych dowodów — dodała Lamarr. — A my tak właśnie pracujemy. Sprawca był sprytny, więc szukamy wśród sprytnych. Twierdzisz, że ty taki nie jesteś?

Reacher spojrzał na nią.

— Są tysiące facetów równie sprytnych jak ja.

— Nie tysiące, lecz miliony, ty zarozumiały sukinsynu. Dlatego zaczęliśmy zawężać naszą listę. Sprytny facet. Samotnik. Służył w wojsku, znał ofiary, przemieszcza się swobodnie, brutalna osobowość, samozwańczy obrońca prawa. Tak przechodzimy od milionów do tysięcy, od tysięcy do dziesiątek, a od dziesiątek może wprost do ciebie?

Zapadła cisza.

— Do mnie? — spytał z niedowierzaniem Reacher. — Oszalałaś.

Obrócił się, popatrzył na Deerfielda, siedzącego nieruchomo, niewzruszonego.

— Myślisz, że ja to zrobiłem? — spytał.

Deerfield wzruszył ramionami.

— No, jeśli nie ty, to ktoś taki jak ty. Ja wiem tylko, że wpakowałeś dwóch facetów do szpitala. Już przez to masz kłopoty. Jeśli chodzi o tę drugą sprawę, to jej nie znam. Ale Biuro wierzy swym ekspertom. Z jakiegoś powodu ich w końcu wynajmujemy, nie?

— Mylą się — powiedział Reacher.

— Potrafisz to udowodnić?

Reacher przyglądał mu się nieruchomym spojrzeniem.

— Muszę coś udowadniać? A co z „niewinny, póki nie udowodni mu się winy"?

Deerfield tylko się uśmiechnął.

— Pozostańmy w rzeczywistym świecie, proszę. Dobrze?

Zapadła cisza.

— Daty — rzekł Reacher. — Podajcie mi daty. I miejsca.

Tym razem cisza zapadła na dłużej. Deerfield patrzył w przestrzeń.

— Callan: siedem tygodni temu — powiedział Blake. — Cooke: cztery.

Reacher cofnął się w czasie. Cztery tygodnie temu zaczęła się jesień. Siedem tygodni temu zaczęło się kończyć lato. Kiedy kończyło się lato, nic nie robił. Walczył z ogrodem. Trzy miesiące niekontrolowanego wzrostu sprawiło, że codziennie od nowa przystępował do walki uzbrojony w kosy, motyki i inne rodzaje broni, będące nowością w jego arsenale. Przez całe dnie nie widywał nawet Jodie, mającej na głowie te swoje prawnicze sprawy. Tydzień spędziła w Londynie. Nawet nie pamiętał który.

To był dla niego czas samotności, czas walki z rozbuchaną naturą, odzyskiwania terenu metr po metrze.

Na początku jesieni przeniósł swoje zainteresowanie na dom. Miał sporo do zrobienia i wszystko to robił sam. Jodie siedziała w mieście, pnąc się powoli po oślizgłych szczeblach drabiny służbowej. Od czasu od czasu spędzali razem noc, to wszystko. Nigdzie nie wyjeżdżali. Nie miał odcinków biletów, nie wpisywał się do ksiąg hotelowych, w paszporcie nie przybyło stempli. Brak alibi.

Spojrzał na siedmioro agentów po przeciwnej stronie stołu.

— Chcę prawnika. Teraz — powiedział.

• • •

Dwaj miejscowi strażnicy odprowadzili go do pierwszego pokoju. Jego status uległ wyraźnej zmianie. Tym razem zostali w środku. Stanęli po obu stronach zamkniętych drzwi. Reacher usiadł na plastikowym krzesełku ogrodowym i ignorował strażników. Słuchał szumu niezmordowanego systemu wentylacyjnego dobiegającego z odsłoniętych przewodów na suficie, czekał, nie myślał o niczym.

Czekał niemal dwie godziny. Dwaj strażnicy stali cierpliwie przy drzwiach, nie patrząc na niego, nie rozmawiając, nie ruszając się ani na milimetr. On siedział na krześle, oparty wygodnie, obserwując przewody wentylacyjne na suficie. Był to podwójny system, jednym przewodem płynęło do pokoju świeże powietrze, drugi odprowadzał stare. Układ najprostszy w świecie. Przesunął wzrokiem wzdłuż linii przepływu, wyobrażał sobie wielkie wentylatory na dachu, jeden obracający się leniwie w jedną stronę, drugi w drugą; dzięki nim budynek oddychał jak gigantyczne płuco. Wyobrażał sobie swój oddech, wylatujący z ust w nocne niebo Manhattanu i dalej, nad Atlantyk. Wyobrażał sobie wilgotne cząsteczki, dryfujące i rozpraszające się w atmosferze, wirujące, ulatujące z wiatrem. W dwie godziny mogły oddalić się od brzegu nawet o trzydzieści kilometrów. Albo pięćdziesiąt. Albo siedemdziesiąt. Wszystko zależy od panujących warunków atmosferycznych. Nie pamiętał, czy noc jest wietrzna. Zdaje się, że nie. Ale pamiętał mgłę. Przyzwoity wiatr rozwiałby mgłę, więc noc była bezwietrzna, czyli jego oddech po wyfrunięciu z ust wisiał pewnie ciągle nad obracającymi się leniwie ramionami wentylatorów.

Potem rozległy się kroki na korytarzu, otworzyły się drzwi, strażnicy odsunęli się na bok i do pokoju weszła Jodie. Na tle szarych ścian wydawała się wręcz płonąć w jasnobrzoskwiniowej sukience i wełnianym płaszczu o kilka odcieni ciemniejszym. Włosy nadal miała rozjaśnione słońcem lata, oczy jasnoniebieskie, skórę koloru miodu. Teraz, w środku nocy, wydawała się świeża ja pogodny poranek.

— Cześć, Reacher — powiedziała.

Reacher skinął głową, nic nie mówiąc. Twarz Jodie wyrażała obawę. Dziewczyna podeszła bliżej, pochyliła się i pocałowała go. Pachniała jak kwiat.

— Rozmawiałaś z nimi? — spytał.

— Nie jestem do tego odpowiednią osobą. Prawo finansowe tak, ale o prawie karnym po prostu nie mam pojęcia.

Czekała, stojąc naprzeciw niego, wysoka, szczupła, z pochyloną na bok głową i całym ciężarem ciała opartym na jednej nodze. Za każdym razem, kiedy ją widział, wydawała mu się piękniejsza. Wstał i przeciągnął się zmęczony.

— Nie ma się czym przejmować — powiedział.

Jodie potrząsnęła głową.

— Jest, jak jasna cholera.

— Nie zabiłem żadnej kobiety.

Jodie przyjrzała mu się uważniej.

— Pewnie, że nie zabiłeś żadnej kobiety. Ja to wiem i oni to wiedzą, bo inaczej zakuliby cię w kajdanki, założyli kajdany na nogi i odwieźli wprost do Quantico, a nie tu. Musi chodzić o tą drugą rzecz. Widzieli, jak to robisz. Na ich oczach wysłałeś do szpitala dwóch facetów.

— Nie o to chodzi. Za szybko zareagowali. Przygotowali wszystko, nim zdążyłem zrobić cokolwiek. I ta druga rzecz nic ich nie obchodzi. Nie robię w wymuszeniach, a Coza interesuje tylko to i nic innego. Zbrodnia zorganizowana.

Skinęła głową.

— Cozo rzeczywiście jest szczęśliwy, a może nawet bardziej niż szczęśliwy. Ma o dwa śmiecie mniej na ulicy, a wcale się przy tym nie napracował. Dla ciebie obróciło się to jednak w paragraf dwadzieścia dwa. Nie rozumiesz? Żeby przekonać Coza, musisz zrobić z siebie samotnego obrońcę prawa i porządku, a im większego robisz z siebie obrońcę prawa i porządku, tym bardziej pasujesz do profilu ludziom z Quantico. Dlatego niezależnie od tego, z jakiego powodu cię tu ściągnęli, zaczynasz im mącić w głowie.

— Ten psychologiczny profil jest gówno wart.

— Oni tak nie sądzą.

— Musi być gówno wart. Bo ja im z tego wyszedłem.

Jodie potrząsnęła głową.

— Nie. Wyszedł im z tego ktoś podobny do ciebie.

— Tak czy inaczej powinienem po prostu stąd wyjść.

— Tego akurat nie możesz zrobić. Masz bardzo poważne kłopoty. Cokolwiek by nie powiedzieć, widzieli, jak lejesz tych facetów, Reacher. Agenci FBI! Na służbie, na litość boską!

— Ci faceci sobie na to zasłużyli.

— Czym?

— Czepiali się kogoś, kto akurat nie potrzebował, żeby się go czepiać.

— No i widzisz? Rozwiązujesz za nich ich sprawę. Obrońca prawa z własnym kodeksem moralnym.

Reacher wzruszył ramionami, odwrócił wzrok.

— Nie jestem do tego właściwą osobą — powtórzyła Jodie. — Nie zajmuję się prawem karnym. Potrzebujesz lepszego prawnika.

— Nie potrzebuję żadnego prawnika.

— Owszem, Reacher, potrzebujesz prawnika. Ostateczna cholerna prawda jest taka, że potrzebujesz prawnika. Bo to się rzeczywiście dzieje. Bo to jest FBI, na litość boską!

Reacher milczał przez bardzo długą chwilę.

— Musisz wreszcie potraktować sprawę poważnie — powiedziała Jodie.

— Nie mogę. Bo ich sprawa to przecież jakieś gówno. Nie zabiłem żadnej kobiety.

— Ale sam dopasowałeś się do profilu. I teraz trudno będzie im udowodnić, że się mylą. Zawsze trudno udowodnić zaprzeczenie. Potrzebujesz właściwego prawnika.

— Mówią, że szkodzę ci w karierze. Mówią, że nie jestem korporacyjnym ideałem męża.

— Prawdziwe gówno. A nawet gdyby nie, i tak nic mnie to nie obchodzi. Nie radzę ci innego prawnika ze względu na mnie. Radzę ci innego prawnika ze względu na ciebie.

— Nie chcę żadnego prawnika.

— To dlaczego wezwałeś mnie?

Reacher się uśmiechnął.

— Myślałem, że może ktoś mnie pocieszy.

Jodie przytuliła się do niego, wspięła na palce i mocno go pocałowała.

— Kocham cię, Reacher. Bardzo cię kocham i ty o tym wiesz, prawda? Ale potrzebujesz lepszego prawnika. Ja nawet nie rozumiem, o co tu, do cholery, chodzi!

Na długą chwilę zapanowała cisza, tylko wentylator szumiał cicho nad ich głowami, powietrze szemrało, ocierając się o metal, mijał czas. Reacher słuchał, jak mija.

— Dali mi kopię raportu z obserwacji — powiedziała Jodie.

Skinął głową.

— Tak właśnie myślałem, że ci go dadzą.

— Dlaczego?

— Ponieważ eliminuje mnie to ze śledztwa.

— Dlaczego?

— Ponieważ nie chodzi o dwie kobiety.

— Nie?

— Nie. Chodzi o trzy kobiety. Nie widzę innej możliwości.

— Dlaczego?

— Ponieważ ktokolwiek zabija, pracuje według rozkładu. Nie rozumiesz? W trzytygodniowym cyklu. Siedem tygodni temu, cztery tygodnie temu, więc ostatnie morderstwo już się zdarzyło, w zeszłym tygodniu. Wzięli mnie pod obserwację, żeby wykluczyć ze śledztwa.

— Po co cię tu ściągnęli, jeśli przedtem wyeliminowali?

— Nie wiem — przyznał Reacher.

— Może rozkład jest już nieaktualny? Może były tylko dwa morderstwa, i koniec?

— Nikt nie kończy na dwóch morderstwach. Jeśli popełniasz więcej niż jedno, popełniasz więcej niż dwa.

— Może sprawca zachorował i zrobił sobie przerwę? I miną miesiące, nim popełni kolejną zbrodnię?

Reacher nie odpowiedział.

— A może aresztowano go za coś innego? — ciągnęła Jodie. — To się zdarza od czasu do czasu. Za coś niezwiązanego z morderstwami, rozumiesz? Może siedzieć nawet dziesięć lat. Nikt się nigdy nie dowie, że to on. Potrzebujesz dobrego prawnika, Reacher. Kogoś lepszego ode mnie. To nie będzie łatwe.

— Miałaś mnie pocieszyć, wiesz?

— Nie. Miałam udzielić ci dobrej rady.

Patrzył na nią nagle niepewny siebie.

— Jest też ta druga sprawa — powiedziała Jodie. — Chodzi o tych dwóch. Tak czy inaczej to też oznacza kłopoty.

— Powinni mi raczej podziękować.

— To nie działa w ten sposób.

Reacher milczał.

— Nie jesteśmy w wojsku, Reacher. Nie możesz już zabrać facetów do parku maszyn i wbić im do głowy, że powinni zachowywać się rozsądniej. Jesteśmy w Nowym Jorku. Teraz to robota cywilów. Szukają na ciebie dużego haka, więc nie udawaj, że nic się nie dzieje.

— Nic nie zrobiłem.

— Zła odpowiedź, Reacher. Wpakowałeś do szpitala dwóch facetów. A oni to widzieli! Złych facetów, jasne, ale tu obowiązują pewne zasady. Zasady, które złamałeś.

Na korytarzu rozległy się kroki, głośne i ciężkie. Kroki trzech idących szybko mężczyzn. Drzwi otworzyły się, do pokoju wszedł Deerfield. Dwaj miejscowi agenci tuż za nim. Deerfield zignorował Reachera, zwrócił się wprost do Jodie.

— Pani Jacob, konferencja z klientem dobiegła końca — oznajmił.

Poprowadził procesję z powrotem do pokoju z długim stołem. Za nim szli dwaj miejscowi agenci, którzy wzięli Reachera pomiędzy siebie, a zamykała ją Jodie. W tej kolejności przeszli przez drzwi. Jodie przystanęła, zamrugała oślepiona światłem. Po drugiej stronie stołu ustawiono drugie krzesło. Deerfield zatrzymał się, wskazał je gestem, bez słowa. Jodi spojrzała na niego, w milczeniu obeszła stół, usiadła obok Reachera. Uścisnął jej dłoń pod osłoną lśniącej mahoniowej płyty.

Dwaj miejscowi zajęli miejsca przy ścianie. Reacher patrzył przed siebie, poprzez blask. Naprzeciw niego zajmowano miejsca w tym samym porządku co poprzednio. Poulton, Lamarr, Blake, Deerfield i wreszcie Cozo, samotny między dwoma pustymi krzesłami. Na stole stał masywny czarny magnetofon. Deerfield pochylił się, wcisnął czerwony przycisk. Podał dzień, godzinę, miejsce. Przedstawił dziewięć obecnych w pokoju osób. Położył ręce przed sobą, na blacie.

— Alan Deerfield mówi do podejrzanego Jacka Reachera — powiedział wyraźnie. — Jest pan zatrzymany pod dwoma zarzutami. — Przerwał na chwilę. — Zarzut numer jeden: napaść z użyciem broni na dwie osoby do chwili obecnej niezidentyfikowane.

James Cozo pochylił się w stronę magnetofonu.

— Zarzut numer dwa: pomoc w popełnieniu przestępstwa organizacji kryminalnej zajmującej się wymuszeniami.

Deerfield się uśmiechnął.

— Może pan zachować milczenie. Cokolwiek pan powie, może zostać nagrane i użyte przeciwko panu w sądzie. Ma pan prawo do obecności adwokata. Jeśli nie stać pana na adwokata, zapewni go panu stan Nowy Jork.

Pochylił się, wyłączył magnetofon.

— Dobrze to zrobiłem? — spytał. — Pytam eksperta od Mirandy.

Reacher nie odpowiedział. Deerfield uśmiechnął się jeszcze raz, wcisnął czerwony przycisk. Magnetofon obudził się do życia, zaszumiał.

— Czy zrozumiał pan swoje prawa?

— Tak — powiedział Reacher.

— Ma pan coś do powiedzenia w tej chwili?

— Nie.

Deerfield skinął głową.

— Co zostało zarejestrowane.

Wyciągnął rękę, wyłączył magnetofon.

— Żądam przesłuchania w sprawie kaucji — powiedziała Jodie.

Deerfield potrząsnął głową.

— Nie ma potrzeby — oznajmił. — Zwolnimy go na słowo.

W pokoju zapadła cisza.

— A co z tą drugą sprawą? — spytała Jodie. — Z kobietami.

— Śledztwo w tej sprawie nadal się toczy — odparł Deerfield. — Pani klient jest wolny.

5

Zwolnili go tuż po trzeciej rano. Jodie była niespokojna, rozdarta między chęcią pozostania przy nim a koniecznością powrotu do biura, gdzie roboty miała na całą noc. Przekonał ją, żeby uspokoiła się i jednak wróciła do pracy. Jeden z miejscowych agentów odwiózł ją na Wall Street. On sam odzyskał wszystko, co miał, z wyjątkiem pliku dolarów, po czym do Garrison odwiózł go drugi miejscowy agent. Ten to umiał docisnąć — dziewięćdziesiąt kilometrów pokonał w czterdzieści siedem minut. Na desce rozdzielczej miał czerwoną lampkę podłączoną do gniazda zapalniczki, migała przez całą drogę. Światła reflektorów przebijały mgłę. Był środek nocy, ciemnej i zimnej, jechali wilgotną, śliską drogą. I przez całą drogę facet nie odezwał się ani słowem. Po prostu pruł przed siebie, potem zahamował przy końcu podjazdu, a później odjechał, gdy tylko za pasażerem zamknęły się drzwi. Reacher przyglądał się migającemu światełku, tonącemu w płynącej od rzeki mgle, po czym odwrócił się i ruszył w kierunku domu.

Odziedziczył ten dom po Leonie Garberze, ojcu Jodie i swym dawnym dowódcy. Na początku owego lata przeżył tydzień prawdziwych niespodzianek, zarówno dobrych, jak i złych. Znów spotkał Jodie, dowiedział się, że była zamężna i rozwiodła się, że stary Leon nie żyje, że dom jest jego. Kochał się w Jodie od piętnastu lat, od ich pierwszego spotkania w bazie na Filipinach.

Miała wówczas piętnaście lat; pączek rozkwitający dopiero w kwiat wspaniałej kobiecości, poza tym córka dowódcy, więc zdeptał uczucia, skruszył je, schował głęboko niczym wstydliwy sekret, nie pozwolił, by oglądały światło dnia. Uważał, że tymi uczuciami ją zdradza i że zdradza Leona, a Leona nigdy nie ośmieliłby się zdradzić, nawet myśleć o tym nie warto, bo Leon był zwyczajnym może, może prostym, ale najwspanialszym z mężczyzn i kochał go niczym własnego ojca. Co czyniło Jodie jego siostrą, a takimi uczuciami nie obdarza się siostry.

Przypadek przywiódł go na pogrzeb Leona, znów spotkał Jodie na swej drodze, przez kilka dni wymieniali ze sobą po kilka niezręcznych, niewiele znaczących zdań, aż w przypływie odwagi Jodie wyznała, że czuła to co on, ale ukrywała z powodów, które były lustrzanym odbiciem jego powodów. Dla niego było to coś jak grom z jasnego nieba, wspaniały przebłysk oślepiającego szczęścia w tym tygodniu wielkich niespodzianek.

Tak więc nieoczekiwane spotkanie Jodie było dobrą niespodzianką, śmierć Leona złą, co do tego nie ma żadnych wątpliwości, a spadek w postaci domu i dobrą, i złą niespodzianką. Miał on swą konkretną wartość: dobre pół miliona dolarów. Stał dumnie nad rzeką Hudson, naprzeciw West Point i był wygodny, ale prezentował sobą poważny problem. Kotwiczył go, przykuwał do miejsca w sposób wyjątkowo dla niego niewygodny. Unieruchomienie sprawiało, że czuł się zagubiony. Przez całe życie przemieszczał się to tu, to tam; przebywanie gdzieś dłużej natychmiast go dezorientowało. No i jeszcze nigdy nie mieszkał w domu. Żołnierskie koszary, domki podoficerów i motele to było jego naturalne środowisko. W niego wrósł, w nim zapuścił korzenie.

Idea posiadania czegoś niepokoiła go. W całym swym życiu nigdy nie miał więcej niż mieściło się w kieszeniach. Jako chłopiec miał kij baseballowy i niewiele więcej. Jako człowiek dorosły spędził kiedyś siedem lat, nie mając nic swojego oprócz butów, które wolał od tych przyznawanych przez Departament Obrony. Potem kobieta kupiła mu portfel z plastikowym okienkiem, w które włożyła swoje zdjęcie. Stracił kontakt z kobietą, wyrzucił jej zdjęcie, ale portfel zatrzymał. Pozostałe sześć lat odsłużył jako właściciel butów i portfela. Po odejściu z armii doszła jeszcze szczoteczka do zębów. Plastikowa, składająca się na pół, można było wsadzić ją do kieszeni jak długopis. Miał też zegarek. Wojskowy, więc najpierw był ich, ale potem dopiero stał się jego, bo nie kazali mu go zwrócić. To wszystko. Buty na nogach, ciuchy na grzbiecie, drobne w kieszeni spodni, banknoty w portfelu, szczoteczka do zębów w kieszeni koszuli, zegarek na przegubie ręki.

A teraz miał jeszcze dom. Dom to rzecz skomplikowana. Wielka, trudna, rzeczywista, namacalna. Zaczyna się od piwnicy. Piwnica jest ogromna, ciemna, ma betonową podłogę i betonowe ściany. Legary podłogowe wiszą nad głową jak kości. Są w niej rury, kable i maszyny. Kocioł centralnego ogrzewania. Gdzieś tam, zakopany w ziemi, jest zbiornik na olej opałowy. I studnia, z której czerpie się wodę, Wielkie okrągłe rury przebijają ścianę, to system kanalizacyjny. Wszystko funkcjonuje jak wielka niezależna maszyna, a on nie wiedział, jak funkcjonuje.

Na górze było już nieco normalniej: mnóstwo pokojów, sympatycznie podniszczonych i zabałaganionych. Ale wszystkie miały swoje sekrety. Niektóre z włączników światła nie działały. Jedno z okien nie dawało się otworzyć. Kuchenny piec nie nadawał się do użytku, był zbyt skomplikowany. A w nocy dom nie przestawał trzeszczeć, przypominając mu, że rzeczywiście istnieje i trzeba o im myśleć.

Dom istniał także poza strefą fizyczną. Był jestestwem biurokratycznym. Pocztą przyszło coś o „tytule własności". Trzeba było rozważyć sprawę ubezpieczenia. I zapłacić podatki: miejski, szkolny, inspekcja, wycena. I jeszcze zapłacić za wywóz śmieci. Ktoś pisał coś o ustalonym terminie dostawy gazu. Tego rodzaju pocztę trzymał w szufladzie w kuchni.

Do domu kupił tylko jedną rzecz: wkład złotego koloru, do filtra starej maszynki do kawy Leona. Uznał, że to prostsze rozwiązanie niż bieganie do sklepu po papierowe filtry. Tego ranka, dziesięć po czwartej, nasypał do niego kawy z puszki, nalał wody i włączył maszynkę. Wymył kubek, postawił go na blacie. Był przygotowany. Usiadł na stołku, oparł łokcie na stole, podparł nimi głowę i patrzył, jak brązowy płyn wypełnia szklany zbiorniczek. To była stara maszynka, niezbyt wydajna, pewnie w środku zgromadziło się sporo osadu, zaparzenie w niej kawy trwało zazwyczaj pięć minut. Gdzieś około czwartej z tych pięciu usłyszał zwalniający pod domem samochód: syk opon na mokrej nawierzchni podjazdu, zgrzyt na asfalcie. Jodie nie wytrzymała w pracy — pomyślał. Ta nadzieja trwała może półtorej sekundy, póki samochód nie wyjechał zza zakrętu, a on przez kuchenne okno nie dostrzegł błysku czerwonej lampy, to zapalającej się, to gasnącej. Czerwony promień przemykał z lewej do prawej, z lewej do prawej, przebijając warstwę nadrzecznej mgły, a potem znikł, a warkot silnika umilkł. Otworzyły się drzwi, rozległy kroki. Dwoje ludzi. Drzwiczki samochodu zamknęły się z trzaskiem. Reacher wstał, zgasił kuchenne światło. Wyjrzał przez okno. Dwie niewyraźne ludzkie sylwetki, ludzie próbujący przebić wzrokiem mgłę, szukający śladu ścieżki prowadzącej do jego drzwi frontowych. Wrócił na stołek i słuchał żwiru zgrzytającego im pod nogami.

Zadzwonili do drzwi.

W przedpokoju znajdowały się dwa kontakty. Jeden z nich zapalał lampę na ganku, ale nie wiedział który. Zaryzykował i wygrał; półkolista szybka u góry drzwi wejściowych rozjarzyła się słabym blaskiem. Reacher otworzył drzwi. Lampa na ganku rzucała wąskie pasmo światła, żarówka oprawiona była w grube, zabarwione na żółto szkło. Świeciła z wysoka, po prawej. Światło padało najpierw na Blake'a, a potem na te części ciała Julii Lamarr, które nie znajdowały się w jego cieniu. Twarz Blake'a nie zdradzała nic oprócz napięcia, na twarzy Lamarr pozostał wyraz wrogości i pogardy.

— Nie śpisz — powiedział Blake. Było to twierdzenie, nie pytanie.

Reacher skinął głową.

— Dobrze, wejdźcie — powiedział.

Lamarr potrząsnęła głową. Żółte światło zabłysło na jej włosach.

— Raczej nie — powiedziała.

Blake przestąpił z nogi na nogę.

— Jest tu jakieś miejsce, gdzie moglibyśmy pogadać? Zjeść śniadanie?

— O wpół do piątej? — odpowiedział pytaniem Reacher. — Nie, tutaj nie.

— Może porozmawiamy w samochodzie? — zaproponowała Lamarr.

— Nie.

Impas. Lamarr patrzyła w bok, Blake przestępował z nogi na nogę.

— Wejdźcie — powtórzył Reacher. — Właśnie zaparzyłem kawę.

Obrócił się, poszedł do kuchni. Wyjął z szafki jeszcze dwa kubki. Opłukał je z kurzu pod zlewem. Podłoga zaskrzypiała; Blake wszedł pierwszy, dopiero potem usłyszał lżejsze kroki Lamarr. Stuknęły zamykane drzwi.

— Może być tylko czarna — rzekł głośno. — Obawiam się, że w tym domu nie ma ani mleka, ani cukru.

— Czarna wystarczy — zapewnił Blake. Stał w drzwiach kuchennych. Przekroczył próg i przesunął się w bok, nie chciał wchodzić głębiej, naruszać prywatności. Lamarr zatrzymała się obok niego. Rozglądała się po kuchni, nie kryjąc zainteresowania.

— Ja dziękuję — powiedziała.

— Napij się kawy, Julio. Mamy za sobą długą noc.

Było to coś pomiędzy poleceniem a manifestacją ojcowskiej troski; Reacher spojrzał na Blake'a zaskoczony i napełnił trzy kubki. Wziął swój, oparł się o kuchenny blat. Czekał.

— Musimy porozmawiać — powiedział Blake.

— Kim była trzecia ofiara?

— Nazywała się Lorraine Stanley. Sierżant kwatermistrzostwa.

— Gdzie?

— Służyła gdzieś tam, w Utah. Znaleziono ją zamordowaną w Kalifornii. Dziś rano.

— Ten sam *modus operandi*?

Blake skinął głową.

— Identyczny pod każdym względem.

— Ta sama historia?

Blake skinął głową po raz drugi.

— Skarżyła się na napastowanie, wygrała sprawę, a i tak odeszła z wojska.

— Kiedy?

— Jeśli chodzi o skargę, złożyła ją dwa lata temu. Poszła do cywila rok temu. I tak mamy trzy na trzy. Wierz mi, związki z armią nie są przypadkowe.

Reacher wypił łyk kawy. Wydała mu się słaba, nieświeża, maszynka z pewnością zarośnięta była pokładami minerałów. Zapewne istniał jakiś sposób na jej oczyszczenie.

— Nigdy o niej nie słyszałem — powiedział. — Nigdy nie służyłem w Utah.

Blake znów skinął głową.

— Możemy gdzieś pogadać? — spytał.

— Przecież gadamy, nie?

— A możemy gdzieś usiąść?

Reacher skinął głową, oderwał się od kuchennego blatu, przeprowadził gości do pokoju dziennego. Postawił kubek na niskim stoliku, podniósł zasłony, wpuszczając do środka czerń nocy. Okna wychodziły na zachód, na rzekę; minie dobrych kilka godzin, nim niebo z tej strony zacznie się rozjaśniać.

Trzy sofy, ustawione w podkowę, stały przed kominkiem wypełnionym popiołem z zeszłej zimy; widok wesoło trzaskającego w nim ognia pożegnał ojca Jodie. Blake usiadł twarzą do okna, Reacher naprzeciw niego. Obserwował Lamarr, siadającą przodem do kominka, walczącą z krótką spódnicą. Jej skóra miała odcień popiołu.

— Obstajemy przy naszym profilu — powiedziała.

— No to gratulacje.

— Jest dokładnie taki jak ty.

— Myślisz, że to prawdopodobne? — spytał Blake.

— Co? — odpowiedział pytaniem Reacher.

— Że chodzi o żołnierza?

— Pytasz mnie, czy żołnierz może być zabójcą?

Blake skinął głową.

— Masz na ten temat własne zdanie?

— Moim zdaniem to cholernie głupie pytanie. Może jeszcze spytasz, czy dżokej umie jeździć konno?

Zapadła cisza, tylko w piwnicy rozległo się stłumione „łup" zapalającego się pieca i zaraz potem trzaski przewodów centralnego ogrzewania, rozgrzewających się, ocierających o legary podłogi pod ich stopami.

— Byłeś prawdopodobnym podejrzanym, jeśli chodzi o dwie pierwsze ofiary — rzekł Blake.

Reacher nie odpowiedział.

— Stąd obserwacja — wyjaśnił Blake.

— Czy to przeprosiny? — spytał Reacher.

— Chyba tak — przyznał Blake, kiwając głową.

— Dlaczego mnie zgarnęliście?

Blake wyglądał na zawstydzonego.

— Chyba chcieliśmy wykazać się jakimiś postępami.

— Chcieliście wykazać się postępami, zgarniając niewłaściwego faceta? Tego nie kupuję.

— Już przeprosiłem — przypomniał mu Blake.

Kolejna chwila ciszy.

— Macie kogoś, kto znał wszystkie trzy? — spytał Reacher.

— Jeszcze nie — odparła Lamarr.

— Zastanawiamy się teraz, czy wcześniejszy kontakt osobisty rzeczywiście jest taki ważny — powiedział Blake.

— Parę godzin temu zastanawialiście się nad tym, jaki jest ważny. Opowiadaliście mi nawet, jakim to byłem ich dobrym przyjacielem, jak pukam do drzwi, a one zaraz wpuszczają mnie do domu...

— Nie ty — przerwał mu Blake. — Ktoś taki jak ty, to wszystko. Teraz zastanawiamy się nad tym, czy przypadkiem nie popełniliśmy błędu. Facet szuka ofiar wśród pewnej kategorii osób, prawda? Kobiet składających skargę na napastowanie seksualne, a następnie odchodzących z armii. Niewykluczone, że nie znają go osobiście. Może jest ze znanej im kategorii? Jak na przykład żandarmeria?

Reacher się uśmiechnął.

— I teraz znów myślicie, że to ja, tak?

Blake potrząsnął głową.

— Nie. Nie byłeś w Kalifornii.

— Zła odpowiedź, Blake. To nie byłem ja, ponieważ nie jestem mordercą.

— Nigdy nikogo nie zabiłeś? — Lamarr zadała to pytanie tak, jakby z góry znała odpowiedź.

— Tylko tych, których trzeba było zabić.

Teraz przyszła jej kolej na uśmiech.

— Jak powiedziałam, trzymamy się naszego profilu. To jakiś zadufany w sobie sukinsyn. Jak ty.

Reacher uchwycił spojrzenie, jakim obrzucił ją Blake: na pół poparcie, na pół dezaprobata. Kuchenne światło padające z korytarza oświetlało ją od tyłu, zmieniało jej włosy w słabą aureolę; przez co głowa agentki przypominała głowę śmierci. Blake pochylił się do przodu, w ten sposób próbował skupić uwagę Reachera na sobie.

— Chcę przez to powiedzieć, że uważamy, że sprawca prawdopodobnie jest lub był żandarmem.

Reacher oderwał spojrzenie od Lamarr, wzruszył ramionami.

— Wszystko możliwe — powiedział.

Blake skinął głową.

— I wiesz, w zasadzie to rozumiemy. Lojalność wobec służby sprawia, że trudno ci to zaakceptować.

— Szczerze mówiąc, zdrowy rozsądek sprawia, że trudno to zaakceptować.

— W jakim sensie?

— Chyba uważasz, że sposób działania sprawcy w jakiś sposób opiera się na przyjaźni i zaufaniu. A nikt w wojsku nie ufa żandarmerii. Z mojego doświadczenia wynika też, że nikt za nią nie przepada.

— Powiedziałeś nam, że Rita Scimeca zapamiętałaby cię jako przyjaciela.

— Ja byłem inny. Starałem się. Takich jest niewielu.

I znów zapadła cisza. Mgła tłumiła dźwięki, przykrywała dom jak koc. Woda hałasowała, przeciskając się przez kaloryfery.

— Pracujemy według pewnego planu — ciągnął Blake. — Jak wspomniała Julia, trzymamy się naszych technik, a z tego, co mamy, wynika, że sprawy mają coś wspólnego z armią. Kategoria ofiary jest o wiele za wąska, by można mówić o przypadku.

— I?

— Można powiedzieć, że z samej zasady Biuro i wojsko niezbyt dobrze się ze sobą zgadzają.

— A to mi nowina. Ludzie, z kim wy się w ogóle zgadzacie!?

Blake skinął głową. Miał na sobie drogi garnitur, nieczyszczony od nowości. Wyglądał nieco niezręcznie, jak uniwersytecki trener futbolu na spotkaniu absolwentów.

— Nikt się z nikim nie zgadza. Sam dobrze wiesz, że wszyscy rywalizują ze wszystkimi. Zdarzyło ci się współpracować z cywilnymi agencjami, kiedy jeszcze służyłeś?

Reacher nie odpowiedział.

— No więc wiesz, jak to jest. Wojsko nienawidzi Biura, Biuro nienawidzi CIA i w ogóle wszyscy nienawidzą wszystkich.

Odpowiedziała mu cisza.

— Potrzebujemy łącznika.

— Co?

— Doradcy. Kogoś, kto by nam pomógł.

Reacher wzruszył ramionami.

— Nie znam nikogo odpowiedniego. A sam zbyt dawno odszedłem.

Zapadła cisza. Reacher dopił kawę, odstawił kubek na stolik.

— Nadawałbyś się — powiedział Blake.

— Ja?

— Tak, ty. Przecież ciągle wiesz, co jest grane.

— Nie ma mowy.

— Dlaczego nie ma mowy?

Reacher potrząsnął głową.

— Bo nie.

— Ale mógłbyś?

— Tak, ale nie chcę.

— Mamy twoje akta. Byłeś cholernie dobrym śledczym, póki służyłeś.

— To już historia.

— Pewnie nadal masz przyjaciół. Ludzi, którzy cię pamiętają. A może i ludzi, którzy coś ci zawdzięczają?

— Niewykluczone.

— Mógłbyś nam pomóc.

— Zapewne, ale nic z tego.

Reacher rozparł się na sofie. Położył na oparciu ramiona, wyprostował nogi.

— Nic nie czujesz? — spytał go Blake. — Do tych kobiet, które zostały zabite? To się nie powinno zdarzyć, prawda?

— W armii jest milion ludzi. Ja służyłem trzynaście lat. Przez ten czas kadry zmieniły się... może dwukrotnie? Więc powiedzmy, że ze mną służyły dwa miliony ludzi. Wydaje się oczywiste, że kilku z nich zginie, zostanie zabitych. Tak jak kilku z nich wygra na loterii. Nie mogę się martwić o wszystkich.

— Znałeś Callan i Cooke. Lubiłeś je.

— Lubiłem Callan.

— To pomóż nam złapać jej zabójcę.

— Nie.

— Proszę.

— Nie.

— Proszę cię o pomoc.

— Nie.

— Ty sukinsynu — powiedziała Lamarr.

Reacher spojrzał na Blake'a.

— I ty na serio myślisz, że zechcę z nią pracować. Czy ona nie potrafi znaleźć dla mnie innego określenia niż „ty sukinsynu"?

— Julio, zrób nam kawy — powiedział Blake.

Lamarr zaczerwieniła się, zacisnęła wargi, lecz jednak wstała z sofy, z wysiłkiem, i poszła do kuchni. Blake się wyprostował. Mówił cicho.

— Jest spięta. Odpuść jej choć trochę.

— Mam jej odpuścić? — zdziwił się Reacher. — A niby czemu? Siedzi w moim domu, pije moją kawę i jeszcze wyzywa mnie od najgorszych.

— Ofiary należą do bardzo specyficznej kategorii, prawda?

74

I może mieści się w tej kategorii mniej ludzi, niż przypuszczasz. Kobiety wnoszące skargę za napastowanie seksualne, a następnie porzucające służbę, prawda? Powiedziałeś „setki, może tysiące", ale Departament Obrony mówi coś innego: dziewięćdziesiąt jeden. Tylko dziewięćdziesiąt jeden kobiet spełnia te warunki.

— Więc?

— Wydaje nam się, że gość ma ochotę zająć się wszystkimi. Musimy założyć, że będzie zabijał, póki go nie złapiemy. Jeśli go złapiemy. Trzy już załatwił.

— Więc?

— Siostra Julii jest jedną z pozostałych osiemdziesięciu ośmiu.

Kolejna chwila ciszy, przerywanej tylko jakże domowymi odgłosami dobiegającymi z kuchni.

— Julia się boi — ciągnął Blake. — Nie przesadnie, do paniki brakuje jej, moim zdaniem, sporo, bo jeden do osiemdziesięciu ośmiu to niezłe szanse, ale nawet niezłe szanse nie przeszkadzają jej traktować sprawy osobiście.

Reacher powoli kiwnął głową.

— W takim razie nie powinna pracować nad tą sprawą. Jest zaangażowana osobiście.

Blake wzruszył ramionami.

— Nalegała. Ja podejmowałem decyzję. Jestem z niej zadowolony. Presja pomaga osiągać rezultaty.

— Nie w jej wypadku. Jest nieobliczalna.

— Ale jest też moim najlepszym specjalistą od portretów psychologicznych. De facto to ona prowadzi sprawę. Potrzebuję jej, czy jest zaangażowana czy nie. Ona potrzebuje ciebie jako łącznika, ja potrzebuję rezultatów, więc odpuść jej choć trochę.

Skończył, usiadł wygodniej; tłusty starszy mężczyzna źle czujący się w garniturze, pocący się w nocnym chłodzie. „Potrzebuję rezultatów". Reacher nie miał problemu z ludźmi potrzebującymi rezultatów, ale nic nie powiedział. To była długa chwila ciszy. A potem w pokoju pojawiła się Lamarr z dzbankiem kawy. Znów była blada. Opanowała się.

— Upieram się przy moim profilu — powiedziała. — Nasz

człowiek to ktoś dokładnie taki jak ty. Być może to ktoś, kogo znałeś. Może ktoś, z kim pracowałeś.

Reacher zmierzył ją spojrzeniem.

— Przykro mi z powodu twojej sytuacji osobistej — powiedział.

— Nie chcę twojej sympatii. Chcę złapać faceta.

— No, to powodzenia.

Lamarr pochyliła się, nalała kawy do kubka Blake'a, podeszła do Reachera.

— Dziękuję — powiedział Reacher.

— Pomożesz nam? — spytała.

Reacher potrząsnął głową.

— Nie.

Odpowiedziało mu milczenie.

— A funkcja doradcy? — spytał Blake. — Tylko konsultacje, nic więcej. Głęboka znajomość środowiska.

Reacher znowu potrząsnął głową.

— Nie. Nie jestem zainteresowany.

— W takim razie rola stuprocentowo bierna? Udział w burzach mózgów. Mamy wrażenie, że potrafiłbyś zbliżyć się do tego faceta. Albo przynajmniej do typu faceta.

— Nie moja broszka — powiedział Reacher obojętnie.

Kolejna chwila ciszy.

— Dasz się zahipnotyzować? — spytał Blake.

— Zahipnotyzować? Po co?

— Może przypomnisz sobie coś zakopanego głęboko w pamięci. No wiesz, jakiś gość rzucający groźby, wygłaszający nieprzychylne komentarze. Coś, na co w swoim czasie nie zwróciłeś szczególnej uwagi. Może ci się przypomni, a mu zdołamy coś z tego złożyć.

— Nadal hipnotyzujecie?

— Czasami — odpowiedział Blake. — Hipnoza bywa pomocna. Julia jest ekspertem. Ona by to zrobiła.

— W takiej sytuacji nie, dziękuję. Nie wykluczam, że zmusiłaby mnie do spaceru Piątą Aleją. Nago.

Kolejna chwila ciszy. Blake odwrócił wzrok, tylko na moment, i znów spojrzał Reacherowi w oczy.

— Spróbuję po raz ostatni — powiedział. — Biuro prosi cię o pomoc. Bez przerwy zatrudniamy jakiś doradców. Dostaniesz forsę i wszystko, co ci się należy. Tak czy nie?

— Właśnie dlatego mnie zgarnęliście, co?

Blake skinął głową.

— Czasami to działa — powiedział.

— Jak?

Blake zastanawiał się przez chwilę, po czym uznał, że może odpowiedzieć. Reacher patrzył na faceta stosującego całkowitą szczerość jako narzędzie perswazji.

— Wstrząsa ludźmi. No wiesz, kiedy dajemy im odczuć, że są głównymi podejrzanymi, a potem mówimy, że jednak nie, emocjonalna huśtawka sprawia, że rodzi się w nich poczucie wdzięczności. No i chcą nam pomóc.

— Mówisz z doświadczenia?

Blake znowu skinął głową.

— To częściej działa, niż nie działa — przyznał.

Reacher wzruszył ramionami.

— Nigdy nie zajmowałem się psychologią.

— Można powiedzieć, że psychologia to nasza specjalność.

— Nie uważasz, że to trochę okrutne?

— Biuro robi to, co musi.

— Najwyraźniej.

— A więc tak czy nie?

— Nie.

W pokoju zapanowała cisza.

— Dlaczego?

— Chyba dlatego, że wasza emocjonalna huśtawka na mnie jednak nie podziałała.

— Możesz podać powód formalny? Do akt.

— Powodem formalnym jest pani Lamarr. Pani Lamarr mnie wkurza.

Blake rozłożył ręce w bezradnym geście.

— Przecież wkurzała cię tylko po to, żeby zadziałała huśtawka emocjonalna. Taka technika.

Reacher skrzywił się przeraźliwie.

77

— No, to jest przesadnie przekonująca. Odsuń ją od sprawy, to może jeszcze raz rozważę twoją propozycję.

Lamarr obrzuciła go wściekłym spojrzeniem. Blake tylko pokręcił głową.

— Tego nie zrobię. Decyzja należy do mnie, nikt nie będzie mi niczego dyktował.

— Czyli moja odpowiedź brzmi: nie.

Cisza. Kąciki ust Blake'a opadły.

— Nim przyjechaliśmy do ciebie, rozmawialiśmy z Deerfieldem — powiedział. — Chyba rozumiesz, dlaczego to zrobiliśmy? Grzeczność wymagała. Upoważnił nas do przekazania ci, że jeśli zagrasz w naszej drużynie, Cozo wycofa oskarżenia o wymuszenie.

— Nie obawiam się oskarżenia o wymuszenie.

— A powinieneś. Wymuszanie pod pretekstem ochrony śmierdzi, chyba nie muszę ci tego mówić. Rujnuje biznesy, rujnuje ludziom życie. Jeśli scenariusz Coza się utrzyma, przysięgli, drobni kupcy z Tribeki, znienawidzą cię.

— Nie obawiam się oskarżenia o wymuszenie — powtórzył Reacher. — Załatwię je w sekundę. Bo ja nie dopuściłem do wymuszenia, chyba o tym pamiętasz? Nie ja zacząłem. Dla drobnych kupców z Tribeki będę jak Robin Hood.

Blake skinął głową, opuścił ją, wytarł usta dłońmi.

— Problem w tym, że na oskarżeniu o wymuszanie wcale nie musi się skończyć. Jeden z facetów jest w stanie krytycznym, dowiedzieliśmy się o tym tuż przed wyjazdem z Bellevue. Pęknięcie kości czaszki. Jeśli umrze, będziesz miał sprawę o morderstwo.

Reacher roześmiał się wesoło.

— Nieźle, Blake, całkiem nieźle. Tyle że dziś nikomu nie pękły kości czaszki. Uwierz mi na słowo: gdybym chciał rozwalić komuś łeb, wiem, jak to zrobić. Nic nie zdarzyłoby się przez przypadek. A teraz chętnie wysłucham reszty.

— Reszty czego?

— Reszty pogróżek. Biuro robi to co, musi, nie? Wejdziesz w szarą strefę tak głęboko, jak to konieczne. Zatem posłuchajmy, jakie to straszne pogróżki przygotowaliście.

— My tylko chcemy, żebyś zagrał w naszej drużynie.

— Przecież wiem. I bardzo mnie interesuje, jak daleko gotowi jesteście się posunąć.

— Tak daleko, jak będzie trzeba. Jesteśmy z Biura, Reacher. I działamy pod presją. Nie zamierzamy marnować czasu. Nie mamy go.

Reacher wypił łyk kawy. Smakowała lepiej niż ta, którą sam zaparzył. Może Lamarr zrobiła mocniejszą? Albo słabszą?

— No to pora na złe wiadomości.

— Kontrola urzędu skarbowego.

— Myślisz, że przestraszę się kontroli urzędu skarbowego? Nie mam nic do ukrycia. Jeśli znajdą jakieś dochody, o których zapomniałem, będę im bardzo wdzięczny i tyle. Przydałoby mi się trochę gotówki.

— U twojej dziewczyny też.

Reacher znów roześmiał się wesoło.

— Na litość boską, Jodie jest prawniczką z Wall Street. W wielkiej firmie, w której lada chwila może zostać wspólniczką. Załatwi urząd skarbowy jedną ręką, nawet o tym nie myśląc.

— To poważne sprawy, Reacher.

— Nie. Na razie niepoważne.

Blake spuścił wzrok.

— Cozo ma na ulicy ludzi. Tajniaków. Petrosjan będzie chciał się dowiedzieć, kto załatwił wczoraj jego chłopaków. Mogą mu podpowiedzieć.

— I co?

— Mogą im zdradzić, gdzie mieszkasz.

— I to ma mnie przestraszyć? Przyjrzyj mi się, Blake. I pomyśl. Na ziemi jest może z dziesięciu ludzi, których powinienem się bać. Wydaje się raczej nieprawdopodobne, żeby twój Petrosjan należał do tej dziesiątki. Jeśli chce mnie odwiedzić, proszę bardzo. Spławię go z powrotem do miasta rzeką. W trumnie.

— Z tego, co słyszałem, facet jest twardy.

— Nie wątpię, że facet jest twardy. Ale czy wystarczająco twardy?

— Cozo twierdzi, że to zboczeniec. W jego egzekucjach

zawsze jest jakiś element seksualny. Zawsze zostawia ciała ofiar na widoku, nagie i okaleczone. Dziwaczne. Mężczyźni, kobiety, jemu bez różnicy. Deerfield wszystko nam powiedział. Rozmawialiśmy z nim na ten temat.

— Zaryzykuję.

Blake skinął głową.

— Tego się po tobie spodziewaliśmy. Takiej odpowiedzi. Umiemy oceniać charaktery, można powiedzieć, że to nasz zawód. Zadaliśmy więc sobie pytanie, jak zareagujesz na coś innego. Powiedzmy, że Cozo załatwi przeciek, Petrosjan dostanie nazwisko i adres, ale to nie będzie twoje nazwisko ani twój adres, tylko nazwisko i adres twojej przyjaciółki.

6

— Co masz zamiar zrobić? — spytała Jodie.

— Nie wiem.

— Wierzyć się nie chce, że działają w ten sposób.

Siedzieli w kuchni u Jodie, cztery piętra nad dolnym Broadwayem na Manhattanie. Blake i Lamarr odjechali, pozostawiając Reachera w domu, w Garrison; odczekał niespokojne dwadzieścia minut, po czym pojechał na południe, do miasta. Jodie wróciła do domu o szóstej, w sam raz na kąpiel i śniadanie... i zastała go w salonie swego mieszkania.

— Mówili poważnie?

— Nie wiem. Prawdopodobnie tak.

— Wierzyć się nie chce, do jasnej cholery.

— Są w rozpaczliwej sytuacji — powiedział Reacher. — I są aroganccy. I kochają wygrywać. I są elitą. Złóż to wszystko razem, tak się zachowują. Nie pierwszy raz to widzę. Niektórzy z naszych ludzi postępowali identycznie. Byli gotowi na wszystko.

— Ile masz czasu?

— Mam zadzwonić przed ósmą. Oznajmić decyzję.

— I co chcesz zrobić?

— Nie wiem — powtórzył Reacher.

Płaszcz Jodie wisiał na oparciu kuchennego krzesła. Dziewczyna chodziła nerwowo tam i z powrotem, ciągle ubrana w brzos-

81

kwiniową sukienkę. Pracowała na pełnych obrotach przez dwadzieścia trzy godziny, ale nie było tego po niej widać, jeśli nie liczyć niemal niewidocznych sinych plamek w kącikach oczu.

— Przecież to im nie ujdzie na sucho, prawda? — powiedziała. — Może nie mówili serio.

— Może i nie, ale to jest gra, rozumiesz? O wysoką stawkę. Tak czy inaczej będziemy się tym przejmowali. Nigdy nie przestaniemy.

Jodie opadła na krzesło, założyła nogę na nogę. Odchyliła głowę, potrząsnęła nią energicznie, włosy rozsypały się jej na ramiona. Była wszystkim, czym Julia Lamarr nie była. Obcy z dalekiej planety sklasyfikowałby je obie jako „kobiety" złożone z tych samych elementów: włosy, oczy, usta, ręce, nogi, ale jedna z tych kobiet była marzeniem sennym, druga zaś koszmarem.

— Sprawy zaszły za daleko — powiedział Reacher. — To moja wina. Tylko i wyłącznie moja. Robiłem sobie z nich jaja, bo Lamarr nie spodobała mi się od pierwszego wejrzenia. Uznałem, że warto trochę sobie z nimi poigrać, a dopiero potem łaskawie się zgodzić. Ale walnęli z grubej rury, nim do tej zgody doszło.

— W takim razie zmuś ich, żeby odwołali, co powiedzieli. Zacznijcie od nowa. Pójdź na współpracę.

Reacher potrząsnął głową.

— Nie. Grożenie mi to jedna sprawa, a grożenie tobie zupełnie inna. Przekroczyli granicę. Jeśli pozwalają sobie choćby o tym myśleć, to do diabła z nimi.

— Ale... czy mówili poważnie? — powtórzyła pytanie Jodie.

— Najbezpieczniejszą strategią jest przyjąć, że tak. Że to możliwe.

Skinęła głową.

— Ja się boję. I chyba nadal będę się bała, choćby tylko trochę, nawet jeśli się wycofają.

— No właśnie. Co się stało, to się nie odstanie.

— Ale dlaczego? Dlaczego są aż tak zdesperowani? Skąd te groźby?

— Dawne czasy. Wiesz, jak to jest. Wszyscy wszystkich nienawidzą. Blake mi to powiedział. I to prawda. Żandarmeria nie nasika na Quantico, nawet gdyby się paliło. Z powodu Wietnamu. Tata mógłby powiedzieć ci o tym wszystko. Sam był doskonałym przykładem.

— O co chodzi z Wietnamem?

— Kwestia czysto praktyczna. Uchylającymi się od poboru zajmowało się Biuro, dezerterami — my. Dwie różne kategorie, rozumiesz? A my wiedzieliśmy, jak radzić sobie z dezerterami. Niektórzy szli do pudła, ale niektórych sami uczyliśmy rozumu. Dżungla to nie zabawa, nie dla piechociarza, a i punkty rekrutacyjne nie pękały w szwach; pewnie sama to pamiętasz. Tak więc żandarmeria uspokajała tych najlepszych i odsyłała do jednostki, ale w dziewięciu przypadkach na dziesięć Biuro aresztowało ich w drodze na lotnisko. Doprowadzało nas to do szału. Hoover był zwyczajnie nie do zniesienia. Toczyła się wojna o terytorium, jakiej świat nie widział. A rezultat: facet tak rozsądny jak Leon nie chciał po tym zamienić słowa z FBI. Nie przyjmował telefonów, robił wszystko, żeby nie odpowiadać na listy.

— I to ciągle trwa?

Reacher skinął głową.

— Instytucje mają długą pamięć. Dla nich to działo się zaledwie wczoraj. Nie wybaczaj i nie zapomnij.

— Nawet jeśli kobiety są w niebezpieczeństwie?

Wzruszył ramionami.

— Nikt nigdy nie twierdził, że instytucjonalne myślenie ma sens.

— Więc oni naprawdę kogoś potrzebują?

— Jeśli chcą coś osiągnąć, tak.

— Ale... dlaczego ty?

— Jest mnóstwo powodów. Brałem udział w kilku sprawach, nie trzeba mnie było daleko szukać, jestem wystarczająco dobrze ustawiony, by wiedzieć, gdzie czego szukać, i mam swoje lata, co oznacza, że niektórzy przedstawiciele dzisiejszego pokolenia są mi winni jedną czy dwie przysługi.

Jodie skinęła głową.

— Jeśli poskładamy to w całość, wychodzi, że prawdopodobnie mówili serio.

Nie odpowiedział.

— Co nam pozostaje?

Reacher milczał jeszcze przez chwilę, po czym przerwał ciszę:

— Możemy podejść do sprawy z innej strony.

— To znaczy?

— Będziesz mi towarzyszyć.

Jodie pokręciła głową.

— Nie pozwoliliby, żebym ci towarzyszyła. A nawet gdyby, to i tak nie mogę. To przypuszczalnie przeciągnie się na całe tygodnie, prawda? A ja muszę pracować. Decyzja o tym, kto zostaje wspólnikiem, wkrótce zapadnie.

Reacher skinął głową.

— Można to załatwić w jeszcze inny sposób.

— Na przykład?

— Mogę wyeliminować Petrosjana.

Jodie patrzyła na niego szeroko otwartymi oczami. Milczała.

— Wyeliminować zagrożenie. To jak przebicie ich asa atutem.

Spojrzała w sufit, a potem powoli pokręciła głową.

— W firmie mamy takie powiedzenie. Zasadę „co jeszcze". Powiedzmy, że mamy na oku bankruta. Czasami zaglądamy tu i tam i wychodzi na to, że facet ma gdzieś ukryte środki, o których nic nam nie mówi. Czai się. Oszukuje. Wtedy przede wszystkim zadajemy sobie pytanie „co jeszcze?". Co jeszcze robi? Co jeszcze ma?

— I?

— O co im właściwie chodzi? Bo może wcale nie o kobiety? Może właśnie o Petrosjana? Zdaje się, że to cwany facet. Śliski typ. Może nie sposób go o nic oskarżyć? Brak dowodów. Brak świadków. A jeśli Cozo używa Blake'a i Lamarr, żeby napuścić cię na niego? Sporządzili twój portret, tak? Psychologiczny, tak? Czyli wiedzą, jak myślisz, jak reagujesz. Wiedzą, że jeśli zagrożą Petrosjanem mnie, ty przede wszystkim pomyślisz, jak załatwić Petrosjana. Zdejmiesz go z ulicy bez procesu, którego prawdopodobnie nie zdołaliby wygrać. Nie zostawisz żadnych pro-

84

wadzących do Biura śladów. Użyją cię jako zabójcy. Będziesz ich rakietą sterowaną czy jak to się nazywa. Nakręcą zabawkę i zabawka zatańczy.

Reacher milczał.

— Są też i inne możliwości. Facet zabijający te kobiety wydaje się całkiem sprytny, prawda? Nie zostawia śladów? Zapowiada się na to, że trudno będzie coś mu udowodnić. Może pomyśleli, że ty go wyeliminujesz? Pewnie nie uda się zebrać dowodów wystarczających do zadowolenia sędziów, ale wystarczy, żeby te dowody zadowoliły ciebie. Wówczas załatwisz go w imieniu kobiet, które znałeś. Robota zrobiona szybko, tanio i żadne ślady nie prowadzą do Biura. Używają cię jak magicznej kuli. Wystrzelą ją w Nowym Jorku, trafi w cel nie wiadomo gdzie i nie wiadomo kiedy.

Reacher nadal milczał.

— A jeśli nigdy nie byłeś podejrzany? — ciągnęła Jodie. — Jeśli nie szukają zabójcy, tylko chodzi im o kogoś, kto wyeliminuje zabójcę?

W pokoju panowała cisza. Z ulicy dobiegały odgłosy budzącego się dnia. Wstawał szaroczarny świt, ruch stawał się coraz bardziej ożywiony.

— Może chodzić o jedno i drugie — zauważył Reacher. — I o Petrosjana, i o tego drugiego.

— Są cwani — powiedziała Jodie.

Reacher skinął głową.

— Z całą pewnością są cholernie cwani — przytaknął.

— Co masz zamiar zrobić?

— Nie mam pojęcia. Wiem tylko, że nie mogę przenieść się do Quantico i zostawić cię samej w jednym mieście z Petrosjanem. Tego po prostu nie mogę zrobić.

— A może wcale nie mówili poważnie? Czy FBI rzeczywiście zrobiłoby coś takiego?

— Kręcisz się w kółko. Tymczasem odpowiedź jest prosta: nie wiemy. I na tym właśnie polega sprawa. Osiągnęli skutek, który chcieli osiągnąć. „Nie wiemy" najzupełniej im wystarczy, prawda?

— A jeśli się im nie podporządkujesz, to co?

— Zostanę tu i będę cię strzegł w każdej minucie każdego dnia, aż obrzydnie nam to do tego stopnia, że zajmę się Petrosjanem tak czy inaczej, niezależnie od tego, czy podczas naszej rozmowy żartowali, czy nie.

— A jeśli się im podporządkujesz?

— Będą mnie trzymali na boisku, stosując groźby dotyczące ciebie. A być „na boisku"... co to według nich znaczy? Czy potrafię się powstrzymać, kiedy znajdę faceta? Czy sprowokują mnie, zmuszą do pójścia na całość, załatwienia go?

— Cwani ludzie — powtórzyła Jodie.

— Dlaczego nie powiedzieli po prostu, czego chcą?

— Nie mogą powiedzieć nic wprost. Byłoby to w stu procentach nielegalne. A w ogóle to nie wolno ci zrobić ani jednego, ani drugiego.

— Czemu?

— Bo wówczas mieliby cię na własność, Reacher. Dwa zabójstwa w samozwańczej obronie prawa za ich wiedzą? Pod ich nosami? Mieliby cię na własność, Reacher. Do końca życia.

Reacher oparł dłonie o parapet okna, zapatrzył na biegnącą niżej ulicę.

— Znalazłeś się w cholernej sytuacji — powiedziała Jodie. — Oboje znaleźliśmy się w cholernej sytuacji.

Reacher milczał.

— Co zamierzasz zrobić? — spytała Jodie.

— Przemyśleć to — odparł. — Mam czas do ósmej.

Skinęła głową.

— Przemyśl to dokładnie. Nie zrób nic, czego byśmy oboje żałowali.

• • •

Jodie wróciła do pracy, pozycja wspólnika kusi. Reacher siedział samotny w jej mieszkaniu. Przez trzydzieści minut myślał, rozważając wszystko, co mógł rozważyć, przez dwadzieścia rozmawiał przez telefon; to Blake wspomniał o ludziach, którzy „coś ci zawdzięczają". W końcu, za pięć ósma, zadzwonił pod numer, który podała mu Lamarr. Podniosła słuchawkę po pierwszym sygnale.

— Wchodzę w to — oznajmił. — Nie bardzo mi się podoba, ale zrobię, co chcecie.

Na krótką chwilę zapanowało milczenie. Reacher wyobraził sobie, że widzi krzywy ząb. I uśmiech.

— Jedź do domu i spakuj się — powiedziała Lamarr. — Podjadę po ciebie dokładnie za dwie godziny.

— Nie. Chcę się zobaczyć z Jodie. Spotkamy się na lotnisku.

— Nie lecimy.

— Co?

— Nie lecimy. Nigdy nie latam. Pojedziemy samochodem.

— Do Wirginii? Stracimy mnóstwo czasu!

— Pięć, sześć godzin.

— Sześć godzin? W jednym samochodzie z tobą? O, do diabła, nie wchodzę w to.

— Wchodzisz, gdzie ci każą wejść, Reacher. Garrison, za dwie godziny.

● ● ●

Biuro Jodie mieściło się na czterdziestym piętrze sześćdziesięciopiętrowego wieżowca na Wall Street. Ochrona w holu czuwała dwadzieścia cztery godziny na dobę. Reacher dostał od dziewczyny identyfikator umożliwiający wejście do budynku w dzień i w nocy. Jodie siedziała przy biurku, sama w pokoju. Przeglądała poranne informacje z rynków londyńskich.

— Wszystko w porządku? — spytał.

— Jestem tylko zmęczona.

— Powinnaś wrócić do domu.

— Jasne. Jakbym mogła teraz zasnąć.

Reacher podszedł do okna, spojrzał na wąski pasek jaśniejącego nieba.

— Odpręż się — powiedział. — Nie ma się o co martwić.

Jodie milczała.

— Wiem, co zrobię.

Potrząsnęła głową.

— Świetnie, tylko nic mi nie mów. Nie chcę wiedzieć.
— Wszystko się ułoży, obiecuję.
Jodie jeszcze przez chwilę siedziała nieruchomo, a potem podeszła do Reachera. Przytuliła się do niego mocno, oparła policzek o jego pierś.
— Bądź ostrożny — powiedziała.
— Będę. O nic się nie martw.
— Nie zrób jakiegoś głupstwa.
— Nie martw się.
Jodie uniosła głowę. Pocałowali się. Całował ją mocno, długo; wiedział, że ten pocałunek musi mu wystarczyć na całą przewidywalną przyszłość.

• • •

Jechał szybciej niż zwykle i do domu dotarł dziesięć minut przed upływem wyznaczonego przez Lamarr terminu dwóch godzin. Z łazienki zabrał składaną szczoteczkę do zębów, przypiął ją do wewnętrznej kieszeni. Zamknął drzwi do piwnicy. Wyłączył termostat. Zakręcił wszystkie krany, mocno, do oporu. Zamknął drzwi frontowe. Wyłączył telefon w gabinecie. Wyszedł kuchennym wejściem. Przeszedł spacerkiem do granicy ogrodu, spojrzał na rzekę. Była szara, płynęła ospale, otulona poranną mgłą jak pierzyną. Liście drzew porastających przeciwny brzeg zaczynały już zmieniać kolor, z szarozielonych robiły się brązowe i blado-pomarańczowe. Budynki West Point były zaledwie widoczne.
Wodniste, nieobiecujące ciepła słońce wychylało się powoli znad dachu jego domu. Reacher wrócił do domu, przeszedł przez garaż, wyszedł na podjazd. Włożył kurtkę, ruszył w stronę ulicy. Nie obejrzał się, nie pożegnał z domem. Co z oczu, to i z serca, to pasowało mu najbardziej.
Skrzyżował ramiona, oparł się o swoją skrzynkę na listy. Patrzył na drogę. Czekał.

7

Lamarr pojawiła się dokładnie o czasie. Przyjechała nowiuteń-
kim buickiem; farba na tablicach rejestracyjnych Wirginii nie
zdążyła jeszcze wyschnąć. Była sama i w buicku wydawała się
bardzo drobna. Przyhamowała, wcisnęła przycisk otwierający
bagażnik. U dołu klapy widniała plakietka: „Turbodoładowanie".
Reacher zamknął klapę, otworzył drzwiczki od strony pasażera,
wsiadł.

— Gdzie twoja torba?

— Nie mam torby — powiedział.

Przez chwilę Lamarr wydawała się zdezorientowana, a potem
odwróciła głowę, uciekając spojrzeniem, jakby znalazła się w krę-
pującej sytuacji towarzyskiej. Ruszyła powoli. Na pierwszym
skrzyżowaniu zatrzymała się, zdezorientowana.

— Jak najwygodniej dojechać na południe? — spytała.

— Najwygodniej byłoby dolecieć. Samolotem.

Znów odwróciła wzrok. Skręciła w lewo, od rzeki, a potem
znowu w lewo. Szosą numer 10 pojechała na północ.

— W Fishkill zjadę na I-osiemdziesiąt cztery — wyjaśniła. — Pojadę na zachód do autostrady, potem na południe do
Palisades i dalej Garden State.

Reacher milczał. Obrzuciła go szybkim spojrzeniem.

— Rób, jak chcesz — powiedział.

— Nie możemy po prostu porozmawiać?

— Nie mamy o czym rozmawiać.

— No to niewielki z ciebie pożytek.

Reacher wzruszył ramionami.

— Powiedzieliście, że potrzebujecie mojej pomocy w kontaktach z armią, a nie w nauce geografii na poziomie szkoły podstawowej.

Lamarr uniosła brwi i skrzywiła wargi w grymasie mającym oznaczać rozczarowanie, lecz nie zaskoczenie. Reacher spojrzał w bok. Przez boczną szybę podziwiał krajobraz. W samochodzie było ciepło, tak ustawiła klimatyzację. Pochylił się, przykręcił ją o pięć stopni po swojej stronie.

— Za gorąco.

Tego wyjaśnienia nie skomentowała. Prowadziła w milczeniu. I-osiemdziesiąt cztery przeprawili się przez Hudson, minęli Newburgh. Wjechała na Thruway w kierunku na południe. Poprawiła się w siedzeniu, jakby w przygotowaniu na długą drogę.

— W ogóle nie latasz? — spytał Reacher.

— Od wielu lat. Kiedyś mogłam, teraz nie mogę.

— Dlaczego?

— Fobia — powiedziała po prostu. — Boję się i tyle.

— Nosisz broń?

Zamiast odpowiedzi zdjęła dłoń z kierownicy. Odchyliła żakiet. Reacher zobaczył paski kabury naramiennej, sztywne, brązowe, lśniące, otaczające jej pierś.

— Jesteś gotowa jej użyć? — spytał.

— Jeśli zajdzie taka konieczność? Oczywiście.

— W takim razie to głupota bać się latania. Milion razy prawdopodobniejsze, że wykończy cię udział w strzelaninach. Albo prowadzenie samochodu.

Skinęła głową.

— Chyba to rozumiem. Statystycznie.

— Czyli twój strach jest irracjonalny.

— Chyba tak.

Umilkli. Silnik pracował cicho.

— Biuro zatrudnia wielu irracjonalnych agentów?

Lamarr nie odpowiedziała, tylko poczerwieniała lekko. Reacher milczał, obserwując przemykającą szybko drogę. Nagle poczuł się kiepsko. Nie powinien tak się wyżywać na tej kobiecie. Podlegała wielkim naciskom i to z różnych stron.

— Przykro mi z powodu twojej siostry — powiedział.

— Dlaczego?

— No... wiem, że się o nią martwisz.

Lamarr ani drgnęła. Wpatrywała się w drogę nieruchomym spojrzeniem.

— Blake ci powiedział? Kiedy parzyłam kawę?

— Wspomniał o niej, owszem.

— Właściwie to moja przyrodnia siostra. A jeśli niepokoi mnie sytuacja, w której się znalazła, jest to niepokój czysto profesjonalny, rozumiesz?

— Wygląda na to, że niezbyt się ze sobą zgadzacie.

— Doprawdy? A to dlaczego? Powinnam bardziej przejmować się sprawą, ponieważ jedna z potencjalnych ofiar jest mi bliska?

— Nie tego po mnie oczekiwałaś? Spodziewałaś się, że będę gotów pomścić Amy Callan, ponieważ znałem ją i lubiłem.

Lamarr potrząsnęła głową.

— Nie ja, tylko Blake. W każdym razie miałam prawo oczekiwać, że się tym przejmiesz jako człowiek. Tyle, że nie oczekiwałam, ponieważ twój portret psychologiczny odpowiada portretowi mordercy.

— Twój profil jest zły. Im szybciej to zrozumiecie, tym szybciej złapiecie sprawcę.

— A co ty o tym możesz wiedzieć!?

— Nie wiem nic... ale nie zabiłem tych kobiet i nigdy bym ich nie zabił. Tracicie czas, szukając kogoś takiego jak ja, bo jestem przeciwieństwem kogoś, kogo szukacie. Nie uważasz, że to rozsądne rozumowanie? Oparte na solidnym fundamencie faktów?

— Lubisz fakty?

Reacher skinął głową.

— O wiele bardziej od kitu.

— W porządku, spróbujmy faktów. Całkiem niedawno złapałam zabójcę. W Kolorado. Nie musiałam tam nawet jechać.

Zamordował kobietę w jej domu uderzeniami w głowę zadanymi tępym narzędziem. Ciało pozostawił leżące na wznak, z twarzą przykrytą ścierką. Brutalne przestępstwo seksualne popełnione pod wpływem chwili, ani śladu włamania, ani śladu zniszczeń w domu. Kobieta była młoda, niegłupia, ładna. Uznałam, że sprawcą był mężczyzna, miejscowy, starszy, mieszkający w odległości możliwej do przebycia pieszo. Że znał ofiarę, często bywał w jej domu, czuł do niej pociąg seksualny, ale nie potrafił jej go okazać we właściwy sposób bądź tłumił swe uczucia.

— I?

— Wysłałam swój profil, a miejscowa policja dokonała aresztowania w ciągu godziny. Sprawca natychmiast się przyznał.

Reacher skinął głową.

— To był miejscowy majster od wszystkiego, złota rączka.

Po raz pierwszy od dobrych trzydziestu minut Lamarr oderwała wzrok od drogi. Spojrzała na Reachera szeroko otwartymi oczami.

— Nie mogłeś słyszeć o sprawie. Tutejsza prasa nic o tym nie pisała.

Reacher wzruszył ramionami.

— Po prostu wnioskuję z faktów. Twarz zakryta ścierką oznacza, że ofiara znała sprawcę, a sprawca znał ofiarę. I wstydził się pozostawić ją bez przykrycia. Być może budziło to w nim skruchę, jakby patrzyła na niego zza grobu albo coś. Tego rodzaju pseudopraktyczne myślenie charakterystyczne jest dla osób o niskim ilorazie inteligencji. Brak śladów włamania i zniszczeń w domu oznacza z kolei, że ją znał i wielokrotnie odwiedzał. Reszta jest dziecinnie prosta.

— Dlaczego?

— Bo kto z niskim ilorazem inteligencji może wielokrotnie odwiedzać młodą, ładną, niegłupią dziewczynę w jej domu? Tylko ogrodnik albo złota rączka. Ale ogrodnik odpada, bo ogrodnicy pracują w ogrodzie, w dodatku najczęściej dwójkami. Postawiłem na złotą rączkę. Faceta prześladowała pewnie jej młodość, uroda i pewnego dnia nie wytrzymał. Zaczął jej robić jakieś niezdarne awanse. A ją to żenowało, odrzuciła je, może nawet wyśmiała, Facetowi odbiło. Zgwałcił ją i zabił. Miał przy sobie swoje narzędzia, umiał się nimi posługiwać. Użył młotka.

Lamarr milczała. Tylko znów poczerwieniała, mimo naturalnej bladości.

— I ty to nazywasz tworzeniem portretu psychologicznego? Profilu? Przecież to tylko zdrowy rozsądek!

— Wybrałam bardzo łatwą sprawę — powiedziała cicho.

Reacher się roześmiał.

— Ludzie, czy wam za to płacą? Uczycie się tego? Studiujecie?

Wjechali do New Jersey. Nawierzchnia szosy wyraźnie się poprawiła, rosnące wzdłuż niej rośliny były zdecydowanie lepiej utrzymane. Zawsze tak jest. Każdy stan wkłada wiele wysiłku w to, by pierwszy kilometr jego autostrady przekonywał cię, że wkraczasz do świata lepszego niż świat, który właśnie opuściłeś. Reacher zawsze się zastanawiał, dlaczego nie wkładają wysiłku w ostatni? W ten sposób tęskniłbyś za światem, który opuszczasz.

— Musimy porozmawiać — powiedziała Lamarr.

— Więc rozmawiaj. Opowiedz mi o studiach.

— Nie będziemy rozmawiali o studiach.

— Dlaczego nie? Chętnie usłyszałbym o zajęciach z profilów psychologicznych. Zdałaś?

— Musimy porozmawiać o sprawie.

Reacher uśmiechnął się.

— Skończyłaś studia, prawda?

Lamarr skinęła głową.

— Tak. Uniwersytet stanowy Indiana.

— Specjalizacja w psychologii?

Potrząsnęła głową.

— W takim razie co to było? Kryminologia?

— Architektura krajobrazu, jeśli już musisz wiedzieć. Zawodu nauczyła mnie Akademia FBI w Quantico.

— Architektura krajobrazu? Nic dziwnego, że Biuro rzuciło się na ciebie bez wahania.

— To miało pewne znaczenie. Uczysz się widzieć całościowy obraz. I być cierpliwym.

— Oraz jak uprawiać roślinki. A to ma pewne znaczenie. Zajmuje czas, gdy kolejne gówniane profile prowadzą donikąd. Lamarr umilkła.

— A powiedz mi, proszę, ilu cierpiących na irracjonalne fobie architektów krajobrazu spotyka się w Quantico? Ekspertów od bonsai z arachnofobią? Hodowców orchidei niedepczących szczelin między płytami chodnika, bo to przynosi pecha?

Lamarr stawała się coraz bledsza.

— Mam nadzieję, że jesteś z siebie bardzo dumny, Reacher — rzekła w końcu. — To prawdziwa sztuka stroić sobie żarty, kiedy giną kobiety.

Reacher się uspokoił. Wyjrzał za okno. Jechali szybko, nawierzchnia była wilgotna, na horyzoncie piętrzyły się ciemne chmury. Gonili uciekającą na południe burzę.

— Opowiedz mi o morderstwach — poprosił.

Lamarr zacisnęła dłonie na kierownicy i używając jej jako podpory, poprawiła się w siedzeniu.

— Znasz typologię ofiar. Bardzo charakterystyczna, prawda?

— Najwyraźniej — zgodził się, kiwając głową.

— Lokalizacja w sposób oczywisty przypadkowa. Sprawca tropi wybraną ofiarę, jedzie tam, gdzie musi pojechać. Na razie ofiary zabijano w ich domach. Te domy różnią się od siebie, to znaczy wszystkie są niewielkie, jednorodzinne, ale o różnym stopniu odosobnienia.

— Ładne, prawda?

Lamarr zerknęła na niego i Reacher się uśmiechnął.

— Armia dobrze im zapłaciła, rozumiesz? Odprawa. Nazywają to „unikaniem skandalu". No więc te kobiety mają sporo gotówki, mogą osiąść gdzieś po paru latach włóczęgi, nic dziwnego, że kupują ładne domy.

Agentka skinęła głową.

— To się zgadza. I z dotychczasowych żaden nie leżał na uboczu.

— Zrozumiałe. Pragnęły być częścią społeczności. A mężowie? Rodziny?

— Callan była w separacji. Nie miała dzieci. Cooke miała

przyjaciela. Nie miała dzieci. Stanley była samotniczką. Żadnych bliższych związków.

— Przyjrzeliście się mężowi Callan?

— Oczywiście. Gdy mamy do czynienia z morderstwem, zawsze najpierw sprawdzamy rodzinę, a gdy morderstwem zamężnej kobiety — męża. Ale on ma alibi, jest poza podejrzeniem. A potem zginęła Cooke, no i schemat stał się jasny. Wiemy już, że to nie mąż ani przyjaciel.

— Rzeczywiście, chyba nie.

— Teraz najważniejszym problemem jest dowiedzenie się, jak sprawca dostał się do środka. Nie było włamania. Wszedł jak do siebie.

— Sądzisz, że je przedtem obserwował?

Lamarr wzruszyła ramionami.

— Trzy ofiary to nie tak dużo, więc ostrożnie wyciągam wnioski. Ale tak, moim zdaniem musiał je obserwować. Czekał, kiedy zostaną same. Jest sprawny, zorganizowany. Nie sądzę, by zostawił coś przypadkowi. Nie przeceniaj jednak obserwacji. Dla każdego szybko okazywało się oczywiste, że w ciągu dnia pozostają same.

— Jakieś dowody na to, że zastawiał pułapkę? Niedopałki papierosów albo stos puszek po coli pod pobliskim drzewem?

Lamarr potrząsnęła głową.

— Nie zostawia po sobie żadnych dowodów.

— Może sąsiedzi coś widzieli?

— Do tej pory nic.

— Wszystkie trzy zginęły w ciągu dnia?

— O różnych porach, ale tak, w godzinach dziennych.

— Żadna nie pracowała?

— Nie pracowała. Jak ty. Najwyraźniej niewielu was, odchodzących z armii, podejmuje pracę. Ciekawostka, którą zamierzam zapamiętać.

Reacher skinął głową. Po nawierzchni szosy płynęła woda, od burzy dzielił ich kilometr z kawałkiem.

— Dlaczego wy wszyscy nie pracujecie?

— My wszyscy? Jeśli o mnie chodzi dlatego, że nie potrafię

jakoś znaleźć czegoś, co rzeczywiście chciałbym robić. Myślałem o architekturze krajobrazu, ale szukam wyzwania, a nie czegoś, czego nauczyłbym się raz-dwa.

Znów zapadła cisza. Przekroczyli ścianę deszczu. Lamarr włączyła wycieraczki i światła, zdjęła nogę z gazu.

— Będziesz mnie obrażał cały czas? — spytała.

— To, że pozwalam sobie na kpiny, to doprawdy drobiazg w porównaniu z groźbami wobec mojej przyjaciółki. By już nie wspomnieć o tym, jak radośnie kwalifikujesz mnie jako typ faceta, zdolnego zabić dwie kobiety.

— Nie wiem, czy odpowiadasz „tak", czy „nie".

— Odpowiadam „może". Mam wrażenie, że przeprosiny mogłyby przechylić szalę na korzyść „nie".

— Przeprosiny? Daj sobie spokój, Reacher. Upieram się przy swoim profilu. Jeśli to nie byłeś ty, to w każdym razie ktoś bardzo do ciebie podobny.

Niebo było czarne, deszcz lał jak z cebra. Poprzez ściekającą po przedniej szybie rzekę przedzierały się czerwone plamki błyskających przed nimi świateł stopu. Samochody zwalniały, ledwie pełzły przed siebie.

— O cholera! — Lamarr wyprostowała się i ostro wcisnęła hamulec.

— Zabawne, nie? — powiedział. — W tych warunkach ryzyko śmierci lub odniesienia obrażeń jest dziesięć tysięcy razy większe niż podczas lotu samolotem.

Nie odpowiedziała. Wpatrywała się w lusterko wsteczne zaniepokojona, niepewna, czy jadący za nimi zareagują wystarczająco szybko. Przed nimi światła stopu ułożyły się w nieprzerwany łańcuch, ciągnący się jak okiem sięgnąć. Reacher znalazł przycisk, wcisnął go i oparcie siedzenia odchyliło się posłusznie. Przeciągnął się i ułożył wygodnie.

— Chyba się zdrzemnę — powiedział. — Obudź mnie, kiedy gdzieś dojedziemy.

— Nie skończyliśmy rozmowy. Zapomniałeś, że mamy układ? Pomyśl o Petrosjanie. Ciekawe, czym się zajmuje w tej chwili.

Reacher spojrzał w lewo, przez boczne okno od strony kierowcy. Gdzieś tam, dalej, znajdował się Manhattan, ale on ledwie widział pobocze szosy.

— W porządku, będziemy rozmawiać.

Lamarr była bardzo skoncentrowana, prowadziła z nogą na hamulcu. Pełzli powoli przez prawdziwy potop.

— O czym mówiliśmy? — spytała.

— Śledził je wystarczająco skutecznie, by wiedzieć, że w dzień są same. Bez problemu wchodzi do ich domów. Potem co?

— Potem je zabija.

— W domu?

— Tak sądzimy.

— Sądzicie? Nie potraficie stwierdzić tego z całą pewnością?

— Niestety, jest wiele rzeczy, których nie potrafimy stwierdzić z całą pewnością.

— Cudownie!

— Nie pozostawia po sobie dowodów. To cholerny problem.

Reacher skinął głową.

— Opisz mi kolejne miejsca. I zacznij od roślin w ogródku przy wejściu.

— Dlaczego? Sądzisz, że to może być ważne?

Reacher się roześmiał.

— A skąd! Pomyślałem sobie po prostu, że poczujesz się lepiej, opowiadając mi o czymś, na czym jakoś tam się znasz.

— Ty sukinsynu!

Samochód leniwie pełzł przed siebie. Wycieraczki przesuwały się po szybie powoli, tam i z powrotem, tam i z powrotem, a za szybą błyskały czerwone i niebieskie światełka.

— Wypadek — powiedział Reacher.

— Nie pozostawia dowodów — powtórzyła Lamarr. — Żadnych, nawet najmniejszych; mikrośladów, strzępów materiału, krwi, śliny, włosów, odcisków palców, podstawy do pobrania próbek DNA, dosłownie nic.

Reacher założył ręce za głowę. Ziewnął.

— Trudna sprawa — przyznał.

Lamarr siedziała nieruchomo, wpatrzona w szybę. Skinęła głową.

— A pewnie — powiedziała. — Mamy teraz takie laboratorium, takie możliwości przeprowadzenia badań, że musiałbyś zobaczyć, żeby uwierzyć, a on przebija je wszystkie.

— Jak można tego dokonać?

— Szczerze mówiąc, nie wiemy. Jak długo siedzisz w samochodzie?

Reacher wzruszył ramionami.

— W tej chwili mam wrażenie, że całe życie.

— Mniej więcej godzinę. I teraz twoje odciski są wszędzie: na klamkach drzwi, na desce rozdzielczej, na zamku pasa bezpieczeństwa, na przycisku regulacji oparcia. Plus kilkanaście włosów na zagłówku, tona strzępów materiału ze spodni i kurtki na siedzeniu, a na dywaniku ziemia z twojego ogródka. Plus, zapewne, włókna z wykładziny w domu.

Reacher skinął głową.

— A ja tylko tutaj siedzę — powiedział.

— No właśnie. Morderstwo łączy się z przemocą, tego wszystkiego powinno być wszędzie pełno... plus jeszcze krew i ślina.

— To może nie zabija ich w domu.

— Tam zostawia ciała.

— Więc przynajmniej musi je wnieść do środka.

Lamarr skinęła głową.

— Wiemy z pewnością, że przebywa tam przez jakiś czas. Na to mamy dowód.

— Gdzie zostawia ciała?

— W łazienkach. W wannach.

Ich buick powolutku mijał miejsce wypadku. Stare kombi wbiło się maską w SUV-a dokładnie takiego jak SUV Reachera. W przedniej szybie kombi widać było dwie dziury wielkości ludzkiej głowy. Przednie drzwi po obu stronach wyrwano z karoserii. Karetka czekała, gotowa zawrócić przez środkową linię. Reacher odwrócił się, dokładnie przyjrzał SUV-owi. To nie był jego samochód. Nie żeby spodziewał się czegoś innego, Jodie nigdzie się przecież nie wybierała. Jeśli miała choćby odrobinę zdrowego rozsądku.

— W wannie? — powtórzył.

Lamarr kiwnęła głową, nie odwracając głowy.

— W wannie.

— Wszystkie trzy?

Kiwnęła głową po raz drugi.

— Wszystkie trzy.

— Coś jak podpis?

— Właśnie.

— Skąd wiedział, że wszystkie mają wanny?

— Jak mieszkasz w domu, to masz wannę.

— Skąd wiedział, że wszystkie mają domy? Nie wybiera ich przecież ze względu na miejsce zamieszkania. Po prostu wybiera. Wybrane ofiary mogą mieszkać gdziekolwiek. Jak ja w motelu. A niektóre z pokoi w motelach mają tylko prysznice.

Tym razem Lamarr na niego spojrzała.

— Przecież nie mieszkasz w motelu. Masz dom w Garrison.

Reacher opuścił wzrok, jakby o tym zapomniał.

— No... teraz chyba tak. Ale przedtem byłem ciągle w drodze. Skąd wiedział, że tak nie jest z dziewczynami?

— Paragraf dwadzieścia dwa. Gdyby nie miały domów, nie figurowałyby na jego liście. Chodzi mi o to, że kobiety, by trafić na listę, muszą gdzieś mieszkać. Żeby mógł je znaleźć.

— Ale skąd wie, że wszystkie mają wanny?

Wzruszyła ramionami.

— Jeśli gdzieś mieszkasz, to masz wannę. Tylko bardzo małe kawalerki mają wyłącznie prysznice.

Reacher skinął głową. W tej dziedzinie nie był specjalistą. Nieruchomości to była dla niego *terra incognita*.

— W porządku. Ciała są w wannie.

— Nagie. Ich ubrania giną.

Minęli miejsce wypadku, przyspieszyli trochę mimo deszczu. Wycieraczki ruszyły w szybszym tempie.

— Zabiera ze sobą ubrania? — zdziwił się Reacher. — Dlaczego?

— Prawdopodobnie jako trofeum. Kolekcjonowanie trofeów to rzecz znana u seryjnych zabójstw, takich jak ten. Może ma to znaczenie symboliczne? Albo sprawca uważa, że nadal powinny nosić mundur, więc zabiera im wyposażenie cywila? Wraz z życiem?

— Zabiera coś jeszcze?

Lamarr pokręciła głową.

— O ile wiemy, nie. Nie rzucało się w oczy, żeby coś usunął. Nie zostało nigdzie duże, puste miejsce. Gotówka i wszystkie karty były tam, gdzie powinny.

— No więc zabiera ubrania i nie zostawia śladów?

— Coś jednak zostawia — odparła Lamarr po bardzo krótkiej chwili milczenia. — Farbę.

— Farbę?

— Wojskową zieloną farbę maskującą. Całe litry.

— Gdzie?

— W wannie. Wkłada nagie ciała do wanny, a potem wypełnia wannę farbą.

Reacher patrzył przed siebie, za poruszające się wycieraczki, w deszcz.

— Topi ofiary? W farbie?

Lamarr pokręciła głową.

— Nie topi ich. Już nie żyją. Zalewa je farbą po śmierci.

— Jak? Maluje? Od stóp do głów?

Lamarr wcisnęła gaz. Chciała nadrobić stracony czas.

— Nie, nie maluje. Wypełnia wannę farbą. Po brzegi. Oczywiście farba pokrywa ciała.

— Pływają w wannie wypełnionej zieloną farbą?

Skinęła głową.

— W takim stanie je znajdujemy.

Reacher milczał. Odwrócił głowę, popatrzył przez okno i milczał, bardzo długo. Na zachodzie pogoda robiła się lepsza. Przejaśniało się. Jechali szybko. Szosa była mokra od deszczu, opony syczały, woda uderzała o podwozie. Gapił się na zachód, na jasne niebo, na rozwijającą się bez końca taśmę drogi i nagle uświadomił sobie, że jest szczęśliwy. Dokądś jechał, znów był w ruchu. Krew szybciej krążyła mu w żyłach, jak u zwierzęcia, gdy kończy się zima. Przemawiał do niego demon włóczęgów. „Jesteś szczęśliwy — szeptał mu do ucha. — Jesteś szczęśliwy, prawda? Na chwilę zapomniałeś nawet, że utknąłeś w Garrison, prawda?".

— Wszystko w porządku? — spytała Lamarr.

Odwrócił się, spojrzał na nią, stłumił szepczący głos obrazem jej twarzy, bladości, cienkich włosów, kpiąco wykrzywionych zębów.

— Opowiedz mi o farbie — powiedział cicho.

Lamarr przyglądała mu się dziwnie.

— Zwykła wojskowa farba maskująca. Zielona. Wytwarzana w Illinois w setkach tysięcy litrów. Wyprodukowana w ciągu ostatnich jedenastu lat, ponieważ to nowy proces. To wszystko. Nic bliższego nie wiemy.

Reacher niemal niezauważalnie skinął głową. Nigdy nie używał takiej farby, ale widział pomalowane nią miliony metrów kwadratowych.

— Brudzi — powiedział.

— Miejsca zbrodni są niepokalanie czyste. Nie rozchlapał nawet kropelki.

— Kobiety już nie żyły — zauważył. — Nie broniły się, nie było walki, a tym samym chlapania farbą. Ale jakoś musiał ją wnieść do domów. Ile farby trzeba, żeby wypełnić wannę.

— Od osiemdziesięciu do stu dwudziestu litrów.

— Sporo. Musiała dla niego wiele znaczyć. Doszłaś do tego, o co mu chodzi?

Lamarr wzruszyła ramionami.

— Właściwie nie. Tyle że w sposób oczywisty odsyła to do wojska. Może usunięcie cywilnych ubrań i pokrycie ciał farbą to coś w rodzaju rewindykacji? Rozumiesz, wskazał im miejsce, które uważa za właściwe dla nich, armię, w której powinny pozostać. Bo wiesz, farba jest pułapką. Po kilku godzinach zaczyna tężeć na powierzchni. Potem twardnieje, a pod powierzchnią staje się galaretowata. Jeśli dać jej wystarczająco dużo czasu, stwardnieje na kamień z uwięzionymi w środku zwłokami. Są ludzie, którzy zatapiają dziecinne buciki w pleksiglasie.

Reacher siedział nieruchomo. Wyglądał przez przednią szybę. Horyzont błyszczał światłem. Złą pogodę zostawili za sobą. Po prawej mieli zieloną i słoneczną Pensylwanię.

101

— Taka farba to cholerna rzecz — powiedział. — Osiemdziesiąt do stu dwudziestu litrów? Ciężko poruszać się z takim ładunkiem, a to oznacza duży samochód. Trudno ją kupić po cichu. Trudno w sekrecie wnieść do domu. Robiąc to, stajesz się widzialny. Nikt nic nie widział?

— Przepytaliśmy wszystkich sąsiadów. Chodziliśmy od drzwi do drzwi. Nikt nam nic nie powiedział.

Reacher powoli skinął głową.

— Farba jest kluczem. Skąd ją wziął?

— Nie mamy pojęcia. Armia nam nie pomaga.

— To rozumiem. Armia was nienawidzi. Poza tym trochę to zawstydzające. Wskazuje na żołnierza odbywającego służbę. Kto inny mógłby zdobyć tyle farby maskującej?

Lamarr nie odpowiedziała. Prowadziła na południe. Deszcz ustał, wycieraczki zgrzytały po suchej szybie. Wyłączyła je zdecydowanym, szybkim ruchem nadgarstka. Reacher rozmyślał o żołnierzu ładującym beczki farby. Ma listę dziewięćdziesięciu jeden kobiet, a jakiś skrzywiony proces myślowy każe mu przeznaczyć na każdą osiemdziesiąt do stu dwudziestu litrów. Czyli razem od siedmiu do jedenastu tysięcy litrów. Tony farby. Ciężarówki farby. Może sprawca był kwatermistrzem?

— Jak zabija? — spytał.

Lamarr przesunęła dłonią po kierownicy, ścisnęła ją mocniej. Przełknęła ślinę. Nie odrywała oczu od drogi.

— Nie wiemy — odparła.

— Nie wiecie?

Potrząsnęła głową.

— Ofiary po prostu są martwe. Nie wiemy, jak zginęły.

8

W sumie jest ich dziewięćdziesiąt jeden, a ty musisz załatwić dokładnie sześć, nie więcej, czyli jeszcze trzy, więc co teraz robisz? Myślisz i planujesz, ot co. Myślisz, myślisz, myślisz i jeszcze raz myślisz, oto co robisz. Ponieważ myślenie to podstawa. Musisz przechytrzyć ich wszystkich. Ofiary i śledczych. Wielu, naprawdę wielu śledczych. Z każdą chwilą jest ich więcej, coraz więcej. Lokalni gliniarze, stanowi gliniarze, FBI, specjaliści wynajęci przez FBI. Nowe podejścia do sprawy. Nowe sposoby. Wiesz, że oni tam są. Wiesz, że cię szukają. I znajdą, jeśli tylko będzie to możliwe.

Śledczy są trudni, za to kobiety łatwe. Mniej więcej tak łatwe, jak można się było spodziewać. Nie, żeby cechowała cię przesadna pewność siebie, nie, wcale nie. Ofiary padają, tak jak zostało to zaplanowane. Planowane długo, dokładnie; twój plan okazał się perfekcyjny. Otwierały drzwi, wpuszczały cię do domu, wszystkie dawały się nabrać. Tak chętnie się na to nabierają, że praktycznie czekają z wywieszonymi ozorami. Są tak głupie, że właściwie zasługują na swój los. I nie ma w tym nic trudnego. Nic, ale to nic trudnego. To jest jak wszystko inne. Jeśli dobrze wszystko zaplanujesz, jeśli wszystko dokładnie przemyślisz, jeśli wszystko przećwiczysz, jeśli dobrze się przygotujesz, to nie ma w tym nic trudnego. Kwestia techniczna. Czego można się było spodziewać. To jak nauka, nic innego, tylko nauka. Robisz to, potem robisz to, potem jeszcze to i załatwione, jesteś w domu. Bezpiecznie. Jeszcze trzy. To wszystko. Jeszcze trzy załatwiają sprawę. Najtrudniejsze za nami. Ale nadal myślisz. Myślisz, myślisz, myślisz. Udało się raz, udało drugi, udało trzeci, ale wiesz, że życie nie daje gwarancji. Wiesz to lepiej niż ktokolwiek inny. Zatem ciągle myślisz, bo jedyne, co może cię teraz pogrążyć, to zadowolenie z siebie.

• • •

— Nie wiecie? — powtórzył Reacher.

Zaskoczył Lamarr. Patrzyła przed siebie. Była zmęczona, skoncentrowana, mocno ściskała kierownicę, Prowadziła jak automat.

— Czego nie wiemy?

— Nie wiecie, jak zabija?

Lamarr westchnęła. Potrząsnęła głową.

— Nie, właściwie nie — przyznała.

Reacher spojrzał na nią.

— Wszystko w porządku? — spytał.

— A czy wyglądam, jakby nie wszystko było w porządku?

— Wyglądasz na wykończoną.

Ziewnęła.

— Chyba jestem trochę zmęczona — przyznała. — To była długa noc.

— Lepiej uważaj.

— Zacząłeś się o mnie troszczyć?

Reacher pokręcił głową.

— Nie. Martwię się o siebie. Możesz zasnąć i zjechać z drogi.

Lamarr znowu ziewnęła.

— To mi się jeszcze nigdy nie zdarzyło.

Odwrócił się. Ku swemu zaskoczeniu stwierdził, że przesuwa palcami po pokrywie poduszki powietrznej na desce rozdzielczej.

— Nic mi nie jest — uspokoiła go Lamarr. — Przestań się zamartwiać.

— Dlaczego nie wiecie, jak zginęły?

Wzruszyła ramionami.

— Byłeś śledczym. Widziałeś trupy.

— No i?

— Czego szukałeś?

— Śladów. Ran.

— No właśnie. Ciało podziurawione kulami, więc uznajesz, że człowieka zastrzelono. Wgniecione kości czaszki, mówisz o urazie od uderzenia tępym narzędziem.

— Ale?

— Te trzy ciała znaleziono w wannach wypełnionych farbą, tak? No więc kryminoanalitycy wyciągają je, lekarze sądowi oczyszczają... i nic nie znajdują.

— Nic? Zupełnie nic?

— Nic oczywistego. Nie od razu. Wtedy zaczynają szukać dokładniej. Nadal nic. Wiedzą już, że ofiary się nie utopiły, bo podczas sekcji nie znaleźli w płucach ani wody, ani farby. Szukają ran na ciałach, mikroskopowo. I nie mogą nic znaleźć.

— Ukłuć igieł? Zasinień?

Lamarr potrząsnęła głową przecząco.

— Zupełnie nic. Ale pamiętaj, że ciała zostały zalane farbą. Wojskową farbą, która nie spełnia raczej rozlicznych wymagań Departamentu Gospodarki Mieszkaniowej i Rozwoju Miast. Pełno w niej przeróżnych chemikaliów, poza tym całkiem nieźle żre. Uszkadza skórę. U nich *post mortem*. Możliwe, że spowodowała zatarcie pomniejszych śladów. Ale... cokolwiek zabiło te kobiety, było raczej subtelne. Nic obrzydliwego.

— Obrażenia wewnętrzne?

I znów ten gest przeczenia.

— Nic. Żadnych podskórnych zasinień, narządy wewnętrzne nieuszkodzone. Po prostu nic.

— Trucizna?

— Nie. Zawartość żołądka za każdym razem okazała się w porządku. Nie połknęły farby. Toksykologia niczego nie wykazała.

Reacher powoli skinął głową.

— I żadnych oznak przemocy seksualnej, prawda? Bo Blake'a uszczęśliwiło, że obie, Callan i Cooke, przespałyby się ze mną, gdybym tego chciał. Co oznacza, że sprawca nie żywił do nich żadnych seksualnych uraz, nie doszło do gwałtu, bo gdyby doszło, szukalibyście kogoś, komu ofiary przy jakiejś okazji odmówiły. Lamarr też skinęła głową.

— Tak jest w naszym profilu. Seksualność nie miała znaczenia. Naszym zdaniem nagość miała być upokarzająca. Miała być karą. I w ogóle w całej tej sprawie chodzi o karę. O odwet czy coś takiego.

— Dziwne — powiedział Reacher. — Bo to zdecydowanie wskazuje na żołnierza. Tylko sposób zabójstwa jest bardzo nieżołnierski. Żołnierze strzelają, dźgają, uderzają albo duszą. Nie bawią się w subtelności.

— Nie wiemy dokładnie, co ten facet zrobił.

— Ale w tym, co zrobił nie ma gniewu, racja? Jeśli chodzi mu o zemstę, o odwet, to gdzie się podział gniew? To wszystko brzmi strasznie klinicznie.

Lamarr ziewnęła i jednocześnie skinęła głową.

— Mnie też to niepokoi. Ale przyjrzyj się kategorii ofiar. Wyobrażasz sobie inny motyw? A jeśli zgodzimy się co do motywu, kim innym mógłby być sprawca, jeśli nie gniewnym żołnierzem?

Zapadła cisza. Pokonywali kolejne kilometry. Lamarr ściskała kierownicę, cienkie ścięgna na jej nadgarstku napięły się jak struny. Reacher patrzył na znikającą pod kołami samochodu drogę i próbował nie czuć się szczęśliwy dlatego, że znikały. Nagle Lamarr znów ziewnęła i dostrzegła, że spojrzał na nią ostro.

— Wszystko w porządku — powiedziała.

Przyglądał się jej długo i niezbyt przyjacielsko.

— Wszystko w porządku — powtórzyła.

— Prześpię się godzinkę — powiedział Reacher. — A ty spróbuj mnie przez ten czas nie zabić.

• • •

Obudził się nadal w New Jersey. W samochodzie było cicho, komfortowo. Silnik mruczał spokojnie, opony szumiały po asfalcie, cieli powietrze z cichym świstem. Na dworze było beznadziejnie szaro. Lamarr siedziała sztywna ze zmęczenia, kurczowo trzymając kierownicę. Wpatrywała się w drogę zaczerwienionymi, nieruchomymi oczami. Nie mrugała.

— Powinniśmy zatrzymać się na lunch — powiedział.

— Jeszcze za wcześnie.

Spojrzał na zegarek. Była pierwsza.

— Nie bądź taką cholerną bohaterką. Powinnaś wlać w siebie kilka litrów kawy.

Lamarr zawahała się, gotowa do kłótni. I nagle poddała się, rozluźniła, ziewnęła szeroko po raz kolejny.

— Już dobrze — powiedziała. — Zaraz się zatrzymamy.

Przejechała jeszcze kawałek, po czym zjechała na parking: polanę wśród drzew, przy drodze. Zaparkowała na jednym z wyznaczonych miejsc, wyłączyła silnik. Oboje siedzieli nieruchomo w całkowitej ciszy, która nagle zapadła.

Miejsce nie różniło się niczym od setek innych, które Reacher zdążył już obejrzeć: nierzucająca się w oczy architektura rządowa z lat pięćdziesiątych, skolonizowana przez fast foody, ukryte za dyskretnymi ladami, za to reklamujące się nachalnie, w jaskrawych kolorach.

Wysiadł. Przeciągnął zesztywniałe ciało w chłodnym, wilgotnym powietrzu. Zza pleców dobiegał go ryk mknących drogą samochodów. Lamarr nadal siedziała za kierownicą, więc najpierw poszedł do toalety. Wyszedł, rozejrzał się, nigdzie jej nie zobaczył. Wszedł do budynku, stanął w kolejce po kanapki. Dołączyła do niego po minucie.

— Nie wolno ci tego robić — powiedziała.

— Robić czego?

— Znikać mi z oczu.

— Dlaczego?

— Ponieważ wobec ludzi takich jak ty obowiązują nas pewne zasady.

Powiedziała to twardo, bez śladu humoru. Wzruszył ramionami.

— W porządku. Następnym razem, kiedy pójdę do toalety, nie zapomnę zaprosić cię do środka.

Nie uśmiechnęła się.

— Po prostu powiedz mi, dokąd idziesz. Poczekam przed drzwiami.

Kolejka przesuwała się powoli. Reacher zdążył zmienić zdanie: nie ser, tylko kraby. Pomyślał, że kraby są droższe, a skoro ona płaci... Do zamówienia dodał półlitrową kawę i pączka. Znalazł stolik, podczas gdy Lamarr grzebała w portmonetce. Wreszcie do niego dołączyła. Podniósł kubek w ironicznym toaście.

— Za kilka najbliższych rozrywkowych dni — powiedział.

— Trochę więcej niż kilka dni. Zostaniesz z nami tak długo, jak długo będziemy cię potrzebowali.

Reacher wypił łyk kawy. Myślał o czasie.

— Jakie znaczenie ma trzytygodniowy cykl? — spytał.

— Nie jesteśmy pewni. Trzy tygodnie to rzeczywiście dziwny przedział czasowy. Nielunarny. Trzy tygodnie nie mają znaczenia kalendarzowego.

Reacher szybko policzył coś w myślach.

— Dziewięćdziesiąt jeden potencjalnych ofiar, jedna na trzy tygodnie. Ma robotę na pięć lat i trzy tygodnie. Cholernie ambitny projekt.

Lamarr skinęła głową.

— Naszym zdaniem dowodzi to, że cykl narzucony jest przez czynniki zewnętrzne. Prawdopodobnie działałby szybciej, gdyby mógł. Przyjmujemy trzytygodniowy wzór pracy. Może pracuje dwa tygodnie, a potem ma tydzień wolnego? I spędza go, zastawiając pułapkę, organizując zbrodnię i wreszcie dokonując dzieła?

Reacher dostrzegł w tym swoją szansę. Skinął głową.

— To możliwe — przyznał.

— Jacy żołnierze pracują według takiego wzoru?

— Tak regularnie? Być może siły szybkiego reagowania. Dwa tygodnie w stanie gotowości, tydzień odpoczynku.

— Jakie oddziały wchodzą w skład sił szybkiego reagowania?

— Piechota morska, trochę zwykłej piechoty — powiedział Reacher. Umilkł, przełknął. — I siły specjalne.

Czekał, nie wiedząc, czy połknie przynętę.

Lamarr skinęła głową.

— Siły specjalne wiedzą, jak zabijać subtelnie, prawda?

Reacher wpatrywał się w swą kanapkę. W tej chwili jego kraby spokojnie mogły być tuńczykami.

— Jak zabijać cicho, jak zabijać gołymi rękami, jak improwizować, to chyba rzeczywiście wiedzą. O subtelności się nie wypowiadam. Bo chodzi o ukrywanie śladów, rozumiesz? Siły specjalne istnieją, żeby zabijać, jasne, ale nie zależy im na tym, żeby po wszystkim ludzie drapali się po głowach i zastanawiali, jak do tego doszło.

— Co ty właściwie chcesz powiedzieć?

Reacher odłożył kanapkę.

— Chcę powiedzieć, że nie mam pojęcia, kto to robi, dlaczego i jak. I nie rozumiem, dlaczego miałbym je mieć. To ty tu jesteś ekspertem. To ty studiowałaś architekturę krajobrazu.

Lamarr zamarła ze swoją kanapką wpół drogi do ust.

— Oczekujemy po tobie więcej, Reacher. Wiesz, co zrobimy, jeśli nie spełnisz naszych oczekiwań.

— Wiem, co mówicie, że zrobicie.

— Masz zamiar zaryzykować i sprawdzić?

— Jeśli coś się jej stanie, wiesz, co z tobą zrobię, prawda?

Na te słowa Lamarr zareagowała uśmiechem.

— Grozisz mi, Reacher? Grozisz agentowi federalnemu? Znów złamałeś prawo. Artykuł osiemnasty, paragraf A-trzy, ustęp cztery tysiące siedemset czterdziesty drugi. Kolekcjonujesz oskarżenia przeciw sobie i muszę przyznać, że nieźle ci to idzie.

Reacher spojrzał w bok. Nie odpowiedział.

— Graj w naszej drużynie, a wszystko będzie w porządku.

Dopił kawę, spojrzał na nią znad krawędzi kubka. Spokojnym, obojętnym wzrokiem.

— Masz problemy etyczne? — spytała Lamarr.

— A ta sprawa ma coś wspólnego z etyką?

Nagle zmienił się wyraz jej twarzy, pojawił się na niej cień zawstydzenia. Zmiękła. Skinęła głową.

— Wiem. Mnie też to niepokoiło. Skończyłam akademię i nie potrafiłam w to uwierzyć. Ale szybko się nauczyłam, że Biuro wie, co robi. W gruncie rzeczy to kwestia praktyczna. Chodzi o największe dobro dla największej liczby ludzi. Jeśli potrzebujemy współpracy, to najpierw o nią prosimy, ale możesz być pewny, że w końcu ją dostaniemy.

Reacher milczał.

— Teraz wierzę już w tę politykę — ciągnęła Lamarr. — Ale chcę, żebyś wiedział, że wywarcie na ciebie presji przez grożenie twojej dziewczynie to nie był mój pomysł.

Reacher nadal milczał.

— Nie mój, tylko Blake'a. Nie mam zamiaru go za to krytykować, ale sama nigdy nie poszłabym tą drogą.

— Dlaczego nie?

— Bo nie potrzeba nam więcej zagrożonych kobiet.

— To dlaczego mu na to pozwoliłaś?

— Pozwoliłam? Przecież jest moim szefem. A my jesteśmy instytucją przestrzegania prawa. Z naciskiem na przestrzeganie. Chcę tylko, żebyś wiedział, że nie poszłabym tą drogą. Ponieważ musimy jakoś współpracować.

— Czy to przeprosiny?

Lamarr nie odpowiedziała.

— Tak czy nie? Zdecydowałaś się wreszcie?

Skrzywiła się przeraźliwie.

— Chyba niczego lepszego się ode mnie nie doczekasz.

Reacher wzruszył ramionami.

— W porządku. Niech będzie.

— To co? Jesteśmy przyjaciółmi?

— Nigdy nie będziemy przyjaciółmi — powiedział Reacher. — O przyjaźni możesz od razu zapomnieć.

— Nie lubisz mnie?

— Chcesz, żebym ci odpowiedział szczerze?

Lamarr wzruszyła ramionami.

— Nie, chyba nie — przyznała. — Po prostu zależy mi na twojej pomocy.

— Będę łącznikiem. Na to się zgodziłem. Tylko musisz mi powiedzieć, czego ode mnie oczekujesz.

Lamarr skinęła głową.

110

— Siły specjalne... to mi brzmi całkiem obiecująco. Najpierw sprawdź ich.

Reacher odwrócił głowę i zacisnął zęby, nie chciał pokazać uśmiechu. Na razie szło mu całkiem nieźle.

* * *

Mimo wszystko na parkingu spędzili całą godzinę. Pod koniec Lamarr zaczęła się odprężać. No i wyglądało na to, że nie ma wielkiej ochoty wrócić na drogę.

— Chcesz, żebym poprowadził? — spytał Reacher.

— To samochód Biura — odparła. — Nie masz pozwolenia.

Ale samo pytanie przypomniało jej o obowiązkach. Wzięła torebkę, wstała. Reacher zaniósł śmiecie do pojemnika i dołączył do niej przy drzwiach. Wrócili do buicka w milczeniu. Przekręciła kluczyk w stacyjce, wyjechała z miejsca parkingowego i włączyła się w ruch na szosie.

Powrócił szum silnika, cichy gwizd opon na asfalcie, stłumiony szmer wiatru; nie minęła minuta, a już było tak, jakby w ogóle się nie zatrzymywali. Lamarr siedziała w tej samej pozycji co przedtem, wyprostowana, spięta, a Reacher wyciągnął się wygodnie na siedzeniu pasażera i wpatrywał w przemykający za oknem krajobraz.

— Opowiedz mi o swojej siostrze — powiedział.

— Przyrodniej siostrze.

— Niech ci będzie. Opowiedz mi o niej.

— Po co?

Wzruszył ramionami.

— Chcesz, żebym ci pomógł? Potrzebuję jakiś podstawowych informacji. Gdzie służyła, co się z nią stało, tego rodzaju rzeczy.

— To bogata dziewczyna marząca o przygodzie.

— Więc wstąpiła do armii?

— Uwierzyła reklamom. Widziałeś je w magazynach. Twarde życie, lecz wspaniałe.

— A ona jest twarda?

Lamarr skinęła głową.

— Bardzo sprawna, rozumiesz? Kocha wspinaczkę skałkową,

111

rowery, narty, długie piesze wycieczki, windsurfing. Myślała, że wojsko polega właśnie na tym: spuszczaniu się ze skał po linie, z nożem w zębach.

— A nie polegało?

— Lepiej ode mnie wiesz, że nie. Nie, jeśli chodzi o kobiety. Przydzielili ją do batalionu transportowego, kazali prowadzić ciężarówkę.

— Dlaczego nie odeszła, skoro jest bogata?

— Bo nie należy do tych, co odchodzą. Podczas podstawowego treningu radziła sobie doskonale. Chciała czegoś więcej.

— I?

— Pięć razy chodziła do jakiegoś dupka, pułkownika. Liczyła na jakiś awans. Zasugerował, że pomogłoby jej, gdyby podczas szóstego spotkania była nago.

— I?

— Załatwiła faceta. Po czym dostała przeniesienie, którego pragnęła. Oddział piechoty bliskiego wsparcia, tak blisko akcji, jak tylko mogła znaleźć się kobieta.

— Ale?

— Wiesz, jak to działa, nie? Plotki, nie ma dymu bez ognia. Zapanowało powszechne przekonanie, że pieprzyła się z facetem, rozumiesz? Mimo że go załatwiła, że poszedł siedzieć. Nikt nie przejmował się logiką. W końcu nie mogła już znieść tych szeptów za plecami i odeszła.

— Co teraz robi?

— Nic. Trochę lituje się nad sobą. I tyle.

— Jesteście sobie bliskie?

Lamarr zastanawiała się przez chwilę.

— Uczciwie mówiąc, niezbyt. Nie aż tak, jak może chciałabym.

— Lubisz ją.

Lamarr się skrzywiła.

— A dlaczego miałabym nie lubić? Jeśli o nią chodzi, to łatwe. Jest wspaniała. A ja od początku popełniałam błędy. Źle prowadziłam sprawy. Byłam młoda, tata nie żył, byłyśmy naprawdę biedne, a potem w mamie zakochał się bogaty facet i skończyło się na tym, że mnie adoptował. Zapewne czułam do niego urazę, no wiesz, za cudowne ocalenie. Uznałam, że nie ma żadnego powodu, żebym zaraz musiała się w niej zakochiwać. Powtarzałam sobie, że to tylko siostra przyrodnia.

— I nie przekroczyłaś nigdy tej granicy?

Potrząsnęła głową.

— Nie do końca. Moja wina, przyznaję. Mama umarła wcześnie, przez co czułam się niezręcznie, samotna i porzucona. Niezbyt dobrze sobie z tym radziłam. No i teraz przyrodnia siostra jest dla mnie po prostu sympatycznym człowiekiem, jak dobra znajoma. Mam wrażenie, że ona też mnie tak traktuje. Ale czujemy się ze sobą dobrze... kiedy się widujemy.

Reacher skinął głową.

— Jeśli oni są bogaci, to ty też jesteś bogata, prawda?

Lamarr spojrzała na niego spod oka. Krzywe zęby błysnęły w krótkim uśmiechu.

— Dlaczego pytasz? Lubisz bogate kobiety? A może twoim zdaniem bogate kobiety nie powinny pracować? A może wszystkie kobiety?

— Podtrzymuję rozmowę, nic więcej.

Znów się uśmiechnęła.

— Jestem bogatsza, niż ci się wydaje. Ojczym ma mnóstwo forsy. I traktuje nas obie bardzo przyzwoicie, chociaż tak naprawdę to ona jest jego córką, nie ja.

— Masz szczęście.

— I wkrótce obie będziemy znacznie bogatsze — dodała po chwili. — Niestety, jest ciężko chory. Przez dwa lata walczył z rakiem. Twardy stary, ale teraz już wiadomo, że nie przeżyje. Czeka nas bardzo pokaźny spadek.

— Przykro mi z powodu jego choroby.

Lamarr skinęła głową.

— Jasne. Mnie też. To bardzo smutne.

Zapadła cisza, słychać było tylko szmer przemykających pod kołami kilometrów.

— Ostrzegłaś siostrę? — spytał Reacher.

— Przyrodnią siostrę.

Obrzucił ją krótkim spojrzeniem.

— Dlaczego przy każdej okazji podkreślasz, że to przyrodnia siostra?

Wzruszyła ramionami.

— Bo jeśli Blake nabierze przekonania, że jestem przesadnie zaangażowana, odsunie mnie od tej sprawy. A ja nie chciałabym, żeby do tego doszło.

— Doprawdy?

— Oczywiście. Kiedy ktoś bliski ma kłopoty, to chcesz się tym zająć osobiście, nie?

Reacher odwrócił wzrok.

— No przecież — powiedział.

Lamarr zamilkła na króciutką chwilę.

— Ta rodzinna sprawa jest dla mnie bardzo niezręczna — przyznała. — Popełnione błędy wracają, straszą po nocach. Kiedy umarła matka, mogli mnie odsunąć, a jednak tego nie zrobili. Mimo wszystko oboje traktowali mnie jak należy, nawet więcej, byli bardzo kochający, bardzo hojni, bardzo sprawiedliwi, a im lepsi byli, tym bardziej czułam się winna za to, że na początku nazywałam samą siebie kopciuszkiem.

Reacher milczał.

— Myślisz, że znów staję się irracjonalna?

Nie odpowiadał. Lamarr siedziała sztywno, patrząc przed siebie.

— Kopciuszek — powtórzyła. — Choć ty prawdopodobnie nazwałbyś mnie brzydką siostrą.

Reacher nadal nie odpowiadał. Po prostu wpatrywał się w drogę.

— Tak czy inaczej ostrzegłaś ją? — spytał w końcu.

Rzuciła mu krótkie spojrzenie; widział, jak wraca do rzeczywistości.

— Tak, oczywiście, że ją ostrzegłam. Gdy tylko śmierć Cooke ujawniła istnienie wzoru, zaczęłam do niej dzwonić. Powinna być bezpieczna. Wiele czasu spędza w szpitalu, przy ojcu. Powiedziałam jej, że kiedy jest w domu, ma nikogo nie wpuszczać za próg. Dosłownie nikogo, choćby nie wiadomo kim był.

— Posłucha cię?

— Byłam bardzo przekonująca.

Reacher skinął głową.

— W porządku, więc jest bezpieczna. Powinniśmy się martwić o pozostałe osiemdziesiąt siedem.

* * *

Po New Jersey przyszła kolej na sto trzydzieści kilometrów Marylandu, pokonanych w godzinę dwadzieścia minut. Znów padało i było ciemno. Potem zahaczyli o Dystrykt Columbii i wreszcie wjechali do Wirginii. Przed sobą mieli jeszcze sześćdziesiąt pięć kilometrów I-95, prowadzącej wprost do Quantico. Budynki miasta znikły za ich plecami, przed nimi pojawił się pogodny las. Deszcz przestał padać, niebo pojaśniało. Lamarr jechała szybko, a potem nagle przyhamowała i skręciła w nieoznakowaną drogę wijącą się między drzewami. Nawierzchnia była dobra, ale zakręty ostre. Po niespełna kilometrze pojawiła się polana, a na niej zaparkowane pojazdy wojskowe i pomalowane na ciemną zieleń baraki.

— Piechota morska — powiedziała Lamarr. — Przekazali nam dwadzieścia pięć hektarów na nasze potrzeby.

Reacher się uśmiechnął.

— Oni to widzą inaczej. Uważają, że im je ukradliście.

Kolejne kilka zakrętów, kolejny kilometr, kolejna polana, a na niej takie same pojazdy, takie same baraki, taka sama zieleń.

— Farba maskująca — zauważył Reacher.

Skinęła głową.

— Skóra cierpnie — powiedziała.

Jeszcze kilka zakrętów, jeszcze kilka polan. Byli już dobre trzy kilometry w głębi lasu. Reacher wyprostował się i rozejrzał uważnie. Nigdy przedtem nie był w Quantico i teraz czuł przede wszystkim ciekawość. Pokonali ciasny zakręt, wyjechali spomiędzy drzew, zatrzymali się przy przegradzającym drogę szlabanie. Był drewniany, pomalowany w czarne i białe paski. Budkę strażnika wykonano z kuloodpornego szkła. Drogę zastąpił im uzbrojony agent. Za jego plecami, w oddali, widać było długi rząd niskich budynków z kamienia koloru miodu, a pomiędzy nimi kilka cięższych i wyższych. Budynki stały dość daleko od siebie wśród porośniętych trawą, łagodnie falujących wzgórz. Trawniki wydawały się idealne, a sposób, w jaki rozrzucono zabudowę, dowodził, że architekt nie musiał przejmować się ograniczeniami przestrzennymi. Całość sprawiała wrażenie wielkiego spokoju, jak kampus pomniejszego uniwersytetu albo siedziba sporej korporacji; wrażenie psuło tylko ogrodzenie z drutu kolczastego i ten uzbrojony facet.

Lamarr opuściła okno. Grzebała w torebce, szukając identyfikatora. Agent musiał wiedzieć, z kim ma do czynienia, ale zasady to zasady i należy ich przestrzegać. Skinął głową, gdy tylko wyciągnęła rękę z torebki. Spojrzał na Reachera.

— Powinieneś mieć jego papiery — powiedziała Lamarr.

Jeszcze raz skinął głową.

— Oczywiście. Pan Blake wszystko przygotował.

Wrócił do budki. Po chwili pojawił się z plastikowym identyfikatorem na łańcuszku. Podał go przez okno Lamarr, a Lamarr Reacherowi. Na identyfikatorze widniało jego nazwisko i stare zdjęcie z wojska, z nadrukowaną na nie wielką literą „G".

— Gość — wyjaśniła Lamarr. — Noś go przez cały czas.

— Albo? — zainteresował się Reacher.

— Albo zostaniesz zastrzelony. Wcale nie żartuję.

Tymczasem agent zdążył wrócić do budki. Podniósł szlaban, Lamarr zasunęła szybę, ruszyła, przyspieszyła. Droga wspięła się na pagórek; za nim, we wgłębieniu, znajdował się parking. Reacher usłyszał strzały, niski tępy huk broni ręcznej dużego kalibru. Od ukrytych wśród drzew strzelających mogło ich dzielić ze dwieście metrów.

— Ćwiczenia — powiedziała Lamarr. — Tak tu jest od wschodu do zachodu słońca.

Była pewna siebie, energiczna, jakby ożywiła ją bliskość statku matki. Reacher doskonale rozumiał, jak to się mogło zdarzyć. Quantico było niewątpliwie imponujące. Mieściło się w naturalnej dolinie, w lesie, oddalone od cywilizacji o wiele kilometrów. Samotne i tajemnicze. Nie dziwił fakt, że w ludziach mających tyle szczęścia, że się tu dostali, budziło oddanie i niezłomną lojalność.

Przejechali powoli przez garby przy wjeździe, zatrzymali się na parkingu przed największym budynkiem. Zaparkowali na wolnym miejscu. Lamarr spojrzała na zegarek.

— Sześć godzin dziesięć minut — powiedziała. — Długo, cholernie długo. To pewnie przez tę pogodę, no i lunch zabrał nam o wiele za dużo czasu.

W samochodzie zapanowała cisza. Przerwał ją Reacher.

— Co teraz? — spytał.

— Teraz zabieramy się do roboty.

Otworzyły się prowadzące do budynku szklane drzwi. Stanął w nich Poulton, mały facet o piaskowych włosach, z wąsikiem. Miał na sobie świeży garnitur, granatowy, białą koszulę i szary krawat. Te nowe barwy sprawiły, że nie wydawał się już taki nieważny, raczej sztywny, formalny. Stał przez chwilę nieruchomo, rozglądając się po parkingu, po czym ruszył w kierunku samochodu. Lamarr wysiadła, wyszła mu na spotkanie. Reacher siedział w samochodzie. Czekał. A Poulton czekał, aż Lamarr wyjmie torbę z bagażnika, nie wyręczył jej w tym. Była to torba na ubrania z imitacji czarnej skóry, do kompletu z jej teczką.

— Wysiadaj, Reacher! — zawołała.

Reacher pochylił się, zawiesił na szyi identyfikator, odtworzył drzwiczki i wysiadł. Było chłodno i wietrznie. Wiatr niósł szelest suchych liści, które przewiewał z miejsca na miejsce, i odgłos strzałów.

— Weź swoją torbę! — krzyknął Poulton.

— Nie mam torby.

Pulton spojrzał na Lamarr. Odpowiedziała mu spojrzeniem mówiącym dobitniej niż słowa: „A ja musiałam znosić to przez cały dzień", po czym oboje zrobili w tył zwrot jak na musztrze i poszli w stronę budynku. Reacher uniósł wzrok do nieba, a następnie ruszył w ich ślady. Falisty teren sprawiał, że z każdym krokiem widział coś nowego. Po lewej teren opadał; dopiero teraz dostrzegł oddziały rekrutów maszerujących energicznym, zdecydowanym krokiem, biegających grupami lub znikających w lesie, z bronią w ręku. Ich mundurem wydawały się ciemnogranatowe dresy z żółtymi literami FBI wyszytymi na piersiach i plecach, jakby były logo sławnego projektanta albo symbolem drużyny pierwszoligowej. W jego oczach ekswojskowego wyglądali na bandę beznadziejnych cywilów; nagle ze wstydem uświadomił sobie, że zapewne dlatego, iż spory procent chodzących i biegających stanowiły kobiety.

Lamarr otworzyła szklane drzwi. Weszła do środka. Poulton czekał na Reachera na progu.

— Zaprowadzę cię do pokoju — powiedział. — Będziesz mógł zostawić tam rzeczy.

Z bliska, w pełnym słońcu, wydawał się starszy. Na jego twarzy można było dopatrzyć się zmarszczek, choć z trudem, jakby na ciało czterdziestolatka naciągnięto skórę dwudziestolatka.

— Nie mam rzeczy — odpowiedział Reacher. — Przed chwilą ci to powiedziałem.

Poulton się zawahał. To mu nie pasowało do szablonu. W końcu sprawy załatwia się w określony sposób.

— I tak cię zaprowadzę — oznajmił w końcu.

Lamarr odeszła ze swą torbą, a Reacher i Poulton wsiedli do windy. Wjechali na trzecie piętro. Wysiedli. Cichy korytarz wyłożony był cienką wykładziną, ściany obito wytartym, wypłowiałym materiałem. Poulton podszedł do zwykłych, nieoznakowanych drzwi. Otworzył je wyjętym z kieszeni kluczem. Prowadziły do standardowego motelowego pokoju: wąski korytarz, po prawej łazienka, po lewej szafa, łóżko półtora na dwa metry, stolik, dwa krzesła, mdły wystrój.

Poulton nie wszedł do środka.

— Bądź gotów za dziesięć minut — powiedział tylko.

Drzwi zamknęły się hermetycznie. Od wewnątrz nie miały klamki. A więc nie był to całkiem standardowy motelowy pokój. Okno wychodziło na lasy, ale się nie otwierało; ramę zaspawano, klamki zdjęto. Na nocnym stoliku stał telefon. Podniósł słuchawkę. Normalny sygnał. Wcisnął dziewiątkę. Taki sam normalny sygnał. Wybrał bezpośredni numer biura Jodie. Po jedenastu sygnałach przerwał połączenie i zadzwonił do mieszkania. Zgłosiła się automatyczna sekretarka. Spróbował na komórkę. Wyłączona.

Powiesił kurtkę w szafie. Odpiął szczoteczkę do zębów, włożył ją do szklanki stojącej na półce nad umywalką. Przemył twarz, doprowadził włosy do porządku, a potem przysiadł na krawędzi łóżka i czekał.

9

Osiem minut później usłyszał trzask klucza w zamku drzwi. Spojrzał w ich kierunku, spodziewając się zobaczyć Poultona, ale gościem nie był Poulton, tylko dziewczyna. Z długimi jasnymi włosami, związanymi niedbale w koński ogon, bardzo białymi zębami, opaloną twarzą i błyszczącymi niebieskimi oczami wyglądała na najwyżej szesnaście lat. Ubrana była w męski garnitur, kosztownie skrojony i doskonale dopasowany do sylwetki oraz maleńkie czarne półbuty na płaskim obcasie. Miała dobrze ponad metr osiemdziesiąt wzrostu, długie kończyny i była bardzo szczupła. A także bardzo piękna. Na dodatek miło się do niego uśmiechała.

— Cześć — powiedziała wesoło.

Reacher nie odpowiedział, tylko się na nią gapił. Widział, jak jej twarz się chmurzy, a uśmiech staje z lekka zawstydzony.

— Aha! Widzę, że chcesz załatwić FAQ od razu, prawda? — spytała.

— Co?

— FAQ. No wiesz, często zadawane pytania.

— Nie jestem pewien, czy mam jakieś pytania.

Tym razem uśmiechnęła się z ulgą. Z tym uśmiechem sprawiała wrażenie szczerej i bezpośredniej.

— Co to są te często zadawane pytania? — spytał Reacher.

— Och, no wiesz, pytania, które zadają wszyscy nowi. Okropnie nudne.

120

Mówiła szczerze. Widział, że mówi szczerze. Mimo wszystko spytał:

— Jakie pytania?

Dziewczyna skrzywiła się, zrezygnowana.

— Jestem Lisa Harper — powiedziała. — Mam dwadzieścia dziewięć lat, tak, naprawdę, pochodzę z Aspen w Kolorado, mam metr osiemdziesiąt pięć wzrostu, tak, naprawdę, jestem w Quantico od dwóch lat, tak, umawiam się z mężczyznami, nie, ubieram się tak, bo to lubię, nie, nie jestem mężatką, nie, w tej chwili nie mam partnera i nie, nie zjemy kolacji dziś wieczorem.

Zakończyła z uśmiechem i Reacher też się uśmiechnął.

— To może jutro? — zaproponował.

Potrząsnęła głową.

— Jedyne, co musisz wiedzieć, to to, że jestem agentką FBI. Na służbie.

— Jaka to służba?

— Pilnowanie ciebie. Gdzie ty, tam ja. Masz kwalifikację SN, „status nieznany", może przyjaciel, może wróg. Zazwyczaj dotyczy to przestępczości zorganizowanej i układu sądowego, no wiesz, jakiś bandyta sypie szefów. Dla nas to użyteczne, ale ufać komuś takiemu? Akurat.

— Nie mam nic wspólnego z przestępczością zorganizowaną.

— Nasze akta twierdzą, że możesz mieć.

— To wasze akta są gówno warte.

Dziewczyna skinęła głową i znów się uśmiechnęła.

— Sprawdziłam tego Petrosjana. Jest Syryjczykiem, a więc jego wrogowie to Chińczycy. A Chińczycy zatrudniają wyłącznie Chińczyków. Nie ma mowy, żeby korzystali z twoich usług.

— Komuś o tym wspomniałaś?

— Jestem pewna, że wszyscy i tak wiedzą. Po prostu robią, co mogą, żebyś potraktował ich groźby serio.

— A powinienem potraktować ich groźby serio?

Skinęła głową. Przestała się uśmiechać.

— Tak, powinieneś. I powinieneś jeszcze dużo myśleć o Jodie.

— Jodie też jest w aktach.

121

Kolejne skinienie.

— Wszystko jest w aktach.

— Więc dlaczego w drzwiach mojego pokoju nie ma klamki? Akta wykazują, że nie jestem tym facetem.

— Bo my jesteśmy bardzo ostrożni, a twój profil jest bardzo zły. Sprawca pewnie okaże się prawie taki jak ty.

— Też zajmujesz się profilami psychologicznymi?

Potrząsnęła głową. Koński ogon zatańczył wesoło.

— Nie. Jestem agentem operacyjnym. Przydzielonym do ciebie na określony czas. Ale umiem słuchać. Słuchaj i ucz się, prawda? No to idziemy.

Uprzejmie przytrzymała mu drzwi. Zamknęły się za nimi z cichym sykiem. Podeszli do windy, ale nie tej, którą tu przyjechał. Ta wyposażona była w jeszcze pięć guzików pod trzema, oznaczającymi piętra nad ziemią. Lisa Harper wcisnęła najniższy. Reacher stał obok niej i bardzo starał się nie oddychać jej zapachem. Winda zatrzymała się gwałtownie i otworzyła na korytarz jasno oświetlony lampami fluorescencyjnymi.

— Jesteśmy w bunkrze — wyjaśniła Harper. — Kiedyś to był schron przeciwatomowy, teraz mieści się PB.

— Pieprzenie w bambus?

— Psychologia behawioralna. A twój dowcip ma długą brodę.

Skręcili w prawo. Korytarz był wąski i czysty, ale nie tak czysty, jak w części ogólnodostępnej. Tu się pracowało. Reacher czuł słaby zapach potu, kawy i chemikaliów. Na ścianie wisiały tablice ogłoszeniowe, w rogach stały pudła po artykułach papierniczych. Po lewej stronie znajdował się rząd drzwi.

— Jesteśmy na miejscu — oznajmiła Harper.

Zatrzymali się przy drzwiach. Zapukała i otworzyła je, uprzejmie puszczając Reachera przodem.

— Zaczekam tutaj — powiedziała.

Po przekroczeniu progu Reacher od razu zobaczył Nelsona Blake'a, siedzącego za zagraconym biurkiem w małym, niechlujnym gabinecie. Na ścianach wisiały równo naklejone mapy i fotografie. Wszędzie piętrzyły się stosy papierów. Krzesła dla gości nie było. Blake sprawiał wrażenie wściekłego, na twarzy był jednocześnie czerwony od podwyższonego ciśnienia krwi i blady z napięcia. Gapił się w telewizor z wyłączonym dźwiękiem. Telewizor nastawiony był na kanał informacyjny kablówki. Facet w koszuli czytał coś komitetowi. Podpis głosił: „Dyrektor FBI".

— Przesłuchania budżetowe — burknął Blake. — Śpiewa, żeby zarobić dla nas na cholerną kromkę chleba.

Reacher milczał. Blake nie odrywał wzroku od telewizora.

— Spotkanie w sprawie za dwie minuty — oznajmił. — Przedstawię ci zasady. Uważaj się za kogoś w rodzaju skrzyżowania gościa z więźniem, rozumiesz?

Reacher skinął głową.

— Harper już mi to wyjaśniła.

— Świetnie. Będzie przy tobie przez cały czas. Cokolwiek robisz, gdziekolwiek idziesz, jesteś pod jej ciągłym nadzorem. Tylko sobie nie myśl. Nadal jesteś chłopcem Lamarr, ale ona tu zostaje, bo nie chce latać, a ty musisz mieć swobodę ruchów. A my musimy mieć cię na oku, więc naszym okiem będzie ona. Sam to możesz siedzieć zamknięty w swoim pokoju. Twoje obowiązki określi Lamarr. Identyfikator masz zawsze przy sobie.

— W porządku.

— W sprawie Harper niczego sobie nie wyobrażaj. Z nią jest tak, że wygląda ładnie, ale jak jej wejdziesz w drogę, budzi się w niej suka z piekła rodem. Rozumiesz?

— Jasne.

— Jakieś pytania?

— Czy mój telefon jest na podsłuchu?

— Oczywiście, że tak. — Blake przerzucał leżące na biurku papiery. Grubym palcem przesunął po jakimś wydruku. — Dzwoniłeś do swojej dziewczyny: bezpośredni do biura, dom, komórka. Nie złapałeś jej.

— Gdzie ona jest?

Blake wzruszył ramionami.

— Skąd, do diabła, mam wiedzieć?

Doszukał się czegoś w stosach papieru. Wyciągnął rękę, trzymał w niej dużą brązową kopertę.

— Z pozdrowieniami od Coza — powiedział.

Reacher wziął od niego kopertę, grubą i ciężką. Były w niej fotografie. Osiem fotografii, kolorowych, na błyszczącym papierze, formatu osiem na dziesięć. Zrobiono je na miejscu przestępstwa. Wyglądały jak żywcem wyjęte z taniego magazynu pornograficznego, tyle że kobiety nie żyły. Bezwładne ciała ułożono w nędznym naśladownictwie rozkładówki. Zostały okaleczone. Brakowało ich części, za to tu i tam umieszczono różne przedmioty.

— Odręczne dzieło Petrosjana — wyjaśnił Blake. — Żony, siostry i córki ludzi, którzy go wkurzyli.

— I tak sobie żyje jak gdyby nigdy nic?

Blake odpowiedział po krótkiej, ale wyczuwalnej przerwie.

— Są dowody i dowody, prawda?

Reacher skinął głową.

— Więc gdzie jest Jodie?

— Skąd, do diabła, mam wiedzieć? — powtórzył Blake. — Póki grasz w naszej drużynie, ona nic nas nie obchodzi. Nie pilnujemy jej. Jeśli o to chodzi, Petrosjan może znaleźć ją sam, my mu nie pomożemy. Przecież to byłoby nielegalne.

— Tak jak skręcenie ci karku.

Blake skinął głową.

— Przestań mnie straszyć, dobrze? — poprosił. — W twojej sytuacji straszenie mnie nie ma wielkiego sensu.

— Wiem, że to ty wpadłeś na ten pomysł.

Blake potrząsnął głową.

— Nie boję się ciebie, Reacher. Gdzieś tam, w głębi serca, uważasz się za dobrego człowieka. Pomożesz mi, a potem o mnie zapomnisz.

Reacher uśmiechnął się.

— A ja myślałem, że wasi specjaliści są naprawdę dobrzy.

• • •

Trzy tygodnie to fajny kawałek czasu i dokładnie dlatego go wybierasz. Nie ma żadnego oczywistego znaczenia. Doprowadzą się do szaleństwa, próbując dojść, dlaczego właśnie trzy tygodnie. Będą musieli kopać bardzo, bardzo głęboko, nim w ogóle zorientują się, co robią. Za głęboko, żeby mogło się im udać. Im bliżej tej prawdy się znajdą, tym mniejsze będzie miała znaczenie. Te trzy tygodnie prowadzą donikąd. Zatem czynią cię bezpiecznym.

Czy trzeba je więc utrzymywać? Może? Wzór to w końcu wzór. A wzór powinien być bezwzględnie przestrzegany, bo przecież oni właśnie tego się spodziewają. Pełnej zgodności ze wzorem. To typowe dla tego rodzaju spraw. Wzór cię chroni. Jest ważny. Nie należy od niego odstępować. Z drugiej strony może jednak należy? Trzy tygodnie to jednak długa przerwa. I nudna. Może warto przyspieszyć bieg wypadków. Ale poniżej trzech tygodni zrobi się ciasno, w końcu sprawa wymaga mnóstwa pracy. Jedną załatwiasz i zaraz musisz zacząć przygotowywać się do następnej. Prawdziwy młyn. Trudna robota, jeśli masz na nią niewiele czasu. Nie wszyscy by sobie z tym poradzili. Ale ty dasz radę. Oczywiście.

• • •

Konferencja w sprawie odbywała się w długim, niskim pokoju piętro wyżej, nad pokojem Blake'a. Ściany obite były jasno-brązowym materiałem, wyświechtanym do połysku w miejscach, gdzie ludzie ocierali się o nie albo opierali. Na jednej z dłuższych ścian znajdowały się cztery wgłębienia, zasłonięte żaluzjami, zza których biło światło; udawały okna, choć sam pokój znajdował się cztery piętra pod ziemią. Wysoko na innej wisiał telewizor z wyłączonym dźwiękiem, transmitujący przesłuchanie budżetowe, którego nikt nie oglądał. Długi stół, zrobiony z drogiego drewna, otaczały tanie krzesła ustawione pod kątem czterdziestu pięciu stopni, a więc skierowane ku jego szczytowi i ścianie zajętej przez dużą tablicę. Była to droga, nowoczesna tablica, jakby żywcem przeniesiona tu z elitarnego uniwersytetu. Samo miejsce wydawało się pozbawione powietrza, było bardzo ciche i doskonale odizolowane od otoczenia, dostosowane do wykonywania trudnej, poważnej pracy. Sala seminaryjna dla doktorantów.

Harper poprowadziła Reachera do krzesła stojącego najdalej od tablicy. Ośla ławka. Sama usiadła przed nim; musiał się wychylać i patrzyć jej przez ramię. Blake zajął miejsce przed nią, najbliżej tablicy. Poulton i Lamarr weszli ramię w ramię, dźwigając papiery, pogrążeni w cichej rozmowie. Żadne z nich nie poświęciło uwagi nikomu oprócz Blake'a. A Blake poczekał na zamknięcie drzwi, po czym wstał i włączył podświetlenie tablicy.

Jej prawy górny róg zajmowała duża mapa Stanów Zjednoczonych, najeżona flagami. Reacher domyślił się, że jest ich dziewięćdziesiąt jeden i darował sobie liczenie. Większość była czerwona, ale trzy czarne. Obok mapy, po lewej, wisiało kolorowe zdjęcie formatu osiem na dziesięć, przycięte i powiększone z amatorskiego, ziarnistego zrobionego aparatem z kiepskim obiektywem. Przedstawiało uśmiechniętą kobietę, mrużącą zwrócone w stronę słońca oczy. Miała dwadzieścia kilka lat i okrągłą, radosną twarz, okoloną wijącymi się kasztanowatymi włosami.

— Panie i panowie, oto Lorraine Stanley. Zmarła niedawno w San Diego, w Kalifornii — powiedział Blake.

Pod tym zdjęciem umieszczono szereg innych tego samego formatu, w przemyślanej kolejności. Wykonano je na miejscu przestępstwa. Te były ostre. Dzieło zawodowca. Daleki plan bungalowu w stylu hiszpańskim, widzianego z ulicy. Zbliżenie drzwi frontowych. Ujęcia holu, salonu, głównej sypialni, zrobione szerokokątnym obiektywem. Łazienka z dwoma umywalkami, nad nimi lustro od ściany do ściany i do samego sufitu. Fotograf odbijał się w lustrze: duży facet w białym nylonowym kombinezonie, czepku kąpielowym na głowie, lateksowych rękawiczkach na dłoniach, z aparatem fotograficznym przy oku; w lustrze odbiło się też halo lampy błyskowej. Po prawej widać było kabinę prysznicową, po lewej wannę wmurowaną w podłogę, o szerokich brzegach. Wannę wypełniała zielona farba.

— Żyła trzy dni temu — powiedział Blake. — Sąsiad widział, jak wywozi na wózku śmieci na ulicę, o ósmej czterdzieści pięć rano czasu lokalnego. Ciało znalazła wczoraj sprzątaczka.

— Mamy czas śmierci? — spytała Lamarr.

— Przybliżony. Nieokreślona godzina następnego dnia.

— Sąsiedzi coś widzieli?

Blake potrząsnął głową.

— Tego samego dnia zabrała pojemnik na śmieci. Po tym nikt już nic nie widział.

— *Modus operandi?*

— Identyczny jak w pierwszych dwóch przypadkach.

— Dowody?

— Na razie nic. Nadal szukają, ale w tej sprawie jestem cholernym pesymistą.

Reacher skupił uwagę na zdjęciu korytarza. Był długi, wąski, prowadził za wejście do salonu, aż do sypialni. Na ścianie po lewej, na wysokości pasa, wisiała wąska półeczka zastawiona małymi kaktusami i drobnymi naczyniami z terakoty. Na ścianie po prawej również wisiały półki, różnej długości i na różnej wysokości, a na nich stały porcelanowe rzeźby, najprawdopodobniej laleczki, pomalowane na jaskrawe kolory, reprezentujące zapewne regionalne lub narodowe stroje. Tego rodzaju rzeczy kupują ludzie marzący o tym, że kiedyś będą mieli własny dom.

— Co robi sprzątaczka? — spytał.

Blake spojrzał na niego przez całą długość stołu.

— Zapewne krzyczy, a potem wzywa policję.

— Nie, wcześniej. Ma własne klucze?

— Przecież to oczywiste.

— Idzie prosto do toalety?

Blake znów spojrzał na niego tępo. Otworzył teczkę, przerzucił papiery, znalazł faks z zapisem przesłuchania.

— Tak. Wypełnia toaletę środkiem czyszczącym, zostawia go, żeby zrobił swoje, załatwia resztę mieszkania i wraca tam na koniec.

— Więc znalazła ciało od razu, nim zdążyła zabrać się do sprzątania?

Blake skinął głową.

— W porządku — powiedział Reacher.

— W porządku co?

— Jak szeroki jest ten korytarz?

Blake odwrócił się, przez chwilę przyglądał zdjęciu.

— Metr? To niewielki dom.

Reacher skinął głową.

— W porządku.

— W porządku co?

— Gdzie jest przemoc? Gdzie jest gniew? Dziewczyna otwiera drzwi, sprawca zmusza ją jakoś, żeby się cofnęła korytarzem, przez całą sypialnię, do łazienki, wnosi sto kilkanaście kilogramów farby, a ona nie strąca niczego z tych półek?

— Więc...?

Reacher wzruszył ramionami.

— Jakieś mi się to wydaje o wiele za spokojne. Nie potrafiłbym przepchnąć kogoś tym korytarzykiem, niczego nie strącając. Nie ma mowy. To samo dotyczy ciebie.

Blake potrząsnął głową.

— Nikt nikogo nigdzie nie przepychał. Z raportów medycznych wynika, że sprawca nie tknął tych kobiet nawet paluszkiem. Najprawdopodobniej. Miejsce zbrodni wygląda jak wygląda, ponieważ nikt nie stosował przemocy.

— I to cię zadowala? Taki ci przygotowali profil psychologiczny? Wściekły żołnierz szuka zemsty, uważa się za uprawnionego do wymierzania kary, ale tak sobie spokojnie?

— On je zabija, Reacher. Tak jak ja to widzę, na zemstę wystarczy.

Zapadła cisza. W końcu Reacher wzruszył ramionami.

— Niech będzie.

Blake zmierzył go spojrzeniem przez długość stołu.

— Ty byś to zrobił inaczej? — spytał.

— No pewnie. Załóżmy, że nie przestajesz mnie wkurzać i wreszcie postanawiam dobrać ci się do skóry. Jakoś nie potrafię sobie wyobrazić, żebym był przy tym szczególnie łagodny. Zapewne poturbowałabym cię, przynajmniej trochę. Albo i nie trochę. Gdybym był na ciebie wściekły, nie miałbym wyboru. Na tym polega bycie wściekłym.

— Zatem?

— A co z farbą? Jak wniósł ją do domu? Powinniśmy wszyscy pójść do sklepu i sprawdzić, jak wygląda przeszło sto litrów. Jego samochód musiał parkować przed domem co najmniej dwadzieścia minut, raczej pół godziny. Jakim cudem nikt go nie zobaczył? Samochodu, furgonu, może nawet ciężarówki?

— Albo SUV-a. Podobnego do twojego.

— Może nawet takiego samego. Jakim cudem nikt go nie widział?

— Nie wiemy — przyznał Blake.

— Jak udaje mu się zabijać ofiary bez pozostawienia jakich-kolwiek śladów?

— Nie wiemy.

— No to bardzo niewiele wiecie, prawda?

Blake skinął głową.

— Prawda, cwaniaczku. Ale ciągle nad tym pracujemy. Przed nami jeszcze osiemnaście dni, a skoro mamy takiego geniusza jak ty, z pewnością zdążymy przed czasem.

— Macie osiemnaście dni, jeśli facet będzie trzymał się roz-kładu — zauważył Reacher. — A jeśli nie będzie się go trzymał?

— Będzie.

— Taką macie nadzieję.

I znów zapanowała cisza. Blake najpierw spojrzał na stół, a potem na Lamarr.

— Julio?

— Wierzę w mój profil. A w tej chwili interesują mnie siły specjalne. Mają dwa tygodnie służby, tydzień na tyłach. Wysyłam Reachera, żeby się wśród nich rozejrzał.

Blake odetchnął z ulgą.

— Doskonale. Gdzie?

Lamarr zerknęła na Reachera. Nie odpowiedziała. Reacher przyglądał się czarnym flagom na mapie.

— Z geografii nic nie wynika — powiedział. — On może stacjonować wszędzie.

— Więc?

— Na początek najlepszy będzie Fort Dix. Jest tam ktoś, kogo znam.

— Kto?

— Niejaki John Trent. Pułkownik. Jeśli ktoś zechce mi pomóc, to przede wszystkim on.

— Fort Dix? — powtórzył Blake. — To w New Jersey, tak?
— Kiedy ostatni raz tam byłem, tak.
— W porządku, cwaniaczku. Zadzwonimy do tego pułkownika Trenta, jakoś się z nim umówimy.

Reacher skinął głową.

— Tylko pamiętaj, wymieniaj moje nazwisko jak najczęściej i jak najgłośniej. Bo jeśli o tym zapomnisz, nie będzie szczególnie zainteresowany udzieleniem ci pomocy.

Blake skinął głową.

— I właśnie dlatego ściągnęliśmy ciebie. Z samego rana wyjeżdżasz z Harper.

Reacher skinął głową. Patrzył na ładną buzię Lorraine Stanley, bardzo starając się nie uśmiechać.

• • •

Tak, być może nadszedł czas, by wyprowadzić ich z równowagi. Skrócić przerwę. Odrobinę. A może w ogóle dać sobie z nią spokój? To by nimi naprawdę wstrząsnęło. Dowiedzieliby się, jak niewiele wiedzą. Zachować wszystko, jak było, ale zmienić długość przerwy. Dodać szczyptę nieprzewidywalności. Spróbować czy nie? Trzeba to dokładnie przemyśleć.

A może warto okazać także trochę gniewu? Ponieważ w tym wszystkim chodzi właśnie o gniew, prawda? Gniew i sprawiedliwość. Może nadeszła pora, żeby to pokazać. W zrozumiały dla nich sposób. Może pora zdjąć rękawiczki. Odrobina przemocy jeszcze nikomu nie zaszkodziła. No i odrobina gwałtu może uczynić następny raz nieco bardziej interesujący. A może nawet znacznie bardziej interesujący? O tym też trzeba koniecznie pomyśleć.

Więc jak to ma być? Krótsza przerwa? A może więcej dramatu? A może i jedno, i drugie? No właśnie, jedno i drugie. Myśl, myśl, myśl.

• • •

Nieco po szóstej po południu Lisa Harper zabrała Reachera na poziom parteru i wyprowadziła na zewnątrz, w chłodne powietrze nadchodzącego wieczoru. Poprowadziła go niepokalanie czystą betonową ścieżką do sąsiedniego budynku. Ścieżkę oświetlały rozmieszczone po obu stronach, na wysokości kolan lampy, rozstawione co metr i włączone, ponieważ już zapadał zmrok. Harper szła przesadnie długim krokiem; Reacher nie był pewien, czy dostosowuje się do niego, czy też jest to może coś, czego nauczono ją na zajęciach z chodzenia. Tak czy inaczej wyglądała z tym bardzo dobrze. Ku swemu zaskoczeniu odkrył, że zastanawia się, jak wyglądałaby w biegu. Albo gdyby leżała. Naga.

— Tu jest kafeteria — powiedziała.

Wyprzedziła go, otworzyła szklane drzwi, przytrzymała je, puściła go przodem.

— Po lewej — dodała.

Korytarz był długi, wypełniony brzękiem naczyń i zapachem warzyw, tak charakterystycznym dla publicznych jadłodajni. Reacher szedł pierwszy. W budynku było ciepło, wyczuwał obecność agentki za plecami.

— W porządku. Wybieraj. Biuro płaci.

Kafeteria mieściła się w dużej sali podwójnej wysokości. Przy zupełnie zwykłych, prostych stolikach stały krzesła z giętej sklejki. Całą jedną ścianę zajmowała lada, przy której wybierało się potrawy, i kolejka czekających na obsłużenie pracowników, trzymających w rękach tace. Duże grupy rekrutów w dresach przedzielali agenci w garniturach, z teczkami, stojący po dwóch, trzech. Reacher dołączył do kolejki, z Harper przy boku. Po pewnym czasie dotarł przed oblicze uśmiechniętego Latynosa z identyfikatorem na szyi i otrzymał filet mignon wielkości paperbacka. Kolejny obsługujący dodał do niego frytki i warzywa. Automat wlał kawę. Reacher wziął jeszcze sztućce i serwetki i rozejrzał się za wolnym stolikiem.

— Przy oknie — powiedziała Harper.

Poprowadziła go do stolika dla czterech osób, przy którym nikt nie siedział. Jasne światło w kafeterii sprawiało, że świat za wielkimi szklanymi szybami wydawał się pogrążony w nieprzeniknionym mroku. Dziewczyna postawiła tacę na stole. Zdjęła marynarkę, powiesiła ją na oparciu krzesła. Nie była chuda, ale jej wzrost sprawiał, że wydawała się niesłychanie drobna. Miała na sobie koszulę z drogiej bawełny, a pod koszulą nic, to było więcej niż oczywiste. Rozpięła mankiety, podwinęła rękawy do łokci, najpierw jeden, potem drugi. Jej przedramiona były gładkie i brązowe.

— Ładna opalenizna — powiedział Reacher.

Westchnęła.

— Znów FAQ? Tak, cała jestem taka opalona i nie, nie mam szczególnej ochoty tego udowadniać.

Reacher się uśmiechnął.

— Po prostu próbuję rozpocząć rozmowę.

Spojrzała mu wprost w oczy.

— Jeśli rzeczywiście chcesz rozmawiać, porozmawiajmy o sprawie.

— Niewiele wiem o sprawie. A ty?

Skinęła głową.

— Wiem, że chcę, żeby złapali sprawcę. Te kobiety były bardzo odważne. Umiały się postawić.

— Mam wrażenie, że słyszę głos doświadczenia.

Odkroił kawałek fileta, spróbował. Okazał się całkiem niezły. W restauracjach w mieście płacił czterdzieści dolarów za gorsze.

— Słyszysz głos strachu. Ja się nie postawiłam. Jeszcze nie.

— Bywasz napastowana?

— Żartujesz? — I nagle się zaczerwieniła. — To znaczy... mogę tak powiedzieć i nie zabrzmi to jak zarozumialstwo ani nic?

Reacher odpowiedział jej uśmiechem.

— Tak. Moim zdaniem, jeśli ktoś może, to z pewnością ty.

— Właściwie nie zdarzyło się nic poważnego. No wiesz: rozmowy, komentarze. Znaczące pytania. Aluzje. Nikt nie powiedział, że mam się z nim przespać, żeby dostać awans. Nic podobnego. Ale i tak nie jest lekko. Dlatego ubieram się tak, jak się ubieram. Rozumiesz, próbuję coś tym udowodnić. Że tak naprawdę nic mnie od nich nie różni.

Reacher znów się uśmiechnął.

— Ale jest jeszcze gorzej, prawda? — spytał.

Skinęła głową.

— Słusznie. Jeszcze gorzej.

Tych słów już nie komentował.

— Nie wiem dlaczego — przyznała dziewczyna.

Przyjrzał się jej znad krawędzi kubka. Konserwatywna koszula z egipskiej bawełny, śnieżnobiała, kołnierzyk numer trzynaście, elegancko zawiązany niebieski krawat, spływający na nieduże, piersi, męskie spodnie z wyprutymi zaszewkami, by lepiej obejmowały wąską kobiecą talię. Opalona twarz, białe zęby, wspaniałe kości policzkowe, niebieskie oczy, długie jasne włosy.

— Czy w moim pokoju jest kamera? — spytał.

— Co?

— Kamera — powtórzył. — No wiesz, obserwacja wideo.

— Dlaczego pytasz?

— Zastanawiam się, czy na tym polega plan „B". Na wypadek, gdyby Petrosjan z jakiś przyczyn nie wypalił.

— O co ci chodzi?

— Dlaczego nie pilnuje mnie Poulton? Nie wygląda na to, żeby miał za dużo roboty?

— Nie rozumiem.

— Oczywiście, że rozumiesz. To dlatego Blake przydzielił tę robotę właśnie tobie? Żebyśmy mogli naprawdę się polubić? Doskonale udajesz małą, zagubioną dziewczynkę. „Nie wiem dlaczego"? Pewnie dlatego, że Blake chce mieć coś, czym mógłby mnie zmusić do współpracy, nie wycierając sobie ciągle gęby Petrosjanem. Na przykład śliczną intymną scenę, ty i ja w moim pokoju, mała kaseta w sam raz do wysłania Jodie.

Harper zaczerwieniła się.

— Czegoś takiego nigdy bym nie zrobiła.

— Ale on chciał, żebyś zrobiła, prawda?

Milczała przez bardzo długą chwilę. Reacher odwrócił się. Dopił kawę, przyglądając się swemu odbiciu w lustrze.

— Praktycznie rzucił mi wyzwanie — powiedziała w końcu dziewczyna. — Powiedział, że jeśli cię zaczepić, wychodzi z ciebie prawdziwy piekielny sukinsyn.

Umilkła. Po chwili podjęła jednak temat.

— Ale i tak nie dałabym się na to nabrać. Bo nie jestem głupia. Nie mam zamiaru dostarczać im amunicji.

I znów zapadła cisza. Harper podniosła wreszcie głowę, spojrzała na niego z uśmiechem.

— Możemy się już odprężyć? — spytała. — Zostawić tę sprawę?

Reacher skinął głową.

— Jasne. Odprężajmy się. Zostawmy tę sprawę. Możesz nawet włożyć marynarkę i przestać wreszcie świecić mi w oczy biustem.

Znów się zaczerwieniła.

— Zdjęłam ją, bo tu jest ciepło. To jedyny powód.

— W porządku, przecież się nie skarżę.

Reacher znów odwrócił się i zapatrzył w mrok za oknem.

— Zjesz deser? — spytała agentka.

Spojrzał na nią, skinął głową.

— Tak. I napiję się jeszcze kawy.

— Zostań tu. Ja przyniosę.

Wstała, podeszła do lady. Wydawało się, że w kafeterii zapadła absolutna cisza. Oczy wszystkich obecnych wpatrzone były tylko w nią. Wróciła z tacą, na której stały dwa desery lodowe i dwa kubki kawy. Setka ludzi obserwowała każdy jej krok.

— Przepraszam — powiedział Reacher.

Dziewczyna pochyliła się, postawiła tacę na stole.

— Za co?

Wzruszył ramionami.

— Chyba za patrzenie na ciebie w sposób, w jaki na ciebie patrzyłem. Nie zdziwiłbym się, gdyby to cię doprowadzało do mdłości. Wszyscy tak się na ciebie gapią praktycznie przez cały czas.

Uśmiechnęła się promiennie.

— Możesz się na mnie gapić, ile chcesz, a ja będę się gapić na ciebie, bo prawdę mówiąc, widziałam już brzydszych. I na tym poprzestaniemy, w porządku?

Reacher odpowiedział jej uśmiechem.

— Jasne.

Lody, polane gorącym karmelem, były wspaniałe, kawa mocna. Gdyby zamknął oczy, odciął się od widoku sali, oceniłby kafeterię mniej więcej tak wysoko jak Mostro's.

— Co ludzie robią tu wieczorami? — spytał.

— Najchętniej wracają do domu, ale to nie dotyczy ciebie. Ty wracasz do swojego pokoju. Rozkaz Blake'a.

— To co, wracamy do wykonywania rozkazów Blake'a?

Uśmiechnęła się.

— Niektórych, tak.

Reacher skinął głową.

— W porządku. Chodźmy.

• • •

Pozostawiła go po tej stronie drzwi, która nie miały klamki. Stał, słuchając jej cichych na wykładzinie oddalających się kroków. Słyszał stuk zamykających się drzwi windy. Rozległ się jękliwy szmer silnika, to winda pojechała w dół. Powróciła cisza. Podszedł do nocnego stolika, wybrał numer mieszkania Jodie. Odezwała się automatyczna sekretarka. Zadzwonił do biura. Nikt nie podnosił słuchawki. Spróbował na komórkę. Wyłączona.

Poszedł do łazienki. Ktoś wzbogacił jej wyposażenie, do składanej szczoteczki do zębów doszła pasta, jednorazowa maszynka i tuba kremu do golenia, a także mydło i puchaty biały ręcznik. Na krawędzi wanny stała buteleczka szamponu. Rozebrał się, powiesił ubranie na drzwiach, od wewnętrznej strony. Puścił gorącą wodę. Wszedł pod prysznic.

Stał pod prysznicem dziesięć minut, potem wyłączył wodę. Wytarł się do sucha. Nagi podszedł do okna, zaciągnął zasłony. Położył się na łóżku, dokładnie obejrzał sufit. Znalazł kamerę. Soczewka, czarna rurka, miała średnicę pięciocentówki. Kamera wciśnięta była głęboko w pęknięcie tynku w miejscu, gdzie ściana stykała się z sufitem. Odwrócił się, sięgnął po telefon. Jak poprzednio, spróbował wszystkich numerów. Mieszkanie, sekretarka automatyczna. Biuro, nikt nie podnosi słuchawki. Telefon komórkowy, wyłączony.

10

Spał źle. Obudził się przed szóstą, przewrócił na drugi bok, wyciągnął rękę, włączył lampkę na nocnym stoliku, sprawdził dokładną godzinę na swoim zegarku. Było mu zimno. Przez całą noc było mu zimno. Sztywna, wykrochmalona pościel nie nagrzewała się od ciała.

Sięgnął po telefon, zadzwonił do mieszkania Jodie. Odezwała się automatyczna sekretarka. W biurze nikt nie podnosił słuchawki. Komórka nadal była wyłączona. Trzymał słuchawkę przy uchu, wsłuchując się w głos jej firmy, udzielający mu raz za razem tej informacji, a potem odłożył ją i wstał.

Odsłonił okno. Wychodziło na zachód, patrzył więc w ciemność nocy. Może słońce świeciło już za jego plecami, po drugiej stronie budynku? A może jeszcze nie? Słyszał odległy szelest kropel deszczu, padających na wyschnięte liście. Odwrócił się i poszedł do łazienki. Skorzystał z toalety. Ogolił się powoli. Spędził piętnaście minut pod prysznicem najgorętszym, jaki zdołał znieść. Próbował się ogrzać. Potem umył głowę szamponem FBI. Wytarł ją do sucha. Wyniósł ubrania z kłębów pary, ubrał się przy oknie. Zapiął koszulę, powiesił identyfikator na szyi. Wiedział, że na obsługę nie ma co liczyć, więc po prostu usiadł na łóżku i czekał.

Czekał czterdzieści pięć minut. Po czterdziestu pięciu minutach rozległo się uprzejme pukanie, a potem chrobot klucza obracanego w zamku. Drzwi otworzyły się, w progu stanęła Lisa Harper, podświetlona od tyłu padającym z korytarza blaskiem. Uśmiechała się figlarnie, nie miał pojęcia dlaczego.

— Dzień dobry — powiedziała.

Uniósł dłoń na powitanie, ale się nie odezwał. Harper włożyła inny garnitur, ciemnoszary, a do niego białą koszulę i ciemnoczerwony krawat. Była to doskonała parodia nieoficjalnego munduru Biura, ale trzeba go było dopasować przez wycięcie mnóstwa dobrego materiału. Włosy miała rozpuszczone. Falując, spadały na piersi i ramiona. Były bardzo długie. W padającym z korytarza świetle wydawały się złote.

— Musimy ruszać — oznajmiła. — Czeka nas spotkanie w czasie śniadania.

W korytarzu Reacher zdjął kurtkę z wieszaka. Wyszli, zjechali na parter, zatrzymali się na chwilę przed drzwiami. Rzeczywiście, padał gęsty deszcz. Postawił kołnierz kurtki i wyszedł za agentką. Ciemność ustąpiła miejsca szarości. Deszcz był zimny. Harper pobiegła ścieżką. Biegł o krok za nią, nie spuszczając z niej wzroku. Doskonale wyglądała w biegu.

Lamarr, Blake i Poulton czekali na nich w kafeterii. Zajmowali trzy z pięciu krzeseł, ustawionych ciasno przy czteroosobowym stoliku przy oknie. Kiedy do nich podchodził, przyglądali mu się uważnie. Pośrodku stołu stał biały dzbanek z kawą, otoczony odwróconymi do góry dnem kubkami. Obok niego ustawiono koszyk torebek z cukrem, w pobliżu leżał stos łyżeczek, były serwetki, koszyk pączków i stos dzisiejszych gazet. Harper usiadła, Reacher wcisnął się na miejsce obok niej. Lamarr obserwowała go z dziwnym błyskiem w oczach. Poulton odwrócił wzrok. Blake sprawiał wrażenie rozbawionego w nieprzyjemny, szyderczy sposób.

— Gotów do pracy? — spytał.

— Jasne — odparł Reacher. — Po kawie.

Poulton odwrócił kubki, Harper je napełniła.

— Wczoraj wieczorem zadzwoniliśmy do Fort Dix — mówił dalej Blake. — Rozmawialiśmy z tym pułkownikiem Trentem. Obiecał, że poświęci ci cały dzisiejszy dzień.

— To powinno wystarczyć.

— Wydaje się, że on cię nawet lubi.

— Nie. Jest mi winien przysługę, a to zupełnie co innego.

Lamarr skinęła głową.

— Doskonale. Możesz to wykorzystać. Wiesz, czego szukasz, prawda? Skoncentruj się na datach. Znajdź kogoś, kogo wolne tygodnie się zgadzają. Moim zdaniem on robi to pod koniec swojego tygodnia. Niekoniecznie ostatniego dnia, bo przecież musi wrócić do bazy, choć trochę się uspokoić...

Reacher się uśmiechnął.

— Co za dedukcja, Lamarr. Za to ci płacą?

Lamarr po prostu spojrzała na niego... i też się uśmiechnęła. Jakby wiedziała coś, czego on nie wiedział.

— O co chodzi? — spytał.

— Opamiętaj się i bądź grzeczny — upomniał go Blake. — Masz jakiś problem? Nie podobają ci się jej sugestie?

Reacher wzruszył ramionami.

— Jeśli posłużymy się wyłącznie datami, dostaniemy może z tysiąc nazwisk.

— To zredukuj jakoś ich liczbę. Niech Trent zestawi je z kobietami. Znajdzie kogoś, który służył z jedną z ofiar.

— Albo z mężczyzną, który poszedł siedzieć — wtrącił Poulton.

Reacher znów się uśmiechnął.

— Cóż za błyskotliwe umysły zasiadają przy tym stole. Doprawdy, przy was każdy czułby się co najmniej onieśmielony.

— Masz lepsze pomysły, cwaniaczku? — spytał Blake.

— Wiem, co zrobię.

— Świetnie. Tylko pamiętaj, co od tego zależy. W niebezpieczeństwie jest mnóstwo kobiet, w tym jedna twoja.

— Zajmę się tym.

— No, to do roboty.

Harper zrozumiała aluzję. Wstała. Reacher też podniósł się z krzesła. Poszedł za nią. Pozostała trójka odprowadziła ich wzrokiem; w ich spojrzeniach było coś... tylko co? Harper czekała na niego przy wejściu do kafeterii. Ona też przyglądała mu się, czekała, aż podejdzie, uśmiechała się. Przystanął obok niej.

— Dlaczego wszyscy tak się na mnie gapią? — spytał.

— Oglądaliśmy taśmę. No wiesz, tę z kamery obserwacyjnej.

— I co z tego?

Nie odpowiedziała. Reacher szukał w pamięci, co też takiego robił w pokoju. Dwa razy wziął prysznic. Trochę chodził w kółko. Zaciągnął zasłony. Przespał się. Wstał. Odsunął zasłony. Trochę chodził w kółko. To chyba wszystko.

— Przecież nic nie zrobiłem — powiedział.

Harper uśmiechnęła się znowu. Szerzej.

— Nie, nie zrobiłeś.

— Więc o co chodzi?

— No... wiesz... zdaje się, że nie przywiozłeś ze sobą piżamy.

• • •

Facet, mający pod opieką park samochodowy, podjechał pod drzwi i wysiadł, nie wyłączając silnika. Harper przyglądała się, jak Reacher wsiada, a potem wślizgnęła za kierownicę. W lejącym deszczu przejechali przez punkt kontrolny, minęli rozstawione na obwodzie oddziały piechoty morskiej, wjechali na I-95. Pomknęli na północ i po szybkiej, czterdziestominutowej jeździe skręcili na wschód. Pędzili wzdłuż południowej granicy Dystryktu Columbii. Dziesięć minut szalonej jazdy, skręt w prawo i byli już przy północnej bramie do bazy sił powietrznych Andrews.

— Dali nam firmowy samolot — powiedziała Harper.

Dwa punkty kontrolne dalej stanęli u stóp schodków wiodących na pokład nieoznakowanego leara. Zostawili samochód na pasie, weszli do kabiny. Zaczęli kołowanie, nim zdążyli usiąść i zapiąć pasy.

— Powinniśmy dolecieć do Dix w pół godziny — powiedziała Harper.

— McGuire — poprawił ją Reacher. — Dix jest bazą korpusu piechoty morskiej. My wylądujemy w bazie sił powietrznych McGuire.

Harper wyraźnie się zaniepokoiła.

— A mnie powiedzieli, że udamy się wprost na miejsce...

— I tak jest w rzeczywistości. Chodzi o to samo miejsce. Ma różne nazwy, to wszystko.

Agentka się skrzywiła.

— Dziwne. Zdaje się, że nigdy nie zrozumiem armii.

— Nie masz się czym przejmować. My też was nie rozumiemy.

Lądowali zaledwie pół godziny później; jak każdy mały odrzutowiec ich maszyna podrygiwała w podmuchach wiatru. Niemal przez całą drogę w dół przebijali się przez chmury, ziemia ukazała się nagle, gdy byli już nisko. W Jersey też padało, było mroczno, beznadziejnie. Baza sił powietrznych to w ogóle ponure, szare miejsce, a teraz i pogoda mu nie sprzyjała. Pas McGuire był wystarczająco szeroki i długi, by niezdarne transportowce mogły wzbić się w powietrze, więc lear po wylądowaniu zatrzymał się w jednej czwartej jego długości jak koliber przysiadający dla odpoczynku na autostradzie. Odwrócił się, kołował przez chwilę i wreszcie przycupnął w odległym kącie. Na ich spotkanie pomknął chevrolet w charakterystycznym zielonym kolorze; kiedy opuszczono schodki, już stał pod nimi i czekał. Kierowcą był porucznik piechoty morskiej, może dwudziestopięcioletni i bardzo zmoknięty.

— Major Reacher? — spytał.

Reacher skinął głową.

— A to agentka Harper z FBI — powiedział.

Porucznik zignorował agentkę; Reacher z góry wiedział, że ją zignoruje.

— Pułkownik czeka na pana.

— No to jedźmy. Nie możemy kazać pułkownikowi czekać, prawda?

Usiadł obok porucznika na przednim siedzeniu, Harper zajęła miejsce z tyłu. Przejechali z McGuire do Dix wąskimi uliczkami o bielonych wapnem krawężnikach, biegnących wśród stłoczonych ciasno magazynów i koszar. Zatrzymali się przy ciasnej grupce ceglanych biurowych baraków, odległych niewiele ponad półtora kilometra od pasa McGuire.

— Drzwi po lewej, panie majorze — powiedział porucznik.

Został w samochodzie; Reacher z góry wiedział, że w nim zostanie. Wysiadł, Harper za nim. Trzymała się bardzo blisko, skulona, zmarznięta i mokra. Wiatr siekł deszczem niemal poziomo. Pośrodku budynku biurowego, w ślepej ceglanej ścianie, znajdowało się troje nieoznaczonych drzwi. Otworzył lewe, wprowadził Harper do przestronnego przedpokoju wypełnionego metalowymi biurkami i szafkami na akta. Pokój był sterylnie czysty i wręcz obsesyjnie porządny, a jaskrawe światło ostro kontrastowało z szarością deszczowego poranka. Przy trzech biurkach pracowało trzech sierżantów. Jeden z nich podniósł głowę i wcisnął przycisk stojącego przed nim telefonu.

— Major Reacher już jest, pułkowniku — powiedział.

Po bardzo krótkiej chwili otwarły się wewnętrzne drzwi. Pojawił się w nich wysoki mężczyzna o budowie charta i ciemnych włosach, lekko siwiejących na skroniach. Szczupłą dłoń wyciągał w serdecznym powitaniu.

— Cześć, Reacher — powiedział John Trent.

Reacher skinął głową. Trent zawdzięczał drugą połowę swej kariery paragrafowi, który przed dziesięciu laty nie znalazł się w jego raporcie. Pułkownik założył, że paragraf ten został już wpisany do przygotowanego raportu. Przyszedł do Reachera nie po to, by prosić o wykreślenie tych paru zdań, targować się, przekupić go, lecz wyłącznie po to, by wyjaśnić jak oficer oficerowi, dlaczego się pomylił. Chciał tylko, by Reacher zrozumiał, że to rzeczywiście była pomyłka, nie zła wola, nie nieuczciwość. Wyszedł, nie prosząc o nic, wrócił do siebie, usiadł i czekał, aż spadnie topór. Ale topór nie spadł, raport został opublikowany bez paragrafu. Czego Trent nie wiedział, to tego, że Reacher w ogóle go nie napisał. Od tej chwili minęło dziesięć lat, podczas których dwaj mężczyźni praktycznie ze sobą nie rozmawiali. Aż do wczorajszego ranka, kiedy to Reacher przeprowadził pierwszą ze swych pilnych rozmów telefonicznych z aparatu w mieszkaniu Jodie.

— Cześć, pułkowniku — powiedział teraz. — To agentka Harper z FBI.

Trent był bardziej uprzejmy od swego porucznika; jako pułkownik nie miał wyboru. A może tylko większe wrażenie robiły na nim wysokie, przemoknięte blondynki, ubrane po męsku. W każdy razie podał agentce dłoń. I może ściskał ją odrobinę dłużej, niż to było konieczne. I może nawet uśmiechnął się przy tym, prawie niezauważalnie.

— Miło mi pana poznać, panie pułkowniku — powiedziała Harper. — I z góry dziękuję.

— Jeszcze nic nie zrobiłem — zaprotestował Trent.

— No cóż... zawsze jesteśmy wdzięczni za współpracę... tym, którzy godzą się z nami współpracować.

Trent puścił wreszcie dłoń agentki.

— Domyślam się, że jest ich niewielu?

— Mniej, niżbyśmy chcieli. Jeśli wziąć pod uwagę, że jesteśmy po tej samej stronie.

Trent znów się uśmiechnął.

— Koncept bardzo interesujący — powiedział. — Oczywiście zrobię, co w mojej mocy, ale moja współpraca będzie ograniczona. Czego pani się, oczywiście, spodziewała. Mamy zamiar przejrzeć dane osobiste i dotyczące przebiegu służby, których nie mam zamiaru ujawnić. Zrobimy to we dwóch, z Reacherem. Chodzi o kwestie bezpieczeństwa narodowego i tajemnicę wojskową. Niestety, musi pani tu poczekać.

— Cały dzień?

Trent skinął głową.

— Tak długo, jak okaże się to konieczne. Czy to pani odpowiada?

Bez wątpienia Harper to nie odpowiadało. Milczała wpatrzona w podłogę.

— Pani nie zapoznałaby mnie z tajnymi aktami FBI, prawda? Chodzi mi o to, że tak naprawdę nie lubicie nas bardziej, niż my was.

Harper rozejrzała się dookoła.

— Polecono mi go pilnować — odparła.

— Doskonale to rozumiem. Wasz pan Blake objaśnił mi pani rolę. Ale pozostanie pani przecież tu, przed moim biurem, a do niego prowadzą tylko jedne drzwi. Sierżant przydzieli pani biurko.

142

Sierżant wstał, nie czekając na polecenie. Wskazał puste biurko, zza którego doskonale widać było drzwi prowadzące do pokoju Trenta. Harper usiadła przy nim powoli, niepewna.

— Tu będzie pani wygodnie — powiedział Trent. — Wasze sprawy zabiorą nam trochę czasu, nie są to rzeczy proste. Jestem pewien, że wie pani, jak to jest z papierami.

Odwrócił się i wprowadził Reachera do swojego biura. Zamknął drzwi. Był to duży pokój z oknami na dwóch ścianach, regałami na książki, szafkami, wielkim drewnianym biurkiem i wygodnymi, skórzanymi krzesłami. Reacher usiadł naprzeciw biurka, rozparł się na jednym z nich wygodnie.

— Dwie minuty, dobrze?

Trent skinął głową.

— Czytaj to — powiedział. — Wyglądaj na zapracowanego.

Wręczył Reacherowi nabity segregator w kolorze spłowiałej zieleni, który zdjął z wysokiego stosu podobnych segregatorów. Reacher otworzył go, pochylił się, pogrążył w studiowaniu skomplikowanego wykresu, ilustrującego zapotrzebowanie na paliwo lotnicze w ciągu najbliższych sześciu miesięcy. Trent podszedł do drzwi, otworzył je szeroko.

— Pani Harper?! — zawołał. — Chce pani kawy albo coś?

Reacher obejrzał się przez ramię. Harper patrzyła na niego, rejestrowała wzrokiem fotele, biurko, stos segregatorów.

— Dziękuję, mam wszystko, czego mi potrzeba! — krzyknęła.

— To świetnie. Jeśli coś przyjdzie pani do głowy, wystarczy powiedzieć sierżantowi.

Pułkownik zamknął drzwi, nie czekając na odpowiedź. Podszedł do okna. Reacher zdjął identyfikator, odłożył go na biurko. Wstał. Trent otworzył okno najszerzej, jak się dało.

— Nie dałeś mi wiele czasu — szepnął. — Ale mam wrażenie, że nieźle idzie.

— Kupili to od razu — odpowiedział Reacher, również szeptem. — Znacznie szybciej, niż się tego spodziewałem.

— Ale skąd wiedziałeś, że będziesz miał opiekę?

— Spodziewaj się najlepszego, przygotuj na najgorsze. Sam wiesz, jak to jest.

Trent skinął głową, wyjrzał przez okno, spojrzał najpierw w lewo, potem w prawo.

— Dobra, ruszaj w drogę. No i powodzenia, przyjacielu.

— Potrzebuję broni — szepnął Reacher.

Trent spojrzał mu w oczy, stanowczo potrząsnął głową.

— Nie. Tego zrobić nie mogę.

— Musisz. Potrzebuję broni.

Trent milczał. Był niespokojny, zaczynał się denerwować.

— Chryste, w porządku, broń — rzekł wreszcie. — Ale nie nabita. I tak już nadstawiam tyłek.

Otworzył szufladę, wyjął z niej berettę M9, taką samą jak te, które nosili chłopcy Petrosjana, tylko że z tej nie spiłowano numeru seryjnego, co było widoczne na pierwszy rzut oka. Trent wysunął magazynek i wysypał z niego naboje do szuflady, jeden po drugim.

— Cicho — szepnął Reacher, zaniepokojony.

Trent skinął głową, wsunął pusty magazynek, podał berettę Reacherowi, trzymając ją za lufę. Reacher skinął głową, schował ją do kieszeni. Usiadł na parapecie, wysunął nogi na zewnątrz.

— Miłego dnia — szepnął.

— Nawzajem. Uważaj na siebie.

Reacher podparł się dłońmi i zaskoczył z parapetu. Znajdował się w wąskiej alejce; na dworze ciągle padał deszcz. Porucznik czekał na niego w stojącym dziesięć metrów dalej chevrolecie; jego silnik już pracował. Reacher wskoczył do środka i samochód ruszył, nim zdążył zamknąć drzwi. Pokonanie drogi do McGuire zajęło im zaledwie nieco ponad minutę. Wjechali na pas, pomknęli ku czekającemu na nich helikopterowi piechoty morskiej. Znajdujący się u dołu maszyny właz był otwarty, wirnik obracał się szybko. Podmuch powietrza układał strugi deszczu we wzór spirali.

— Dzięki, mały — powiedział Reacher.

Wyskoczył z samochodu, wbiegł po rampie do ciemnego wnętrza helikoptera. Właz zamknął się za nim z cichym wyciem elektrycznego mechanizmu. Hałas silnika wzmógł się, przeszedł w nieznośny ryk. Poczuł, że maszyna wznosi się w powietrze,

144

a potem chwyciła go para silnych rąk i usadziła na siedzeniu. Zapiął pasy, ktoś rzucił mu słuchawki. Nałożył je, usłyszał trzask włączanego interkomu, a jednocześnie zapaliły się wewnętrzne światła i Reacher na własne oczy zobaczył, że siedzi na płóciennym krzesełku pomiędzy dwoma oficerami zaopatrzenia z piechoty morskiej.

— Lecimy na lądowisko straży przybrzeżnej w Brooklynie — poinformował go pilot. — Cokolwiek bliżej, a musielibyśmy wypełniać plan lotu, a wypełniania planu lotu nie mamy akurat w planie. Nie dziś. W porządku?

Reacher włączył mikrofon.

— To mi pasuje, chłopaki. Dzięki.

— Pułkownik musi panu wisieć jak cholera — zauważył pilot.

— Nie, on po prostu mnie lubi.

Pilot roześmiał się głośno. Helikopter zawrócił w miejscu i przyspieszył, przeraźliwie hałasując.

11

Lądowisko helikopterów straży przybrzeżnej w Brooklynie mieści się na wschodnim krańcu Floyd Bennett Field, naprzeciw wyspy w Jamaica Bay, znanej pod nazwą Ruffle Bar, prawie dokładnie dziewięćdziesiąt pięć kilometrów na północny wschód od McGuire. Pilot przeleciał ten dystans w trzydzieści siedem minut. Wylądował w kręgu z wymalowaną w nim wielką literą „H". Ryk silnika przycichł. Nieco.

— Ma pan cztery godziny — powiedział pilot. — Minutę później startujemy i jest pan skazany na samego siebie. Jasne?

— Jasne — odparł Reacher.

Odpiął pasy, zdjął słuchawki, zszedł otwierającą się rampą. Na pasie stał ciemnogranatowy, zwykły osobowy samochód z oznaczeniami marynarki wojennej; jego silnik pracował, drzwi pasażera były otwarte.

— Ty jesteś Reacher?! — zawołał kierowca.

Reacher skinął głową. Wsiadł. Kierowca wcisnął gaz do dechy.

— Jestem z rezerwy marynarki wojennej — przedstawił się. — Pomagamy pułkownikowi. Nazwijmy to przykładową współpracą między rodzajami broni.

— Doceniam wasze wysiłki.

— Nie ma o czym mówić. To dokąd jedziemy?

— Na Manhattan. Do Chinatown. Wiesz, gdzie to jest?

— Czy wiem, gdzie to jest? Jadam tam trzy razy w tygodniu.

Wybrał Flatbush Avenue i Manhattan Bridge. Nie było wielkiego ruchu, ale tak czy inaczej transport naziemny wydawał się wręcz żałośnie powolny po learze i helikopterze. Minęło pełnych trzydzieści minut, nim Reacher dotarł w pobliże miejsca, w którym chciał się znaleźć. Jedna ósma dostępnego mu czasu już minęła.

Zjechali z dojazdu na most, zaparkowali przy hydrancie.

— Będę tu czekał — powiedział kierowca, tyle że zwrócony w drugą stronę. Od tej chwili dokładnie trzy godziny. Nie spóźnij się.

Reacher skinął głową.

— Nie spóźnię się — obiecał.

Wysiadł z samochodu, dwukrotnie klepnął dach. Przeszedł przez ulicę, skierował się na południe. W Nowym Jorku było chłodno i wilgotno, ale nie padał tu deszcz. Nie świeciło też słońce; z miejsca, w którym powinno się znajdować, padało na ulicę nieokreślone, przymglone światło. Reacher zatrzymał się na chwilę, stał niezdecydowany. Od biura Jodie dzieliło go dwadzieścia minut spacerem. Ruszył przed siebie. Nie miał tych dwudziestu minut. Wszystko w swoim czasie. Taką miał zasadę. I może obserwowali jej biuro? A jego nikt nie może dziś widzieć w Nowym Jorku. Potrząsnął głową, szedł dalej. Zmusił się do skupienia uwagi. Spojrzał na zegarek. Był późny ranek; zaniepokoiło go, że mógł pojawić się za wcześnie. Ale, z drugiej strony, ciągle było możliwe, że wyliczył czas jak powinien. Nie potrafił tego ocenić. Nie miał doświadczenia.

Po pięciu minutach znowu się zatrzymał. Jeśli jakaś ulica miała nadawać się do załatwienia sprawy, to ta. Po obu jej stronach znajdowały się chińskie restauracje, stłoczone dosłownie jedna na drugiej, wabiące krzykliwymi fasadami, wymalowanymi na czerwono i żółto. Rósł tu prawdziwy las szyldów, wypisanych orientalnym pismem. Niepodzielnie rządził kształt pagody. Na chodnikach kłębiły się tłumy. Ciężarówki dostawcze blokowały parkujące przy krawężnikach samochody, wszędzie wokół piętrzyły się skrzynie warzyw i beczki oleju. Reacher przeszedł ulicą dwukrotnie, w jedną i w drugą stronę, badając teren, ucząc się go na pamięć, zaglądając w alejki. Dotknął ukrytej w kieszeni broni. Kontynuował przechadzkę. Muszą gdzieś tu być. Jeśli nie przyszedł za wcześnie. Oparł się o mur, patrzył, obserwował. Będzie ich dwóch. Będą razem. Patrzył i obserwował bardzo długą chwilę. Mnóstwo ludzi chodziło w parach, ale nie byli to ci ludzie. Nie oni. Nie te pary.

Przyszedł za wcześnie.

Znów spojrzał na zegarek. Czas uciekał. Oderwał się od muru. Spacerował. Zaglądał w głąb mijanych bram. Nic. Obserwował alejki. Nic. Mijał czas. Przeszedł przecznicę na południe i przecznicę na zachód. Spróbował innej uliczki. Nic. Przystanął na rogu. Nadal nic. Przeszedł kolejną przecznicę na południe i kolejną przecznicę na zachód. Nic. Oparł się o wątłe drzewko, czekał, a zegarek na jego przegubie wystukiwał sekundy jak maszyna. Nic. Wrócił do miejsca, w którym zatrzymał się po raz pierwszy, oparł o mur, obserwował gęstniejący przed lunchem tłum. Potem obserwował, jak tłum rzednie. Nagle więcej ludzi wychodziło z restauracji, niż do nich wchodziło. Czasu miał mniej, tak jak mniej było ludzi wokoło. Przeszedł na koniec uliczki. Znów spojrzał na zegarek. Czekał dwie pełne godziny. Pozostała mu tylko jedna.

Nic się nie działo. Pora lunchu skończyła się, na ulicy zapanował spokój. Ciężarówki podjeżdżały, rozładowywano je i odjeżdżały. Spadł lekki deszczyk, po chwili przestał padać. Po wąskim pasemku nieba przemykały nisko chmury. Mijał czas. Reacher poszedł na południe i na wschód. I nic. Wrócił, przeszedł w jedną stronę po jednej stronie ulicy, a z powrotem po drugiej. Czekał na rogu. Coraz częściej spoglądał na zegarek. Miał jeszcze czterdzieści minut. Jeszcze trzydzieści. Jeszcze dwadzieścia.

To wówczas ich zobaczył. I nagle zrozumiał, dlaczego teraz, nie wcześniej. Czekali, aż gotówka z lunchu zostanie uporządkowana, pieniądze porządnie poukładane w szufladkach kas. Facetów było dwóch. Chińczycy, oczywiście: młodzi, lśniące, czarne włosy opadały im na kołnierzyki. Ubrani byli w czarne spodnie i lekkie wiatrówki, na szyi mieli zawiązane chusty. Wyglądało to trochę jak mundur.

Niczego nie ukrywali. Jeden miał na ramieniu torbę, drugi trzymał w ręku notatnik ze spiralnym grzbietem, przez który przetknięty był długopis. Wchodzili do wszystkich restauracyjek po kolei, pewnie i swobodnie. Po czym wychodzili; pierwszy zapinał torbę, drugi zapisywał coś w notatniku. Jedna restauracja, dwie, trzy, cztery. Minęło piętnaście minut. Reacher patrzył. Przeszedł ulicę, szedł przed Chińczykami. Zaczekał przed wejściem do jednej z restauracji. Patrzył, jak wchodzili. Patrzył, jak podchodzili do starego mężczyzny przy kasie. Po prostu przy nim stanęli. Nic nie powiedzieli. Stary mężczyzna sięgnął do szuflady kasy, wyjął z niej plik banknotów. Uzgodniona suma, odliczona, czekająca na chwilę, kiedy przejdzie z rąk do rąk. Facet z notesem wziął pieniądze i przekazał je koledze. Zapisał coś, pieniądze znikły w torbie.

Reacher zrobił krok naprzód. Znalazł się przy wylocie wąskiej alejki oddzielającej dwa budynki. Wślizgnął się do niej, czekał, przyciśnięty plecami do muru, tam gdzie mieli go zobaczyć dopiero wtedy, gdy będzie zbyt późno. Jeszcze raz spojrzał na zegarek. Miał mniej niż pięć minut. Wyobraził sobie tych dwóch. W wyobraźni widział ich każdy ruch, każdy pewny, niespieszny krok. Czuł rytm. Czekał. Czekał. A potem wyszedł z alejki i spotkał się z nimi bezpośrednio. Twarzą w twarz. Dosłownie na niego wpadli. Zacisnął palce na ich wiatrówkach, odchylił się, zatoczył nimi szybki łuk, obrócił ich o sto osiemdziesiąt stopni, rzucił plecami na mur w alejce. Facet, którego trzymał prawą ręką, przebył dłuższą drogę, a więc uderzył w ścianę mocniej i odbił się od niej dalej. Kiedy się odbijał dostał łokciem, upadł i już się nie podniósł. To był ten z torbą.

Ten drugi rzucił notatnik, wykonał ruch w kierunku kieszeni. Reacher był szybszy, już trzymał w dłoni berettę Trenta. Przesunął się bliżej Chińczyka, wymierzył nisko, wzdłuż fałdy kurtki, wprost w rzepkę kolanową.

— Okaż trochę mądrości, dobrze? — powiedział.

Drugą ręką zarepetował. Materiał stłumił dźwięk, ale jego wyćwiczone ucho wychwyciło fałszywy ton; zabrakło stuknięcia wsuwającego się na miejsce pocisku. Ale Chińczyk tego nie usłyszał. Był zbyt oszołomiony, zbyt zszokowany. Tylko przylgnął do ściany, jakby chciał przez nią przejść. Przeniósł ciężar ciała na jedną stopę, nieświadomie przygotowując się na przyjęcie kuli, mającej roztrzaskać mu nogę.

— Kolego, popełniasz błąd — szepnął.

Reacher potrząsnął głową.

— Nie, dupku, nie popełniamy błędu. My wykonujemy ruch!

— Jacy my?

— Petrosjan.

— Petrosjan? Chyba sobie kpisz!

— W żadnym razie. Jestem poważny. Śmiertelnie poważny. Ta ulica należy do Petrosjana. Od dziś. Dokładnie: od tej chwili. Wszystko. Cała ulica. Czy wyraziłem się wystarczająco jasno?

— To nasza ulica.

— Już nie. To ulica Petrosjana. On ją przejął. Chcesz zapłacić nogą za głupie spory?

— Petrosjan?

— Uwierz mi na słowo — powiedział Reacher. Lewą pięścią przyłożył Chińczykowi w żołądek, a kiedy ten się skulił, walnął go kolbą beretty w głowę za uchem, po czym delikatnie położył go na kumplu. Ściągnął spust, uwalniając suwadło, schował pistolet do kieszeni, pochylił się, podniósł torbę, wsadził ją pod pachę. Wyszedł z alejki. Skierował się na północ.

Nie miał już czasu. Jeśli jego zegarek późni się choćby o minutę, a faceta z marynarki o minutę spieszy, nie dojdzie do spotkania. Ale Reacher nie biegł. Bieganiem po mieście zwracasz na siebie uwagę. Szedł tak szybko, jak tylko mógł sobie na to pozwolić, jeden krok w bok na trzy do przodu, szukając maksymalnej ilości wolnego miejsca na chodnikach. Skręcił za róg. Niebieski samochód z dyskretnie wypisanymi na przednich drzwiach słowami „Rezerwa Marynarki Wojennej" właśnie odjeżdżał od krawężnika. Na jego oczach powoli włączył się w ruch.

I teraz już Reacher pobiegł. Na miejsce, w którym parkował samochód, dotarł cztery sekundy po tym, jak wóz odjechał. W tej chwili dzieliły go od niego trzy inne samochody; właśnie przyspieszał, starając się zdążyć na zielone światło. Odprowadził go wzrokiem. Światło zmieniło się na czerwone. Samochód przyspieszył, ale kierowca wystraszył się i wcisnął hamulec. Zatrzymał wóz elegancko, zaledwie z przednimi kołami na pasach. Reacher odetchnął, podbiegł do skrzyżowania, szarpnął drzwiczki od strony pasażera. Opadł na siedzenie, dysząc ciężko. Kierowca tylko skinął głową. Nie powiedział słowa, nie próbował wyjaśnić, dlaczego odjechał. Reacher nie spodziewał się ani przeprosin, ani wyjaśnień. Kiedy marynarka mówi „trzy godziny", ma na myśli trzy godziny. Sto osiemdziesiąt minut, ani sekundy więcej, ani sekundy mniej. Czas i pływy nie czekają na człowieka. Marynarka wspiera się na fundamentach głupot takich jak ta.

• • •

Powrót do biura Trenta w Dix odbył się identycznie jak wyjazd z jego biura, tyle że odwrotnie. Trzydzieści minut jazdy samochodem przez Brooklyn, oczekujący helikopter, hałaśliwy lot do McGuire, porucznik w służbowym chevrolecie czekającym już na pasie. W helikopterze Reacher miał czas policzyć pieniądze z torby. Było tego tysiąc dwieście dolarów, sześć zwiniętych plików banknotów, każdy po dwieście dolców. Forsę oddał załadunkowym na najbliższą balangę ich jednostki, torbę podarł wzdłuż szwów, a kawałki wyrzucił przez otwór do strzelania rakietnicami wprost na Lakewood, New Jersey, z wysokości tysiąca dwustu metrów.

W Dix nadal lało. Porucznik podrzucił go w alejkę, jeszcze kilka kroków i Reacher już cicho stukał w szybę. Trent otworzył okno. Reacher wszedł do pokoju.

— Wszystko w porządku? — spytał.

Trent skinął głową.

— Przez cały dzień siedziała tam, taka cicha myszka. Musieliśmy zaimponować jej poświęceniem. Przepracowaliśmy porę lunchu!

Reacher skinął głową i oddał mu nienaładowaną berettę. Zdjął kurtkę. Usiadł na krześle. Założył na szyję identyfikator, wziął segregator. Trent przesunął stos z prawego narożnika na lewy, jakby sprawdzili wszystko bardzo dokładnie.

— Udało się? — spytał.

— Chyba tak. Czas pokaże. Wiesz, jak to jest.

Trent skinął głową. Wyjrzał za okno, sprawdzał, jaka jest pogoda. Był niespokojny. Nie wychodził z pokoju przez cały dzień.

— Możesz wyjść, jeśli chcesz — powiedział Reacher. — Przedstawienie skończone.

— Cały jesteś mokry. Przedstawienie skończy się, kiedy wyschniesz.

Schnięcie zajęło mu dwadzieścia minut. Z telefonu Trenta zadzwonił do Jodie. Bezpośredni numer do biura, dom, komórka. Nikt nie odbiera, nikt nie obiera, wyłączona. Zapatrzył się w ścianę. Potem przeczytał nieutajniony projekt dostarczania poczty żołnierzom piechoty morskiej, przydzielonym do służby na Oceanie Indyjskim. Spędzony nad nim czas sprawił, że osunął się w krześle, a jego oczy nabrały nieobecnego wyrazu. Kiedy Trent otworzył drzwi i Harper dostała wreszcie szansę obejrzenia go sobie po raz drugi tego dnia, Reacher siedział zgarbiony, nieruchomy: wierny portret człowieka, który spędził ciężki dzień nad papierami.

— Zrobiliście jakieś postępy? — spytała.

Reacher spojrzał w sufit. Westchnął głęboko.

— Może.

— Sześć godzin! Musieliście do czegoś dojść!

— Może — powtórzył Reacher.

Na chwilę zapadła cisza.

— No, dobrze. Idziemy — powiedziała Harper.

Wstała od biurka, przeciągnęła się. Ręce wyciągnęła wysoko nad głowę, wyprostowała dłonie, sięgnęła sufitu; wyglądało to jak jakaś joga czy coś. Uniosła głowę, przechyliła ją, jasne włosy rozsypały się jej na plecach. Trzej sierżanci i jeden pułkownik gapili się na nią w milczeniu.

— No, dobrze. Idziemy — powiedział Reacher.

— Nie zapomnij notatek! — zwrócił mu uwagę Trent.

Wręczył Reacherowi kartkę papieru z wydrukowanymi na niej trzydziestoma nazwiskami, zapewne zawodników jego drużyny futbolowej z liceum. Reacher schował listę do kieszeni, włożył płaszcz, potrząsnął wyciągniętą ręką pułkownika. Przeszedł przez salę do drzwi, wyszedł w deszcz, zatrzymał się na chwilę i odetchnął głęboko jak ktoś, kto spędził za biurkiem cały dzień. Harper delikatnie pchnęła go w stronę samochodu. Za kierownicą czekał porucznik, gotów odwieźć ich do leara.

• • •

Blake, Poulton i Lamarr czekali na nich przy tym samym stoliku w kafeterii Quantico. Na zewnątrz było ciemno jak podczas pierwszego spotkania, ale tym razem stół zastawiono nie do śniadania, lecz do obiadu. Stał na nim dzbanek wody i pięć szklanek, a także sól, pieprz oraz butelki sosów do steku. Blake zignorował Reachera, zerknął na Harper, która odpowiedziała skinieniem głowy, jakby w ten sposób chciała dodać mu odwagi. Wyglądało na to, że go to uszczęśliwiło.

— No i co? — spytał. — Znalazłeś już naszego faceta?

— Może... — odpowiedział Reacher. — Mam listę trzydziestu nazwisk. Być może jest wśród nich jego nazwisko.

— No to obejrzyjmy ją sobie.

— Jeszcze nie. Potrzebuję czegoś więcej.

Blake spojrzał na niego, zdumiony.

— Gówno prawda, niczego nie potrzebujesz. Musimy wziąć tych ludzi pod obserwację!

Reacher potrząsnął głową.

— Tego się nie da zrobić. Ci ludzie zajmują pozycje, do których nie doskoczycie. Gdybyście chcieli choćby dostać nakaz na któregoś z nich, zaraz po wizycie u sędziego musielibyście popielgrzymować do sekretarza obrony. A ten musiałby popielgrzymować do naczelnego dowódcy, którym, kiedy ostatni raz sprawdzałem, był prezydent. Z kolei, żeby dotrzeć do prezydenta, potrzebujecie o wiele więcej, niż mogę wam w tej chwili dać.

— W takim razie co proponujesz?

— Proponuję, żebyście pozwolili mi jakoś to jeszcze ograniczyć.

— Jak?

153

Reacher wzruszył ramionami.

— Chcę się zobaczyć z siostrą Lamarr.

— Moją przyrodnią siostrą — poprawiła go Lamarr.

— Dlaczego? — spytał Blake.

Reacher bardzo chciał powiedzieć: „Bo zabijam czas, baranie, a znacznie bardziej wolę go zabijać w drodze, niż siedząc na tyłku, nawet tutaj", ale tylko przybrał mądry wyraz twarzy i jeszcze raz wzruszył ramionami.

— Ponieważ musimy rozumować wielotorowo — wyjaśnił. — Jeśli ten facet zabija kobiety z pewnej kategorii, musimy dowiedzieć się dlaczego. Nie może przecież być wściekły tak po prostu, na całą kategorię. Jedna z tych kobiet musiała wszystko zainicjować, być tą pierwszą. Potem przeniósł swój gniew od szczegółu do ogółu. Więc kim była? Siostra Lamarr dobrze nadaje się do tego, żeby od niej zacząć. Przeniosła się z jednostki do jednostki, a one bardzo się między sobą różniły. Jeśli patrzeć pod kątem profilu, sam ten fakt podwaja liczbę możliwych kontaktów.

Brzmiało to wystarczająco profesjonalnie, żeby Blake skinął głową.

— W porządku — powiedział. — Załatwimy to. Pojedziesz do niej jutro.

— Gdzie mieszka?

— W stanie Waszyngton — wyjaśniła Lamarr. — Zdaje się, że gdzieś pod Spokane.

— Zdaje się? To ty nie wiesz?

— Nigdy tam nie byłam. Akurat mam co robić, zamiast jeździć tam i z powrotem.

Reacher skinął głową. Spojrzał na Blake'a.

— Powinieneś pilnować tych kobiet — zauważył.

Blake westchnął ciężko.

— Na litość boską, człowieku, pobaw się w arytmetykę. Osiemdziesiąt osiem kobiet i nie wiemy, która następna. Jeszcze siedemnaście dni, jeśli gość utrzyma cykl, trzech agentów na dobę... przecież to ponad sto tysięcy roboczogodzin, w przypadkowych lokalizacjach w całym kraju. Nie jesteśmy w stanie tego zrobić. Brak nam agentów. Oczywiście zawiadomiliśmy miejscowe posterunki policji, ale co oni mogą? Pod takim Spokane w stanie Waszyngton na przykład? Całe tamtejsze siły policyjne to pewnie jeden facet i jeden owczarek alzacki. Przypuszczam, że radiowóz od czasu do czasu przejeżdża pod wskazanym domem, ale to mniej więcej wszystko, na co możemy liczyć.

— A przynajmniej je ostrzegłeś?

Blake potrząsnął głową. Wyglądał na zawstydzonego.

— Nie. Nie jesteśmy w stanie ich pilnować i nie możemy ich ostrzec. Bo i co im powiemy? Jesteście w niebezpieczeństwie, ale bardzo przepraszam, dziewczyny, musicie radzić sobie same? Tego się nie da zrobić.

— Musimy złapać faceta — wtrącił Poulton. — To jedyny pewny sposób, żeby pomóc kobietom.

Lamarr skinęła głową.

— On gdzieś tam jest — wtrąciła. — A my musimy go dopaść.

Reacher przyjrzał się im, każdemu po kolei. Troje psychologów. Każdy z nich wciska wszystkie właściwe guziki. Próbują zrobić z tego wyzwanie. Uśmiechnął się.

— Rozumiem, o co wam chodzi.

— W porządku — powiedziała Lamarr. — Więc jutro lecisz do Spokane. A ja tymczasem jeszcze trochę popracuję nad aktami. Przejrzysz je pojutrze. Będziesz miał to, co znalazłeś u Trenta, plus to, co zdobędziesz w Spokane, plus to, co już mamy. Liczymy, że już dojdziesz do jakichś wniosków.

Reacher znów się uśmiechnął.

— Cokolwiek sobie życzysz, Lamarr.

— No więc jedz i idź do łóżka — powiedział Blake. — Do Spokane jest kawał drogi. Harper będzie ci oczywiście towarzyszyć.

— W łóżku?

Blake znowu się zawstydził.

— Do Spokane, durniu.

Reacher skinął głową.

— Jak sobie życzysz, Blake.

• • •

Problem w tym, że to było prawdziwe wyzwanie. Zamknięty w pokoju Reacher leżał samotnie na łóżku, wpatrując się w ślepe oko ukrytej kamery. Patrzył na nie, ale go nie widział. To, na co patrzył, rozpłynęło się w mgłę, co się często zdarzało. Zieloną mgłę, jakby cała Ameryka znikła, pokryta pastwiskami i lasami; znikły budynki, drogi, hałas, znikli ludzie, z wyjątkiem znajdującego się gdzieś, nie wiadomo gdzie, mężczyzny. Reacher przeszywał wzrokiem mgłę i ciszę, na sto kilometrów i na tysiąc, patrzył na północ i południe, na wschód i zachód, szukał wzrokiem ledwie dostrzegalnego cienia, czekał na nagły ruch. „On gdzieś tam jest. A my musimy go dopaść". On gdzieś tam spacerował albo spał, albo planował, albo się przygotowywał, oczywiście pewien, że jest najcwańszym facetem na całym kontynencie.

Dobrze, zobaczymy — pomyślał Reacher. Przesunął się na łóżku. Powinien naprawdę zaangażować się w sprawę. A z drugiej strony może i nie? Należało podjąć poważną decyzję, ale nie musiał podejmować jej w tej chwili. Przewrócił się na bok, zamknął oczy. Pomyśli o tym później. Podejmie decyzję jutro. Albo pojutrze. Kiedy mu się spodoba.

• • •

Decyzja została podjęta. Decyzja o cyklu. Cykl przechodził do historii. Pora odrobinę przyspieszyć bieg wypadków. Trzy tygodnie oczekiwania... teraz wydawało się to o wiele za długo. Tak to już bywa, wpadasz na pomysł, który w pewnym momencie zaczyna żyć własnym życiem. Przyglądasz mu się, rozważasz go, zaczyna ci się podobać, no i decyzja zapada, nim zdążysz ją podjąć, nie? Jak ci dżinn wyskoczy z lampy, to go do lampy nie wciśniesz, nie? A dżinn właśnie wyrwał się na wolność. Żyje na swobodzie, panoszy się i razem z nim panoszysz się ty.

12

Tego ranka nie odbyło się spotkanie przy śniadaniu. Ranek był zbyt wczesny. Harper otworzyła drzwi, nim Reacher zdołał się ubrać. Miał na sobie spodnie i usiłował zaprasować zmarszczki koszuli, przyciskając ją dłonią do materaca.

— Podobają mi się te blizny — powiedziała.

Zbliżyła się o krok, przyglądała jego brzuchowi z nieukrywanym zainteresowaniem.

— Skąd się wzięła ta? — spytała, wskazując ją palcem.

Reacher spojrzał na swój brzuch. Po prawej stronie widać było ślad wielu założonych szwów, rysujący kształt nieregularnej gwiazdy. Rzucał się w oczy, biały i gniewny, tuż nad płaszczyzną mięśni.

— Matka mi to zrobiła — powiedział.

— Matka?

— Wychowywały mnie niedźwiedzie grizzly. Na Alasce.

Harper tylko przewróciła oczami, po czym spojrzała na pierś po prawej stronie. Była tam dziura po kuli kalibru .38, dokładnie na wysokości mięśnia piersiowego. Wokół niej nie rosły włosy. Była to głęboka dziura. Mogłaby wsadzić w nią mały palec, aż do samego końca.

— Chirurgia rozpoznawcza — wyjaśnił. — Chcieli sprawdzić, czy mam serce.

— Coś szczęśliwy jesteś dzisiejszego ranka — zauważyła Harper.

Reacher skinął głową.

— Zawsze jestem szczęśliwy.

— Dodzwoniłeś się do Jodie?

Potrząsnął głową.

— Od wczoraj nie próbowałem.

— Dlaczego nie?

— Bo to strata czasu. Jej tam nie ma.

— Boisz się o nią?

Wzruszył ramionami.

— Jest dużą dziewczynką.

— Powiem ci, jeśli czegoś się dowiem.

Skinął głową.

— Tak będzie lepiej dla ciebie — powiedział.

— Skąd one się wzięły, te blizny? Tylko powiedz prawdę.

Reacher zapiął koszulę.

— Brzuch to odłamek bomby. A pierś? Ktoś mnie postrzelił.

— Dramatyczne przeżycia.

Wyjął płaszcz z szafy.

— Nie, tak naprawdę to nie. Nie uważasz, że całkiem normalne? Dla żołnierza? Żołnierz próbujący unikać fizycznej przemocy to jak księgowy próbujący uniknąć dodawania.

— To dlatego nie obchodzą cię te kobiety?

Reacher spojrzał na nią zdziwiony.

— Kto powiedział, że mnie nie obchodzą?

— Myślałam, że ta sprawa bardziej cię poruszy.

— Poruszenie niczego nam nie przyniesie.

— A co przyniesie? — spytała Harper po krótkiej chwili milczenia.

— Praca nad śladami, jak zwykle.

— Przecież nie ma żadnych śladów. On ich nie zostawia.

Uśmiechnął się.

— Nie uważasz, że samo to jest śladem?

Harper otworzyła drzwi kluczem od środka.

— To tylko takie przerzucanie się zagadkami.

Reacher wzruszył ramionami.

— Lepiej przerzucać się zagadkami niż gównem jak ci tam, na dole.

• • •

Ten sam facet z parku samochodowego podstawił im ten sam samochód, ale tym razem pozostał za kierownicą. Siedział sztywno wyprostowany, jak dobrze wyszkolony szofer. Wiózł ich I-95 na północ, na National Airport. Nadal czekali na świt. Gdzieś tam, pięćset kilometrów na wschód, nad Atlantykiem, niebo rozświetlał słaby blask, znacznie bardziej zdecydowany i ostry pochodził z tysiąca samochodowych świateł mknących na północ, tam gdzie była praca. Świateł starych samochodów. Starych, a więc tanich, zatem będących własnością szarych, nieważnych ludzi, zasiadających za biurkami godzinę przed szefami, żeby sprawić dobre wrażenie, dostać awans, dzięki któremu nowszymi samochodami mkną będą autostradą godzinę później. Reacher siedział nieruchomo, obserwując kolejne szare twarze. Kierowca Biura wyprzedzał szarych ludzi jednego po drugim.

Terminal był w miarę zatłoczony. Mężczyźni i kobiety w czarnych płaszczach przeciwdeszczowych przechodzili szybkim krokiem z miejsca na miejsce. Harper odebrała dwa bilety klasy turystycznej na stanowisku United, przeszła z nimi do odprawy.

— Przydałoby się nam więcej miejsca na nogi — powiedziała do obsługującego ją faceta.

Poproszona o dowód tożsamości ze zdjęciem rzuciła na ladę legitymację FBI, jak gracz w pokera wykładający ostatnią kartę koloru. Facet przycisnął parę klawiszy terminalu i przydzielił im nieco lepszą klasę. Harper uśmiechnęła się, jakby była autentycznie zaskoczona.

Klasa biznes wypełniona była zaledwie w połowie. Harper zajęła miejsce przy przejściu, więżąc Reachera przy oknie, jakby konwojowała aresztanta. Rozsiadła się wygodnie. Miała na sobie już trzeci garnitur, tym razem w dyskretną szarą kratkę. Marynarka rozchyliła się, ujawniając napinający koszulę sutek... i brak kabury naramiennej.

— Broń zostawiłaś w domu? — zapytał Reacher.

Harper skinęła głową.

— Nie jest warta całego tego zawracania głowy — wyjaśniła. — Linie lotnicze każą wypełniać mnóstwo papierów. Facet z Seattle wyjedzie nam na spotkanie. Standardowa procedura każe mu przywieźć zapasową sztukę, na wypadek gdybyśmy jej potrzebowali. Ale nie będziemy jej potrzebowali. Nie dziś.

— Masz nadzieję.

Skinęła głową.

— Mam nadzieję.

Kołowanie zaczęli o czasie, wystartowali minutę przed czasem. Reacher wziął magazyn i zaczął go leniwie przerzucać. Harper otworzyła tackę. Była gotowa do śniadania.

— Co miałeś na myśli, kiedy mówiłeś, że brak śladów sam w sobie jest śladem.

Reacher z trudem cofnął się w myślach o dobrą godzinę. Próbował przypomnieć sobie, o co mu chodziło.

— Chyba po prostu głośno myślałem — powiedział.

— O czym?

Reacher wzruszył ramionami. Czasu do zabicia miał aż nadto.

— O historii nauki. I takie tam.

— Czy to ma jakieś znaczenie?

— Myślałem o odciskach palców. Kiedy zaczęto je badać?

Harper skrzywiła się przeraźliwie.

— Mam wrażenie, że dość dawno.

— Przełom wieków?

Skinęła głową.

— Prawdopodobnie.

— No dobrze. W takim razie mają sto lat. To były pierwsze poważne badania w kryminalistyce, tak? Pewnie mniej więcej w tym samym czasie zaczęto używać mikroskopów. Od tamtej pory technika zrobiła znaczny postęp: określenie DNA, spektrometria masowa, fluorescencja. Lamarr powiedziała, że macie takie testy, że choćbym zobaczył, nie uwierzę. Założę się, że potraficie zaleźć włókno z dywanu i powiedzieć, gdzie i kiedy ktoś kupił ten dywan, jaka pchła na nim siedziała i z psa jakiej rasy zeskoczyła. I pewnie jeszcze potraficie podać imię tego psa i powiedzieć, jakiej firmy pokarm zjadł na śniadanie.

— Więc?

— Zdumiewające testy, prawda?

Harper skinęła głową.

— Jak żywcem z science fiction.

Skinęła głową po raz drugi.

— W porządku. No więc zdumiewające testy rodem z science fiction. Ale facet zabił Amy Callan i pokonał wszystkie te testy.

— Racja.

— Jak się mówi na takiego faceta?

— Co?

— Mówi się, że to bardzo sprytny facet.

Harper znowu się skrzywiła.

— Nie tylko tak się na niego mówi.

— Jasne, mówić można różne rzeczy, ale kimkolwiek jest, jest też bardzo sprytnym facetem. A potem robi to samo drugi raz, z Cooke. I jak teraz mówisz na bardzo sprytnego faceta?

— Jak?

— Mówisz, że to bardzo, bardzo sprytny facet. Raz to może być szczęście, ale dwa razy oznacza kogoś cholernie dobrego.

— No i?

— No i zrobił to znowu. Ze Stanley. I teraz, jak się mówi na takiego faceta?

— Bardzo, bardzo, bardzo sprytny facet?

Reacher skinął głową.

— No właśnie.

— I co?

— Właśnie to jest ślad. Szukamy bardzo, bardzo, bardzo sprytnego faceta.

— Mam wrażenie, że wiemy to od dawna.

Potrząsnął głową.

— Nie sądzę, żebyście to wiedzieli. Tego czynnika chyba nie bierzecie pod uwagę.

— W jakim sensie?

— Pomyśl nad tym. Ja jestem tylko chłopcem na posyłki. Wy, z Biura, potraficie przecież wykonać każdą robotę, choćby najcięższą.

Stewardesa wyszła z kuchni, pchając wózek. Pora na śniadanie. Lecieli klasą biznes, więc jedzenie było znośne. Reacher wyczuł bekon, jajka i kiełbaski. Plus mocna kawa. Zdjął pokrywkę tacki. Kabina była w połowie pusta, zdołał więc przekonać dziewczynę, by dała mu dwa śniadania. Dwa samolotowe śniadania dały w sumie całkiem sympatyczną przekąskę. Stewardesa orientowała się szybko i jego kubek ani przez chwilę nie pozostawał pusty.

— Jak nie bierzemy tego czynnika pod uwagę? — spytała Harper.

— Sama odpowiedz sobie na to pytanie — odpowiedział jej Reacher. — Nie jestem w nastroju do udzielania pomocy.

— Chodzi ci o to, że nie jest żołnierzem?

Odwrócił się, zmierzył ją spojrzeniem.

— Wiesz, to świetne! Uzgadniamy, że to bardzo sprytny facet, więc mówisz: „No tak, w takim razie z pewnością nie jest żołnierzem". Wielkie dzięki, Harper.

Agentka odwróciła wzrok zawstydzona.

— Przepraszam. Nie to miałam na myśli. Po prostu nie rozumiem, jak nie bierzemy tego pod uwagę.

Reacher nie odpowiedział, tylko dopił kawę, przeszedł nad jej nogami i udał się do toalety. Kiedy wrócił, Harper nadal była pełna skruchy.

— Powiedz mi — poprosiła.

— Nie.

— Powinieneś, Reacher. Blake zapyta mnie o twoje nastawienie.

— Moje nastawienie, co? No to moje nastawienie jest takie, że jeśli Jodie spadnie włos z głowy, powyrywam mu nogi i zatłukę go nimi. Na śmierć.

Harper skinęła głową.

— Mówisz szczerze, prawda?

Reacher odpowiedział skinieniem.

— Możesz założyć się o własny tyłek, że tak.

— I tego właśnie nie rozumiem. Dlaczego choć odrobiny swoich uczuć nie poświęcisz ofiarom? Przecież lubiłeś Amy Callan, nie? Nie tak jak Jodie, ale jednak ją lubiłeś.

— Ja ciebie też nie rozumiem. Blake chciał, żebyś zagrała kurwę, a ty zachowujesz się tak, jakby nadal był twoim najlepszym przyjacielem.

Wzruszyła ramionami.

— Był w rozpaczliwej sytuacji. On już taki jest. W tej chwili żyje w ciężkim stresie. Kiedy dostaje taką sprawę, rozpaczliwie chce ją rozwiązać.

— A ty go podziwiasz?

Skinęła głową.

— Jasne. Podziwiam oddanie sprawie.

— Ale sama nie jesteś jej oddana. Nie aż tak. Bo gdybyś była, nie powiedziałabyś „nie". Uwiodłabyś mnie przed kamerą dla dobra sprawy. Zatem może to ty nie przejmujesz się wystarczająco tymi kobietami?

Harper milczała przez krótką chwilę.

— Bo to było niemoralne — rzekła w końcu. — Zirytowało mnie.

Reacher skinął głową.

— Grożenie Jodie też było niemoralne. I mnie zirytowało.

— Tylko ja nie pozwalam, by moja irytacja wchodziła w drogę sprawiedliwości.

— A ja pozwalam. Jeśli ci się to nie podoba, trudno. Przeżyję.

• • •

Przez resztę lotu do Seattle nie rozmawiali. Pięć godzin bez jednego słowa. Reacherowi było z tym całkiem dobrze. Wygodnie. Nie należał do ludzi z natury towarzyskich. Czuł się lepiej, gdy milczał. Nie widział w tym nic dziwnego. Nie odczuwał napięcia. Po prostu siedział, nie rozmawiając, jakby odbywał tę podróż sam.

Harper miała z tym większy problem. Widział, że to ją niepokoi. Pod tym względem była jak większość ludzi. Postawić ją obok kogoś, kogo zna, i zaraz czuje, że musi z nim rozmawiać.

Dla niej milczenie było czymś nienaturalnym. Ale on nie ustępował. Pięć godzin bez jednego słowa.

Zegarki Zachodniego Wybrzeża zredukowały pięć godzin do dwóch. Kiedy lądowali nadal była mniej więcej pora śniadania. Terminale Sea-Tac pękały w szwach od ludzi dopiero zaczynających dzień. Sala przylotów była jak zwykle wypełniona tłumem kierowców trzymających w górze tabliczki. Znajdował się wśród nich facet w szarym garniturze z krawatem w paski, krótko ostrzyżony. Nie miał tabliczki, ale to był ich facet. Litery „FBI" równie dobrze mógł mieć wytatuowane na czole.

— Lisa Harper? — spytał. — Jestem z biura terenowego w Seattle.

Uścisnęli sobie dłonie.

— A to Reacher — powiedziała Harper.

Agent z Seattle kompletnie go zignorował. Reacher uśmiechnął się w duchu. *Touché* — pomyślał. Z drugiej strony facet pewnie ignorowałby go, nawet gdyby byli najlepszymi kumplami, bo całą swą uwagę poświęcił temu, co zakrywała koszula jego koleżanki.

— Do Spokane polecimy — oznajmił. — Firma taksówek powietrznych jest nam winna parę przysług.

Służbowy samochód zaparkował przy zakazie parkowania. Przejechali nim półtora kilometra obwodową drogą kołowania do General Aviation, czyli ogrodzonych dwóch hektarów płyty lotniska, wypełnionych samolotami, wyłącznie małymi, jedno- i dwusilnikowymi. Było tu też skupisko baraków ozdobionych oszczędnościowymi szyldami reklamującymi usługi transportowe i lekcje pilotażu. Przed jednym z nich już czekał na nich facet w mundurze lotnika bez dystynkcji. Poprowadził ich do czystej, białej sześciomiejscowej cessny. Odbyli nieprzesadnie krótki spacer po płycie postojowej. Jesień na północnym zachodzie była jaśniejsza od jesieni w Dystrykcie Columbii, ale tak samo zimna.

Wnętrze samolotu mniej więcej dorównywało wielkością wnętrzu buicka Lamarr, było jednak znacznie bardziej spartańskie. Niemniej wydawało się czyste, zadbane, a silniki ruszyły za muśnięciem startera. Wykołowali na pas; Reacher miał to samo uczucie kruchości maszyny jak wówczas, gdy siedział w learze. Stanęli w kolejce za boeingiem 747 do Tokio, jak mysz, ustawiająca się w kolejce za słoniem. A potem, zaledwie w kilka sekund, rozpędzili się i wystartowali. Polecieli na wschód, trzysta metrów nad ziemią. Lot był dość hałaśliwy.

Wskaźnik prędkości powietrznej wskazywał ponad sto dwadzieścia węzłów, lecieli dwie godziny. Siedzenie było ciasne i niewygodne. Reacher zaczął żałować, że wybrał akurat ten sposób zabijania czasu. W ciągu jednego tylko dnia spędzi czternaście godzin w samolotach. Może powinien zostać, popracować z Lamarr nad aktami? Wyobraził sobie jakiś cichy pokój, coś w rodzaju biblioteki, stosy papierów, skórzane krzesło. Potem wyobraził sobie samą Lamarr, spojrzał na Harper i pomyślał, że chyba jednak mimo wszystko wybrał dobrze.

Okazało się, że Spokane ma lotnisko oszczędne, nowoczesne, większe, niż przypuszczał. Na pasie już czekał samochód Biura, łatwy do rozpoznania nawet z trzystu metrów; czysty czarny sedan z kierowcą w garniturze, swobodnie opartym o błotnik.

— To z biura satelickiego w Spokane — powiedział facet z Seattle.

Samochód podjechał pod cessnę; ruszyli w drogę dwadzieścia sekund po zakończeniu kołowania. Miejscowy facet miał adres zapisany w notesie, przymocowanym do przedniej szyby na przyssawkę. Wyglądało na to, że wie, dokąd jedzie. Przejechali piętnaście kilometrów na wschód, po czym skręcili na północ, w wąską drogę prowadzącą w głąb wzgórz. Były raczej łagodne, ale tylko nieco dalej wznosiły się potężne góry, a na ich szczytach błyszczał śnieg. Przy drodze stały budynki oddalone od siebie o jakieś półtora — dwa kilometry, rozdzielone pasami gęstych lasów i szerokich łąk. Gęstość zaludnienia nie przedstawiała się zachęcająco.

Dom sprawiał takie wrażenie, jakby był kiedyś centralnym punktem rancza, sprzedanym dawno temu i przebudowanym przez kogoś, kto chciał zrealizować marzenie o życiu na wsi, nie rezygnując jednak z estetyki miasta. Niewielką działkę ogrodzono płotem z nowych desek. Za płotem rozciągały się pastwiska; od wewnątrz ta sama co na pastwiskach trawa została bardzo elegancko przystrzyżona. Wzdłuż ogrodzenia rosły drzewa, przygięte przez wiatr. W ścianie małej stodoły wybito bramę, była teraz garażem. Od drogi wjazdowej do drzwi wejściowych prowadziła wijąca się ścieżka. Oba budynki stały blisko drogi i płotu, jak dom na przedmieściu tulący się do domów sąsiadów, tylko on nie tulił się do niczego. Sąsiednie dzieło ludzkich rąk znajdowało się minimum półtora kilometra na północ lub na południe, a przeszło trzydzieści kilometrów na wschód lub zachód.

Miejscowy facet został w samochodzie, Harper i Reacher wysiedli. Przeciągnęli się, stojąc na poboczu. Nagle silnik zgasł; oszałamiająca cisza spadła na nich jak wielki ciężar. Szumiała, syczała i dzwoniła im w uszach.

— Lepiej bym się czuł, gdyby miała mieszkanie w mieście — powiedział Reacher.

Harper skinęła głową.

— I to w domu z ochroną — dodała.

Bramy nie było, płot po prostu kończył się po obu stronach, drogi wjazdowej. Ruszyli w stronę domu. Droga wysypana była łupkiem; przynajmniej jego głośny chrzęst pod nogami brzmiał pocieszająco. Wiał lekki wiatr. Reacher słyszał jego świst w przewodach linii elektrycznej. Harper podeszła do drzwi frontowych. Nie było przy nich dzwonka, tylko kołatka w kształcie łba lwa trzymającego w pysku ciężki metalowy pierścień. Nad kołatką znajdował się szerokokątny wizjer. Niedawno założony, tam gdzie wiertło złuszczyło farbę widać było jasne drewno. Harper ujęła żelazny pierścień, zastukała dwukrotnie. Pierścień uderzył w drewno z głośnym, głuchym stukiem, który przetoczył się po pastwisku i kilka sekund później wrócił odbity od wzgórz.

Nie doczekała się żadnej odpowiedzi. Zapukała jeszcze raz, głuchy dźwięk odezwał się ponownie. Czekali. W głębi domu zatrzeszczała deska. Rozległy się kroki. Ich dźwięk zbliżał się, ucichł przy drzwiach. Nadal nie widzieli nikogo.

— Kto tam? — spytał kobiecy głos. Wyraźnie zaniepokojony.

Harper sięgnęła do kieszeni. Wyjęła legitymację. Oprawiona w skórę była taka sama jak legitymacja, którą Lamarr zastukała w szybę samochodu Reachera. Złoto na złocie. U góry orzeł, z głową przechyloną w lewo. Uniosła ją na wysokość wizjera, trzymała jakieś piętnaście centymetrów od niego.

— FBI, proszę pani — przedstawiła się. — Dzwoniliśmy wczoraj, jesteśmy umówieni.

Drzwi otworzyły się ze zgrzytem starych zawiasów na przedpokój i stojącą w nim kobietę. Kobieta trzymała dłoń na klamce. Uśmiechała się z ulgą.

— Julia strasznie mnie zdenerwowała — powiedziała.

Harper uśmiechnęła się do niej sympatycznie, podała nazwisko, przedstawiła Reachera. Kobieta podała im dłoń na przywitanie.

— Alison Lamarr — przedstawiła się. — Naprawdę, bardzo miło was widzieć.

Wprowadziła ich do domu. Hol był kwadratowy, duży jak pokój. Podłogę i ściany wyłożone miał starą sosną, wyheblowaną i wywoskowaną na barwę złota, o ton ciemniejszego niż złoto na legitymacji Harper. Okna zasłaniały żółte, kraciaste lniane zasłony. Na sofach leżały poduszki z pierza. Stare lampy naftowe przerobione zostały na elektryczne.

— Napijecie się kawy? — spytała Alison Lamarr.

— Nie, dziękuję, mam wszystko, czego mi potrzeba — odparła Harper.

— A ja poproszę — powiedział Reacher.

Gospodyni poprowadziła ich do umieszczonej z tyłu domu kuchni, zajmującej ćwierć powierzchni parteru. Było to atrakcyjne wnętrze: wywoskowana do połysku podłoga, nowe szafki z drewna, duży wiejski piec, szereg błyszczących maszyn do prania ubrań i zmywania naczyń, elektryczne gadżety na kuchennym blacie, więcej żółtego jedwabiu w oknach. Reacher pomyślał, że remont musiał być kosztowny, a jego rezultaty imponowały tylko pani domu.

— Śmietanka? Cukier? — spytała.

— Czarna, bez cukru.

Alison Lamarr była średniego wzrostu. Poruszała się z gracją osoby doskonale umięśnionej, sprawnej fizycznie. Twarz miała otwartą, przyjacielską, opaloną, jakby większość czasu spędzała poza domem, i zniszczone dłonie, jakby sama stawiała ogrodzenie swej posiadłości. Otaczał ją cytrynowy zapach. Ubrana była w świeżo wyprasowany dżins. Na nogach miała tłoczone kowbojskie buty z czystymi podeszwami. Wyglądało na to, że postarała się dla gości.

Nalała kawy z ekspresu do kubka. Wręczyła go Reacherowi z uśmiechem. Jej uśmiech znaczył wiele i to różnych rzeczy. Być może była samotna, ale stanowił też dowód, że między nią i przyrodnią siostrą nie ma żadnych związków biologicznych. Był to przyjemny uśmiech, świadczący o zainteresowaniu, przyjacielski. Julia Lamarr nie miała zielonego pojęcia o tym, że takie uśmiechy w ogóle istnieją. Sięgał oczu, czarnych, wyrazistych. Reacher był koneserem oczu, a te uznał za znacznie więcej niż do przyjęcia.

— Mogę się rozejrzeć? — spytał.

— Test bezpieczeństwa?

Skinął głową.

— Można tak powiedzieć.

— Proszę się czuć jak w domu.

Reacher zabrał kawę ze sobą. Kobiety pozostały w kuchni. Na parterze domu były cztery pomieszczenia: przedpokój, kuchnia, salonik i pokój dzienny. Sam dom zbudowany był solidnie, z dobrego drewna. Renowację przeprowadzono w sposób mistrzowski. Wszystkie okna były oknami burzowymi w masywnych drewnianych ramach. Było już wystarczająco chłodno, by siatki przeciw owadom zdjąć i schować na zimę. Każde okno zamykało się na klucz. Drzwi frontowe były oryginałem z czasów bydlęcego rancza: pięć centymetrów starej sosny, twardej jak stal. Miały też oryginalne zawiasy oraz miejski zamek. Z tyłu domu znajdował się korytarz i drzwi kuchenne. Ten sam rocznik, ta sama grubość. I zamek też ten sam.

Przy ścianie rosły grube, kolczaste rośliny, które, jak podejrzewał Reacher, posadzone zostały ze względu na odporność na wiatr, lecz przy okazji potrafiłyby powstrzymać kogoś, kto chciałby podejść do któregoś z okien. Stalowe drzwi do piwnicy zamykała wielka kłódka, przetknięta przez uchwyty.

Garaż mieścił się w całkiem przyzwoitej stodole, nie tak dobrze utrzymanej jak dom, ale i niezagrażającej ruiną w najbliższym czasie. W środku jeep cherokee stał wśród stosów tekturowych pudeł dobitnie świadczących o tym, że remont odbywał się całkiem niedawno. Nowa pralka nie została jeszcze wyjęta z opakowania. Był tu też stół warsztatowy, a nad nim półka ze schludnie poukładanymi piłami spalinowymi i wiertarkami.

Reacher wrócił do domu. Wszedł na piętro. Okna takie same jak wszędzie. Cztery sypialnie. Alison najwyraźniej zajmowała tę położoną z tyłu po prawej, wychodzącą na zachód, na krainę dziką jak okiem sięgnąć. Rankiem musiało być w niej ciemno, za to zachody słońca z pewnością wyglądały cudownie. Obok znajdowała się nowa łazienka, wykorzystująca część powierzchni z sąsiedniej sypialni. Wyposażona była w toaletę, umywalkę i prysznic. I wannę.

Zszedł do kuchni. Harper stała przy oknie, jakby podziwiała widok. Alison Lamarr siedziała przy stole.

— W porządku? — spytała.

Reacher skinął głową.

— Moim zdaniem wgląda to nieźle. Zamykasz drzwi?

— Teraz już tak. Julia strasznie na to nalegała. Zamykam drzwi, zamykam okna, korzystam z judasza, zaprogramowałam dziewięćset jedenaście na szybkie wybieranie.

— W takim razie wszystko powinno być w porządku. Wygląda na to, że ten facet nie bawi się w wyłamywanie drzwi. Jeśli nikomu nie otworzysz, nic nie może pójść źle.

Skinęła głową.

— Tak to sobie właśnie wyobrażałam. A teraz pewnie chcesz mi zadać kilka pytań?

— Owszem, dlatego mnie tu przysłali.

Usiadł naprzeciw Alison. Skupił uwagę na błyszczących urządzeniach stojących po przeciwnej stronie kuchni. Rozpaczliwie próbował wymyślić jakieś inteligentne pytanie.

— Co z twoim ojcem?

— Właśnie tego chciałeś się dowiedzieć?

Wzruszył ramionami.

— Julia wspomniała, że choruje.

Alison skinęła głową zaskoczona.

— Choruje od dwóch lat. Rak. Teraz już umiera. Prawie umarł, każdy kolejny dzień jest dla nas niespodzianką. Leży w szpitalu w Spokane. Jeżdżę do niego codziennie po południu.

— Bardzo mi przykro.

— Julia powinna przyjechać. Ale ona niezręcznie się przy nim czuje.

— Boi się latać.

Skrzywiła się.

— Mogłaby pokonać ten strach raz na dwa lata. Ale ona strasznie przejmuje się tym, że jest jego pasierbicą i w ogóle, jakby to miało jakieś znaczenie. Jeśli o mnie chodzi, to jest moją siostrą, zwyczajnie i po prostu. A siostry zajmują się sobą, nie? Powinna dobrze o tym wiedzieć. Już niedługo będzie moją jedyną rodziną. Najbliższą krewną, na litość boską!

— No cóż, z tego powodu też jest mi bardzo przykro.

Wzruszyła ramionami.

— W tej chwili nie jest to aż takie ważne. W czym mogę ci pomóc?

— Masz jakieś podejrzenia, kim może być ten facet?

Alison się uśmiechnęła.

— To takie podstawowe pytanie...

— I dotyczy podstawowej sprawy. Instynkt nic ci nie podpowiada?

— To taki ktoś, kto uważa, że nie ma sprawy, że to w porządku napastować kobiety. No, może niekoniecznie w porządku, ale pewnie jest zdania, że sprawę powinno się wyciszyć.

— Nie ma innych możliwości? — zainteresowała się Harper. Usiadła obok Reachera.

Lamarr spojrzała na nią i zaraz odwróciła wzrok.

— Szczerze mówiąc, nie wiem. Nie jestem pewna, czy istnieje jakieś „pomiędzy". Albo siedzisz cicho, albo ujawniasz sprawę i wtedy się zaczyna.

— Szukałaś tego „pomiędzy"?

Potrząsnęła głową.

— Jestem chodzącym dowodem, nie? Po prostu dostałam szału. Wtedy nie było mowy o „pomiędzy". W każdym razie jeśli o mnie chodzi.

— Kim był ten facet? — spytał Reacher.

— Pułkownik Gascoigne. Ciągle gadał, żeby przyjść do niego, jeśli tylko ma się jakiś problem, wiesz, takie tam gówno. Poszłam do niego z prośbą o nowy przydział. I tak chodziłam, pięć razy. Nie obnosiłam się z feminizmem, nic z tych rzeczy. Nie było w tym nic z polityki. Po prostu chciałam robić coś bardziej interesującego. I szczerze mówiąc, moim zdaniem armia marnowała dobrego żołnierza. Bo ja byłam dobra.

Reacher skinął głową.

— Co się właściwie zdarzyło z Gascoigne'em?

Alison westchnęła.

— Nie miałam pojęcia, na co się zanosi. Najpierw myślałam, że to tylko takie żarty.

Przerwała, odwróciła wzrok.

— Powiedział, że następnym razem powinnam spróbować bez munduru. Myślałam, że proponuje randkę. No, rozumiesz, spotkanie na mieście, jakiś bar, na przepustce, cywilne ubrania. Ale potem wyszło całkiem jasno, że nie, że mam być w jego pokoju, rozebrana.

Reacher skinął głową.

— Niezbyt przyjemna propozycja — przyznał.

Alison skrzywiła się przeraźliwie.

— No, prowadził do tego powoli, nawet całkiem żartobliwie, przynajmniej na początku. To było całkiem jak flirt. Rozumiesz, ja nic niezwykłego nie zauważyłam! No bo on jest w końcu mężczyzną, ja kobietą, więc czemu tu się dziwić, nie? Ale wreszcie pojął, że nie łapię, więc całkiem nagle zrobił się obsceniczny. Zaczął opisywać, co muszę zrobić? Jedna stopa po tej stronie biurka, druga stopa po drugiej stronie biurka, ręce za głową, mam tak leżeć nieruchomo przez trzydzieści minut. A potem się pochylić. Jak film porno. Wtedy to wreszcie załapałam i szlag mnie trafił dosłownie w ułamku sekundy. No i wybuchłam jak bomba.

— I go załatwiłaś.

— No pewnie!

— Jak na to zareagował?

Alison uśmiechnęła się.

— Przede wszystkim się zdziwił. Jestem pewna, że wielokrotnie przedtem próbował tych numerów i uchodziło mu to na sucho. Moim zdaniem zaskoczyło go, że zasady się zmieniły i właśnie na niego padło.

— Może być naszym facetem?

Potrząsnęła głową.

— Nie. Ten, którego szukacie jest śmiertelnie niebezpieczny, prawda? Gascoigne taki nie był, to po prostu smutny, stary człowiek. Zmęczony, nieskuteczny. Julia powiedziała, że ten wasz wie, co robi. Nie widzę Gascoigne'a wykazującego tyle inicjatywy, jeśli wiesz, o czym mówię.

Reacher znów skinął głową.

— Jeśli jego profil przygotowany przez twoją siostrę jest prawidłowy, to mamy do czynienia z kimś z drugiej linii. Kryjącym się w tle.

— No właśnie — przytaknęła Alison. — Nie musi być związany z jakimś rzeczywistym incydentem. Może być po prostu obserwatorem, który stał się mścicielem.

— Jeśli profil Julii jest prawidłowy — powtórzył Reacher.

Na chwilę zapadła cisza, a potem Alison powiedziała:

— No właśnie. Jeśli.

— Masz wątpliwości?

— Przecież wiesz, że tak. A ja wiem, że ty też je masz. Ponieważ oboje wiemy to samo.

Harper wyprostowała się w krześle.

— O czym mówicie?

Alison zastanawiała się przez chwilę.

— Po prostu nie potrafię wyobrazić sobie żołnierza pakującego się w takie kłopoty. Nie z tych powodów. To po prostu tak nie działa. Przecież armia zmienia zasady przez cały czas! Pięćdziesiąt lat temu, powiedzmy, można było pomiatać czarnymi, a potem już nie. Strzelanie do dzieci żółtków było w porządku, a potem już nie. Było mnóstwo tego rodzaju rzeczy. Setki ludzi poszło do paki, jeden za drugim, każdy za jakieś nowo wynalezione wykroczenie. Truman zintegrował armię i nikt nie zaczął zabijać czarnych za to, że się skarżyli. To jakaś nowa reakcja. Nie rozumiem tego.

— Może mężczyzna przeciw kobiecie to coś bardziej fundamentalnego — wtrąciła Harper.

Alison skinęła głową.

— Całkiem możliwe. Nie wiem. Tylko że jak przyjrzeć się temu dokładniej, wychodzi na to, co powiedziała Julia. Grupa celów jest tak specyficzna, że to musi być żołnierz. Któż inny mógłby nas chociażby zidentyfikować? Ale to bardzo dziwny żołnierz. Jednego jestem cholernie pewna: takiego nigdy nie spotkałam.

— Naprawdę? — zdziwiła się Harper. — Zupełnie nikogo? Obyło się bez pogróżek, bez komentarzy? Kiedy to się działo?

— Bez czegokolwiek, co by cokolwiek znaczyło. Zwykłe gówno. W każdym razie niczego więcej nie pamiętam. Poleciałam nawet do Quantico, pozwoliłam się zahipnotyzować Julii, ale powiedziała mi, że nic z tego nie wyszło.

I znów zapadła cisza. Harper strzepnęła ze stołu wyimaginowane okruszki. Skinęła głową.

— W porządku. Zmarnowaliśmy trochę czasu. To wszystko.

— Bardzo mi przykro — powiedziała Alison.

— Nic się nigdy nie marnuje — zauważył Reacher. — Zaprzeczenia też bywają użyteczne. No i kawa była świetna.

— Napijesz się jeszcze?

— Nie, nie napije się — powiedziała Harper. — Musimy już wracać.

— W porządku. — Alison wstała. Wyszli razem z kuchni, przeszli korytarzem. Otworzyła drzwi.

— Nie otwieraj nikomu — powiedział Reacher.

— Nie mam zamiaru — odparła z uśmiechem.

— Mówiłem poważnie — zapewnił ją Reacher. — Wygląda

na to, że czynnik siły nie występuje. Facet po prostu wchodzi jak do siebie. Może będzie to ktoś, kogo znasz. Albo może to zręczny oszust, który ma jakąś gotową, przekonującą wymówkę? Nie daj się nabrać.

— Nie mam zamiaru — powtórzyła Alison. — O mnie nie musicie się martwić. Zadzwońcie, jeśli będziecie czegokolwiek potrzebowali. Popołudnia będę spędzać w szpitalu tak długo, jak trzeba, ale każda inna pora jest dobra. Życzę szczęścia.

Reacher wyszedł za Harper przez drzwi frontowe na wysypaną łupkiem drogę dojazdową. Słyszał, jak drzwi się zamykają, usłyszał też donośny trzask zamka.

• • •

Facet z miejscowego biura zaoszczędził im dwóch godzin lotu, wskazując, że przecież mogą przeskoczyć do Chicago i tam przesiąść się na lot do Dystryktu Columbii. Harper pokombinowała z biletami i wyszło jej, że w ten sposób będzie drożej; pewnie dlatego w Quantico nie załatwiono im tego już w tę stronę. Samodzielnie podjęła decyzję, że autoryzuje dodatkowe wydatki teraz, a kłócić się będzie później. Reacher ją za to podziwiał. Podobała mu się jej niecierpliwość, a poza tym nie miał ochoty przesiedzieć kolejnych dwóch godzin w cessnie. No więc wysłali faceta z cessny samego w drogę powrotną na zachód i wsiedli do boeinga lecącego do Chicago. Tym razem nie mogli zmienić klasy, bo była tylko turystyczna. Siedzieli blisko siebie, bez przerwy dotykali się udami i łokciami.

— I co o tym sądzisz? — spytała Harper.

— Nie płacą mi za myślenie — odparł Reacher. — A w ogóle to do tej pory nikt mi nic nie zapłacił. Jestem konsultantem, więc zadaj pytanie, a ja ci na nie odpowiem.

— Zadałam. Spytałam, co o tym sądzisz.

Reacher wzruszył ramionami.

— Sądzę, że grupa docelowa jest duża i że trzy osoby nie żyją. Pozostałych nie możecie pilnować, ale moim zdaniem, jeśli osiemdziesiąt osiem kobiet zrobi to, co Alison Lamarr, nic im się nie stanie.

— Twoim zdaniem wystarczy zamknąć drzwi, żeby powstrzymać tego faceta?

— Sam wybiera *modus operandi*. Najwyraźniej niczego nie dotyka. Jeśli ofiara nie otworzy mu drzwi, to niby co ma zrobić?

— Może zmienić sposób działania.

— I wtedy go złapiecie, ponieważ będzie zmuszony zostawić po sobie mocne dowody.

Odwrócił się, zapatrzył przez okno.

— I to wszystko? — zdziwiła się Harper. — Wystarczy, że powiemy tym kobietom, by zamykały drzwi?

Reacher skinął głową.

— Owszem, sądzę, że powinniście je ostrzec.

— W ten sposób nie złapiemy sprawcy.

— Nie jesteście w stanie go złapać.

— Dlaczego?

— Przez to gówno z profilowaniem. Nie bierzecie pod uwagę, jaki jest cwany.

Harper potrząsnęła głową.

— Oczywiście, że bierzemy. Widziałam profil, a w nim napisane czarno na białym, że jest naprawdę sprytny. A portrety psychologiczne naprawdę działają, Reacher. Ci ludzie odnieśli kilka niesamowitych sukcesów.

— A niesamowitych klęsk?

— O co ci chodzi?

Reacher odwrócił się, spojrzał jej w oczy.

— Załóżmy, że znajduję się na miejscu Blake'a. W rzeczywistości jest to detektyw ogólnonarodowego wydziału zabójstw, prawda? Musi wiedzieć o wszystkim. Więc załóżmy, że nim jestem, że zawiadamiają mnie o każdym popełnionym w Ameryce morderstwie. I załóżmy jeszcze, że za każdym razem mówię: „Nasz podejrzany jest białym mężczyzną w wieku lat trzydziestu i pół, ma drewnianą nogę, rodzice się rozwiedli, jeździ niebieskim ferrari". Za każdym razem. Prędzej czy później oczywiście trafię, na moją korzyść działa przecież rachunek prawdopodobieństwa. A jak trafię, będę krzyczał pod niebiosa: „Hej, widzicie, miałem rację!". Jak długo siedzę cicho i nie przypominam, ile razy nie miałem racji, wyglądam całkiem nieźle, nie? Niesamowita dedukcja!

— Blake tego nie robi.

— Doprawdy? A czytałaś materiały dotyczącego jego jednostki?

Harper skinęła głową.

— Ależ oczywiście! Właśnie dlatego zgłosiłam się do wykonania zadania. Napisano o tym mnóstwo książek i artykułów.

— Ja też je czytałem. Rozdział pierwszy, rozwiązana sprawa. Rozdział drugi, rozwiązana sprawa. I tak dalej. Nie ma żadnego rozdziału poświęconego nierozwiązanej sprawie. Od razu zaczynasz się zastanawiać, ile było tych nierozwiązanych spraw. Mam poważne podejrzenia, że wiele. Zbyt wiele, żeby o nich pisać.

— Co ty właściwie chcesz powiedzieć?

— Chcę powiedzieć, że wybiórcze podejście zawsze wygląda dobrze, pod warunkiem że wciągnie się na sztandar sukcesy, a porażki zamiecie pod dywan.

— Przecież oni tego nie robią.

Reacher przytaknął skinieniem głowy.

— Nie, nie robią, a w każdym razie nie do końca. Oni nie tylko zgadują, ale w dodatku opierają na tym swoje działania. A to przecież nie jest nauka ścisła. Nie ma żelaznych zasad. No i są jedną jednostką wśród wielu, walczą o status, fundusze, pozycję. Przecież wiesz, jak funkcjonuje organizacja. Właśnie w tej chwili odbywają się przesłuchania w sprawie budżetu. Ich pierwszym, drugim, a nawet trzecim obowiązkiem jest krycie tyłka, bronienie się przed cięciami, rozgłaszanie sukcesów i ukrywanie porażek.

— Więc uważasz, że profil psychologiczny nie jest nic wart?

Reacher znowu skinął głową.

— Wiem, że nie jest nic wart. Jest wadliwy w samej swej strukturze. Daje dwa nieprzystające do siebie twierdzenia.

— Jakie?

Tym razem potrząsnął głową przecząco.

— Nie ma mowy, Harper. Najpierw Blake musi przeprosić za pogróżki pod adresem Jodie i odsunąć Lamarr od sprawy.

— Dlaczego miałby to zrobić? Jeśli chodzi o profile, jest najlepsza.

— Właśnie dlatego.

• • •

Facet z parku samochodowego czekał już na nich na National Airport. Wrócili do Quantico późno. Powitała ich tylko Julia Lamarr. Blake był na spotkaniu budżetowym, a Poulton wrócił do domu.

— Co u niej? — spytała Lamarr.

— Twojej siostry?

— Mojej przyrodniej siostry.

— Wszystko w porządku — powiedział Reacher.

— A jak jej dom?

— Nieźle. Zabezpieczony jak Ford Knox.

— Ale odizolowany, prawda?

— Bardzo.

Lamarr skinęła głową. Czekała.

— Więc u niej w porządku? — przerwała milczenie.

— Chce, żebyś ich odwiedziła — powiedział Reacher.

Potrząsnęła głową.

— Nie mogę. Jechałabym tam chyba z tydzień.

— Twój ojciec umiera.

— Mój ojczym.

— Niech będzie. Jej zdaniem powinnaś tam być.

— Nie mogę — powtórzyła Lamarr. — Nic się nie zmieniła?

Reacher wzruszył ramionami.

— Nie wiem, jaka była przedtem. Dziś spotkałem ją po raz pierwszy.

— Przebrana za kowbojkę, opalona, śliczna, wysportowana?

— Dokładnie.

Lamarr znów skinęła głową. Ledwo widocznie.

— Niepodobna do mnie.

Reacher jeszcze raz ją sobie obejrzał. Miała na sobie tanie miejskie ubranie, przybrudzone i wygniecione, była blada, chuda i twarda. Kąciki warg miała opuszczone, oczy pozbawione wyrazu.

— Rzeczywiście, niepodobna do ciebie.

— A mówiłam, że jestem tą brzydką siostrą?

Nie powiedziała nic więcej. Odwróciła się i odeszła. Harper zabrała Reachera do kafeterii. Zjedli późną kolację. Potem odprowadziła go do pokoju. Zamknęła go w nim bez słowa. Słuchał jej cichnących w korytarzu kroków. Rozebrał się, wziął prysznic, a potem położył się na łóżku. Myślał i miał nadzieję. I czekał. Przede wszystkim czekał. Czekał na ranek.

13

Przyszedł ranek, ale to nie był ten ranek. Dowiedział się o tym, gdy tylko wszedł do kafeterii. Obudził się i pół godziny spędził, czekając na Harper, a kiedy wreszcie otworzyła drzwi, weszła do środka radosna, elegancka i odświeżona, ubrana w garnitur, który miała na sobie podczas ich pierwszego spotkania. Najwyraźniej miała trzy i nosiła je w określonej, ściśle przestrzeganej kolejności. Trzy garnitury — pomyślał Reacher. To pasuje do jej przypuszczalnych zarobków. Ma o całe trzy garnitury więcej niż on, bo przynajmniej ma jakieś zarobki, przeciwnie niż on.

Zjechali windą, przeszli między budynkami. Ośrodek tonął w ciszy, wyczuwało się atmosferę weekendu. Dopiero teraz Reacher uświadomił sobie, że jest niedziela. Pogoda się poprawiła. Nie żeby zrobiło się cieplej, ale wyszło słońce, no i przestał padać deszcz. Miał nadzieję, że to dobra wróżba, że ma swój dzień, ale ta nadzieja trwała krótko, zgasła, gdy wszedł do kafeterii.

Blake siedział przy stoliku koło okna, sam. Na stole stał dzbanek kawy, trzy odwrócone kubki, pojemnik ze śmietanką i drugi z cukrem, a także koszyki z duńskimi drożdżówkami i pączkami. Zwiastunem złej wiadomości był stos niedzielnych gazet, otwartych, przeczytanych i odrzuconych. „Washington Post", „USA Today" i, co ze wszystkiego najgorsze, „New York

Times" leżały niewinnie na widoku. Oznaczało to, że nie ma wiadomości z Nowego Jorku, że plan jeszcze nie zadziałał, a tym samym, że Reacher musi czekać, aż zadziała.

Przy stole siedzieli we trójkę, nie w piątkę, więc mieli trochę więcej miejsca. Harper usiadła naprzeciwko Blake'a, a Reacher nieco z boku. Blake sprawiał wrażenie starego i przemęczonego. I chorego. Wyglądał jak chodzący atak serca, ale Reacher nie czuł do niego sympatii. Blake złamał zasady.

— Dzisiaj posiedzisz przy aktach — powiedział.

— Jak sobie życzysz.

— Dodaliśmy do nich materiały dotyczące Lorraine Stanley. No więc spędzisz nad nimi dzisiejszy dzień, a wnioski przekażesz nam jutro, przy śniadaniu. Czy to jasne?

Reacher skinął głową.

— Jak słońce.

— Masz jakieś wstępne, o których powinienem wiedzieć?

— Co wstępne?

— Wnioski. Może coś ci przyszło do głowy.

Rechar spojrzał na Harper. W tym momencie lojalna agentka poinformowałaby szefa o jego zastrzeżeniach, ale Harper nie odezwała się, tylko spuściła wzrok i skupiła się na mieszaniu kawy.

— Pozwól, że najpierw przeczytam akta. Jest za wcześnie, żeby powiedzieć coś na pewno.

Blake skinął głową.

— Mamy szesnaście dni. Musimy zacząć robić postępy. Szybko.

Reacher również skinął głową.

— Rozumiem, o co ci chodzi. Może jutro dostaniemy jakieś dobre wieści.

Blake i Harper spojrzeli na niego, jakby uznali jego słowa za dziwne. Potem zajęli się kawą, drożdżówkami, pączkami i działami gazet, spokojnie, jakby mieli mnóstwo czasu do zabicia. Była niedziela. A śledztwo utknęło w martwym punkcie. Przynajmniej to wydawało się jasne. Reacher znał objawy. Jakkolwiek pilne jest cokolwiek, przychodzi taka chwila, że nie ma już gdzie się zwrócić. Konieczność pośpiechu znika, siedzisz sobie, jakby cały świat należał do ciebie, a świat wokół szaleje z wściekłości.

• • •

Po śniadaniu Harper zaprowadziła go do pokoju dokładnie takiego, jaki wyobraził sobie wytrząsany w niewygodnej cessnie. Mieścił się nad ziemią, był cichy, wypełniały go dębowe stoły i miękkie, wygodne krzesła obite skórą. Przez wielkie okna wpadały do środka promienie słońca. Jedyną wadą tego miejsca był jeden ze stołów, zawalony aktami na wysokość niemal pół metra. Mieściły się w ciemnoniebieskich teczkach, ozdobionych żółtymi literami FBI.

Sterta ta składała się z trzech stosów teczek, przewiązanych grubą gumową opaską. Ułożył je przed sobą, jeden obok drugiego. Amy Callan, Caroline Cooke, Lorraine Stanley. Trzy ofiary, trzy stosy. Spojrzał na zegarek. Dziesiąta dwadzieścia pięć. Zaczynał dość późno. Słońce rozgrzewało salę. Rozleniwiało.

— Nie dzwoniłeś do Jodie — powiedziała Harper.

Reacher potrząsnął głową. Milczał.

— Dlaczego?

— Bo nie widzę powodu, żeby dzwonić. Jej najwyraźniej tam nie ma.

— Może pojechała do ciebie? Tam gdzie mieszkał ojciec?

— Może. Ale wątpię. Nie przepada za moim domem. Zbyt pusto dookoła.

— Próbowałeś?

Potrząsnął głową.

— Nie.

— Martwisz się?

— Nie potrafię martwić się tym, czego nie mogę zmienić.

Harper przyjęła te słowa milczeniem. W zapadłej nagle ciszy Reacher przysunął do siebie teczkę.

— Czytasz to? — spytał.

Skinęła głową.

— Co wieczór. Znam akta, znam streszczenia.

— Jest w nich coś?

Przyjrzała się stosom grubym na dziesięć centymetrów każdy.

— Bardzo wiele — powiedziała.

— Coś znaczącego?

— Ty masz odpowiedzieć na to pytanie.

Reacher niechętnie pokiwał głową. Ściągnął gumkę z teczki Callan. Otworzył ją. Harper zdjęła marynarkę. Usiadła naprzeciw niego, podwinęła rękawy. Słońce oświetlało ją od tyłu, sprawiając, że jej bluzka wydawała się przezroczysta. Wyraźnie widział zewnętrzną linię jej piersi, wznoszącą się delikatnie aż do miejsca, przez które biegł pas kabury naramiennej, i opadającą ku płaskiemu brzuchowi. Poruszały się nieznacznie w rytm oddechu.

— Bierz się do roboty — powiedziała.

• • •

Jest to chwila największego napięcia. Przejeżdżasz obok, nie za szybko, nie za wolno, rozglądasz się, patrzysz uważnie, jedziesz kawałek dalej, zatrzymujesz się, zawracasz. Parkujesz przy krawężniku, samochód musi stać zwrócony przodem we właściwym kierunku. Wyłączasz silnik. Wyjmujesz kluczyki, chowasz je do kieszeni. Wkładasz rękawiczki. Na dworze jest zimno, więc rękawiczki nie wyglądają dziwnie.

Wychodzisz z samochodu. Przez chwilę stoisz nieruchomo, słuchasz bardzo uważnie, potem obracasz się o trzysta sześćdziesiąt stopni, powoli, cały czas uważnie obserwując, co się wokół ciebie dzieje. Jest to chwila największego napięcia. Właśnie teraz decydujesz, czy przerywasz akcję, czy ją kontynuujesz. Myśl, myśl, myśl. Zachowaj całkowity spokój. W końcu to zwykła decyzja operacyjna. Twój trening pomaga.

Decydujesz się kontynuować akcję. Cicho zamykasz drzwiczki samochodu. Wchodzisz na dróżkę prowadzącą do drzwi i podchodzisz do nich. Stukasz. Czekasz, stojąc na progu. Drzwi otwierają się. Wpuszcza cię do środka. Jest zadowolona z tego, że cię widzi. Zaskoczona, najpierw może trochę zdezorientowana, ale w końcu zachwycona. Nie widziała cię od wieków, ostatnim razem spotkaliście się w innym życiu. Przez chwilę mówisz. Mówisz, póki nie nadejdzie właściwa chwila. Poznasz ją, kiedy nadejdzie. Dlatego na razie mówisz.

Właściwa chwila nadchodzi. Przez sekundę stoisz nieruchomo, smakujesz ją, a potem wykonujesz swój ruch. Wyjaśniasz, że ma robić dokładnie to, co jej powiesz. Ona zgadza się, oczywiście, ponieważ nie ma innego wyjścia. Mówisz jej, że byłoby milej, gdyby robiła to tak, jakby dobrze się bawiła. Wyjaśniasz, że dzięki temu cała ta sprawa będzie dla ciebie przyjemniejsza. Energicznie kiwa głową, chce ci sprawić przyjemność. Uśmiecha się. Wprawdzie z wysiłkiem i nieco sztucznie, co po trosze psuje efekt, ale na to nic nie da się poradzić. Lepsze to niż nic.

Każesz jej pokazać główną łazienkę. Demonstruje ci ją jak pośredniczka handlu nieruchomościami. Wanna jest w porządku, taka jak wiele innych już oglądanych. Teraz wydajesz jej polecenie przyniesienia farby. I przez cały czas uważnie patrzysz, co robi. Musi odbyć pięć kursów, z domu i do domu, po schodach w dół, a potem do góry. Jest co nosić. Nosi, sapie i dyszy. Zaczyna się pocić, choć przecież jest chłodno. Przypominasz jej o uśmiechu. Uśmiecha się posłusznie, ale ten uśmiech bardziej przypomina grymas.

Każesz jej znaleźć coś, czym można podważyć wieczka. Radośnie kiwa głową, mówi ci o śrubokręcie w jednej z szuflad w kuchni. Idziesz z nią do kuchni. Wysuwa szufladę, znajduje śrubokręt. Wracacie razem do łazienki. Każesz jej otworzyć puszki, jedną po drugiej. Jest spokojna. Klęka przy pierwszej puszce. Wsuwa ostrze śrubokrętu pod metalowy kołnierz wieczka, podważa je. Pracuje wokół puszki, zatacza krąg. Wieczko się odkleja. Chemiczny zapach farby wypełnia powietrze.

Przechodzi do drugiej puszki. I następnej. Pracuje szybko, choć nie jest to łatwe. Mówisz, żeby uważała. Jeśli nabrudzi, zostanie ukarana. Uśmiecha się. Pracuje szybko. Zdejmuje wieczko z ostatniej puszki.

Z kieszeni wyjmujesz zwiniętą torbę na śmieci. Każesz włożyć do niej ubranie. Jest zdezorientowana. Czyje ubranie? Mówisz jej, że ubranie, które ma na sobie. Kiwa głową z uśmiechem.

Zsuwa buty; ich ciężar nadaje torbie właściwy kształt. Ma skarpetki, też je zsuwa i wrzuca do torby. Rozpina dżinsy. Zdejmuje je, przestępując z nogi na nogę. One też wędrują do torby. Rozpina koszulę, porusza ramionami, zdjętą wkłada do torby. Sięga za plecy, rozpina biustonosz. Ściąga majtki, zwija je w kulę wraz z biustonoszem. Razem wędrują do torby. Jest naga. Przypominasz jej, że ma się uśmiechać.

Każesz jej znieść torbę na dół, pod drzwi frontowe. Idziesz za nią. Opiera torbę o drzwi. Prowadzisz ją z powrotem do łazienki. Teraz ma napełnić wannę farbą, powoli, ostrożnie, puszka po puszce. Jest bardzo skoncentrowana. Przygryza język. Puszki są ciężkie, nieporęczne. Farba jest gęsta. Śmierdzi. Rozlewa się w wannie powoli. Jej poziom podnosi się powoli, jest zielona, oleista.

Mówisz jej, że dobrze sobie radzi. Uśmiecha się, zachwycona pochwałą. Wtedy mówisz jej też, że teraz będzie trudniej. Musi odnieść puste puszki tam, skąd je wzięła. Ale jest naga. Nie może dopuścić, by ktokolwiek ją zobaczył. Będzie musiała biec. Kiwa głową. Dodajesz, że teraz, kiedy puszki są puste, może brać ich więcej naraz. Jeszcze raz kiwa głową. Rozumie. Wkłada do puszek palce, w ten sposób bierze pięć w każdą rękę. Znosi je na dół. Każesz jej czekać. Powoli otwierasz drzwi, sprawdzasz, co się za nimi dzieje. Patrzysz i słuchasz, a potem ją wypuszczasz. Biegnie w tamtą stronę. Odstawia puszki. Biegnie w tę stronę, jej piersi podskakują. Na zewnątrz jest zimno.

Każesz jej zatrzymać się, stać nieruchomo, złapać oddech. Przypominasz o uśmiechu. Kiwa głową przepraszająco, przywołuje na usta grymas. Prowadzisz ją do łazienki. Śrubokręt nadal leży na podłodze. Każesz jej go podnieść. Każesz jej poranić nim twarz. Jest zdezorientowana, więc wyjaśniasz, że wystarczą głębokie zadrapania. Trzy, cztery głębokie zadrapania. Wystarczająco głębokie, żeby krwawiły. Uśmiecha się, kiwa głową. Podnosi śrubokręt. Przeciąga nim po lewym policzku, jego ostrze zagłębia się w ciało. Pojawia się jasnoczerwona krecha, długa na ponad dziesięć centymetrów. Mówisz, że następna ma być głębsza. Kiwa głową. Druga rana krwawi. Dobrze, mówisz, jeszcze raz. Rani się raz, potem drugi. Dobrze, mówisz. Przy ostatniej naprawdę się postaraj. Kiwa głową, uśmiecha się. Przeciąga ostrzem śrubokręta po policzku. Skóra rozstępuje się, tryska krew. Dobra dziewczynka, mówisz.

Nadal trzyma w dłoni śrubokręt. Każesz jej wejść do wanny, powoli, ostrożnie. Wkłada do środka najpierw prawą nogę, potem lewą. Stoi, zanurzona w farbie do połowy łydek. Każesz jej usiąść, powoli. Siada, farba sięga jej do pasa, podpływa niemal do piersi. Każesz jej położyć się, więc kładzie się posłusznie. Poziom farby znów się podnosi, do krawędzi zostało tylko pięć centymetrów. Teraz ty się uśmiechasz. Jest dokładnie tak, jak powinno być.

Mówisz jej, co ma zrobić. Nie od razu rozumie, bo to naprawdę jest bardzo dziwne żądanie. Dokładnie tłumaczysz, o co ci chodzi. Kiwa głową. Jej włosy są ciężkie od przesycającej je farby. Zsuwa się w dół, widać już tylko jej twarz. Unosi głowę. Jej włosy pływają w farbie. Pomaga sobie palcami. Śliskimi. Ociekającymi farbą. Postępuje dokładnie według instrukcji. Udaje się jej za pierwszym razem. Szeroko otwiera oczy w panice, a potem umiera.

Czekasz pięć minut, patrząc w głąb wanny. Niczego nie dotykasz. A potem robisz tę jedną jedyną rzecz, której nie mogła zrobić sama dla siebie. Przez to prawa rękawica brudzi się farbą. Przyciskasz palcem jej czoło, aż ona cała znika pod powierzchnią farby. Zdejmujesz prawą rękawiczkę, wywracając ją na drugą stronę. Sprawdzasz lewą. Jest w porządku. Wkładasz prawą rękę do kieszeni, dla bezpieczeństwa, i już jej stamtąd nie wyjmujesz. Tylko teraz możesz zostawić odciski palców.

Schodzisz, niosąc prawą rękawiczkę w lewej ręce. W ciszy. Wrzucasz brudną rękawiczkę do torby na śmieci z jej ubraniem. Otwierasz drzwi. Słuchasz i patrzysz. Wynosisz torbę z domu. Obracasz się, zamykasz za sobą drzwi. Idziesz ścieżką do drogi. Zatrzymujesz się przy samochodzie, czysta rękawiczka wędruje tam, gdzie przed nią powędrowała brudna. Otwierasz bagażnik, wrzucasz do niego torbę. Otwierasz drzwi, siadasz za kierownicą.

Wyjmujesz kluczyki z kieszeni. Uruchamiasz silnik. Zapinasz pas, patrzysz w lusterko. Odjeżdżasz, nie za szybko, nie za wolno.

● ● ●

Akta Callan zaczynały się od streszczenia jej kariery wojskowej. Kariera ta trwała cztery lata, na jej streszczenie wystarczyło czterdzieści osiem wierszy. Jego nazwisko wymienione było raz w związku z ostatecznym fiaskiem. Okazało się, że całkiem dobrze ją pamięta, niską, okrągłą kobietę, pogodną i bezproblemową. Domyślał się, że Callan wstąpiła do wojska, nie bardzo wiedząc dlaczego. Istnieje typ ludzi idących tą drogą. Może pochodzą z dużych rodzin, nie przeszkadza im brak prywatności, w szkole są dobrzy w sportach drużynowych, uczą się nieźle, ale nie są materiałem na naukowca i po prostu dryfują w tę stronę. Widzą wojsko jako przedłużenie czegoś już im znanego. Zapewne nie widzą się w walce, ale zdaję sobie sprawę, że na każdego walczącego żołnierza przypadają setki innego personelu, że tu można zdobyć umiejętności i kwalifikacje.

Callan przeszła podstawowe szkolenie i od razu trafiła do magazynów intendentury. W dwadzieścia miesięcy dochrapała się sierżanta. Przekładała papiery i wysyłała towary na cały świat mniej więcej tak, jak mnóstwo jej rówieśniczek, z tą różnicą, że jej ładunkiem była broń i amunicja, a nie pomidory, buty albo samochody. Pracowała w Fort Withe pod Chicago, w magazynie wypełnionym zapachem oleju do konserwacji broni i hałasem wózków widłowych, i z początku była całkiem zadowolona z życia. Ale w końcu zaczęło jej dokuczać chamskie gadanie, kapitan i major przekroczyli granice, padły seksualne aluzje, pchali się z łapami. Niewinną lilią nie była, ale co za dużo, to niezdrowo i tak trafiła to biura Reachera.

Potem odeszła. Przeniosła się na Florydę, do miasteczka nad Atlantykiem, odległego o siedemdziesiąt kilometrów od granicy, za którą robiło się naprawdę drogo. Wyszła tam za mąż, rozwiodła się, tam mieszkała rok i tam umarła. W aktach mnóstwo było notatek i fotografii dokumentujących „gdzie" i właściwie nic o tym „jak". Mieszkała w nowoczesnym parterowym domu, skulonym pod przerośniętym dachem, krytym pomarańczową dachówką. Fotografie z miejsca zbrodni dowodziły, że drzwi i okna pozostały nienaruszone, w środku nie tknięto niczego, a w wyłożonej białymi kafelkami łazience stoi wanna wypełniona zieloną farbą, w której pływa nieokreślony, śliski kształt.

Autopsja niczego nie wykazała. Farbę stworzono po to, by była wytrzymała, wodoodporna, a struktura molekularna pozwalała jej przywierać do każdej płaszczyzny, na którą została położona, i przenikać ją. Pokryła sto procent zewnętrznej powierzchni ciała, przeniknęła do oczu, nosa, ust, krtani. Usuwanie jej oznaczało usuwanie skóry. Nie znaleziono zasinień ani urazów. Badania toksykologiczne przyniosły efekty absolutnie jednoznaczne. Nikt nie wstrzyknął jej fenolu do serca, nie zmarła z braku powietrza. Istnieje wiele sprytnych sposobów zabicia człowieka, lekarze sądowi znali wszystkie, ale nie znaleźli dowodów użycia któregokolwiek.

— No i co? — spytała Harper.

Reacher wzruszył ramionami.

— Była piegowata. To pamiętam. Po roku florydzkiego słońca musiała nieźle wyglądać.

— Lubiłeś ją.

Skinął głową.

— Była całkiem w porządku.

Pozostała jedna trzecia akt poświęcona była opisowi najpełniejszego i najbardziej szczegółowego badania miejsca zbrodni, o jakim Reacherowi zdarzyło się słyszeć. Wszystkie analizy przeprowadzono z dosłownie mikroskopową dokładnością. Poddano im najmniejsze włókno, najdrobniejszą pobraną w domu cząsteczkę. Nie znaleziono żadnego śladu intruza. Żadnego, choćby nie wiadomo jak mikroskopijnego.

— Bardzo sprytny facet — powiedział Reacher.

Harper nie zareagowała. Reacher odsunął akta Callan i zajął się aktami Cooke. Pod względem struktury i narracyjnej skrótowości niczym nie różniły się od poprzednich. Bardzo różne były natomiast ich bohaterki. Cooke najwyraźniej świadomie wybrała karierę w wojsku, tak jak jej ojciec i dziadek. Należała do swego rodzaju arystokracji, przynajmniej tak to pojmowały niektóre rodziny. Szybko rozpoznała też konflikt między zamierzoną karierą a swą płcią; w aktach była dokumentacja potwierdzająca, że wielokrotnie domagała się wpisania na listę studium oficerskiego swojego rocznika uniwersyteckiego. Bitwę rozpoczęła wcześnie.

Była materiałem na oficera, rozpoczęła od stopnia podporucznika. Trafiła wprost do planowania operacyjnego, czyli jednostki, w której najinteligentniejsi marnują czas, pracując zgodnie z założeniem, że gdy przyjdzie co do czego przyjaciele zostaną przyjaciółmi, a wrogowie wrogami. Awansowała na porucznika, trafiła do siedziby NATO w Brukseli, nawiązała bliskie stosunki ze swym pułkownikiem, a kiedy nie awansowała na kapitana w pierwszym terminie, doniosła na niego.

Reacher pamiętał ją doskonale. Nie mogło być mowy o napastowaniu, przynajmniej w tym sensie, w jakim napastowana była Callan. Nie podszczypał jej nieznajomy, nikt jej nie usiłował przytulić, nikt nie czynił obscenicznych gestów naoliwioną lufą rewolweru. Ale zasady się zmieniły, dowódcy nie wolno już było spać z podwładnym ani podwładną, więc jej pułkownik wyleciał, a potem strzelił sobie w łeb. Cooke odeszła, wróciła z Brukseli do domu, a dokładnie domku nad jeziorem w New Hampshire i tam znaleziono ją martwą w wannie pełnej zastygającej farby.

Kryminalistycy i spece od medycyny sądowej z New Hampshire opowiedzieli tę samą historię co ich koledzy z Florydy, czyli nie opowiedzieli żadnej historii. Zapiski i fotografie dotyczyły tych samych rzeczy, lecz były różne. Szary cedrowy domek stał wśród mnóstwa drzew, nietknięte wnętrze, prosta łazienka w wiejskim stylu zdominowana przez gęstą, zieloną maź wypełniającą wannę. Reacher przejrzał zawartość teczki, po czym ją zamknął.

— I co myślisz? — spytała Harper.

— Myślę, że z tą farbą to dziwna sprawa.

— Dlaczego?

Wzruszył ramionami.

— Nie uważasz, że to błędne koło? Farba eliminuje ślady na

ciele, co zmniejsza ryzyko, ale jej zdobycie i transport stwarza ryzyko.

— I jest jak intencjonalnie pozostawiony trop — dodała Harper. — Podkreśla motyw. To ostateczne potwierdzenie, że mamy do czynienia z wojskowym. Coś jak drwina.

— Lamarr twierdzi, że ma znaczenie psychologiczne. Mówi, że on je odzyskuje dla wojska.

Harper skinęła głową.

— Tak samo zabranie ubrań.

— Ale jeśli on nienawidzi ich wystarczająco mocno, by zabijać, dlaczego miałby chcieć je odzyskać?

— Nie wiem. Taki facet... kto wie, o czym myśli?

— Lamarr twierdzi, że wie, o czym on myśli.

Przyszła kolej na trzecią, ostatnią teczkę. Historia Lorraine Stanley przypominała historię Callan, tyle że była świeższa. Lorraine była młodsza. Służyła w stopniu sierżanta, najniżej w łańcuchu pokarmowym wielkiego kompleksu kwatermistrzowskiego w Utah, gdzie była jedyną kobietą. Prześladowano ją od pierwszego dnia. Kwestionowano jej kompetencje. Pewnej nocy włamano się do jej kwatery i ukradziono wszystkie spodnie mundurowe. Następnego ranka stawiła się w regulaminowej spódnicy. Kolejnej nocy ukradziono jej całą bieliznę. Następnego ranka stawiła się w spódnicy i w niczym pod spódnicą. Porucznik wezwał ją do swego biura. Kazał jej stanąć w pozycji spocznij pośrodku pokoju, stopy miała trzymać po obu stronach leżącego na podłodze lustra. Wszyscy pracownicy zmiany przemaszerowali przez pokój porucznika, podziwiając to, co odbijało się w lustrze. Porucznik skończył za kratkami, Stanley przesłużyła jeszcze rok, a potem mieszkała samotnie i umarła samotnie w San Diego upamiętnionym na fotografiach z miejsca zbrodni, w którym kalifornijscy kryminalistycy nie znaleźli dosłownie nic.

— Ile masz lat? — spytał Reacher.

— Ja? — zdziwiła się Harper. — Dwadzieścia dziewięć. Przecież mówiłam. To jest w FAQ.

— Pochodzisz z Kolorado, tak?

— Z Aspen.

— Rodzina?

— Dwie siostry i brat.

— Starsi czy młodsi?

— Starsi. Wszyscy. Byłam rodzinnym dzieckiem.

— Rodzice?

— Tata jest farmaceutą. Mama mu pomaga.

— Jeździłaś na wakacje, kiedy byłaś mała?

Skinęła głową.

— Jasne. Wielki Kanion, Painted Desert, w ogóle wszystko. Pewnego roku biwakowaliśmy w Yellowstone.

— Jeździliście tam samochodem, tak?

Znów skinęła głową.

— Jasne. Wielkie kombi, pełne dzieciaków, prawdziwy portret szczęśliwej rodzinki. Po co zadajesz te pytania?

— Co pamiętasz z tych samochodowych podróży?

Harper skrzywiła się przeraźliwie.

— Wydawało mi się, że nigdy się nie skończą.

— Dokładnie tak.

— „Dokładnie tak" co?

— To naprawdę duży kraj.

— I co z tego?

— Caroline Cooke zginęła w New Hampshire, a Lorraine Stanley trzy tygodnie później w San Diego. Dalej to już chyba się nie da. Drogami to będzie przeszło pięć i pół tysiąca kilometrów. Przeszło.

— Podróżuje po drogach?

Reacher skinął głową.

— Ma do przewiezienia parę setek litrów farby.

— Może zgromadził gdzieś zapas?

— Dla niego to by było jeszcze gorzej. Jeśli nie zdarzył się cud i magazyn nie leży na linii łączącej miejsce, gdzie teraz stacjonuje, New Hampshire i południową Kalifornię, to żeby się zaopatrzyć, musiałby nadkładać drogi. I to zapewne całkiem spory kawałek.

— Zatem?

— Zatem ma do przejechania jakieś pięć i pół, może nawet

sześć tysięcy kilometrów plus obserwacja Lorraine Stanley. Zdąży w tydzień?

Harper zmarszczyła brwi.

— Powiedzmy... siedemdziesiąt godzin ze średnią prędkością osiemdziesiąt na godzinę...

— Nie wyrobi takiej średniej. Po drodze będzie miał miasta, miasteczka i roboty drogowe. Nie będzie przekraczał dozwolonej prędkości. Facet tak skrupulatny nie będzie ryzykował spotkania z gliną węszącym mu koło wozu. Setki litrów farby maskującej mogłoby wzbudzić zainteresowanie, nie sądzisz? W dzisiejszych czasach...

— W takim razie, powiedzmy, sto godzin na drodze.

— Co najmniej. Plus, kiedy już dojedzie na miejsce, dzień, dwa obserwacji. To więcej niż tydzień. Dziesięć, jedenaście dni, może nawet dwanaście.

— Więc?

— Ty mi powiedz, co „więc".

— Więc nie pracuje dwa tygodnie, z tygodniem wolnego.

Reacher skinął głową.

— Nie. Nie pracuje tak.

• • •

Wyszli z budynku, obeszli go po drodze do kafeterii. Pogoda ustaliła się, jesień zaczynała wyglądać tak, jak powinna. Ociepliło się o dobre dziesięć stopni, lecz powietrze pozostało rześkie. Trawniki były zielone, niebo prawdziwie niebieskie. Wiatr wywiał wilgoć z powietrza, liście na drzewach, których tu nie brakowało, sprawiały wrażenie suchych i o dwa tony jaśniejszych niż przedtem.

— Wolę zostać tu, na dworze — powiedział Reacher.

— Musisz popracować — zaprotestowała Harper.

— Przeczytałem te cholerne akta. Przeczytanie ich jeszcze raz za cholerę mi nie pomoże. Teraz muszę pomyśleć.

— I lepiej myślisz pod gołym niebem?

— W zasadzie tak.

— W porządku. Chodźmy na strzelnicę, muszę zaliczyć strzelanie z broni krótkiej.

— Jeszcze nie zaliczyłaś?

Harper się uśmiechnęła.

— Pewnie, że zaliczyłam. Ale nas obowiązuje comiesięczny egzamin. Przepisy.

W kafeterii zaopatrzyli się w kanapki. Zjedli je po drodze. Na otwartej strzelnicy dla broni krótkiej panowała cisza, jak to w niedzielę. Strzelnica była wielka, rozmiaru mniej więcej lodowiska do hokeja, ogrodzona z trzech stron nasypami. Składała się z sześciu stanowisk, odgrodzonych betonowymi ścianami, sięgającymi ramienia, biegnącymi od stanowiska strzeleckiego aż do tarczy. Tarcze zrobiono ze sztywnego papieru, rozpiętego na stalowej ramie. Na każdej przedstawiony był kucający przestępca i szereg kręgów, których środkiem było jego serce. Zameldowała się u dyżurnego, oddała mu broń. Załadował ją sześcioma nowymi pociskami, po czym oddał jej wraz z dwoma parami osłon na uszy.

— Stanowisko trzecie — powiedział.

Stanowisko trzecie było stanowiskiem środkowym. Na betonowej posadzce namalowano czarną linię.

— Dwadzieścia trzy metry — powiedziała Harper.

Ustawiła się na wprost tarczy, nasunęła osłony na uszy, podniosła broń oburącz. Rozstawiła nogi, ugięła je lekko w kolanach; biodra wysunęła do przodu, cofnęła ramiona. Oddała sześć strzałów jeden za drugim, w odstępach co pół sekundy. Reacher obserwował ścięgna jej dłoni. Były napięte, wskutek czego przy każdym strzale lufa pistoletu podskakiwała lekko.

— Czysto — powiedziała.

Spojrzał na nią pytająco.

— To znaczy, że można przynieść tarczę.

Oczekiwał trafień układających się w prostą linię, długą na blisko trzydzieści centymetrów i kiedy podszedł do tarczy okazało się, że ma rację. Dwie dziury w sercu, dwie w sąsiednim pierścieniu, dwie w pierścieniu łączącym szyję z brzuchem. Odczepił tarczę i wrócił z nią na stanowisko strzeleckie.

— Dwie piątki, dwie czwórki, dwie trójki — powiedziała Harper. — Dwadzieścia cztery punkty. Zaliczyłam, ale ledwie.

— Powinnaś bardziej używać lewego ramienia.

— Jak?

— Przejmij na nie cały ciężar, prawa ręka niech ci służy wyłącznie do ściągania spustu.

Harper milczała przez chwilę, a potem powiedziała:

— Pokaż jak.

Reacher stanął tuż za nią, wyciągnął lewą rękę. Podniosła pistolet w prawej dłoni, którą ujął w swoją dłoń.

— Rozluźnij ramię — polecił. — Ja przejmę ciężar.

Ramiona miała długie, ale on też. Cofnęła się, mocno do niego przytuliła. Reacher pochylił się, oparł głowę na jej ramieniu. Jej włosy pachniały świeżością.

Rozległ się kilkukrotny trzask; komora pistoletu była pusta. Lufa ani drgnęła.

— Wygląda nieźle — powiedziała Harper.

— Idź po naboje.

Odsunęła się od niego, poszła do dyżurnego, wzięła od niego kolejny magazynek, załadowany sześcioma nabojami. Przeszła na sąsiednie stanowisko, gdzie wisiała nowa tarcza. Reacher już na nią czekał. Jak poprzednio, przytuliła się do niego, uniosła broń, a on ujął jej dłoń w swoją. Harper przytuliła się do niego mocno. Wystrzeliła szybko, dwukrotnie. W tarczy wykwitły dwie dziury, obie w centralnym kręgu. Dzieliło je niewiele ponad dwa centymetry.

— Widzisz? — powiedział Reacher. — Całą pracę wykonuje lewa.

— Brzmi to jak polityczne wyznanie wiary.

Harper nie poruszyła się, nadal przylegała do niego całym ciałem. Wyczuwał rytm jej oddechu. Odsunął się, a ona spróbowała jeszcze raz, samodzielnie. Dwa szybkie strzały, dwie łuski stuknęły o beton, w tarczy pojawiły się kolejne dwa otwory, oba w centralnym kręgu. Wraz z poprzednimi czterema utworzyły kształt rombu, który można byłoby przykryć wizytówką.

Harper skinęła głową.

— Chcesz wykorzystać dwa ostatnie?

Podeszła, wyciągając do niego pistolet; trzymała go za lufę. Był to sig-sauer, dokładnie taki sam jak ten, który Lamarr trzymała mu przy głowie podczas jazdy na Manhattan. Reacher

193

stał plecami do tarczy. Zważył broń w ręku i nagle, błyskawicznie obrócił się, oddając twa strzały. Dwa otwory pojawiły się w miejscach, gdzie były kiedyś oczy narysowanego na tarczy złoczyńcy.

— Tak bym to zrobił — powiedział. — Gdybym był na kogoś naprawdę wściekły, zrobiłbym to właśnie tak. Nie bawiłbym się w jakąś cholerną wannę i osiemdziesiąt litrów farby.

• • •

W drodze do biblioteki spotkali Blake'a. Wyglądał na zagubionego i zarazem bardzo czymś zajętego. Z jego twarzy łatwo było odczytać, że się czymś niepokoi. Miał kolejny problem.

— Umarł ojciec Lamarr — powiedział.

— Ojczym — poprawił go Reacher.

— Obojętne. Zmarł dzisiaj wczesnym rankiem. Dzwonili ze szpitala w Spokane, ale jej u nas nie znaleźli. Teraz ja muszę zadzwonić do niej do domu.

— Przekaż jej nasze wyrazy współczucia.

Blake tylko skinął głową i odszedł.

— Powinien odebrać jej sprawę — powiedział Reacher.

Harper skinęła głową.

— Może i powinien, ale nie odbierze. Zresztą ona i tak by się na to nie zgodziła. Ma tylko pracę.

Reacher nie odpowiedział. Harper otworzyła drzwi, wprowadziła go z powrotem do pokoju z dębowymi stołami, krzesłami obitymi skórą i z aktami. Usiadł, spojrzał na zegarek. Dwadzieścia po trzeciej. Jeszcze ze dwie godziny myślenia o niebieskich migdałach, potem coś zje i będzie mógł wreszcie uciec w samotność swojego pokoju.

• • •

Minęły trzy godziny. I przez te trzy godziny nie myślał o niebieskich migdałach. Zapatrzony w przestrzeń, po prostu myślał. Harper przyglądała mu się z niepokojem. Potem wziął segregatory. Ułożył je na blacie stołu: Callan u dołu po prawej, Stanley u dołu po lewej, Cooke u góry po prawej. Przyglądał się im, po raz kolejny, rozmyślając o geografii. Wreszcie odchylił się, przymknął oczy.

— Robisz postępy? — spytała Harper.

— Potrzebuję listy tych dziewięćdziesięciu jeden kobiet.

— W porządku.

Czekał z zamkniętymi oczami. Słyszał, jak Harper wychodzi z pokoju. Przez długą chwilę cieszył się ciepłem i ciszą, a potem Harper wróciła. Otworzył oczy. Pochylała się nad nim, trzymając w ręku kolejny niebieski segregator.

— Ołówek — powiedział.

Cofnęła się. Wyjęła ołówek z szuflady, potoczyła go w jego stronę. Reacher otworzył teczkę, pogrążył się w lekturze. Najpierw wydruk z Departamentu Obrony; cztery spięte ze sobą strony, dziewięćdziesiąt jeden nazwisk. Niektóre nazwiska rozpoznał; była wśród nich Rita Scimeca; to o niej wspomniał Blake'owi, a zaraz obok Lorraine Stanley. Dalej znajdowała się podobna lista z adresami, otrzymanymi dzięki ubezpieczeniom lekarskim w ramach Organizacji Weteranów i instrukcjom przekazywania poczty. Scimeca mieszkała w Oregonie. A potem gruba zszywka danych podstawowych: raporty wywiadu po zwolnieniu z armii, dość obszerne w przypadku niektórych kobiet, zaledwie szkicowe w przypadku innych, ale tak czy inaczej wystarczające, by wyciągnąć pewne podstawowe wnioski. Reacher przez chwilę przerzucał kartki, potem popracował ołówkiem, a dwadzieścia minut później policzył postawione znaczki.

— Jedenaście kobiet — powiedział. — Nie dziewięćdziesiąt jeden.

— Naprawdę? — zdziwiła się Harper.

Reacher skinął głową.

— Jedenaście — powtórzył. — Pozostało siedem, nie osiemdziesiąt osiem.

— Dlaczego tak sądzisz?

— Z wielu powodów. Dziewięćdziesiąt jeden to w ogóle absurd. Kto mógłby wyznaczyć sobie taki cel: dziewięćdziesiąt jeden ofiar. Ponad pięć lat? Mało to wiarygodne. Facet tak cwany musiał zredukować tę liczbę do realnej, na przykład jedenastu.

— Ale jak?

— Ograniczając się do tego, co wykonalne. Podkategoria. Co

195

Callan, Cooke i Stanley miały ze sobą wspólnego? Poza tym, co wiemy?

— Właśnie, co?

— Były samotne. Autentycznie i jednoznacznie samotne, niezamężne lub rozwiedzione. Mieszkały w jednorodzinnych domkach, na przedmieściu lub na wsi.

— I to jest takie ważne?

— Ależ oczywiście! Pomyśl o jego sposobie działania. Potrzebuje miejsca cichego i odizolowanego. Żadnych przeszkód. Żadnych świadków w pobliżu. Musi przecież wnieść do domu farbę. A teraz popatrz na listę. Są tu mężatki, matki niemowląt, kobiety mieszkające z rodziną, z rodzicami, w mieszkaniach i apartamentach, na farmach, nawet w komunach. Kobiety, które wróciły na studia. Ale jemu potrzebne są takie, które mieszkają same, w domach.

Harper potrząsnęła głową.

— Jest ich więcej niż jedenaście. Sprawdziliśmy wszystkie. O ile pamiętam, ponad trzydzieści. Około jednej trzeciej.

— Ale musieliście sprawdzać. Ja mówię o kobietach, o których i bez sprawdzania wiemy, że są samotne i mieszkają w odosobnieniu. Wiemy to na pierwszy rzut oka. Musimy założyć, że ten facet nie ma nikogo, kto zbierałby dla niego materiały. Pracuje sam, w sekrecie. Ma tylko tę listę i na jej podstawie wyciąga wnioski.

— Przecież to nasza lista!

— Nie wyłącznie wasza. Jego też. Przecież wszystkie te informacje dostaliście od wojska, nie? Miał ją wcześniej od was.

• • •

Prawie siedemdziesiąt kilometrów dalej, na północ i odrobinę na wschód, taka sama lista leżała otwarta na wypolerowanym blacie biurka stojącego w małym, pozbawionym okien pokoiku, tkwiącym głęboko w trzewiach Pentagonu. Dwa pokolenia ksero młodsza od listy Reachera, poza wiekiem niczym się od niej nie różniła. Identyczne strony, identyczne nazwiska. Identyczne jedenaście zaznaczonych nazwisk. Lecz nie szybko, niedbale, ołówkiem jak u Reachera; te nazwiska były podkreślone wiecznym piórem, przy linijce trzymanej skośnie, tak by nie dotykała papieru, nie zamazała atramentu.

Trzy z tych jedenastu nazwisk przekreślono prostymi liniami. Po obu stronach listy spoczywały ramiona umundurowanego człowieka. Spoczywały płasko na blacie, dłonie były uniesione, by go nie dotknąć. Lewa ręka trzymała linijkę, prawa ręka wieczne pióro. Lewa ręka poruszyła się, przyłożyła linijkę równolegle do linii podkreślającej czwarte nazwisko. Potem przesunęła ją nieco w górę, tak by krawędź pokrywała nazwisko. Poruszyła się prawa ręka, pióro przekreśliło nazwisko grubą linią, a potem uniosło się w powietrze.

• • •

— I co z tym zrobimy? — spytała Harper.

Reacher osunął się w krześle. Przymknął oczy.

— Moim zdaniem powinniście grać. Obstawić te osiem, dać im dwudziestoczterogodzinną ochronę. Przypuszczalnie facet sam wpadnie wam w ręce w ciągu szesnastu dni.

— Cholernie wysoka stawka — powiedziała Harper niepewnie. — Dosyć to wszystko cienkie. Zgadujesz, co on zgaduje, kiedy patrzy na listę.

— Mam przypominać tego faceta, nie? Więc to, co zgaduję, powinno być tym, co zgaduje on.

— A jeśli nie zgadłeś?

— A wy co, jesteście lepsi? Robicie postępy?

Harper nie wyglądała na przekonaną.

— W porządku. Może ta twoja teoria ma ręce i nogi. Warto pójść tym tropem. Ale może oni już o tym pomyśleli?

— Kto nie ryzykuje, ten nie ma, prawda?

Milczała przez chwilę.

— W porządku — powiedziała w końcu. — Porozmawiaj z Lamarr. Od razu jutro, z rana.

Reacher otworzył oczy.

— Sądzisz, że ona jutro tu będzie?

Skinęła głową.

— Tak.

— Nie chowają jej ojca?

Kolejne skinienie.

— Oczywiście, pogrzeb się odbędzie, ale bez niej. Nie ruszy się stąd. Dla tej sprawy poświęciłaby nawet własny pogrzeb.

— Niech będzie, ale w takim razie ty rozmawiaj. I z Blakiem. Trzymaj to w tajemnicy przed Lamarr.

— Dlaczego?

— Zapomniałaś już, że jej siostra mieszka sama i na uboczu? Jej szanse podskoczyły nagle do jednej na osiem. Blake musi teraz odebrać Lamarr tę sprawę.

— Jeśli się z tobą zgodzi.

— A powinien.

— I może się zgodzi, ale sprawy jej nie odbierze.

— A powinien.

— Może, ale tego nie zrobi.

Reacher wzruszył ramionami.

— No to nie ma sprawy, możesz mu nic nie mówić. A ja po prostu marnuję tu czas. Facet jest idiotą.

— Nie mów tak. Musisz współpracować. Pomyśl o Jodie.

Znów zamknął oczy. Myślał o Jodie. Jodie wydawała się bardzo daleka. Myślał o niej bardzo długo.

— Chodźmy coś zjeść — powiedziała Harper. — Potem z nim pogadam.

•   •   •

Prawie siedemdziesiąt kilometrów dalej, na północ i odrobinę na wschód, umundurowany człowiek wpatrywał się w kartkę papieru. Na twarzy miał wyraz świadczący o tym, że powoli zaczyna rozumieć jakąś bardzo skomplikowaną sprawę.

Rozległo się pukanie do drzwi.

— Czekać! — zawołał.

Położył linijkę na biurku. Zamknął pióro, schował je do kieszeni. Złożył listę, otworzył szufladę, włożył ją do szuflady, przycisnął książką. Tą książką była Biblia Króla Jakuba, oprawiona w czarną cielęcą skórę. Linijkę położył płasko na Biblii. Wsunął szufladę. Z kieszeni wyjął klucze, zamknął ją. Schował klucze z powrotem do kieszeni, poruszył się w krześle, poprawił bluzę mundurową.

— Wejść! — zawołał.

Otworzyły się drzwi. Do pokoju wszedł sierżant. Zasalutował.

— Samochód czeka, pułkowniku — powiedział.

— W porządku, sierżancie — odparł pułkownik.

* * *

Niebo nad Quantico nadal było czyste, lecz temperatura powietrza, dotychczas rześkiego, szybko spadała, nadchodził nocny chłód. Od wschodu, kryjąc się za budynkami, nadciągała noc. Reacher i Harper szli szybko, a lampki po obu stronach dróżki zapalały się kolejno, towarzysząc ich krokom, jakby to one przywoływały je do życia. Zjedli kolację samotnie przy stoliku dla dwojga stojącym w innej części kafeterii. Do głównego budynku wrócili w całkowitej ciemności. Wjechali windą na właściwe piętro. Harper otworzyła drzwi swoim kluczem.

— Dziękuję za twój wkład w sprawę — powiedziała.

Reacher milczał.

— I za lekcję strzelania.

Reacher skinął głową.

— Cała przyjemność po mojej stronie.

— To dobra technika.

— Nauczył mnie jej pewien starszy sierżant.

Harper się uśmiechnęła.

— Nie chodzi mi o technikę strzelania. Mówię o technice nauki strzelania.

Jeszcze raz skinął głową. Pamiętał, jak wciskała plecy w jego pierś, przytulała się do niego biodrami; włosy na twarzy, dotyk, zapach.

— Pokazać to zawsze lepiej, niż powiedzieć — rzekł.

— Tego nic nie zastąpi.

Zamknęła mu drzwi przed nosem. Słyszał, jak odchodzi korytarzem.

14

Reacher obudził się bardzo wcześnie, przed świtem. Przez chwilę stał owinięty ręcznikiem, wpatrując się w ciemność za oknem. Znów było zimno. Ogolił się i wykąpał. Zużył już połowę służbowego szamponu FBI. Ubrał się, stojąc przy łóżku. Wyjął z szafy płaszcz. Nałożył go. Wrócił do łazienki, zabrał szczoteczkę do zębów, przypiął ją do wewnętrznej kieszeni. Na wszelki wypadek, bo może dzisiaj będzie ten dzień?

Siedział na łóżku, otulony płaszczem chroniącym go przed chłodem. Czekał na Harper, ale kiedy w zamku obrócił się klucz i drzwi się otworzyły, nie ona stanęła na progu, lecz Poulton. Twarz miał sztucznie obojętną i Reacher drgnął. Niemal czuł już smak triumfu.

— Gdzie Harper? — spytał.

— Została odsunięta od sprawy — powiedział Poulton.

— Rozmawiała z Blakiem?

— Wczoraj wieczorem.

— I?

Poulton wzruszył ramionami.

— I nic.

— Ignorujecie moje sugestie?

— Nie sugestii po tobie oczekujemy.

Reacher skinął głową.

— Nie ma sprawy. Idziemy na śniadanie.

Poulton też skinął głową.

— Jasne.

Słońce wyjrzało zza horyzontu na wschodzie, niebo zaczęło nabierać koloru. Nie było na nim nawet najmniejszej chmurki. Nie czuło się wilgoci ani wiatru, odbyli przyjemny wczesny spacer. Quantico ożywało. Poniedziałkowy poranek, początek nowego tygodnia.

Blake siedział w kafeterii, jak zwykle przy swoim stoliku, przy oknie. Obok niego siedziała Lamarr, zamiast swojej zwykłej, kremowej, miała na sobie czarną bluzkę, lekko spłowiałą, jakby bardzo często ją prała. Na stole była kawa, kubki, mleko i cukier, ale brakowało gazet.

— Przykro mi z powodu wieści ze Spokane — powiedział Reacher.

Skinęła głową, ale nic nie powiedziała.

— Dałem jej wolne — wyjaśnił Blake. — Ma prawo do urlopu okolicznościowego.

Reacher spojrzał na niego.

— Przecież nie musisz mi się tłumaczyć.

— W życiu jest również miejsce na śmierć — odezwała się Lamarr. — Nasz biznes szybko uczy tej prawdy.

— Nie jedziesz na pogrzeb?

Lamarr wzięła łyżeczkę. Położyła ją w poprzek na palcu, tak by zachowała równowagę. Wpatrywała się w nią z napięciem.

— Allison nie zadzwoniła. Nie wiem, jak to wygląda, jakie podjęto przygotowania.

— Nie zadzwoniłaś do niej?

Wzruszyła ramionami.

— Nie mam ochoty wtrącać się w jej życie.

— Nie sądzę, by Allison zgodziła się z takim postawieniem sprawy.

Tym razem Lamarr spojrzała mu wprost w oczy.

— Po prostu nie wiem.

Zapadła cisza. Reacher odwrócił kubek, nalał sobie kawy.

— Musimy brać się do pracy — powiedział Blake.

— Nie spodobała ci się moja teoria? — zdziwił się Reacher.

— To nie teoria, tylko zgadywanka. Możemy wszyscy bawić się w zgadywanki tak długo, jak to nam się będzie podobało, ale nie możemy tak po prostu zapomnieć o osiemdziesięciu kobietach, bo bawimy się w zgadywanki.

— Dla nich to jakaś różnica? — zdziwił się Reacher. Wypił duży łyk kawy, przyjrzał się pączkom. Były twarde, pomarszczone. Prawdopodobnie sobotnie.

— Nie zamierzasz wziąć pod uwagę tego, co powiedziałem? — spytał.

Blake wzruszył ramionami.

— Myślałem o tym — przyznał.

— To pomyśl o tym jeszcze trochę, bo w następnej kolejności zginie jedna z tych jedenastu kobiet, a ty będziesz ją miał na sumieniu.

Blake przyjął tę uwagę w milczeniu. Reacher gwałtownie odsunął się od stołu.

— Chcę racucha — oznajmił. — Te pączki od początku mi się nie podobały.

Wstał, nim zdążyli zaprotestować. Ruszył w stronę środka sali. Zatrzymał się przy pierwszym stoliku, na którym zobaczył „New York Timesa". Siedział przy nim samotny facet, pogrążony w lekturze działu sportowego, reszta gazety leżała, odrzucona niedbale, po lewej stronie stołu. Reacher podniósł ją. Materiał, na który czekał, wydrukowany był na pierwszej stronie u dołu, poniżej linii, wzdłuż której złożono „Timesa".

— Mogę zabrać? — spytał.

Zainteresowany sportem facet skinął głową, nie podnosząc wzroku. Reacher wsadził gazetę pod pachę. Podszedł do lady, przy której wydawano jedzenie. Przy śniadaniu każdy mógł obsłużyć się sam, Wziął stos racuchów i osiem plasterków bekonu. Polał racuchy syropem, aż omal nie wypłynął mu z talerza. Będzie potrzebował kalorii. Czekała go długa podróż, a jej pierwszą część najprawdopodobniej odbędzie pieszo.

Wrócił do stolika. Przysiadł niezdarnie, usiłując postawić talerz z racuchami, tak żeby albo nie rozlać syropu, albo nie upuścić gazety. Oparł ją na krawędzi talerza, zabrał się do jedzenia. Nagle udał, że dopiero teraz zobaczył nagłówek.

— No, no, popatrzcie tylko — powiedział z otwartymi ustami. Nagłówek głosił: „Wybuch wojny gangów na Dolnym Manhattanie. Sześć ofiar śmiertelnych". Reportaż relacjonował przebieg krótkiej, lecz krwawej wojny o terytorium, która wybuchła nagle między dwoma rywalizującymi gangami ściągającymi haracze, jednym rzekomo chińskim, drugim rzekomo syryjskim. Użyto broni maszynowej i maczet. W trupach Chińczycy wygrali cztery do dwóch. Wśród czterech martwych Syryjczyków był rzekomy przywódca gangu, podejrzany o liczne przestępstwa niejaki Almar Petrosjan. W artykule zamieszczono wypowiedzi policji miejskiej i FBI oraz drugi tekst o stuletniej historii przymusowych opłat za ochronę w Nowym Jorku, chińskich tongach i wyniszczających walkach grup etnicznych o kontrolę biznesu, którego wartość ma jakoby wynosić miliardy dolarów w skali kraju.

— No, no, popatrzcie tylko — powtórzył Reacher. Zdążyli już popatrzeć, przynajmniej to było jasne. Odwrócili się od niego jednocześnie. Blake zapatrzył się przez okno na jaśniejące z każdą chwilą niebo. Poulton gapił się na przeciwległą ścianę. Lamarr nadal oglądała tę swoją łyżeczkę.

— Cozo dzwonił z potwierdzeniem? — spytał Reacher. Nikt nic nie powiedział, co oczywiście oznaczało „tak". Reacher się uśmiechnął.

— Cholerne życie, nie? Macie na mnie haka i nagle nie macie na mnie haka, jakbyście go nigdy nie mieli. Los płata figle, prawda?

— Los — powtórzył Blake.

— Wyjaśnijmy sobie jedną rzecz — mówił dalej Reacher. — Harper nie zechciała odegrać dla was roli *femme fatale*, a teraz jeszcze biedny stary Petrosjan się przekręcił, no i skończyły się wam atuty. Poza tym i tak mnie nie słuchacie, więc jest jakiś powód, dla którego nie mógłbym po prostu wstać i wyjść?

— Mnóstwo powodów — powiedział Blake. Zapadła cisza.

— Ale żaden z nich nie jest wystarczająco dobry — powiedział Reacher.

Wstał, odsunął się od stołu. Nikt nie próbował go zatrzymać, więc wyszedł z kafeterii. Szklane drzwi budynku wypuściły go na chłód poranka. Ruszył przed siebie.

• • •

Doszedł aż pod budkę strażniczą mieszczącą się na granicy obiektu FBI w Quantico. Przeszedł pod szlabanem, rzucił identyfikator gościa na ziemię. Szedł dalej, skręcił na rogu, znalazł się na terenie należącym do piechoty morskiej. Trzymał się środka drogi, po niespełna kilometrze dotarł do pierwszej polany. Stała tam grupa pojazdów i grupa milczących, obserwujących go mężczyzn. Pozwolili mu przejść, chodzenie tą drogą było czymś niezwykłym, ale nie nielegalnym. Do drugiej polany dotarł pół godziny po wyjściu z kafeterii. Minął ją i maszerował dalej.

Zbliżający się do niego od tyłu samochód usłyszał pięć minut później. Zatrzymał się, odwrócił. Czekał. Po chwili mógł już sięgnąć poza blask zapalonych reflektorów. Prowadziła Harper i właśnie jej się spodziewał. Była w samochodzie sama. Zatrzymała się przy nim, opuściła szybę od swojej strony.

— Cześć, Reacher — powiedziała.

Skinął głową. Milczał.

— Podrzucić cię?

— Tam czy z powrotem?

— Decyzja należy do ciebie.

— Wjazd na I-95 wystarczy. Kierunek północny.

— Wracasz autostopem?

Skinął głową.

— Nie mam pieniędzy na samolot.

Usiadł na siedzeniu pasażera. Harper ruszyła gładko. Pojechali w stronę autostrady. Miała na sobie drugi garnitur. Rozpuszczone włosy opadały jej na ramiona.

— Kazali ci mnie przywieźć?

Potrząsnęła głową.

— Uznali, że nie przedstawiasz żadnej wartości. Powiedzieli, że niczego nie wnosisz do sprawy.

Reacher musiał się uśmiechnąć.

— Teraz powinienem strasznie się oburzyć, wrócić i udowodnić im, że się mylą, co?

Harper odpowiedziała uśmiechem.

— Coś takiego. Dziesięć minut dyskutowali o tym, jak najlepiej cię podejść. Lamarr zdecydowała, że wykorzystają twoje ego.

— I taki właśnie jest pożytek z psychologa, który studiował architekturę krajobrazu.

— Pewnie masz rację.

Jechali przez las krętą drogą. Minęli ostatnie stanowisko marines.

— Ale ona ma rację — powiedział Reacher. — Nie wnoszę niczego do sprawy. Nikomu nie uda się złapać tego faceta. Jest za sprytny. A już z pewnością za sprytny dla mnie.

Harper znowu się uśmiechnęła.

— Teraz ty bawisz się w psychologa? Chcesz wyjechać z czystym sumieniem?

— Moje sumienie jest zawsze czyste.

— W sprawie Petrosjana też?

— A dlaczego nie miałoby być czyste w sprawie Petrosjana?

— Przedziwny zbieg okoliczności, nie sądzisz? Straszą cię Petrosjanem i za trzy dni nie ma Petrosjana.

— Ślepy traf, nic więcej.

— Racja, traf. Wiesz, że nie powiedziałam im, że cały dzień siedziałam przed biurem Trenta?

— Dlaczego?

— Kryłam swój tyłek.

Reacher spojrzał na nią.

— A co biuro Trenta ma z tym wspólnego?

Harper wzruszyła ramionami.

— Nie wiem. Ale nie lubię zbiegów okoliczności.

— Zdarzają się od czasu do czasu. To oczywiste.

— Nikt z naszego Biura nie lubi zbiegów okoliczności.

— Więc?

Jeszcze raz wzruszyła ramionami.

— Mogą zacząć wokół tego grzebać. No i kiedyś, później, mocno uprzykrzyć ci życie.

Reacher znów się uśmiechnął.

— To faza druga perswazji, prawda?

Harper odpowiedziała mu uśmiechem i nagle uśmiech ten przeszedł w wybuch wesołego śmiechu.

— Jasne. Faza druga. Jest ich jeszcze z tuzin, a niektóre całkiem dobre. Posłuchasz?

— Szczerze? Raczej nie. Nie wracam. Oni mnie nie słuchają.

Skinęła głową. Jechali dalej. Przystanęła przed wjazdem na autostradę, dodała gazu. Pojechała na północ.

— Podrzucę cię do następnego wjazdu — powiedziała. — Tego używają tylko pracownicy Biura. Żaden z nich cię nie podwiezie.

Reacher skinął głową.

— Dziękuję, Harper.

— Jodie jest w domu — powiedziała agentka. — Dzwoniłam do biura Coza. Można powiedzieć, że prowadzili taką małą obserwację. Wróciła do domu dziś rano. Taksówką. Wyglądało, jakby wracała z lotniska. A dziś chyba pracuje w domu.

Uśmiechnął się.

— Ach tak? No to definitywnie się stąd wynoszę.

— Potrzebujemy twojego wkładu, wiesz?

— Oni mnie nie słuchają.

— Zmuś ich, żeby cię słuchali.

— Czy to faza trzecia?

— Nie, to ja. Mówię, co myślę.

Reacher milczał przez bardzo długą chwilę. Potem skinął głową.

— Więc dlaczego nie chcą słuchać?

— Może to duma?

— Czyjegoś wkładu potrzebują... to z pewnością. Ale nie mojego. Nie mam środków. Nie mam władzy.

— Żeby co zrobić?

— Żeby odebrać im tę sprawę. Tym psychologicznym gównem tylko marnują czas. To ich nigdzie nie doprowadzi. Powinni pójść po śladach.

— Nie ma żadnych śladów.

— Owszem, są. Wiemy, jaki facet jest cwany. Farba, geografia, wybór odległych, odosobnionych miejsc, to wszystko są ślady. Powinni po nich pójść. One muszą coś znaczyć. Zaczynając od motywu, zaczynają od złego końca.

— Przekażę im twoje słowa.

Zjechała z autostrady, zatrzymała się przy rozjeździe.

— Będziesz miała kłopoty? — spytał Reacher.

— Bo cię im nie przywiozłam? Prawdopodobnie.

Reacher milczał. Harper uśmiechnęła się po chwili.

— To była faza dziesiąta. Nie martw się, nic mi nie będzie.

— Mam nadzieję — powiedział Reacher. Wysiadł z samochodu. Przeszedł przez drogę dojazdową, stanął na poboczu pasma prowadzącego na północ. Odprowadził wzrokiem samochód Harper, znikający w tunelu, prowadzącym na południowe pasmo autostrady.

* * *

Mężczyzna ważący sto pięć kilogramów przy wzroście metr dziewięćdziesiąt pięć ma niewielką szansę na to, by ktoś zdecydował się gdzieś go podrzucić. Kobiety z zasady nie zatrzymywały się dla takich jak on, odbierały ich jako zagrożenie. Mężczyźni bywali równie nerwowi. Ale Reacher był wykąpany, ogolony i przyzwoicie ubrany. To zwiększało jego szanse, a na drodze nie brakowało ciężarówek prowadzonych przez potężnie zbudowanych, pewnych siebie mężczyzn.

Dojechał do Nowego Jorku w siedem godzin. Przez większość tych siedmiu godzin milczał, częściowo dlatego, że w ciężarówkach było za głośno na rozmowy, a częściowo dlatego, że nie był w nastroju do rozmów. Znów słyszał szept demona włóczęgów. „Dokąd zmierzasz?" — pytał demon. Wracam do Jodie, oczywiście. „Jasne, cwaniaku, ale dokąd jeszcze, do jasnej cholery? No, dokąd jeszcze zmierzasz? Pokopać w ogródku za domem? Pomalować cholerne ściany?". Siedział obok zmieniających się co jakiś czas sympatycznych kierowców i czuł, jak zaciera się wspomnienie nieszczęśliwej wycieczki w wolność. Pracował nad tym, żeby się zatarło, miał wrażenie, że jest coraz bliżej sukcesu.

Ostatni odcinek podróży przejechał w ciężarówce z warzywami, dostarczającej towar z New Jersey do Greenwich Village. Przejechała Holland Tunnel z hałasem, wzmocnionym echem odbitym od ścian. Wysiadł. Przeszedł półtora kilometra Canal i Broadwayem wprost do domu, w którym mieszkała Jodie. Koncentrował się wyłącznie na tym, jak bardzo pragnie ją zobaczyć.

Miał klucz do drzwi prowadzących na klatkę schodową. Wjechał windą. Zapukał. Wizjer pociemniał i znów się rozjaśnił, i oto stała na progu, w dżinsach i koszuli, wysoka, szczupła, taka żywotna. Niczego piękniejszego nigdy nie widział.

Nie uśmiechała się.

— Cześć, Jodie — powiedział.

— W kuchni jest agent FBI.

— Czego chce?

— No właśnie. Ty mi powiedz.

Wszedł za nią do mieszkania. Poszli do kuchni. Agent okazał się niskim, młodym człowiekiem o byczej szyi, w niebieskim garniturze, białej koszuli i krawacie w paski. Rozmawiał przez telefon komórkowy, informował kogoś o tym, że Reacher właśnie wszedł.

— Czego chcesz? — spytał go Reacher.

— Proszę, niech pan zaczeka — powiedział agent. — Najwyżej dziesięć minut.

— O co chodzi?

— Dowie się pan wszystkiego. Dziesięć minut, nie więcej.

Reacher miał ochotę wyjść po prostu po to, by nie posłuchać prośby, ale Jodie usiadła. W jej twarzy było coś dziwnego, coś pomiędzy troską i irytacją. Na kuchennym blacie leżał otwarty „New York Times". Zerknął na niego, odwrócił wzrok.

— W porządku — powiedział. — Dziesięć minut.

On także usiadł. Czekali w milczeniu. Minęło prawie piętnaście minut, nie dziesięć. Rozległ się dźwięk domofonu. Agent przyłożył do ucha słuchawkę, potem wcisnął przycisk zwalniający zamek w drzwiach klatki schodowej i wyszedł na korytarz. Jodie siedziała w milczeniu, bez ruchu, jakby była gościem we własnym mieszkaniu. Reacher usłyszał jęk silnika windy. Słyszał, jak winda się zatrzymuje, jak otwierają się drzwi mieszkania. Słyszał stukot kroków na parkiecie z klonu.

Do kuchni wszedł Alan Deerfield. Miał na sobie ciemny płaszcz przeciwdeszczowy z podniesionym kołnierzem. Poruszał się szybko, zdecydowanie, na podeszwach butów wniósł brud ulicy, zgrzytający przy każdym kroku. Czyniło go to prostacko nachalnym.

— W moim mieście jest sześć trupów — powiedział. Zobaczył „Timesa" leżącego na kuchennym blacie, podszedł, obrócił go, pokazał nagłówek. — I oczywiście mam kilka pytań.

Reacher spojrzał na niego.

— Pytań?

Deerfield odpowiedział mu identycznym spojrzeniem.

— Delikatnych.

— Więc pytaj.

Skinął głową.

— Pierwsze pytanie skierowane jest do pani Jacob.

Jodie poruszyła się, ale nie podniosła głowy.

— Jakie? — spytała.

— Gdzie pani była przez ostatnie kilka dni?

— Poza miastem. W interesach.

— Gdzie poza miastem?

— W Londynie. Na konferencji z klientem.

— W Londynie, w Anglii?

— W odróżnieniu od Londynu gdzie?

Deerfield wzruszył ramionami.

— W Kentucky? W Ohio? Zdaje się, że jest nawet Londyn, w Kanadzie. Zdaje się, że w Ontario.

— W Londynie, w Anglii.

— Macie klientów w Londynie, w Anglii?

Jodie nadal wpatrywała się w podłogę.

— Mamy klientów wszędzie. Zwłaszcza w Londynie, w Anglii.
Deerfield skinął głową.
— Poleciała pani concorde'em?
Tym razem Jodie podniosła wzrok.
— A tak, rzeczywiście.
— Jest szybki, prawda?
Skinęła głową.
— Wystarczająco szybki.
— Ale drogi?
— Mam wrażenie, że tak.
— Nie za drogi jednak dla wspólniczki prowadzącej ważny interes.
Jodie zmierzyła go wzrokiem.
— Nie jestem wspólniczką.
Deerfield się uśmiechnął.
— Nawet lepiej, prawda? Jeśli opłacają przelot concorde'em kandydatce na wspólniczkę, to coś to przecież musi znaczyć. Że panią lubią, na przykład? Że wkrótce zostanie pani wspólniczką? Jeśli nie zdarzy się nic, co mogłoby w tym przeszkodzić.
Jodie milczała.
— A więc Londyn — powiedział Deerdield. — Reacher wiedział, że poleciała pani do Londynu, prawda?
Potrząsnęła głową.
— Nie wiedział. O tym mu nie powiedziałam.
Na chwilę zapanowała cisza.
— Czy to był zaplanowany wyjazd? — spytał Deerfield.
Jodie potrząsnęła głową.
— Nie. Wyskoczył w ostatniej chwili.
— I Reacher o nim nie wiedział.
— Odpowiedziałam już na to pytanie.
— W porządku. Informacja to władza, zawsze to mówiłem.
— Nie muszę mu mówić, dokąd jadę.
Deerfield się uśmiechnął.
— Nie mówię o tym, jakie informacje dostaje Reacher. Mówię o tym, jakie informacje dostaję ja. Jakie wynikają z sytuacji. Na razie z sytuacji wynika, że nie wiedział.

— I co z tego?

— Powinien się zaniepokoić. I rzeczywiście, zaniepokoił się. Zaraz po przybyciu do Quantico chwycił za telefon. Biuro, dom, komórka. Pierwszego wieczoru, drugiego wieczoru. Telefon za telefonem. Bez skutku. Typowy zaniepokojony mężczyzna.

Jodie spojrzała na Reachera. Z troską... i jakby przepraszająco.

— Chyba rzeczywiście powinnam mu powiedzieć.

— Hej, przecież to nie moja sprawa! Nie chodzę po świecie, ucząc ludzi, jak powinny wyglądać ich związki. Dla mnie interesujące jest, że nie dzwoni. Nagle przestaje dzwonić i już. Pytanie: dlaczego? Czyżby dowiedział się, że jest pani bezpieczna w Londynie.

Jodie chciała coś powiedzieć, powstrzymała się w ostatniej chwili. Milczała.

— Rozumiem, że to odpowiedź przecząca — rzekł Deerfield. — Obawiała się pani Petrosjana, więc powiedziała ludziom w biurze, żeby nie rozgłaszali, dokąd pani jedzie. Jeśli chodzi o Reachera, mógł wiedzieć tylko tyle, że nadal jest pani w mieście. Ale on nagle przestaje się niepokoić. Nie wie, że jest pani bezpieczna w Londynie, ale może wie, że jest pani bezpieczna z jakiegoś innego powodu. Może wie, że Petrosjan niedługo już zabawi na tym świecie?

Jodie wbiła wzrok w podłogę.

— Jest cwanym facetem. Moim zdaniem poprosił jakiegoś kumpla, żeby wsadził kij w mrowisko w Chinatown, a potem usiadł sobie wygodnie i czekał, aż tongi zrobią to, co zwykły robić, kiedy ktoś je zaczepi. No i oczywiście wyobraża sobie, że jest bezpieczny. Wie, że nigdy nie znajdziemy jego pracowitego przyjaciela, liczy na to, że Chińczycy pary z gęby nie puszczą, nie ma mowy. Wie dokładnie, że kiedy starego Petrosjana popieszczą maczetą, on będzie bezpiecznie zamknięty w pokoju w Quantico. Jest cwany.

Jodie milczała.

— Ale jest bardzo pewnym siebie facetem — powiedział Deerfield. — Przestał dzwonić dwa dni przedtem, nim Petrosjan kopnął w kalendarz.

W kuchni panowała cisza. Deerfield spojrzał na Reachera.

— To co, trafiłem w dziesiątkę?

Reacher wzruszył ramionami.

— A dlaczego ktoś miałby przejmować się Petrosjanem?

Deerfield się uśmiechnął.

— Och, oczywiście, o tym nie piśniemy słówka. Nie możemy. Nigdy nie przyznamy że Blake choćby wspomniał coś na ten temat. Ale, jak powiedziałem pani Jacob, kto ma informacje, ten ma władzę. Muszę ze stuprocentową pewnością wiedzieć, co tu właściwie jest grane. Jeśli to ty wsadziłeś kij w mrowisko, powiedz, to może poklepię cię po ramieniu, pogratuluję dobrej roboty. Ale jeśli, przypadkiem, to jakiś poważny spór, nie możemy przejść nad tym do porządku dziennego.

— Nie wiem, o czym mówisz — powiedział Reacher.

— Więc dlaczego przestałeś dzwonić do pani Jacob?

— To moja sprawa.

— Nie. To sprawa nas wszystkich. Z pewnością to sprawa pani Jacob, prawda? Moja też. Dlatego powiedz mi wszystko. I nie myśl sobie, że jesteś już taki czysty jak niemowlę, Reacher. Petrosjan to była kupa gówna, wszyscy się z tym zgodzimy, ale nie przestał przez to być ofiarą. A tobie tak czy inaczej możemy załatwić całkiem przyzwoity motyw na podstawie zeznań dwojga wiarygodnych świadków tego, co tamtej nocy zdarzyło się w alejce. Nazwiemy to na przykład: „zmową przestępczą z osobą nieznaną". Jeśli dobrze przygotujemy sprawę, grozi ci do dwóch lat i czekasz na proces. Oczywiście przysięgli mogą cię puścić, ale powiedzmy sobie szczerze: nikt z nas nie wie, do czego zdolni są przysięgli.

Reacher milczał. Jodie wstała.

— Powinien pan wyjść, panie Deerfield — powiedziała. — Ciągle jestem jego prawniczką, a to nie jest właściwe miejsce na prowadzenie tego rodzaju rozmowy.

Deerfield skinął głową. Rozejrzał się dookoła, obejrzał sobie kuchnię, jakby dopiero teraz ją zobaczył.

— Ależ oczywiście, pani Jacob. Zapewne kiedyś, w przyszłości, będziemy zmuszeni kontynuować tę rozmowę w odpowiedniejszym miejscu. Może jutro, może w przyszłym tygodniu, może w przyszłym roku? Jak słusznie zauważył pan Blake, wiemy, gdzie oboje mieszkacie.

Obrócił się w miejscu, jego buty zgrzytnęły donośnie w panującej ciszy. Słyszeli, jak idzie przez pokój dzienny, jak drzwi mieszkania otwierają się i zamykają.

— Więc wyeliminowałeś Petrosjana? — spytała Jodie.

— Nawet się do niego nie zbliżyłem — odparł Reacher.

Jodie potrząsnęła głową.

— Takie gadanie zostaw dla FBI, dobrze? Zaaranżowałeś to, sprowokowałeś, załatwiłeś, jak tam to się właściwie nazywa. Wyeliminowałeś Petrosjana tak skutecznie, jakbyś stał obok niego z naładowanym pistoletem.

Reacher milczał.

— A mówiłam, żebyś tego nie robił.

Reacher nadal milczał.

— Deerfield wie, że to zrobiłeś.

— Nie może nic udowodnić.

— To akurat nie ma najmniejszego znaczenia. Naprawdę nie potrafisz tego zrozumieć? Wystarczy, żeby spróbował ci to udowodnić! I wcale nie żartuje z tymi dwoma latami więzienia. Podejrzenie o udział w wojnie gangów? Z czymś takim sądy udzielą mu całkowitego poparcia. Odmowa zwolnienia za kaucją, odroczenia... oskarżyciele będą grali w jego drużynie. To nie była czcza pogróżka. Teraz ma cię w garści. Wiedziałam, że tak będzie. Uprzedzałam.

Reacher milczał.

— Dlaczego to zrobiłeś?

Wzruszył ramionami.

— Jest mnóstwo powodów. Po prostu zaszła taka potrzeba.

Na długą chwilę zapadła cisza.

— Czy ojciec zgodziłby się z tobą? — spytała Jodie.

— Leon? — Reacher wrócił pamięcią do fotografii w kopercie Cozo. Fotografii dzieł Petrosjana. Martwe kobiety, pokazane na zdjęciach w sam raz na rozkładówkę. Brakujące kawałki, wsadzone w nie przedmioty. — Chyba żartujesz. Leon zgodziłby się ze mną natychmiast!

213

— A czy posunąłby się do tego, żeby zrobić to, co ty zrobiłeś?
— Prawdopodobnie.
Jodie skinęła głową.
— Rzeczywiście. Prawdopodobnie by to zrobił. Ale rozejrzyj się dookoła, dobrze?
— Na co mam patrzeć?
— Na wszystko. Co widzisz?
Reacher rozejrzał się dookoła posłusznie.
— Mieszkanie — powiedział.
Skinęła głową.
— Moje mieszkanie.
— Więc?
— Czy ja się tu wychowałam?
— Oczywiście, że nie.
— Więc gdzie się wychowałam?
Reacher wzruszył ramionami.
— Wszędzie. W bazach. Jak ja.
Jodie skinęła głową.
— Gdzie się poznaliśmy?
— Przecież wiesz gdzie. W Manili. W bazie.
— Pamiętasz ten bungalow?
— Jasne, że pamiętam.
Jodie znów skinęła głową.
— Ja też. Mały, śmierdzący i wszędzie pełno karaluchów wielkich jak moje dłonie. I wiesz co? To było najwspanialsze miejsce, w jakim mieszkałam jako dziecko.
— Więc?
Gestem wskazała mu teczkę, skórzaną, pojemną, wypełnioną prawniczymi papierami, opartą o ścianę przy kuchennych drzwiach.
— Co to jest? — spytała.
— Twoja teczka.
— No właśnie. Nie strzelba, nie karabin, nie miotacz ognia.
— Więc?
— Nie korzystam z kwater bazy. Mam mieszkanie na Manhattanie. Noszę teczkę zamiast broni żołnierza piechoty.

Reacher skinął głową.

— Przecież wiem — powiedział.

— Ale czy wiesz dlaczego?

— Chyba dlatego, że chcesz.

— Dokładnie tak. Tego chcę. To był świadomy wybór, mój wybór. Dorastałam w armii tak jak ty. Mogłam wstąpić do armii, gdybym tego chciała, tak jak ty wstąpiłeś. Ale nie chciałam. Wolałam szkołę, studia prawnicze. Chciałam pracować w wielkiej firmie, zostać wspólniczką. A dlaczego?

— Dlaczego?

— Bo chciałam żyć w świecie, którym rządzą zasady.

— Armią rządzi mnóstwo zasad.

— Złych zasad, Reacher. Ja chciałam zasad cywilizowanych. Cywilizowanych!

— Co chcesz przez to powiedzieć?

— Chcę przez to powiedzieć, że wiele lat temu rzuciłam wojsko i nie chcę teraz do niego wrócić.

— Nie wróciłaś do wojska.

— Ale przez ciebie mam wrażenie, że wróciłam. Że wróciłam do czegoś, co jest gorsze od wojska. Choćby ta sprawa z Petrosjanem. Nie chcę żyć w świecie rządzącym się zasadami takimi jak te. I dobrze o tym wiesz.

— Więc co powinienem zrobić?

— Przede wszystkim nie powinieneś w ogóle się w to wplątywać. Tego wieczoru, w restauracji... no, powinieneś wyjść i wezwać policję. Tak tu postępujemy.

— Tu?

— W cywilizowanym świecie.

Reacher usiadł na kuchennym stołku, oparł ramiona na kuchennym blacie. Rozstawił palce, położył dłonie płasko; blat wydał mu się zimny w dotyku. Zrobiono go z jakiegoś rodzaju granitu, szarego, lśniącego, wypolerowanego tak, by ukazywał zamknięte w nim kryształki kwarcu. Krawędzie i narożniki wykończono w perfekcyjne ćwierćokręgi. Miał dwa i pół centymetra grubości i najprawdopodobniej kosztował fortunę. Był produktem cywilizacji. Należał do tego właśnie, cywilizowanego świata, którego mieszkańcy godzą się pracować czterdzieści godzin albo sto, albo i dwieście, a potem wymieniają wynagrodzenie za pracę na przedmioty, mając nadzieję, że upiększą kuchnie w swoich drogich, starych, odremontowanych budynkach, w swoich mieszkaniach, z których patrzą z wysoka na Broadway.

— Dlaczego przestałeś dzwonić? — spytała Jodie.

Reacher spojrzał na swoje dłonie spoczywające na polerowanym granitowym blacie jak brudne, obnażone korzenie małych drzew.

— Uznałem, że jesteś bezpieczna — powiedział. — Uznałem, że gdzieś się ukrywasz.

— Uznałeś — powtórzyła. — Uznałeś, ale nie wiedziałeś na pewno.

— Założyłem. Zająłem się Petrosjanem i założyłem, że ty zajmiesz się sobą. Uznałem, że znamy się wystarczająco dobrze, by móc przyjąć takie założenie.

— Jakbyśmy byli towarzyszami broni — powiedziała cicho Jodie. — Z tej samej jednostki, powiedzmy major i kapitan. Wykonujemy niebezpieczną misję i w pełni polegamy na sobie, wiemy, że każdy z nas wzorowo wykona swoją pracę.

Reacher skinął głową.

— Dokładnie tak.

— Ale ja nie jestem panią kapitan. Nie służę w jednostce. Jestem prawniczką. Nowojorską prawniczką, samotną, przestraszoną, wplątaną w coś, w co absolutnie nie chcę być wplątana.

Reacher znów skinął głową.

— Bardzo mi przykro — powiedział.

— A ty nie jesteś majorem. Już nie. Jesteś cywilem. Najwyższy czas, żebyś to wreszcie zrozumiał.

Reacher skinął głową w milczeniu.

— Bo to jest właśnie ten największy problem, nie uważasz? Oboje mamy ten sam problem. Przez ciebie wplątuję się w coś, w co nie chcę być wplątana, a ty przeze mnie wplątujesz się w coś, w co nie chcesz być wplątany. W cywilizowany świat: dom, samochód, zwykłe, normalne rzeczy...

Reacher nadal milczał.

— Najprawdopodobniej to ja popełniłam błąd — przyznała Jodie. — Chciałam tego, mój Boże, tak bardzo tego chciałam i teraz trudno byłoby mi przyznać, że może ty nie chcesz.

— Chcę ciebie — powiedział Reacher.

Jodie skinęła głową.

— Wiem. I ja chcę ciebie. Wiesz o tym. Ale czy któreś z nas chce żyć życiem tego drugiego?

Stary demon włóczęgów przebudził się, poderwał, krzyczał w jego głowie, wrzeszczał jak kibic. „Powiedziała to! Powiedziała! Nazwała problem, problem został nazwany, problem istnieje! Masz szansę, więc ją wykorzystaj! No już! Natychmiast!".

— Nie wiem — odparł Reacher.

— Musimy o tym porozmawiać.

Ale nie mieli już szansy rozmawiać, nie wtedy, bo odezwał się domofon, dzwonił tak natrętnie, jakby tam, na ulicy, ktoś oparł się na przycisku. Jodie wstała. Odblokowała zamek drzwi klatki schodowej, a potem przeszła do pokoju dziennego i tam czekała na gościa. Reacher nie ruszył się ze stołka przy granitowym blacie, przyglądał się iskierkom kwarcu przeświecającym między jego palcami. Czuł, jak zatrzymuje się winda, słyszał, jak otwierają się drzwi mieszkania, słyszał też szybkie, lekkie kroki w pokoju dziennym, a potem w kuchni pojawiła się Jodie, a obok niej stanęła Lisa Harper.

15

Harper nadal miała na sobie drugi garnitur, rozpuszczone włosy nadal opadały jej na plecy, ale tylko to upodabniało ją do dziewczyny, z którą pożegnał się na autostradzie. Leniwe, pewne ruchy długich rąk i nóg znikły, zastąpione swego rodzaju gorączkowym napięciem, oczy miała podkrążone, spojrzenie kogoś bardzo zmęczonego. Reacher uznał, że tak dalece wzburzona nie była nigdy i zapewne nigdy nie będzie.

— Co...? — spytał.

— Wszystko — powiedziała. — Istne szaleństwo.

— Gdzie?

— Spokane.

— Nie — powiedział Reacher.

— Tak. Alison Lamarr.

— O cholera!

Harper skinęła głową.

— Właśnie. Cholera.

— Kiedy?

— Wczoraj za dnia. Przyspieszył. Zmienił długość przerwy. Powinien próbować za dwa tygodnie.

— Jak?

— Dokładnie tak, jak poprzednio. Szpital dzwonił, bo umarł jej ojciec, nie oddzwoniła, więc w końcu wezwali gliny, gliny pojechały na miejsce i znalazły ją. Martwą. W wannie pełnej farby. Dokładnie tak, jak poprzednie ofiary.

Zapadło milczenie. Długie milczenie.

— Ale jak, do diabła, udało mu się wejść do środka!?

Harper potrząsnęła głową.

— Wszedł jak do siebie.

— Własnym uszom nie wierzę, cholera!

— Odcięli to miejsce od świata. Będzie je badał zespół wprost z Quantico.

— Niczego nie znajdą.

Znów zapadła cisza. Harper rozejrzała się po kuchni Jodie.

— Blake znów chce cię mieć na pokładzie — powiedziała. Podpisał się pod twoją teorią obiema rękami. Wierzy ci bez zastrzeżeń. Jedenaście kobiet, nie dziewięćdziesiąt jeden.

Reacher spojrzał wprost na nią.

— I co, twoim zdaniem, mam teraz powiedzieć? Lepiej późno niż wcale?

— Chce cię mieć na pokładzie — powtórzyła Harper. — Ta sprawa wymknęła się spod kontroli. Musimy pójść na skróty z armią. A on uznał, że zademonstrowałeś talent do chodzenia na skróty.

Nie powinna tego mówić. Wywołała niepotrzebne napięcie. Jodie odwróciła wzrok, patrzyła nie na nią, lecz na drzwi lodówki.

— Powinieneś z nią pójść, Reacher — powiedziała.

Reacher milczał.

— Idź na skróty — dodała Jodie. — Rób to, w czym jesteś naprawdę dobry.

• • •

Poszedł. Na Broadwayu czekał już na nich zaparkowany przy krawężniku samochód. Firmowy, Biura, wypożyczony z jego nowojorskiego oddziału. Prowadził ten sam facet, który przywiózł go z Garrison, wtedy gdy trzymali mu pistolet przy głowie. Jeśli zdziwiła go ta zmiana podejścia, to nie dał tego po sobie poznać. Po prostu włączył czerwone światło i ruszył na zachód, do Newark.

Na lotnisku panował beznadziejny bałagan. Przecisnęli się przez tłum do stanowiska Continental. Quantico rezerwowało im miejsca właśnie w tej chwili, dosłownie na ich oczach, rzecz jasna w klasie turystycznej. Do wejścia musieli biec, byli ostatnimi pasażerami wpuszczonymi na pokład. W rękawie czekała na nich szefowa stewardes; ulokowała ich w pierwszej klasie. Stojąc dosłownie nad ich głowami, przez mikrofon powitała pasażerów lotu na Seattle-Tacoma.

— Seattle? — zdziwił się Reacher. — Myślałem, że naszym celem jest Quantico?

Harper wymacała za plecami sprzączkę pasów. Potrząsnęła głową.

— Najpierw miejsce zbrodni. Blake uznał, że to się może przydać, w końcu byliśmy tam zaledwie dwa dni temu. Porównamy stan bezpośrednio przed ze stanem bezpośrednio po. Uważa, że warto spróbować. Można chyba powiedzieć, że jest zdesperowany.

Reacher skinął głową.

— Jak to przyjęła Lamarr?

Harper wzruszyła ramionami.

— Jakoś się trzyma, ale żyje w strasznym napięciu. Chce kontrolować dosłownie wszystko. Jednak nie dołączy do nas na miejscu. Nadal nie chce latać.

Samolot kołował już na stanowisko startowe, zataczając obszerne kręgi po pasie. Silniki wyły. W kabinie wyraźnie czuło się wibracje.

— Latanie jest w porządku — powiedział Reacher.

Harper skinęła głową.

— Jasne. Gorzej ze spadaniem.

— Statystycznie to się prawie nie zdarza.

— Jak wygrana na loterii. Ale ktoś zawsze ma szczęście.

— Unikanie latania to cholerny problem. W dużym kraju jak nasz to jednak ogranicza człowieka. Zwłaszcza agenta federalnego. Dziwi mnie trochę, że jej pozwalają.

Harper znów wzruszyła ramionami.

— Wiedzą, że nie lata, więc po prostu obchodzą problem.

Samolot zawrócił na pasie, zatrzymał się z wyczuwalnym wstrząsem. Stał na hamulcach. Silniki zawyły głośniej. Ruszył, początkowo leniwie, potem pędził coraz szybciej, wreszcie, niewyczuwalnie, wystartował. Ziemia pod nimi przekrzywiła się gwałtownie. Stuknęło chowające się podwozie.

— Pięć godzin do Seattle — powiedziała Harper. — Wszystko zaczyna się od nowa.

— Myślałaś o geografii? — spytał ją Reacher. — Spokane to czwarty narożnik, prawda?

Harper skinęła głową.

— Mamy jedenaście możliwych lokalizacji... przypadkowych lokalizacji... a on na pierwsze cztery morderstwa wybiera cztery położone możliwie najdalej od siebie. Skrajne w zbiorze.

— Ale dlaczego?

Skrzywiła się.

— Demonstruje zasięg?

Reacher skinął głową.

— Moim zdaniem także szybkość. Może dlatego zredukował odstęp? Żeby zademonstrować skuteczność? Był w San Diego, a kilka dni później już bada teren w Spokane.

— Facet, którego nic nie rusza.

Reacher machinalnie kiwnął głową.

— To na pewno. Pozostawia nieskalane miejsce zbrodni w San Diego, a potem, jak szaleniec, przejeżdża na północ i w Spokane zostawia następne, założę się o wszystko, że równie niepokalane. Faceta nic nie rusza. Ciekawe, kto to jest?

Harper uśmiechnęła się z goryczą.

— Nas wszystkich to cholernie ciekawi, Reacher. Problem w tym, jak się dowiedzieć.

• • •

Jesteś geniuszem, ot co. Absolutnym geniuszem, cudownym dzieckiem, nadludzkim talentem. Cztery ofiary. Raz, dwa, trzy, cztery. A ta czwarta najlepsza ze wszystkich. Sama Alison Lamarr! Przypominasz to sobie raz za razem, jakby w pamięci przewijała ci się nagrana taśma, sprawdzasz, testujesz, badasz. Ale także się tym rozkoszujesz. Bo to było do tej pory najlepsze.

221

Najlepsza zabawa, największa satysfakcja. I jej twarz, kiedy otworzyła te drzwi. Świtające zrozumienie, zaskoczenie, radość! Nie było błędu. Ani jednego. Nieskazitelne przedstawienie, od początku do samiutkiego końca. To wszystko, co się stało, odgrywasz teraz w pamięci w najdrobniejszych szczegółach. Nic nie zostało choćby muśnięte, nic po tobie nie zostało. Nie pojawiło się w jej domu nic tylko ty i twój cichy głos. Teren cię wspomagał, to fakt. Wiejska okolica, odosobnienie, nikogo w promieniu wielu kilometrów. Dzięki temu była to naprawdę bezpieczna operacja. Tylko... czy nie można było lepiej się z nią zabawić? Na przykład kazać jej śpiewać? Tańczyć! Trzeba było spędzić z nią więcej czasu. Przecież nikt niczego by nie usłyszał.

Ale takich rzeczy się nie robi, bo ważny jest wzór. Wzór cię chroni. Dlatego ćwiczysz, powtarzasz w pamięci, opierasz się na tym co znane. Wzór przygotowany został z myślą o najgorszym przypadku, czyli najprawdopodobniej tej suce Stanley w jej byle domku, w byle osiedlu w San Diego. Wszędzie sąsiedzi! Małe kartonowe domki, domek na domku. Trzymać się wzoru to kluczowa sprawa. I myśleć. Myśleć, myśleć, myśleć! Planować z wyprzedzeniem. Ciągle planować. Numer cztery został już załatwiony i jasne, masz prawo się nim zachwycać, cieszyć się nim jakiś czas, smakować go, ale później musisz odłożyć numer czwarty na bok, zamknąć go w szufladzie i zacząć przygotowywać się do numeru piątego.

• • •

Podawany w samolocie posiłek doskonale pasował do lotu rozpoczynającego się o tej nieokreślonej porze dnia pomiędzy śniadaniem i obiadem, a w dodatku przecinającego wszystkie strefy czasowe, jakie nasz kontynent ma do zaoferowania. Jedno można było powiedzieć o nim z całą pewnością — nie był śniadaniem. Składał się przede wszystkim ze słodkiego ciasta, a także szynki i sera, które w nie owinięto. Harper nie była głodna, więc Reacher zjadł dwie porcje. Następnie napił się kawy. I zaczął myśleć. Myślał głównie o Jodie. „Ale czy któreś z nas chce żyć życiem tego drugiego?". Po pierwsze, zdefiniuj swoje życie. Miał wrażenie, że jej życie łatwo zdefiniować. Prawniczka, właścicielka, mieszkaniec. Kocha. Kocha jazz z lat pięćdziesiątych, kocha sztukę współczesną. Ktoś, kto chce mieć swoje miejsce na ziemi właśnie dlatego, że wie, jak to jest nie zapuścić korzeni. Jeśli na całym świecie żyje ktoś, kto powinien mieszkać na czwartym piętrze starej kamienicy na Broadwayu, otoczony muzeami, galeriami i klubami w piwnicach, to tym kimś była Jodie.

A co z nim? Co jego uszczęśliwiało? Bycie z nią, oczywiście, to go uszczęśliwiało. Bez wątpienia. Bez najmniejszych wątpliwości. Przypomniał sobie czerwcowy dzień, kiedy to ponownie wkroczył w jej życie. Samo wspomnienie wystarczyło, by znów przeżywał tę jedną chwilę, kiedy spojrzał na nią i zrozumiał, kim jest. Uczucia uderzyły go wtedy z siłą elektrycznego wstrząsu. Przeniknęły go, zalały. A teraz wróciły tylko dlatego, że o tym myślał. Nieczęsto zdarzało mu się coś takiego.

Nieczęsto, ale nie nigdy. Coś podobnego czuł kilka razy po opuszczeniu armii. Pamięta, jak wysiadał z autobusu w miasteczkach, o których nigdy nie słyszał, w stanach, których nie zdarzyło mu się odwiedzić. Pamiętał ciepło słonecznych promieni na barkach, kurz na stopach, długie, proste, ciągnące się przed nim drogi, pozornie nieskończone. Pamięta, jak odwijał pogniecione dolarówki ze zwitka, jak płacił w recepcji samotnego motelu. Pamięta ciężar starego mosiężnego klucza w ręku, stęchły zapach tanich pokoi, jęk sprężyn, kiedy padał na anonimowe łóżko. Pogodne, zaciekawione kelnerki w starych knajpach. Dziesięciominutowe rozmowy z kierowcami, biorącymi go na łebka, odpryski bliskiego kontaktu dwóch ludzi wybranych spośród zamieszkujących tę zatłoczoną planetę miliardów. Życie włóczęgi. Urok tego życia był jego częścią, wielką częścią, brakowało mu go, kiedy siedział w Garrison albo w domu z Jodie. Bardzo mu go brakowało. Mniej więcej tak bardzo, jak w tej chwili brakowało mu jej.

— Jakieś postępy? — spytała Harper.

— Co?

— Myślałeś, jak nie wiem co. Zapomniałeś o moim istnieniu.

— Doprawdy?

— O czym myślałeś?

Reacher wzruszył ramionami.

— O młotach i o kowadłach.

Harper wytrzeszczyła na niego oczy.

— No... przecież to nas daleko nie zaprowadzi! Myśl raczej o czymś innym, dobrze?

— Dobrze — powiedział Reacher.

Odwrócił wzrok, próbował wyrzucić z pamięci Jodie, myśleć o czymś innym.

— Obserwacja — powiedział nagle.

— I co z tą obserwacją?

— Zakładamy, że facet najpierw obserwuje domy, tak? Co najmniej przez cały dzień? Może ukrywał się już gdzieś, blisko, kiedy my tam byliśmy?

Harper zadrżała.

— Strach pomyśleć. Ale... co z tego?

— Powinniście sprawdzić wpisy gości w motelach, przeszukać sąsiedztwo. Iść za nim. Badać. Pracować w terenie, a nie próbować uprawiać magię w Wirginii, pięć pięter pod ziemią.

— Tam nie było żadnego „sąsiedztwa". Widziałeś to miejsce. Nie mamy nad czym pracować. Ile razy mam to powtarzać?

— A ile razy ja mam powtarzać, że zawsze jest nad czym pracować.

— Jasne, jasne, jest bardzo cwany, farba, geografia, odosobnienie.

— Właśnie. Ja nie żartuję. Te cztery cechy zaprowadzą was do niego, to pewne. Blake będzie w Spokane?

Harper skinęła głową.

— Spotkamy go na miejscu.

— Więc ma robić to, co mu powiem, albo wypisuję się z tego biznesu!

— Nie przeciągaj struny, Reacher. Jesteś łącznikiem z armią, nie śledczym. A on jest bliski rozpaczy. Może cię zmusić, żebyś został w biznesie.

— Od niedawna nie ma czym mi zagrozić.

Harper skrzywiła się z niesmakiem.

— Nie ciesz się, Reacher. Deerfield i Cozo ciężko pracują nad tym, żeby Chińczycy cię wrobili. Zaproszą do współpracy Urząd Imigracyjny. Poszukają nielegalnych imigrantów i w samych kuchniach znajdą ich tak z tysiąc. Jak już ich znajdą, zaczną mówić o deportacji, ale wspomną też, że odrobina współpracy i problemu nie będzie. Jak już o tym wspomną, wielcy z tongów powiedzą chłopakom, że mają mówić, co chcemy usłyszeć. Dla dobra większości, nie?

Reacher nie odpowiedział.

— Biuro zawsze dostaje to, czego chce — skwitowała Harper.

• • •

Problem w tym, że kiedy tak siedzisz i wspominasz, jak to było, raz za razem, jakby w twojej głowie przewijała się taśma, rodzą się drobne wątpliwości. Wspominasz, wspominasz, ale jakoś nie pamiętasz, czy rzeczywiście wszystko zrobione zostało tak, jak miało być zrobione. Siedzisz w samotności, w całkowitej samotności i myślisz, myślisz, myślisz; wspomnienia się zamazują i im bardziej chcesz mieć pewność, tym mniej jej masz. Jeden drobny szczegół. Czy zostało zrobione to? Powiedziane tamto? Wiesz, że tak, w domu Callan. Wiesz to z pewnością. I w domu Caroline Cook. Tak, oczywiście. Wiesz to z pewnością. I u Lorraine Stanley w San Diego. Ale co z domem Alison Lamarr? Co zrobione zostało przez ciebie? Co ona zrobiła na twój rozkaz? Jakie padły słowa? No właśnie, jakie?

Masz absolutną pewność, że wszystko jest w największym porządku, ale może ta pewność zrodziła się w powtórce nagrania? Może to przez wzór? Może to wzór każe założyć, że coś się zdarzyło, bo przedtem zawsze się zdarzało? Może tym razem coś ci umknęło? Zaczynasz się tego strasznie bać. Nabierasz pewności, że oczywiście, musiało umknąć. Myślisz, cały czas myślisz. A im bardziej myślisz, tym większą masz pewność, że tym razem czegoś nie zrobiłaś. To w porządku, pod warunkiem że dostała polecenie, żeby zrobić to za ciebie. Ale czy dostała?

Czy dostała to polecenie? Czy wypowiedziane zostały właściwe słowa? A jeśli nie, co wtedy?

Otrząsasz się, mówisz sobie, że masz się natychmiast uspokoić. Żeby kogoś o twoich nadludzkich talentach dręczyła taka niepewność? Żeby był taki zdezorientowany? Śmieszne! Absurdalne! Próbujesz wyrzucić to z pamięci, ale nic z tego. Męczy cię, rośnie, jest coraz większe i większe, coraz głośniejsze i głośniejsze. Kończy się na tym, że siedzisz samotnie, pocisz się, drętwiejesz; czujesz pewność, że popełniony oto został pierwszy drobny błąd.

● ● ●

Learjet Biura posłużył Blake'owi i jego zespołowi jako transport z Andrews bezpośrednio do Spokane, po czym został przez Blake'a odesłany na Sea-Tac, po Harper i Reachera. Stał na płycie postojowej tuż przy wejściu Continentalu. Ten sam co poprzednio facet z biura terenowego w Seattle czekał na nich w rękawie. Poprowadził ich zewnętrznymi schodami na zewnątrz gmachu. Padał lekki deszczyk. Pobiegli do schodków, wspięli się po nich do kabiny pasażerskiej learjeta. Cztery minuty później znów byli w powietrzu.

Odległość z Sea-Tac do Spokane pokonywało się znacznie szybciej learem niż cessną. Na miejscu czekał na nich ten sam miejscowy facet z tym samym samochodem. Na kartce notesu, przyczepionego do szyby przyssawką, nadal wypisany miał adres Alison Lamarr. Powiózł ich piętnaście kilometrów na wschód, w stronę Idaho, a potem skręcił na północ, w wąską drogę wijącą się pomiędzy wzgórzami. Po przejechaniu pięćdziesięciu metrów trafili na blokadę: dwa samochody i rozciągniętą między drzewami żółtą taśmę. Ponad drzewami, daleko, wznosiły się góry. Ich zachodnie szczyty były szare od padającego deszczu, wschodnie oświetlały ukośne promienie słońca, przedzierające się przez szczelinę wśród chmur, rozjaśniające cienkie pasma śniegu zalegającego najwyżej położone żleby.

Czuwający przy blokadzie facet zdjął taśmę z drzew, żeby mogli między nimi przejechać. Pięli się pomiędzy domami rozrzuconymi mniej więcej co półtora kilometra i zatrzymali dopiero na zakręcie, za którym znajdował się dom Lamarr.

— Stąd musicie iść piechotą — poinformował ich kierowca.

Pozostał za kierownicą, a Harper i Reacher ruszyli pieszo. Powietrze było wilgotne, unosiło się w nim coś w rodzaju nieruchomej mgiełki, niebędącej jeszcze deszczem, ale mającej się w deszcz przerodzić. Wyszli zza zakrętu. Po lewej zobaczyli dom, niski, przyczajony za płotem i osmaganymi wiatrem drzewami. Droga omijała go po prawej. Blokowały ją samochody: czarno-biały miejscowej policji, z błyskającym bez celu światłem na dachu, kilka zwykłych czarnych wozów osobowych i czarny suburban z przydymionymi szybami. W samochodzie koronera otwarte były wszystkie drzwi. Karoserie pokrywały krople deszczu.

Podeszli bliżej. Drzwi suburbana po stronie pasażera otworzyły się i wysiadł Nelson Blake. Miał na sobie czarny garnitur i płaszcz z kołnierzem podniesionym dla ochrony przed deszczem. Jego twarz była bardziej szara niż czerwona, jakby szok obniżył mu ciśnienie. Zachował się w najwyższym stopniu rzeczowo: żadnych powitań, przeprosin, uprzejmości, „ja się myliłem, ty miałeś rację".

— Tu, wysoko, została nie więcej niż godzina dnia — oznajmił. — Chcę, żebyście mnie oprowadzili. Pokazali, co robiliście przedwczoraj, powiedzieli, czy widzicie jakieś różnice.

Reacher skinął głową. Nagle zapragnął coś znaleźć, znaleźć coś ważnego, najważniejszego. Nie dla Blake'a. Dla Alison. Zatrzymał się, uważnie obejrzał płot, drzewa i trawnik. Widać było, że są zadbane. Drobna, trywialna wręcz zmiana nieważnego fragmentu naszej planety, lecz przecież spowodował ją osobisty gust i autentyczny entuzjazm nieżyjącej już kobiety. Oraz jej własna ciężka praca.

— Ktoś już tam był? — spytał.

— Wyłącznie miejscowy mundurowy — odparł Blake. — Ten, który ją znalazł.

— Nikt inny?

— Nikt.

— Ktoś z was? Koroner?

Blake potrząsnął głową.

— Czyli, żebyś ty miał szansę wypowiedzieć się pierwszy.

— Więc ona nadal jest w środku?

— Owszem. Obawiam się, że tak.

Na drodze nic się nie działo, tylko wiatr świstał cicho w przewodach linii elektrycznej. Czerwone i niebieskie światło na dachu radiowozu rytmicznie i niepotrzebnie omywało plecy marynarki Blake'a.

— W porządku — powiedział Reacher. — Mundurowy czegoś dotykał?

Blake znów potrząsnął głową.

— Otworzył drzwi, obszedł dół, poszedł na górę, wszedł do łazienki, uciekł z łazienki i zaraz się zameldował. Dyspozytor wykazał sporo rozsądku. Zabronił mu wracać do domu.

— Drzwi frontowe były otwarte.

— Zamknięte, ale nie na zamek.

— Pukał?

— Podejrzewam, że tak.

— To jego odciski palców będą na kołatce. I na klamkach od wewnątrz.

Blake wzruszył ramionami.

— Przecież to bez znaczenia. Nie zatarł odcisków palców naszego faceta, bo nasz facet nie zostawia odcisków palców.

Racher skinął głową.

— W porządku.

Przeszedł między zaparkowanymi samochodami i dalej, drogą, dobre dwadzieścia metrów za wjazd pod dom.

— Dokąd prowadzi? — krzyknął.

Blake szedł dziesięć metrów za nim.

— Przypuszczam, że daleko w góry — powiedział.

— Jest wąska, prawda?

— Widziałem szersze.

Reacher zawrócił, podszedł do niego.

— No więc powinniście sprawdzić błoto na poboczach, może nawet tam, za tym zakrętem.

— Po co?

— Nasz facet najprawdopodobniej przyjechał drogą ze Spokane. Minął dom, pojechał dalej, zawrócił. Nim wszedł do środka i załatwił sprawę dopilnował, żeby mieć samochód zwrócony maską we właściwą stronę. Ktoś taki jak on musiał z góry pomyśleć o odwrocie.

Blake skinął głową.

— W porządku. Dam to komuś. A tymczasem przeprowadź mnie przez dom.

Poszedł przekazać instrukcje ludziom ze swojego zespołu. Reacher podszedł do Harper. Stanęli przed bramą prowadzącą na podjazd i tam zaczekali, aż do nich podejdzie.

— No, to idziemy.

— Zatrzymaliśmy się tu na chwilę — powiedziała do niego Harper. — Było niesamowicie cicho. Potem podeszliśmy do drzwi. Użyliśmy kołatki.

— Było wilgotno czy sucho?

Zerknęła na Reachera.

— Chyba jednak sucho. Przeświecało słońce. Nie ciepło, ale nie padał deszcz.

— Podjazd był suchy — dodał Reacher. — Nie wysuszony, ale na łupku nie było wilgoci.

— W takim razie raczej żwir wam się do butów nie przykleił?

— Raczej nie.

— No, dobrze.

Podeszli do drzwi.

— Włóżcie to — powiedział Blake. Z kieszeni płaszcza wyjął rolkę dużych torebek na buty. Nałożyli je, wcisnęli krawędzie do środka, by nie utrudniały chodzenia.

— Otworzyła po tym, jak zapukałam dwa razy — tłumaczyła Harper. — Pokazałam jej legitymację przez wizjer.

— Była spięta — dodał Reacher. — Powiedziała nam, że Julia ją ostrzegła.

Blake kiwnął głową z kwaśną miną i pchnął drzwi okręconą folią nogą. Otworzyły się ze zgrzytem zawiasów; ten zgrzyt Reacher pamiętał z poprzedniej wizyty.

— Wszyscy zatrzymaliśmy się tu, w korytarzu. — Harper znowu przejęła pałeczkę. — Zaproponowała nam kawę, więc przeszliśmy do kuchni.

— Coś się zmieniło? — spytał Blake.

Reacher rozejrzał się dookoła. Ściany w sośnie, sosnowa podłoga, bawełniane zasłony w żółtą kratkę, stare sofy, lampy naftowe przerobione na elektryczne.

— Nic się nie zmieniło.

— W porządku. Kuchnia.

Przeszli gęsiego do kuchni. Podłoga pozostała wywoskowana do połysku. Szafki się nie zmieniły, piec był zimny, pusty, maszyny pod kuchennym blatem te same, nikt nie poruszył stojących na nim urządzeń. W zlewie leżały naczynia, jedna z szafek na sztućce była uchylona na kilka centymetrów.

— Widok się zmienił. — Harper wyglądała przez okno. — Było jaśniej.

— Naczynia — powiedział Reacher. — I ta szafka była zamknięta.

Natychmiast zebrali się przy zlewie. Leżały w nim talerz, szklanka, kubek, nóż i widelec. Na talerzu pozostał ślad zaschniętego jajka, w kubku resztka kawy.

— Śniadanie? — spytał Blake.

— Albo obiad — powiedziała Harper. — Jajko na grzance może być obiadem samotnej kobiety.

Blake wysunął szufladę czubkiem palca. Wypełniały ją tanie sztućce oraz trochę przypadkowych narzędzi domowych: małe śrubokręty, nożyce do cięcia przewodów elektrycznych i zdejmowania izolacji, taśma izolacyjna, bezpieczniki.

— W porządku, co teraz? — spytał Blake.

— Ja z nią zostałam. Reacher poszedł się rozejrzeć.

— Pokaż mi — zażądał Blake.

Wyszedł za Reacherem na korytarz.

— Sprawdziłem salonik i pokój dzienny — powiedział Reacher. — Także okna. Uznałem, że są bezpieczne.

Blake skinął głową.

— Facet nie wchodził przez okno.

— Potem rozejrzałem się na zewnątrz. Byłem w stodole.

— Najpierw pójdziemy na górę.

— Dobrze.

Reacher prowadził. Wiedział, dokąd idą. I doskonale wiedział o tym, że trzydzieści godzin temu tę samą drogę przeszedł ich facet.

— Sprawdziłem sypialnie. Jej sypialnię na końcu.

— Zróbmy to.

Przeszli przez główną sypialnię. Zatrzymali się przy drzwiach do łazienki.

— Zróbmy to — powtórzył Blake.

Zajrzeli do środka. Łazienka była nieskazitelnie czysta. Nic nie świadczyło o tym, że coś się tutaj stało... z wyjątkiem wanny. W siedmiu ósmych wypełnionej zieloną farbą, pokrywającą umięśnione ciało niskiej kobiety, unoszące się tuż pod powierzchnią. Farba zdążyła już zastygnąć w cienką błyszczącą, podkreślającą kształt zwłok warstwę. Widoczny był każdy szczegół: linia ud, brzucha, piersi. Odchylona do tyłu głowa. Podbródek i czoło. Lekko rozchylone usta, rozciągnięte w lekkim grymasie.

— Cholera! — zaklął Reacher.

— Cholera, a jakże — przytaknął Blake.

Reacher stał nieruchomo. Próbował odczytać znaki. Próbował znaleźć znaki. Nie znalazł ani jednego. Łazienka wyglądała dokładnie tak jak przedtem.

— Znalazłeś coś? — spytał Blake.

Reacher potrząsnął głową.

— Nie.

— W porządku. Załatwmy otoczenie.

Zeszli ze schodów jeden za drugim, w milczeniu. Harper czekała na nich w korytarzu. Spojrzała na Blake'a wyczekująco. Blake potrząsnął głową, jakby mówił: „Na górze nic". Reacher wyprowadził go tylnymi drzwiami na podwórko.

— Sprawdziłem okna od zewnątrz — powiedział.

— Facet nie wchodzi przez cholerne okna — powiedział znów Blake. — Wchodzi przez drzwi.

— Ale jak, do jasnej cholery? Za pierwszym razem uprzedziliście ją przez telefon, Harper świeciła odznaką i krzyczała: „FBI, FBI!", a ona mimo to praktycznie się przed nami chowała! A kiedy wreszcie otworzyła drzwi, trzęsła się jak barani ogon! Czym ten facet ją skłonił, żeby zrobiła to, co zrobiła?

Blake wzruszył ramionami.

— Przecież powtarzam ci od samego początku: te kobiety musiały go znać. Ufać mu. To ich wypróbowany przyjaciel, coś w tym rodzaju. Puka do drzwi, widzą go przez wizjer, uśmiechają się szeroko i oczywiście wpuszczają go do środka.

Wejście do piwnicy pozostało nienaruszone, razem z wielką kłódką przewleczoną przez uchwyty służące do otwierania drzwi. Brama garażowa była zamknięta, ale nie na zamek. Reacher wprowadził Blake'a do środka. Zatrzymał się w mroku. Jeep stał na miejscu, tak jak stosy pudeł. Klapy wielkiego pudła pralki były rozchylone, zwisał z nich kawałek taśmy. Warsztat wyglądał jak przedtem, podobnie ustawione na nim porządnie narzędzia. Na półkach nic nieprzestawione.

— Coś się zmieniło — powiedział Reacher.

— Co?

— Daj mi pomyśleć.

Reacher stał nieruchomo, otwierając i zamykając oczy, porównując to, co widzi, z tym, co ma w pamięci, jakby sprawdzał dwie leżące obok siebie fotografie.

— Samochód stoi w innym miejscu.

Blake westchnął, nie kryjąc rozczarowania.

— Pewnie. Po waszym wyjściu pojechała do szpitala.

Reacher skinął głową.

— Jest coś jeszcze.

— Co?

— Daj mi pomyśleć.

I nagle zobaczył to, czego tak pilnie szukał wzrokiem.

— O cholera — powiedział.

— Co?

— Nie zauważyłem... Przepraszam cię, Blake, ale naprawdę nie zauważyłem.

— Czego nie zauważyłeś?

— Karton od pralki automatycznej. Przecież już ma pralkę i to, na oko, całkiem nową. Jest w kuchni, pod blatem.

— Co z tego? Wyjęli ją z tego kartonu kiedyś tam, kiedy ją instalowali.

Reacher potrząsnął głową.

— Nie. Dwa dni temu był zamknięty i oklejony taśmą. Ktoś go otworzył.

— Jesteś pewien?

— Jestem pewien. To samo pudło, to samo miejsce, tylko wtedy było zamknięte, a teraz jest otwarte.

Blake podszedł kilka kroków bliżej pudła. Wyjął z kieszeni wieczne pióro, oprawką podniósł klapę z jednej strony i zajrzał do środka.

— On tu był?

Reacher skinął głową.

— Tak. Zamknięty.

— Jakby właśnie go dostarczono?

— Tak.

— W porządku — powiedział Blake. — Teraz już wiemy, jak transportuje farbę. Dostarcza ją wcześniej w kartonowych pudłach na pralki automatyczne.

* * *

Siedzisz tu, czując zimno i pocąc się, i po godzinie wiesz już z pewnością, że karton został otwarty. Nikt go nie zamknął, ani ty, ani ona. Jest to fakt, nie sposób mu zaprzeczyć, za to trzeba jakoś sobie z nim poradzić.

Bo dzięki zamknięciu kartonu można zarobić na czasie. Przecież wiesz, jak pracują śledczy. Zamknięte opakowanie jakiegoś właśnie dostarczonego urządzenia domowego, stojące w piwnicy czy garażu, nie wzbudzi ich zainteresowania. Znajdzie się na samym dole listy priorytetów, ot, jeden więcej grat z tych, których wszędzie pełno. Praktycznie niewidzialny. Sprytu ci nie brakuje. Wiesz, jak ci ludzie pracują. Można bezpiecznie założyć, że podczas wstępnego śledztwa nikt go nie otworzy. Takie było twoje założenie i okazało się słuszne trzy razy z rzędu. Na

Florydzie, w New Hampshire, i w Kalifornii. Pudła stały się tam zaledwie punktami w spisie inwentarza. Nikt się nimi nie interesował. Może później, kiedy pojawią się spadkobiercy, kiedy zaczną uprzątać domy, może wtedy otworzą je, znajdą puste puszki i wtedy wszystko pieprznie z hukiem, ale co z tego, kiedy będzie już za późno? Zarobisz tygodnie, może nawet miesiące.

Ale tym razem będzie inaczej. Śledczy zajrzą do garażu i zobaczą zawinięte do góry klapy. Karton tak się zachowuje, zwłaszcza gdy jest wilgotno. Klapy uniosą się i zwiną. Śledczy sprawdzą, co jest w środku, no i nie zobaczą styropianu i lśniącej białej emalii. Prawda, że jej nie zobaczą?

• • •

Przynieśli przenośne lampy łukowe z suburbana. Rozstawili je naprzeciw kartonowego pudła automatycznej pralki, jakby był to meteoryt z Marsa. Stali sztywno, gnąc się w pasie, jakby był radioaktywny, on i całe jego otoczenie. Gapili się, próbując rozszyfrować jego tajemnice.

Było to zwykłe kartonowe pudło standardowej wielkości, niczym nieróżniące się od tych, w które pakuje się przeróżne urządzenia przeznaczone do domowego użytku. Brązowy karton zadrukowany był na czarno. Najbardziej rzucała się w oczy nazwa producenta widniejąca na czterech ściankach; znanego producenta, zachowująca oryginalny wzór znaku firmowego. Pod nią znajdował się numer modelu i uproszczony rysunek urządzenia.

Karton oklejony był taśmą, także brązową, rozciętą teraz od góry. Wewnątrz znajdowało się wyłącznie dziesięć jedenastolitrowych puszek po farbie, ułożonych w dwie warstwy po pięć. Przykryte był wieczkami; sprawiało to takie wrażenie, jakby umieszczono je w tej pozycji po użyciu farby. Tu i ówdzie widać było na nich wgniecenia kołnierza, pozostawione przez narzędzie użyte do podważenia wieka. Każda puszka nosiła w jednym miejscu równy ślad po wypływającej z niej farbie.

Same puszki były zwykłymi metalowymi cylindrami, bez nazwy producenta, bez znaku firmowego, bez reklam jakości produktu, jego odporności na czynniki atmosferyczne czy łatwości krycia. Na każdej widniała wyłącznie nadrukowana metka z długim numerem i słowami: maskująca/zielona.

— To normalne? — spytał Blake?

Reacher skinął głową.

— Standardowa polowa — powiedział.

— Kto jej używa?

— Każda jednostka wyposażona w pojazdy mechaniczne. Do drobnych napraw, zamalowywania rys. Warsztaty korzystają z większych puszek. I pistoletów natryskowych.

— Więc to nie jest rzadkość?

Pokręcił głową.

— Raczej odwrotność rzadkości.

— W porządku. Wyjmijcie je — polecił Blake.

Kryminalistyk w lateksowych rękawiczkach pochylił się i wyjął puszki, jedną po drugiej. Ustawił je na warsztacie. Odwinął klapy pudła, ustawił lampę tak, by rzucała światło do środka. Na spodniej ściance widniało pięć kręgów odciśniętych głęboko w kartonie.

— Kiedy je tu wkładano, były pełne — powiedział technik.

Blake wycofał się z kręgu jaskrawego światła, znikł w cieniu. Odwrócił się plecami do pudła, zapatrzył w ścianę.

— No, to... jak tu trafiło to pudło? — spytał.

Reacher wzruszył ramionami.

— Sam powiedziałeś, że zostało dostarczone. Wcześniej.

— Nie przez niego.

— Nie. Musiałby pojawić się na miejscu dwukrotnie.

— Więc przez kogo?

— Przez firmę transportową. On je wysłał. Z wyprzedzeniem. FedEx, UPS, coś takiego.

— Ale dostawą zajmuje się sklep, prawda? Ciężarówka z okolicy...

— Nie tą dostawą — powiedział Reacher. — To nie przyjechało z żadnego sklepu AGD.

Blake westchnął, jakby w ten sposób uznawał, że świat oszalał. Wrócił w krąg światła. Dokładnie obejrzał pudło. Obszedł je dookoła. Na jednej ze ścian widać było uszkodzenie; wyrwana wierzchnia warstwa kartonu miała kształt mniej więcej kwadratu, pod nią widać było drugą, szorstką warstwę. Kąt, pod którym padało światło, tylko podkreślał tę szorstkość.

— Dokumenty przewozowe — powiedział Blake.

— Tu była pewnie jedna z tych małych plastikowych kopert — powiedział Reacher. — No wiesz, „Załączone dokumenty".

— I gdzie teraz jest? Kto ją oderwał? Przecież nie firma transportowa. Oni ich nie odrywają!

— On ją oderwał. Później. Żebyśmy nie mogli pójść tym tropem.

Reacher umilkł. Zorientował się, że powiedział „my". „Żebyśmy nie mogli pójść tym tropem", a nie „Żebyście nie mogli pójść tym tropem". Blake też to zauważył, spojrzał na niego dziwnie.

— Ale... jak tę przesyłkę odebrano? — spytał. — Powiedzmy, że jesteś Alison Lamarr, siedzisz sobie w domu, a tu nagle UPS, FedEx czy coś tam pojawia się z pralką, której wcale nie zamawiałeś. Nie przyjąłbyś przesyłki, prawda?

— Może przyszła, kiedy nie było jej w domu? — powiedział Reacher. — Może wtedy, kiedy była w szpitalu, u ojca? Może kierowca tylko dostarczył ją do garażu?

— Tak bez pokwitowania?

Reacher znów wzruszył ramionami.

— Nie wiem. Nigdy nie dostarczano mi pralki. Przypuszczam, że czasami nie potrzeba pokwitowania. Facet zamawiający wysyłkę prawdopodobnie zaznaczył, że podpis odbiorcy nie jest wymagany.

— Dobrze. Więc Lamarr wjeżdża do garażu. Widzi pudło, nie? Zaraz po powrocie do domu!

Reacher skinął głową.

— Widzi, owszem. Jest wystarczająco duże.

— I co dalej?

— Dzwoni do UPS, FedExu czy gdzieś tam. Może sama odrywa kopertę? Zabiera ją do domu, żeby podać im dane przez telefon.

— Dlaczego go nie otworzyła?

Reacher się skrzywił.

— Skoro to przesyłka nie do niej, dlaczego miałaby ją otwierać? Tyle by na tym zyskała, że musiałaby ją znowu zamykać.

— Powiedziała coś o tym tobie i Harper? Może wspomniała o jakiejś przypadkowej dostawie?

— Nie. Pewnie nie powiązała z sobą tych spraw. Pomyłki się zdarzają, prawda? Są częścią życia.

Blake skinął głową.

— No, jeśli w domu coś się zachowało, z pewnością to znajdziemy. Kryminalistycy spędzą tu sporo czasu. Wejdą zaraz po koronerze.

— Koroner nic nie znajdzie — powiedział Reacher.

Blake spojrzał na niego ponuro.

— Tym razem będzie musiał.

— Musicie zrobić to inaczej. — Reacher bardzo uważał, żeby mówić „wy". — Powinniście zabrać całą wannę. Przetransportować ją do jakiegoś wielkiego laboratorium w Seattle. A może nawet do Quantico?

— Jak mamy wyjąć całą cholerną wannę?

— Zwalcie ścianę. Zdejmijcie dach. Użyjcie dźwigu.

Blake milczał. Musiał to sobie przemyśleć.

— No... to nie jest niemożliwe. Oczywiście będzie konieczne pozwolenie. Ale to teraz dom Julii, biorąc pod uwagę okoliczności... tak mi się wydaje. Zdaje się, że jest najbliższą krewną.

Reacher skinął głową.

— Więc zadzwoń do niej. Spytaj o pozwolenie. Niech ci je da. I niech sprawdzi raporty terenowe z pozostałych trzech miejsc. Dostawa może być sprawą jednorazową, ale jeśli nie, zmienia wszystko.

— Jak zmienia wszystko?

— Tak, że nasz facet nie musi już dysponować czasem koniecznym do wożenia farby po całym kraju. To może być każdy korzystający z połączeń lotniczych, pojawiający się i znikający, jak mu się podoba.

• • •

Blake wrócił do suburbana, by zadzwonić w kilka miejsc. Harper podeszła do Reachera. Poprowadziła go pięćdziesiąt metrów dalej, do miejsca, gdzie agenci z biura w Spokane znaleźli ślady opon na poboczach drogi. Zrobiło się ciemno, toteż oglądali je przy latarkach. Wyodrębnili cztery. Na pierwszy rzut oka było jasne, co się stało. Ktoś wjechał przodem na lewe pobocze, obrócił kierownicę, przejechał drogę tyłem i wjechał na prawe, po czym pojechał tam, skąd przyjechał. Ślady przednich opon miały kształt wachlarzy, zamazały się przy zawracaniu, ale tylne zachowały się dobrze. Nie były ani szerokie, ani szczególnie wąskie.

— Najprawdopodobniej samochód osobowy średniej wielkości — powiedział jeden z facetów ze Spokane. — Opony radialne w dobrym stanie, być może sto dziewięćdziesiąt pięć na siedemdziesiąt, koło zapewne czternastocalowe. Markę opon ustalimy po bieżniku. Zmierzymy szerokość między śladami, może to nam pozwoli zidentyfikować markę i model samochodu?

— Myślisz, że to on? — spytała Harper.

Reacher skinął głową.

— A kto? Pomyśl tylko. Ktokolwiek szukający kogoś po adresie widzi dom sto metrów wcześniej, więc zwalnia, żeby odczytać numer ze skrzynki pocztowej, a potem się zatrzymuje. Jeśli nawet przejedzie te parę metrów za daleko, to się po prostu cofa. Nikt nie pojedzie aż pięćdziesiąt metrów dalej i nie zawróci, ukryty za zakrętem. To nasz facet. Jest ostrożny. Sprawdzał okolicę. To był on. Co do tego nie ma najmniejszych wątpliwości.

Zostawili ludzi ze Spokane rozstawiających miniaturowe wodoszczelne namiociki nad śladami i wrócili do domu. Blake czekał na nich przy swym suburbanie, podświetlony od tyłu przez lampkę w samochodzie.

— Na listach z trzech wcześniejszych miejsc mamy kartony po artykułach AGD — oznajmił. — Nie wiem, co w nich jest. Nikomu nie przyszło do głowy zajrzeć do środka. Miejscowi agenci to sprawdzą, już ich wysłaliśmy. Potrwa to z godzinę. A Julia powiedziała, że w porządku, możemy wyrywać wannę. Mam wrażenie, że będę potrzebował do tego fachowców.

Reacher machinalnie skinął głową. Nagle przyszła mu do głowy nowa myśl.

— Ściągnij listę tych jedenastu kobiet. Zadzwoń do siedmiu, których jeszcze nie dopadł. Zadaj im jedno pytanie.

Blake spojrzał na niego dziwnie.

— Jakie pytanie? „Halo, czy pani jeszcze żyje?".

— Nie. Zapytaj, czy któraś z nich nie dostała niespodziewanej przesyłki. Jakiegoś domowego urządzenia, którego nie kupowała. Jeśli ten facet przyspieszył, następna kobieta może wkrótce zginąć.

Blake patrzył na niego jeszcze przez chwilę, a potem skinął głową, sięgnął do suburbana, ujął słuchawkę samochodowego telefonu.

— Niech Poulton się tym zajmie — dodał Reacher. — Dla Lamarr to zbyt osobiste.

Blake nic nie powiedział, tylko patrzył, ale i tak zażądał rozmowy z Poultonem. Wyjaśnił mu, o co chodzi. Zajęło mu to niespełna minutę.

— A teraz czekamy — powiedział.

● ● ●

— Pułkowniku? — powiedział kapral.

Lista leżała w szufladzie, szuflada była zamknięta. Pułkownik siedział nieruchomo przy biurku, wpatrzony w elektryczny półmrok swego pokoju bez okien, nie skupiając się na niczym szczególnym, myśląc, próbując odzyskać równowagę. Najlepszym sposobem odzyskania równowagi byłaby rozmowa z kimś, o tym pułkownik wiedział doskonale. Podzielić się problemem to mieć pół problemu. Tak to działa w ramach wielkiej instytucji, na przykład armii. Ale, rzecz jasna, nie mógł z nikim porozmawiać, nie o tym. Uśmiechnął się z goryczą. Patrzył w ścianę. Myślał. Wiara w siebie. To załatwi sprawę. Tak bardzo koncentrował się na odzyskaniu wiary w siebie, że nie usłyszał pukania do drzwi. Potem uświadomił sobie, że to pukanie musiało się powtórzyć i to nieraz i był zadowolony, że lista jest w biurku, ponieważ kiedy kapral wszedł do pokoju, nie mógłby już jej ukryć. Nic nie mógłby zrobić. Siedział nieruchomo i chyba wyglądał dziwnie, ponieważ kapral natychmiast się zaniepokoił.

— Pułkowniku? — powtórzył.

Pułkownik milczał. Nie odrywał spojrzenia od ściany.

— Pułkowniku?

Pułkownik poruszył głową z wysiłkiem, jakby ważyła tysiąc ton.

— Samochód czeka — oznajmił kapral.

• • •

Siedzieli w suburbanie. Minęło półtorej godziny. Wieczór powoli przechodził w noc, robiło się bardzo zimno. Na szybie od zewnątrz osiadała gęsta wieczorna rosa, od wewnątrz zaś równie gęsta para ich oddechów. Nie rozmawiali. Świat wokół nich cichł powoli, tylko od czasu do czasu, przez rozrzedzone górskie powietrze, biegł ku nim groźny głos jakiegoś zwierzęcia. Poza tym nic nie słyszeli.

— To nie miejsce do życia — burknął Blake.

— Ani do umierania — powiedziała Harper.

• • •

W końcu odzyskujesz równowagę, odprężasz się. Przecież masz wielki talent. Wszystko zostało przygotowane i zrobione z kopią zapasową. Zabezpiecza cię podwójnie i potrójnie. Kolejne warstwy maskujące. Wiesz, jak pracują śledczy. Wiesz, że nie znajdą nic poza tym, co samo rzuci się im w oczy. Nie dowiedzą się, skąd pochodzi farba. Ani kto ją kupił. Ani kto ją dostarczył. Wiesz, że się tego nie dowiedzą. Wiesz, jak pracują ci ludzie. Jak na nich, masz sprytu aż za wiele. O wiele za wiele. Toteż możesz się odprężyć.

Ale czujesz też rozczarowanie. Bo zdarzył ci się błąd. No i farba sprawiała ci kupę frajdy. Najprawdopodobniej nie możesz już jej użyć. Może wymyślisz coś jeszcze lepszego? Bo jedna rzecz jest pewna. Za cholerę nie potrafisz przestać.

• • •

W suburbanie zadzwonił telefon; w panującej wokół ciszy jego elektroniczny sygnał był bardzo głośny. Blake zdjął słuchawkę z uchwytu. Reacher słyszał tylko niewyraźny, mówiący coś szybko głos. Nie kobiecy, męski. A więc to Poulton, nie Lamarr. Blake słuchał skupiony, nieruchomo wpatrując się w przestrzeń. Potem odłożył słuchawkę. Gapił się w przednią szybę.

— No i co? — spytała Harper.

— Nasi lokalni agenci wrócili do sprawy. Sprawdzili kartony. Wszystkie były zamknięte jak nowe. I tak je otworzyli. W każdym znaleźli dziesięć puszek farby. Dziesięć pustych puszek. Jak te, które my znaleźliśmy.

— Ale pudła były zamknięte? — spytał Reacher.

— Najpierw je otworzono, a potem znowu zamknięto — odparł Blake. — Jak się człowiek bliżej przyjrzy, to zobaczy. Po wszystkim facet zaklejał pudła.

— Sprytnie — zauważyła Harper. — Wiedział, że zamknięte pudła nie zwrócą uwagi.

Blake skinął głową.

— Bardzo sprytnie. On wie, jak myślimy.

— Ale nie jest już taki całkiem sprytny — powiedział Reacher. — Bo gdyby był, toby nie zapomniał zamknąć i tego. Zrobił pierwszy błąd.

— Ma taką skuteczność, że muszę uznać go za sprytnego — powiedział Blake.

— Nie zostawił dokumentów przewozowych? — spytała Harper.

Blake potrząsnął głową.

— Zdarł wszystkie.

— To się trzyma kupy.

— Czyżby? — spytał ją Reacher. — No to wytłumacz mi, dlaczego tu pamiętał o zdarciu dokumentów, ale zapomniał o zamknięciu pudła.

— Może ktoś mu przerwał?

— Kto? Nie jesteśmy na Times Square.

— Co chcesz powiedzieć? Może to, że nie jest taki sprytny, jak ci się wydawało? To, jaki jest sprytny, było dla ciebie strasznie ważne. Chciałeś użyć tego jego sprytu, żeby udowodnić, że wszyscy się mylimy.

Patrząc na nią, Reacher skinął głową.

— Tak. Wszyscy się mylicie. — Odwrócił się do Blake'a. — Musimy porozmawiać o motywie tego faceta.

— Później — powiedział Blake.

— Nie, teraz. To ważne.

— Później. Nie znasz jeszcze naprawdę dobrej nowiny.

— Na przykład jakiej?

— Chodzi o ten drugi drobiazg, który wpadł ci do głowy.

W samochodzie zapadła cisza.

— O cholera! — powiedział nagle Reacher. — Jedna z tych kobiet dostała przesyłkę, tak?

Blake potrząsnął głową.

— Nie tak. One wszystkie, cała siódemka, dostały przesyłki.

16

— No więc jedziecie do Portland, w Oregonie — powiedział Blake. — Ty i Harper.

— Dlaczego? — spytał Reacher.

— Żebyś mógł odwiedzić swoją przyjaciółkę, Ritę Scimecę. No, tę panią porucznik, o której mówiłeś, którą zgwałcono w Georgii. Mieszka niedaleko Portland w małej wiosce na wschód od miasta. Jest jedną z jedenastu na twojej liście. Możesz do niej pojechać, zajrzeć do piwnicy. Podobno stoi tam nowiuteńka pralka. W kartonowym pudle.

— Otworzyła je?

Blake potrząsnął głową.

— Nie. Dzwonili do niej z biura w Portland. Powiedzieli, że ma niczego nie dotykać. I że ktoś już do niej jedzie.

— Jeśli facet jest jeszcze w okolicy, Portland może być jego następnym celem. Leży wystarczająco blisko.

— Racja — przyznał Blake. — Właśnie dlatego ktoś już do niej jedzie.

Reacher skinął głową.

— Wreszcie zacząłeś ich pilnować, co? — spytał. — Słyszałeś coś o zamykaniu stajni, z której uciekły konie?

Blake wzruszył ramionami.

— Hej, żyje już tylko siedem z nich. Dla tylu wystarczy nam ludzi.

Była to klasyczna manifestacja chorego policyjnego humoru, skierowanego wyłącznie do policjantów tego czy innego rodzaju, a jednak nie została przyjęta najlepiej. Blake zaczerwienił się, odwrócił wzrok.

— Alison była jak rodzina — powiedział. — Jej śmierć to dla mnie taki cios jak dla każdego, prawda?

— Jak rodzina, to chyba była przede wszystkim dla siostry — powiedział Reacher.

— Jakbyś wiedział. Kiedy przyszła wiadomość, omal nie padła trupem. Hiperwentylowała. Nigdy nie widziałem jej tak wzburzonej.

— Powinieneś odsunąć ją od sprawy.

Blake potrząsnął głową.

— Jest mi potrzebna.

— Jasne. Coś jest ci cholernie potrzebne.

— Mów do mnie jeszcze.

• • •

Według mapy Blake'a od małej wioski, leżącej na wschód od Portland, Spokane dzieliło pięćset osiemdziesiąt kilometrów. Wzięli samochód, którym miejscowy agent przywiózł ich tu z lotniska. Na pierwszej stronie notatnika przymocowanego przyssawką do przedniej szyby nadal wypisany był odręcznie adres Alison Lamarr. Reacher przyjrzał mu się, a potem wyrwał kartkę, zmiął ją w kulkę i rzucił na podłogę za przednim fotelem. W skrytce znalazł ołówek, na następnej stronie wypisał nim trasę: 90 zachód — 395 południe — 84 zachód — 35 południe — 26 zachód. Wielkimi literami, takimi, żeby dały się odczytać po ciemku, kiedy będą zmęczeni. Pod cyframi nadal widział adres Alison, ślad odciśnięty długopisem agenta.

— Mniej więcej sześć godzin — powiedziała Harper. — Ty prowadzisz trzy i ja prowadzę trzy.

Skinął głową. Kiedy przekręcał kluczyk w stacyjce, była już noc. Zawrócił w miejscu, wjeżdżając na pobocza, dokładnie tak, jak przedtem zrobił to ich człowiek. Tyle że oni zrobili nawrót dwieście metrów dalej na południe. Ruszył w dół wąską drogą, przejechał kilka zakrętów, skręcił w prawo, w drogę numer 90. Gdy tylko zostały za nimi światła miasta, a na drodze się przerzedziło, przyspieszył.

Jechali na zachód. Nowym buickiem, mniejszym i skromniejszym od luksusowego modelu Lamarr, ale szybszym, być może właśnie z tego powodu. Ten rok musiał być w FBI rokiem General Motors. Armia załatwiała te sprawy identycznie. Dokonywała zakupów według grafiku: GM, Ford, Chrysler. Krajowe firmy nie miały powodu, by wściekać się na rząd.

Droga wśród wzgórz biegła wprost na południowy zachód. Reacher włączył długie światła. Docisnął gaz. Harper odchyliła siedzenie. Pochyliła oparcie, głowę zwróciła w jego kierunku. Jej rozpuszczone włosy płonęły czerwienią i złotem odbitym światłem kontrolek. Reacher trzymał kierownicę jedną ręką, drugą położył na kolanach. W lusterku widział światła jadącego za nimi samochodu. Światła halogenowe, jaskrawe, tańczące w odległości półtora kilometra. I szybko się zbliżające. Przyspieszył do stu dwudziestu kilometrów na godzinę.

— W armii uczą was prowadzić tak szybko? — spytała Harper.

Nie odpowiedział. Minęli miasteczko o nazwie Sprague. Dalej droga biegła prosto. Z mapy Blake'a wynikało, że będzie biegła prosto dobre czterdzieści kilometrów, aż do miasteczka Ritzville. Reacher przyspieszył do stu trzydziestu na godzinę, ale światła zbliżały się tak szybko jak przedtem. Po pewnym czasie, bezpiecznie, w dużej odległości wyprzedził ich długi, niski wóz. Przejechał sąsiednim pasem dobre czterysta metrów, ciągnąc za sobą strumień wzburzonego powietrza. Łagodnie wrócił na pas i mknął dalej. W porównaniu z nim buick FBI mógł równie dobrze szukać wolnego miejsca na zatłoczonym parkingu.

— To się nazywa szybko — powiedział Reacher.

— Może to nasz facet? — Głos Harper był leniwy, senny. — Może on też jedzie do Portland? Może dorwiemy go wieczorem?

— Zmieniłem zdanie. Nie sądzę, żeby poruszał się samochodem. Uważam, że korzysta z samolotów.

Ale przyspieszył. Prowadził wystarczająco szybko, by tylne światła samochodu, który ich wyprzedził, pozostawały widoczne.

245

— A potem co? — spytała Harper. — Wynajmuje coś na lotnisku?

Reacher skinął głową; gest ledwie widoczny w panującym w buicku mroku.

— Tak uważam. Te ślady opon... standard. Prawdopodobnie zostawił je wóz średniej wielkości, średniego standardu. Firmy wynajmu mają takich miliony.

— Ryzykowne. Wynajęcie samochodu zostawia ślad w papierach.

Reacher ponownie skinął głową.

— Podobnie jak kupienie biletu lotniczego. Ale ten facet jest doskonale zorganizowany. Nie wątpię, że ma żelazne fałszywe papiery. Pójście po śladzie w papierach nikogo do niczego nie doprowadzi.

— Cóż... podejrzewam, że i tak to zrobimy. A poza tym, jeśli masz rację, widziała go obsługa na stanowiskach wynajmu.

— A może nie? Może rezerwuje je z wyprzedzeniem i odbiera na parkingu?

Harper skinęła głową.

— Ale zobaczy go urzędnik, któremu oddaje samochód.

— Przez krótką chwilę.

Droga biegła prosto, tylne światła widać było z odległości przeszło półtora kilometra. Reacher ze zdziwieniem uświadomił sobie, że pędzą niemal sto pięćdziesiąt na godzinę, tylko dlatego, że nie chce go zgubić.

— Ile trwa zabicie człowieka? — spytała Harper.

— Zależy od tego, jak go zabijasz.

— A my nie wiemy, jak on to robi.

— Nie wiemy. To jest coś, czego musimy się dowiedzieć. Ale niezależnie od metody facet jest bardzo spokojny i bardzo ostrożny. Nie zostawia śladów, nawet kropli rozlanej farby. Moim zdaniem zajmuje mu to dwadzieścia minut, pół godziny. Minimum.

Harper skinęła głową, przeciągnęła się. Reacher poczuł jej zapach.

— No to pomyśl o Spokane — powiedziała. — Wysiada

z samolotu, wsiada do samochodu, jedzie pół godziny do domu Alison, spędza tam pół godziny, pół godziny wraca i wynosi się w diabły. Bo nie kręci się przecież po okolicy, prawda?

— Nie w pobliżu miejsca zbrodni.

— Czyli może zwrócić wypożyczony samochód w ciągu niespełna dwóch godzin. Powinniśmy sprawdzić krótkoterminowe wypożyczenia na lotniskach najbliższych miejsc tych morderstw, sprawdzić, czy jest jakiś wzór.

Reacher skinął głową.

— Owszem, powinniście. W ten sposób rozwiążecie sprawę normalną ciężką pracą.

Harper znów się poruszyła, obróciła na bok.

— Czasami mówisz „my", a czasami „wy". Jeszcze się nie zdecydowałeś, ale już trochę zmiękłeś, wiesz?

— Chyba polubiłem Alison... na tyle, na ile to możliwe przy tak krótkiej znajomości.

— I?

— I lubię Ritę Scimecę... taką, jaką ją pamiętam. Nie chciałbym, żeby coś się jej stało.

Harper wyciągnęła głowę. Przyjrzała się odległym o półtora kilometra światłom samochodu.

— W takim razie nie zgub tego faceta.

— On nie jedzie, on leci — powiedział Reacher. — To nie jest nasz facet.

• • •

To nie był ich facet. Przy rozjeździe na granicy Ritzville pozostał na dziewięćdziesiątce, jadąc na zachód, w stronę Seattle. Reacher odbił na południe w drogę 395, prowadzącą wprost do Oregonu. Ona też była pusta, a w dodatku węższa i bardziej kręta, więc nieco zwolnił.

— Opowiedz mi o Ricie Scimece — poprosiła Harper.

Trzymając na kierownicy obie dłonie, Reacher wzruszył ramionami.

— Była trochę jak Alison Lamarr. Nie wyglądała jak ona, ale roztaczały taką samą... atmosferę. Twarde, wysportowane, kompetentne. Z tego, co pamiętam, Rita przed niczym się nie cofała. Była podporucznikiem. Same sukcesy. Przez kurs oficerski przeszła jak burza.

Zamilkł. Wyobrażał sobie Ritę Scimecę, wyobraził sobie ją i Alison Lamarr, stojące ramię przy ramieniu. Lepszych kobiet armia nie miała.

— I tu natykamy się na kolejną zagadkę — powiedział. — Jak on je kontroluje?

— Kontroluje? — powtórzyła Harper.

Reacher skinął głową.

— Przemyśl to sobie. Wchodzi do ich domu, a pół godziny później leżą martwe w wannie, nagie. Ani śladu przemocy, bałaganu, wszystko jest w największym porządku. Jak to osiąga?

— Trzyma je na muszce?

Reacher potrząsnął głową.

— Niemożliwe z dwóch powodów. Jeśli korzysta z samolotów, to nie ma broni. Nie wejdziesz na pokład samolotu z bronią. Sama dobrze o tym wiesz. Podróżujesz bez broni.

— Jeśli korzysta z samolotu. Na razie to tylko przypuszczenie.

— W porządku. Myślałem o Ricie. To była naprawdę twarda babka. Została zgwałcona i pewnie dlatego znalazła się na liście tego faceta, że trzech mężczyzn poszło za to siedzieć. Ale tamtej nocy napadło ją pięciu ludzi. Tylko trzej gwałcili, bo czwartemu złamała biodro, a piątemu obie ręce. Innymi słowy: walczyła jak cholera.

— I co z tego?

— Czy Alison Lamarr nie zachowałaby się tak samo? Nawet gdyby facet miał broń, czy zachowywałaby się ulegle, pasywnie przez całe trzydzieści minut?

— Nie wiem — powiedziała Harper.

— Przecież ją widziałaś. Uważasz, że był z niej delikatny kwiatuszek? Nie, żołnierz. Przeszła trening piechociarza. Albo wściekłaby się i zaczęła walczyć, albo czekała na okazję i zaatakowała faceta w sprzyjającej chwili. Najwyraźniej nie zaatakowała. Dlaczego?

— Nie wiem — powtórzyła.

— Ja też — przyznał Reacher.

— Musimy znaleźć tego faceta.

Potrząsnął głową.

— Nie znajdziecie go.

— Dlaczego nie?

— Dlatego że to cholerne gówno z profilami psychologicznymi zaślepia was do tego stopnia, że całkowicie mylicie się co do motywu.

Harper obróciła się do okna, zapatrzyła w przemykającą za szybą ciemność.

— Masz zamiar jakoś to wyjaśnić?

— Dopiero wtedy, kiedy Blake i Lamarr zdecydują się usiąść i wysłuchać, co mam im do powiedzenia. Nie będę się powtarzał.

* * *

Zaraz po przejechaniu przez rzekę Kolumbia, którą przekroczyli pod Richland, zatrzymali się na stacji benzynowej. Reacher napełnił bak, a Harper odwiedziła toaletę. Kiedy wyszła, usiadła za kierownicą, gotowa odpracować swoje trzy godziny. Przesunęła do przodu siedzenie, Reacher przesunął siedzenie pasażera do tyłu. Odrzuciła włosy na ramiona, ustawiła lusterka, przekręciła kluczyk w stacyjce. Ruszyła na wschód, nie za szybko.

Znów przejechali przez Kolumbię w miejscu, w którym zataczała łuk na zachód. Znaleźli się w Oregonie. Jechali wzdłuż brzegu rzeki, dokładnie po linii granicznej stanu. Na dobrej, umożliwiającej szybką jazdę autostradzie nie było ruchu. Gdzieś przed nimi wznosiły się ku niebu niewidoczne w mroku Góry Kaskadowe. Na niebie płonęły gwiazdy, zimne i małe. Reacher niemal położył się na siedzeniu. Przyglądał się górom przez boczną szybę w miejscu, gdzie stykała się z dachem.

Dochodziła północ.

— Musisz ze mną rozmawiać — powiedziała Harper. — Bo inaczej zasnę za kierownicą.

— Jesteś równie dokuczliwa jak Lamarr.

Harper się uśmiechnęła.

— Nie całkiem.

— Zgoda, nie całkiem.

— Mimo wszystko porozmawiaj ze mną. Powiedz mi, dlaczego odszedłeś z armii?

— O tym chcesz ze mną porozmawiać?

— To też temat, nie?

— Dlaczego wszyscy mnie o to pytają?

Harper wzruszyła ramionami.

— Ludzie są po prostu ciekawi.

— Dlaczego? Dlaczego nie powinienem odchodzić z armii?

— Bo moim zdaniem dobrze się tam czułeś. Tak jak ja dobrze się czuję w FBI.

— Było się na co wściekać.

Skinęła głową.

— Jasne. Biuro też bywa cholernie irytujące. O ile wiem, to dokładnie jak mąż. Ma swoje dobre i złe strony, ale to są moje strony, jeśli rozumiesz, co mam na myśli. Nie rozwodzisz się, bo mąż cię rozzłościł.

— Wyleciałem wskutek redukcji.

— Nieprawda. Czytałam twoje akta. Redukowali armię, ale nie zredukowali ciebie. Odszedłeś na własne życzenie.

Reacher milczał przez kilka kilometrów. Potem potrząsnął głową.

— Przestraszyłem się — powiedział.

Harper obrzuciła go szybkim spojrzeniem.

— Czego?

— Lubiłem wojsko takie, jakie było. Nie chciałem, żeby się zmieniło.

— W co?

— W coś mniejszego. To była wielka, wielka rzecz. Nie masz pojęcia jak wielka. Rozciągała się na cały świat. Dostałem awans, więc byłbym wyżej w mniejszej firmie.

— Co w tym złego? Wielka ryba w małym akwarium, tak?

— Nie chciałem być wielką rybą — powiedział Reacher. — Podobało mi się bycie małą rybką.

— Nie byłeś mała rybką. Major to nie jest mała rybka.

Skinął głową.

250

— W porządku. Podobało mi się być średnią rybką. To było wygodne. Można powiedzieć: anonimowe.

Harper potrząsnęła głową.

— To niewystarczający powód, żeby odejść.

Reacher spojrzał w niebo, na nieruchome gwiazdy, od których dzieliły go miliardy kilometrów.

— Wielka ryba w małym akwarium nie ma gdzie pływać — powiedział. — Całe lata siedziałbym w jednym miejscu. Wielkie biurka, pięć lat za tym biurkiem gdzieś tam, a potem kolejne pięć lat za jeszcze większym biurkiem gdzieś indziej. Facet taki jak ja, bez talentów politycznych i towarzyskich, może dojść do pełnego pułkownika, nie dalej. Resztę kariery przeżyłbym jako pułkownik, piętnaście, może nawet dwadzieścia lat.

— A?

— A ja chciałem być w ruchu. Całe życie przeżyłem w ruchu. Dosłownie. Bałem się zatrzymać. Nie wiedziałem, co to znaczy żyć w bezruchu, ale zakładałem, że takie życie znienawidzę.

— I?

Reacher wzruszył ramionami.

— No i utknąłem.

— I? — powtórzyła Harper.

Reacher jeszcze raz wzruszył ramionami. Milczał. W samochodzie było ciepło. Ciepło i wygodnie.

— Powiedz to wreszcie — przerwała milczenie Harper. — Wyrzuć to z siebie. Utknąłeś i...

— I nic.

— Gówno tam „nic". I?

Reacher odetchnął głęboko.

— I mam z tym problem.

W samochodzie zapadła cisza. Harper skinęła głową, jakby doskonale go rozumiała.

— Rozumiem, że Jodie nie bardzo chce być w ruchu?

— A ty byś chciała?

— Nie wiem.

Reacher skinął głową.

— Problem w tym, że ona wie. Wychowaliśmy się w tym

samym środowisku, przenosiliśmy się ciągle z bazy do bazy i do jeszcze innej bazy. Wędrowaliśmy po całym świecie, miesiąc tu, pół roku tam. Jodie żyje takim życiem, jakim żyje, ponieważ zdołała się od tego oderwać. Sama stworzyła sobie świat dokładnie taki, jaki chce mieć. Dobrze wie, czego chce, bo równie dobrze wie, jaka jest alternatywa.

— Przecież może się przenosić... od czasu do czasu. Jest prawniczką. Zmiana pracy...

Potrząsnął głową.

— To nie działa w ten sposób. Chodzi o karierę. Już wkrótce zostanie wspólniczką, to jej idzie bardzo szybko, a potem pewnie przepracuje w tej samej firmie resztę życia. Poza tym ja nie mówię o kilku latach tu, a paru tam, o kupieniu domu i sprzedaniu domu. Mówię o tym, że jeżeli jutro obudzę się w Oregonie i poczuję ochotę przeniesienia się do Oklahomy, Teksasu czy gdziekolwiek, to się po prostu przeniosę. Nie przejmując się, co będzie pojutrze.

— Wędrowiec z ciebie.

— To dla mnie ważne.

— Pytanie, jak ważne?

Reacher wzruszył ramionami.

— Tego właśnie nie wiem.

— Jak masz zamiar się dowiedzieć?

— Problem w tym, że właśnie się dowiaduję.

— Co masz zamiar zrobić?

Milczał przez kolejny kilometr.

— Nie wiem — rzekł wreszcie.

— Może się do tego przyzwyczaisz?

— Może? A może nie? Wydaje mi się, że mam to we krwi. Nawet teraz, w środku nocy, kiedy tak jadę, gdzie nigdy nie byłem, czuję się wspaniale. Nie umiem wytłumaczyć jak wspaniale.

Harper uśmiechnęła się.

— Może to dzięki towarzystwu?

Reacher odpowiedział jej uśmiechem.

— Całkiem prawdopodobne.

— Więc... powiesz mi jeszcze coś?

— Co takiego?

— Dlaczego mylimy się w kwestii motywu?

Potrząsnął głową.

— Poczekaj. Zobaczymy, co znajdziemy w Portland.

— A co znajdziemy w Portland?

— Przypuszczam, że kartonowe pudło pełne puszek po farbie. I nie dowiemy się, skąd pochodzą albo kto je tam wysłał.

— I?

— Dodamy dwa do dwóch. Wyjdzie nam cztery. Tak jak wy to robicie nie wychodzi cztery. Wam wychodzi jakaś wielka, niewytłumaczalna liczba, bardzo, ale to bardzo różniąca się od czterech.

• • •

Reacher mocniej zaciągnął pas; niemal całą ostatnią godzinę jazdy z Harper za kierownicą po prostu przedrzemał. Przedostatni etap ich podróży był w istocie wspinaczką na Mount Hood drogą numer 35. Buick pokonywał ją na trójce, tak była stroma; obudziło go towarzyszące zmianie biegów szarpnięcie. Patrzył przez szybę na drogę, zataczającą łuk tuż pod szczytem góry. Harper skręciła w drogę 26, rozpoczynając ostatni etap — zjazd górskim zboczem do Portland.

Noc była nieprawdopodobnie piękna. Na niebie królowały obłoki wraz z widocznym pomiędzy nimi blaskiem księżyca i srebrzystymi gwiazdami. W żlebach zalegał śnieg. Świat pod ich stopami wyglądał jak surowa rzeźba z szarej stali.

— Zaczynam rozumieć pociąg do włóczęgi — powiedziała Harper. — Takie widoki...

Reacher skinął głową.

— To wielka, bardzo wielka planeta — powiedział.

Przejechali przez śpiące miasteczko Rhododendron. Chwilę później zobaczyli drogowskaz z nazwą wioski, w której mieszkała Rita Scimeca, leżącej osiem kilometrów niżej na zboczu góry. Na miejsce dojechali o trzeciej nad ranem. Przy biegnącej przez wioskę drodze stała stacja benzynowa i supermarket. Zamknięte na cztery spusty. Poprzeczna ulica prowadziła na północ, na niższe zbocze; Harper wjechała w nią powoli. Tę ulicę przecinały inne, Scimeca mieszkała przy trzeciej z nich, biegnącej na wschód, w górę zbocza.

Jej dom łatwo było zauważyć, ze wszystkich okolicznych tylko w nim paliły się światła. I tylko przed nim parkował samochód Biura. Harper zatrzymała się za nim. Wyłączyła światła. Silnik prychnął i umilkł. Otoczyła ich cisza.

Tylna szyba samochodu Biura była zaparowana, lecz można było dostrzec zarys jednej głowy. Głowa poruszyła się, drzwiczki otwarły. Na ulicy stanął młody mężczyzna w ciemnym garniturze. Reacher i Harper przeciągnęli się, odpięli pasy, otworzyli drzwiczki, wysiedli i stanęli w chłodnym powietrzu, które sprawiło, że oddech otaczał ich głowy obłoczkami pary.

— Jest w środku, bezpieczna, cała i zdrowa — powiedział miejscowy agent. — Kazano mi na was czekać.

Harper skinęła głową.

— I co teraz? — spytała.

— Ja tu zostaję, to wy jesteście od gadania. Służbę obserwacyjną pełnię do zmiany. Miejscowa policja ma się zjawić o ósmej.

— I to gliniarze będę jej pilnować dwadzieścia cztery godziny na dobę? — spytał Reacher.

Agent żałośnie potrząsnął głową.

— Dwanaście. Ja jestem na nocnej zmianie.

Reacher skinął głową. Pomyślał, że to powinno wystarczyć. Dom był duży, kwadratowy, drewniany, Stał bokiem do ulicy, frontem obrócony na zachód, gdzie rozciągał się najpiękniejszy widok. Miał duży ganek ze zdobioną balustradą. Ulica opadała wystarczająco stromo, by od frontu zmieścił się garaż, obrócony bokiem, z wjazdem od ulicy. Brama znajdowała się pod gankiem, piwnica obok wkopana już była w zbocze wzgórza. Podjazd do garażu był krótki, małą działkę otaczało wysokie ogrodzenie zabezpieczające posiadłość przed huraganowymi wiatrami. Był tu też zadbany ogród, pełen kwiatów, którym barwę odebrał srebrny blask księżyca.

— Nie śpi? — spytała Harper.

Miejscowy agent skinął głową.

— Czeka na was — powiedział.

17

Prowadząca do domu dróżka odchodziła od wjazdu w lewo, pogrążona w mroku biegła wokół kępy roślin ogródka skalnego i prowadziła do schodków pośrodku frontowego ganku. Harper wbiegła po nich lekko, bezgłośnie, lecz pod ciężarem Reachera zaskrzypiały w panującej tu niepodzielnie ciszy. Nim dźwięk ten zdążył wrócić echem, odbity od zbocza góry, drzwi się otworzyły. Stanęła w nich Rita Scimeca. Spojrzała na nich uważnie. Rękę trzymała na klamce od środka, twarz miała nieruchomą.

— Cześć, Reacher — powiedziała.

— Witaj, Scimeca. Jak się masz?

Scimeca odgarnęła włosy z twarzy wolną ręką.

— Całkiem nieźle — odparła. — Zwłaszcza biorąc pod uwagę fakt, że jest trzecia nad ranem, a FBI właśnie poinformowało mnie, że jestem na liście jakiegoś cholernego zabójcy wraz z dziesięcioma siostrami, z których cztery już nie żyją.

— Właśnie na to płacisz podatki — powiedział Reacher.

— To dlaczego trzymasz z nimi, do cholery?

Reacher wzruszył ramionami.

— Okoliczności nie pozostawiły mi wielkiego wyboru.

Scimeca przyglądała mu się, podejmowała decyzję. Na ganku było zimno, na malowanym drewnie ściany osiadały drobne krople porannej rosy. Powietrze przesycała drobna mgła. Za plecami gospodyni świeciło żółte, ciepłe światło.

Patrzyła na niego przez długą chwilę.

— Okoliczności? — spytała.

Skinął głową.

— Nie pozostawiły mi wielkiego wyboru — dokończył.

Scimeca pokiwała głową.

— No, niezależnie od okoliczności miło jest znów cię zobaczyć.

— I nawzajem.

Scimeca była wysoka; niższa od Harper, ale większość kobiet była od niej niższa. I muskularna, ale w inny sposób niż Alison Lamarr, raczej szczupła, w typie zawodniczki biegającej maraton. Miała na sobie czyste dżinsy i bezkształtny sweter oraz ciężkie buty. Średniej długości brązowe włosy zwijały się w loki nad błyszczącymi piwnymi oczami. Jej usta otaczały głębokie, wyraźnie widoczne zmarszczki. Reacher widział ją po raz ostatni niemal cztery lata temu. Od tego czasu postarzała się dokładnie o cztery lata.

— A to agent specjalny Lisa Harper — przedstawił swoją towarzyszkę.

Scimeca skinęła głową ostrożnie. Reacher patrzył jej w oczy. Gdyby agent FBI był mężczyzną, bez wahania zrzuciłaby go ze schodów.

— Cześć — powiedziała Harper.

— No cóż... wejdźcie.

Nadal trzymała dłoń na klamce. Stała na progu, lekko pochylona. Nie chciała się cofnąć. Harper weszła do domu, Reacher szedł tuż za nią. Drzwi zamknęły się za nimi.

Stali w korytarzu niewielkiego, bardzo przyzwoitego domu, świeżo odmalowanego, gustownie umeblowanego. Bardzo czystego i obsesyjnie porządnego. Ten dom rzeczywiście był domem, ciepłym i przytulnym. Bardzo osobistym. Na podłodze leżały wełniane dywaniki. Meble były odnowionymi antykami z lśniącego mahoniu. Na ścianach wisiały obrazy. I gdzie spojrzałeś, stały wazony z kwiatami.

— Złocienie — powiedziała Scimeca. — Sama je uprawiam. Podobają ci się?

Reacher skinął głową.

— Podobają — powiedział. — Chociaż nawet nie znałem tej nazwy.

— Ogrodnictwo to moje nowe hobby. Spróbowałam... i wpadłam z głową.

Wskazała palcem frontowy salon.

— Tak samo z muzyką — powiedziała. — Chodź, zobacz.

Pokój miał ściany pokryte stonowaną tapetą i błyszczącą drewnianą podłogę. W rogu naprzeciw drzwi stał koncertowy fortepian z pudłem pokrytym błyszczącym fornirem. Niemiecka nazwa producenta wypisana została mosiężnymi literami. Przy klawiaturze stał duży stołek, obity elegancką, czarną tłoczoną skórą. Klapa była otwarta, na składanej półeczce stały nuty; gęsta masa czarnych znaczków na sztywnym kremowym papierze.

— Chcesz czegoś posłuchać? — spytała Scimeca.

— Jasne — powiedział Reacher.

Usiadła do fortepianu. Położyła dłonie na klawiszach. Po sekundzie powietrze wypełnił smutny, minorowy akord; ciepły, cichy dźwięk przeszedł w pierwsze akordy *Marsza żałobnego*.

— Nie znasz czegoś pogodniejszego? — spytał Reacher.

— Nie czuję się pogodnie — odparła Scimeca.

Jednak spełniła jego prośbę. Rozpoczęła *Sonatę księżycową*.

— Beethoven — wyjaśniła.

Pokój wypełniły pasaże. Trzymała stopę na pedale, dźwięk był stłumiony, cichy. Reacher patrzył przez okno na rośliny, szare w świetle księżyca. Sto pięćdziesiąt kilometrów na zachód stąd rozpościerał się ogromny, milczący ocean.

— Tak lepiej — powiedział.

Scimeca grała do końca pierwszej części, adagia, najwyraźniej z pamięci, bo nuty przed nią podpisane były nazwiskiem Chopina. Jej dłonie zastygły na klawiaturze, póki nie ucichł ostatni dźwięk.

— Pięknie — chwalił Reacher. — Więc u ciebie wszystko w porządku?

Scimeca obróciła się na stołku. Spojrzała mu prosto w oczy.

— Chodzi ci o to, czy u mnie wszystko w porządku po tym,

kiedy zostałam zbiorowo zgwałcona przez trzech facetów, którym miałam powierzyć życie?

Reacher skinął głową.

— Mam wrażenie, że mniej więcej o to mi chodziło.

— Już mi się wydawało, że wyszłam z dołka, przynajmniej na tyle, na ile to możliwe, ale właśnie dowiedziałam się, że jakiś szaleniec gotów jest mnie zabić za to, że się poskarżyłam. To mnie nieco przygnębiło, rozumiesz?

— Dostaniemy go. — Harper przerwała zapadłą nagle ciszę. Scimeca tylko na nią spojrzała.

— To co, możemy zobaczyć tę nową pralkę, którą masz w piwnicy? — spytał Reacher.

— Ale to nie jest pralka, prawda? Pytam, bo nikt mi niczego nie mówi.

— Prawdopodobnie jest to farba — powiedział Reacher. — W puszkach. Maskująca zielona, produkowana dla wojska.

— Dlaczego farba?

— Sprawca zabija, wrzuca ofiary do wanny i zalewa je farbą.

— Dlaczego?

Reacher wzruszył ramionami.

— Dobre pytanie. Całe mnóstwo jajogłowych próbuje na nie odpowiedzieć właśnie w tej chwili.

Scimeca skinęła głową i znów spojrzała na Harper.

— Jesteś jajogłowa?

— Nie, proszę pani. Jestem tylko agentką.

— Ktoś cię kiedyś zgwałcił?

Harper potrząsnęła głową.

— Nie, proszę pani. Nie zgwałcił.

— Oby tak dalej. Nie daj się zgwałcić, to moja rada.

Zapadła cisza.

— To zmienia życie — powiedziała Scimeca. — W każdym razie cholernie zmieniło moje. Ogrodnictwo i muzyka. Zostało mi tylko to.

— To dobre hobby.

— To domowe hobby. Albo jestem w tym pokoju, albo w zasięgu wzroku mam drzwi frontowe domu. Rzadko wychodzę, nie lubię spotykać się z ludźmi. Więc... przyjmij moją radę i nie daj się zgwałcić.

Harper skinęła głową.

— Będę uważać — obiecała.

— Piwnica — powiedziała Scimeca.

Przeszli za nią z salonu do drzwi pod schodami. Były to stare drzwi z sosnowych desek, wielokrotnie malowanych. Za nimi znajdowały się wąskie schody. Zimne powietrze pachniało benzyną i gumą.

— Musimy przejść przez garaż — wyjaśniła Scimeca.

W garażu stał nowy samochód, długi, nisko zawieszony chrysler w złotym kolorze. Minęli go, idąc gęsiego. Scimeca otworzyła kolejne drzwi, umieszczone w ścianie garażu. Owiał ich stęchły zapach piwnicy. Pociągnęła za linkę, zapaliło się ciepłe żółte światło.

— No, jesteśmy.

Piwnicę ogrzewał piec centralnego ogrzewania. Była to duża, prostokątna piwnica, o ścianach zabudowanych półkami. Izolacja z włókna szklanego przeświecała pomiędzy belkami stropowymi. Przewody ogrzewania wiły się między deskami podłogowymi. A pośrodku, pod kątem do ścian, stało pudło, które wyglądało bardzo nieporządnie na tle równych rzędów metalowych regałów. Dokładnie takie, jakie mieli już okazję widzieć: ten sam rozmiar, taki sam brązowy karton, czarny druk, rysunek, nazwa producenta. Oklejone lśniącą brązową taśmą sprawiało wrażenie nietkniętego.

— Masz nóż? — spytał Reacher.

Scimeca ruchem głowy wskazała część warsztatową. Do ściany przykręcony był uchwyt z kołkami, na których wisiały narzędzia. Z jednego z kołków Reacher zdjął nóż do cięcia linoleum; zrobił to ostrożnie, bo doświadczenie mówiło mu, że przy okazji na ogół wyrywa się i kołek. Okazało się jednak, że nie ten. Dopiero teraz zauważył, że w tej piwnicy wszystkie umocowane były do podstawy dodatkowym plastikowym pierścieniem.

Z nożem w ręku podszedł do pudła. Przeciął taśmę. Odwrócił nóż, podważył rączką klapy. Zobaczył pięć metalowych, błyszcących żółto kręgów, wieczek puszek farby, świecących odbitym światłem. Podłożył rękojeść noża pod kabłąk jednej z nich, podniósł ją na wysokość oczu, przyjrzał się jej dokładnie. Obrócił w świetle. Zwykła metalowa puszka, bez żadnych ozdób z wyjątkiem małej białej nalepki z długim numerem i słowami: maskująca/zielona.

— Widywaliśmy takie w swoim czasie — powiedziała Scimeca. — Prawda, Reacher?

Reacher skinął głową.

— Trochę — przyznał.

Odstawił puszkę do pudła. Nożem złożył klapy, po czym odwiesił go porządnie, na miejsce. Spojrzał na Scimecę.

— Kiedy dostałaś przesyłkę? — spytał.

— Nie pamiętam.

— Mniej więcej?

— Nie wiem. Jakieś kilka miesięcy temu.

— Kilka miesięcy? — zdziwiła się Harper.

Scimeca skinęła głową.

— Przypuszczam. Naprawdę nie pamiętam.

— To nie ty zamawiałaś pralkę? — spytał Reacher.

Potrząsnęła głową.

— Już mam pralkę. Stoi tam.

Wskazała palcem. W rogu piwnicy znajdowała się pralnia: pralka, suszarka, zlew, czyściutka wykładzina w rogu. Na blacie stały białe plastikowe pojemniki i butelki z detergentami, ustawione równo, porządnie.

— Takie rzeczy na ogół się pamięta — powiedział Reacher. — Ty nie pamiętasz?

— Chyba po prostu założyłam, że to mojej współlokatorki — odparła Scimeca.

— Masz współlokatorkę?

— Miałam. Wyprowadziła się parę tygodni temu.

— I uznałaś, że to jej pralka?

— Dla mnie to miało sens. Urządza się u siebie, więc będzie potrzebowała pralki, nie?

— Ale jej nie spytałaś?

— O co miałam ją pytać? Pomyślałam sobie, że jeśli to nie moja pralka, to jej.

— Dlaczego miałaby ją zostawić?

— Bo jest ciężka. Może szuka kogoś, kto pomógłby jej w transporcie? Przecież minęło tylko kilka tygodni.

— Może zostawiła coś jeszcze?

Scimeca potrząsnęła głową.

— Nie. To jej ostatnia rzecz.

Reacher obszedł karton dookoła. Dostrzegł prostokątny ślad po zerwanych dokumentach przewozowych.

— Zabrała papiery — powiedział.

Scimeca znów skinęła głową.

— Pewnie tak. Musi pilnować swoich spraw.

Stali w milczeniu, troje ludzi otaczających wysokie kwadratowe pudło.

— Jestem zmęczona — powiedziała nagle Scimeca. — Skończyliśmy? Bo chciałabym, żebyście się stąd wynieśli.

— Jeszcze jedna, ostatnia sprawa — powiedział Reacher.

— Jaka?

— Powiedz agentce Harper, co robiłaś w wojsku.

— Dlaczego? Co to ma z tym wspólnego.

— Po prostu chcę, żeby wiedziała.

Scimeca wzruszyła ramionami zaskoczona.

— Zajmowałam się testami uzbrojenia.

— Powiedz jej, co to takiego.

— Testowaliśmy nową broń przychodzącą wprost od wytwórcy.

— I?

— Jeśli odpowiadała specyfikacji, przekazywaliśmy ją kwatermistrzostwu.

Zapadła cisza. Harper spojrzała na Reachera. Ona też była zaskoczona.

— W porządku — powiedział Reacher. — Teraz się wyniesiemy.

Za gospodynią wrócili do garażu. Scimeca pociągnęła za linkę, gasząc światło. Minęli samochód, wspięli się na górę wąskimi schodami. Przeszli korytarzem. Scimeca wyjrzała przez wizjer, otworzyła drzwi frontowe. Na dworze było chłodno i wilgotno. — Do widzenia, Reacher. Miło było znowu cię widzieć. — Zwróciła się do Harper: — Powinnaś mu zaufać. Bo wiesz, ja nadal mu ufam, a możesz mi wierzyć, że to cholernie mocna rekomendacja.

Drzwi zamknęły się za nimi. Idąc ścieżką, słyszeli, jak pięć metrów za ich plecami trzaska zamek. Miejscowy agent przyglądał się, jak wsiadają do samochodu. W środku zachowało się jeszcze trochę ciepła. Harper włączyła silnik, a potem nawiew. Chciała utrzymać temperaturę.

— Miała współlokatorkę — powiedziała.

Reacher skinął głową.

— Więc twoja teoria się nie sprawdza. Wyglądało na to, że mieszka samotnie, ale nie mieszkała samotnie. Wróciliśmy do punktu wyjścia.

— Niekoniecznie. Niedokładnie. To nadal jest podkategoria. Musi być. Nikt nie wpisuje na listę celów dziewięćdziesięciu jeden kobiet. To szaleństwo.

— W odróżnieniu od czego? Wkładania ciał martwych kobiet do wanien wypełnionych farbą?

Reacher skinął głową.

— Co teraz? — spytał.

— Wracamy do Quantico — powiedziała Harper.

• • •

Zajęło im to blisko dziewięć godzin. Pojechali do Portland, przelecieli turbośmigłowcem na Sea-Tac, stamtąd samolotem Continentalu do Newark, a United do Dystryktu Columbii, gdzie spotkali kierowcę Biura i z nim pojechali do Wirginii. Reacher przespał niemal całą drogę, a kiedy nie spał, i tak niewiele widział i słyszał, taki był zmęczony. Przywołał się do porządku, a i to z trudem, dopiero kiedy przejeżdżali przez teren, na którym stacjonowała piechota morska.

Strażnik przy wjeździe oddał mu identyfikator gościa. Podjechali pod główne wejście. Harper zaprowadziła go do środka.

Zjechali windą cztery piętra pod ziemię, do pokoju seminaryjnego ze lśniącymi ścianami, fałszywymi oknami i zdjęciami Lorraine Stanley przypiętymi do tablicy. Telewizor z wyłączonym dźwiękiem relacjonował dzień na Kapitolu. Blake, Poulton i Lamarr siedzieli przy stole, przed nimi piętrzyły się stosy papierów. Blake i Poulton wyglądali na bardzo zajętych i wyjątkowo zmęczonych, Lamarr była biała jak leżący przed nią papier, oczy miała zapadnięte i była mocno podenerwowana.

— Niech zgadnę — powiedział Blake. — Pudło Scimeki przyszło kilka miesięcy temu. Nie bardzo potrafiła wyjaśnić czemu. I nie było przy nim dokumentów.

— Uznała, że to przesyłka dla sublokatorki — wyjaśniła Harper. — Nie mieszkała sama. Tak więc lista jedenastu nic nie znaczy.

Blake potrząsnął głową.

— Nie. Znaczy dokładnie to, co znaczyła. Jedenaście kobiet, które dla kogoś sprawdzającego papiery wyglądają na mieszkające samotnie. Sprawdziliśmy wszystkie przez telefon. Osiemdziesiąt rozmów. Przedstawialiśmy się jako pracownicy biura obsługi klienta firmy kurierskiej. Zabrało nam to ładnych parę godzin, ale dowiedzieliśmy się jednego: żadna z nich nic nie wiedziała o nieoczekiwanych dostawach jakiś kartonowych pudeł. Teraz mamy osiemdziesiąt kobiet mniej więcej bezpiecznych i jedenaście zagrożonych. Teoria Reachera się sprawdza. Jeśli współlokatorka zaskoczyła jego, to zaskoczy też naszego faceta.

Reacher spojrzał na niego z wdzięcznością. I lekkim zaskoczeniem.

— Hej, jak ktoś ma zasługi, to je uznajemy — powiedział Blake.

Lamarr skinęła głową i zapisała coś na końcu długiej listy.

— Przykro mi z powodu straty, jaką poniosłaś — rzekł do niej Reacher.

— Zapewne można było tego uniknąć — odparła Lamarr. — Wiesz, gdybyś od początku współpracował tak jak teraz.

Zapadła cisza. Przerwał ją Blake.

— Mamy siedem na siedem trafnych. Dokumenty znikają, kobiety niczego nie są całkiem pewne.

— Jest jeszcze jedna współlokatorka — wtrącił Poulton. — A trzy regularnie dostawały niechciane przesyłki, więc w końcu zaczęły odkładać załatwianie tych spraw. Pozostałe dwie były po prostu niekonkretne.

— Scimeca była zdecydowanie niekonkretna — powiedziała Harper.

— Jest kłębkiem nerwów — zauważył Reacher. — To cud, że w ogóle funkcjonuje.

Lamarr skinęła głową; drobny, współczujący gest.

— Tak czy inaczej donikąd nas nie prowadzi, prawda? — spytała.

— A co z firmami kurierskimi? — spytał Reacher. — Sprawdzacie je?

— Nie wiemy, co sprawdzać — powiedział Poulton. — Papierów nie było przy siedmiu przesyłkach. Z siedmiu.

— Możliwości wcale nie jest tak dużo — zauważył Reacher.

— Czyżby? UPS, FedEx, DHL, Airborne Express, cholerna poczta Stanów Zjednoczonych i co tam jeszcze... plus dowolna liczba lokalnych podnajętych firemek.

— Sprawdźcie wszystkie — nalegał Reacher.

Poulton wzruszył ramionami.

— I o co mamy pytać? Czy z milionów przesyłek, które doręczyliście w ciągu ostatnich dwóch miesięcy, pamiętacie może te, które nas interesują?

— Musicie spróbować. Zacznijcie od Spokane. To daleko od cywilizacji, pośrodku pustkowia... kierowca może pamiętać.

Blake pochylił się, przytaknął skinieniem.

— Dobrze, spróbujemy. Ale tylko tam. Gdzie indziej to przecież niemożliwe.

— Dlaczego te kobiety są takie niekonkretne? — spytała Harper.

— Powody są skomplikowane — odparła Lamarr. — Jak powiedział Reacher, wszystkie są wyczerpane nerwowo, przynajmniej do pewnego stopnia. Duża przesyłka, pojawiająca się nieoczekiwanie na ich terytorium, to przecież coś w rodzaju inwazji. Mózg to blokuje. Właśnie tego spodziewałabym się w takich sprawach.

Mówiła cicho, napiętym głosem. Jej chude dłonie spoczywały bezwładnie na stole.

— Moim zdaniem to dziwne — upierała się Harper.

Lamarr pokręciła głową, cierpliwie jak nauczycielka.

— Nie — powtórzyła. — Właśnie tego bym się spodziewała. Zmień punkt widzenia. Te kobiety zostały napadnięte, zarówno dosłownie, jak i w przenośni. To zostawia ślad.

— A teraz się boją — dodał Reacher. — Pilnować je oznaczało wszystko im powiedzieć. Scimeca z pewnością sprawiała wrażenie wstrząśniętej. I słusznie. Mieszka na uboczu. Gdybym ja był tym facetem, ona byłaby następna. Nie wątpię, że sama potrafi dojść do tego wniosku.

— Musimy go złapać — powiedziała Lamarr.

Blake skinął głową.

— Ale teraz to wcale nie będzie łatwe — zauważył. — Te siedem, które dostały przesyłki, obejmiemy dwudziestoczterogodzinną ochroną, ale on to zobaczy z daleka. Nie złapiemy go na miejscu.

— Teraz zniknie na jakiś czas — powiedziała Lamarr. — Póki nie zdejmiemy ochrony.

— Jak długo będziemy ją utrzymywać? — spytała Harper.

Zapadła cisza. Przerwał ją Blake.

— Trzy tygodnie. Choćby dzień dłużej i zrobi się z tego szaleństwo.

Harper spojrzała na niego. Nie odezwała się.

— Przecież musi być jakaś granica — powiedział Blake. — Czego ty chcesz? Ochrony dwadzieścia cztery godziny na dobę dla każdej, do końca życia?

I znów zapadła cisza. Poulton zebrał papiery, wyrównał stos, stukając nimi w blat stołu.

— Musimy znaleźć tego faceta — powiedział.

Blake skinął głową. Położył dłonie na stole.

— Plan jest taki, że zmieniamy się dwadzieścia cztery godziny na dobę. Przez trzy tygodnie. Od tej chwili. Jedno z nas śpi, reszta pracuje. Julio, odpoczywasz pierwsza. Dwanaście godzin. Od tej chwili.

— Nie chcę.

Widać było, że Blake czuje się niezręcznie.

— No... czy chcesz, czy nie, odpoczywasz.

Lamarr pokręciła głową.

— Nie. Muszę wiedzieć, co się dzieje. Niech Poulton idzie pierwszy.

— Nie spieraj się, Julio. Musimy się jakoś zorganizować.

— Ale ja się czuję świetnie. Powinnam pracować. Teraz i tak nie zasnę.

— Dwanaście godzin, Julio — powiedział stanowczo jej szef. — I tak jesteś wolna. Należy ci się urlop okolicznościowy. W podwójnym wymiarze.

— Nie odejdę — protestowała Lamarr.

— Odejdziesz.

— Nie mogę. Muszę zostać... pracować przy sprawie, teraz...

Siedziała nieruchomo, ze stanowczym wyrazem twarzy. Blake westchnął, odwrócił wzrok.

— W tej chwili nie możesz pracować przy sprawie.

— Dlaczego nie?

Tym razem Blake spojrzał jej w oczy.

— Ponieważ właśnie przywieziono nam ciało twojej siostry. Do autopsji. W to nie możesz być włączona. Nie pozwolę na to.

Lamarr próbowała odpowiedzieć. Dwukrotnie otworzyła i zamknęła usta, jednak nie wydobył się z nich żaden dźwięk. Mrugnęła, odwróciła wzrok.

— Dwanaście godzin — przypomniał jej Blake.

Lamarr siedziała wpatrzona w blat stołu.

— Dostanę wyniki? — spytała cicho.

Blake skinął głową.

— Tak. Obawiam się, że tego nie unikniemy.

18

Biuro terenowe w Spokane pracowało ciężko całą noc, przy chętnej współpracy firmy budowlanej, operatora dźwigu, kierowcy ciężarówki i jego pomocników oraz firmy transportu lotniczego. Robotnicy rozebrali ściany łazienki Alison Lamarr oraz odłączyli przewody kanalizacyjne. Technicy Biura, specjaliści od badania miejsca przestępstwa, owinęli wannę grubą folią, podczas gdy robotnicy wyjęli okno oraz rozebrali ścianę szczytową do poziomu podłogi. Obsługa dźwigu przesunęła płócienne pasy pod owiniętą plastikiem wanną, przeciągnęła hak przez dziurę po rozebranej ścianie i wyciągnęła ją, a następnie powoli, ostrożnie opuściła ciężki, kołyszący się na zimnym wietrze ładunek do drewnianej skrzyni bezpiecznie przymocowanej do platformy ciężarówki. Obsługa ciężarówki wpompowała do skrzyni rozprężającą się pianę w celu zabezpieczenia ładunku, zamknęła ją i odwiozła na lotnisko w Spokane. Tam przeładowano ją na czekający już samolot i odtransportowano do bazy sił powietrznych Andrews, skąd helikopter zabrał ją do Quantico. Na miejscu wózek widłowy przewiózł wannę na rampę załadunkową laboratorium, gdzie czkała godzinę, podczas gdy kryminalistycy zastanawiali się, co właściwie mają zrobić z tym fantem.

— W tej chwili zależy mi wyłącznie na przyczynie śmierci — powiedział Blake.

Siedział po jednej stronie długiego stołu w sali konferencyjnej zakładu medycyny sądowej, oddalonej od psychologii behawioralnej o trzy budynki i pięć pięter. Miejsce obok niego zajmowała Harper, kolejne Poulton i ostatnie, na końcu rzędu, Reacher. Naprzeciw nich usiadł szef sądówki Quantico, doktor Stavely. Reacher miał wrażenie, że zna skądś to nazwisko, co zapewne oznaczało, że doktor cieszy się pewną sławą. Wszyscy odnosili się do niego z wielkim szacunkiem. Był potężnie zbudowanym mężczyzną o czerwonej, dziwnie pogodnej twarzy. Dłonie miał wielkie, także czerwone, sprawiające wrażenie niezręcznych, choć prawdopodobnie takie nie były. Przy boku trzymał swego szefa techników, cichego, chudego mężczyznę, sprawiającego wrażenie zamyślonego.

— Czytaliśmy raporty z twoich innych spraw — powiedział Stavely i umilkł.

— Co znaczy...? — spytał Blake.

— Co znaczy, że optymizm to mnie nie przepełnia. Co prawda New Hampshire leży na uboczu ważnych wydarzeń, ale nie sposób powiedzieć tego o Florydzie czy Kalifornii. Podejrzewam, że gdyby było coś do znalezienia, już byś o tym wiedział. Mają tam naprawdę dobrych ludzi.

— My mamy lepszych.

Stavely uśmiechnął się.

— Na komplementach daleko nie zajedziesz.

— To nie komplement.

Lekarz nie przestał się uśmiechać.

— Jeśli nie ma nic do znalezienia, co możemy zrobić?

— Coś musi być — powiedział Blake. — Tym razem popełnił błąd. Z pudłem.

— Więc?

— Więc może popełnił więcej niż jeden błąd. Zostawił coś, co znajdziecie.

Stavely milczał przez chwilę. Zastanawiał się.

— Mówię tylko, żebyś się za wiele nie spodziewał — rzekł w końcu.

Wstał nagle, splótł grube palce, wygiął dłonie. Spojrzał na technika.

— Jesteśmy gotowi? — spytał.

Chudy technik skinął głową.

— Zakładamy, że farba stwardniała na powierzchni, na dwa i pół, do trzech i pół centymetra. Jeśli odetniemy ją od emalii wanny na całej długości, zapewne uda się nam wsunąć torbę na ciało i w ten sposób je wyciągnąć.

— Doskonale. Zachowajcie tyle farby, ile tylko się da. Chcę ją mieć w stanie możliwie nienaruszonym.

Technik wyszedł. Stavely poszedł za technikiem, nie oglądając się, najwyraźniej pewny, że inni sformują rządek i posłusznie pójdą za nim. Nie pomylił się.

Reacher szedł ostatni.

● ● ●

Laboratorium zakładu medycyny sądowej niczym nie różniło się od wielu innych, które Reacher miał okazję poznać. Było to duże, niskie pomieszczenie, jaskrawo oświetlone ukrytymi w suficie lampami. Ściany i podłoga wyłożone były białą glazurą. Pośrodku podłogi stał wielki stół sekcyjny, wykonany ze lśniącej stali, wyposażony w kanał odpływowy prowadzący wprost do stalowej rury, która biegła po podłodze. Otaczały go stoliki na kółkach, wypełnione narzędziami. Z sufitu zwisały węże. Na stelażach stały kamery, wagi i wentylatory. Wentylacja szumiała cicho, w nieruchomym, zimnym powietrzu unosił się zapach środków dezynfekcyjnych.

— Fartuchy i rękawiczki — polecił Stavely.

Gestem wskazał stalową szafkę pełną złożonych nylonowych fartuchów i pudła jednorazowych rękawiczek chirurgicznych. Harper rozdała je obecnym.

— Prawdopodobnie nie będziemy potrzebowali masek. Zakładam, że w najgorszym razie nawdychamy się farby.

Poczuli jej zapach, gdy tylko na salę wjechały nosze pchane przez technika. Leżało na nich ciało w torbie, wydętej, śliskiej, wysmarowanej na zielono. Przez zamknięcie torby wypływała farba, ściekała po stelażu noszy, zostawiała równoległe ślady na płytkach podłogi. Technik szedł dokładnie między tymi śladami.

Nosze postukiwały, torba poruszała się na boki jak wielki balon wypełniony olejem. Ramiona technika wysmarowane były na zielono aż po barki.

— Najpierw zrób jej rentgen — powiedział Stavey.

Chudy technik posterował noszami w nowym kierunku: w stronę zamkniętego pokoju przylegającego do laboratorium. Reacher wyprzedził go, pociągnął drzwi. Miał wrażenie, że ważą tonę.

— Wyłożone ołowiem — wyjaśnił Stavely. — Tam, w środku, dajemy im niezłą dawkę. Naprawdę dużą, nawet bardzo dużą, żeby zobaczyć wszystko, co chcemy zobaczyć. W końcu nie musimy się przejmować długotrwałymi skutkami dla zdrowia, prawda?

Technik zniknął na moment, a potem znów pojawił się w laboratorium. Zamknął za sobą ciężkie drzwi. Rozległ się stłumiony, potężny i niski szum, trwał może sekundę i ucichł. Technik poszedł do pokoju. Po chwili wrócił, pchając przed sobą nosze. Farba nadal z nich ściekała, malując dwa równoległe ślady. Ustawił nosze równolegle do stołu.

— Obróć ją — polecił Stavely. — Chcę ją mieć twarzą w dół.

Technik stanął przy nim, pochylił się, złapał bliższą część torby obiema rękami, podniósł ją i położył ciało na pół na stole. Obszedł nosze, chwycił drugi koniec torby, podniósł ją i obrócił. Torba opadła na stół zamkiem błyskawicznym do dołu; zamknięta w niej masa cmoknęła, zakołysała się, przelała na boki i znieruchomiała. Farba zalała polerowaną stal. Stavely przyjrzał się najpierw jej, potem podłodze całej pokrytej krzyżującymi się zielonymi liniami.

— Ochraniacze na buty, ludzie — powiedział. — To się dostanie wszędzie.

Odsunęli się. Harper znalazła w szafce duże plastikowe torby i rozdała je. Reacher nałożył je na buty i odsunął się. Obserwował farbę przeciekającą przez zamek jak leniwa fala przypływu.

— Zdjęcia — polecił Stavely.

Technik zniknął w pokoju rentgenowskim. Wrócił z dużymi, szarymi kliszami, mapą ciała Alison Lamarr. Wręczył je lekarzowi. Stavely przejrzał je, podniósł do padającego z sufitu światła.

— Dostajemy je natychmiast — powiedział. — Jak polaroidy. Oto korzyści z postępów nauki.

Przerzucił zdjęcia, jakby rozdawał karty, wybrał jedno, podniósł. Podszedł do podświetlanej tablicy, włączył światło, przyłożył je do niej i przytrzymał rozstawionymi palcami.

— Tylko popatrzcie.

Było to zdjęcie środkowej części ciała, zaczynającej się tuż poniżej mostka, kończącej tuż powyżej łona. Reacher dostrzegł zarysy upiornie szarych kości, żeber, kręgosłupa i miednicy, oraz ramion i dłoni spoczywających na nich pod kątem. Oraz jeszcze inny kształt, czegoś gęstego i tak jasnego, że świeciło czystą bielą. Kawałek metalu. Cienki, zaostrzony, długości mniej więcej dłoni.

— To jakieś narzędzie — powiedział Stavely.

— U innych nie było nic takiego — rzekł Poulton.

— Doktorze — odezwał się Blake — musimy dowiedzieć się, z czym mamy do czynienia. To ważne.

Stavely pokręcił głową.

— W tej chwili znajduje się pod ciałem, które leży na brzuchu. Dostaniemy się tam, ale to trochę potrwa.

— Jak długo?

— Trudno ocenić. Czeka nas mnóstwo brudnej roboty.

Przykleił zdjęcia do szyby we właściwej kolejności. Przeszedł wzdłuż tej upiornej ekspozycji, przyglądając się im uważnie.

— Szkielet jest względnie nienaruszony — orzekł. — Wskazał drugą kliszę. Lewy nadgarstek złamany i wyleczony, prawdopodobnie dziesięć lat temu.

— Uprawiała sporty — powiedział Reacher. — Wiemy to od jej siostry.

Stavely skinął głową.

— W takim razie sprawdzimy obojczyk.

Zrobił krok w lewo. Przyjrzał się pierwszemu zdjęciu pokazującemu czaszkę, szyję i ramiona, Obojczyki świeciły, opadały, ku mostkowi.

— Małe pęknięcie. — Pokazał je palcem. — Tego właśnie się spodziewałem. Sportowiec z uszkodzeniem nadgarstka ma zazwyczaj uszkodzony obojczyk. Spadają z roweru, przewracają się na tych swoich rolkach, bronią się przed upadkiem, wyciągając rękę, no i łamią kości.

— Żadnych nowych ran? — spytał Blake.

Stavely pokręcił głową.

— Te mają z dziesięć lat, może nawet więcej. Nie zginęła na skutek uderzenia tępym narzędziem, jeśli o to wam chodzi.

Wcisnął przycisk, lampy podświetlające zdjęcia rentgenowskie zgasły. Podszedł do stołu, znów splótł palce, wyprostował ramiona. W ciszy rozległ się głośny trzask.

— No, to do roboty — powiedział.

Pociągnął za koniec węża zamocowanego na rolce wiszącej u sufitu. Przekręcił kurek na jego końcówce. Rozległ się syk, z węża popłynął powoli gęsty, przezroczysty płyn o mocnym, ostrym zapachu.

— Aceton — wyjaśnił Stavely. — Musimy pozbyć się tej cholernej farby.

Skierował strumień acetonu na torbę i stalowy stół. Technik rwał kolejne papierowe ręczniki, wycierał nimi torbę, kierował gęsty płyn do ścieku. Od zapachu chemikaliów kręciło się w głowie.

— Wentylator — powiedział Stavely.

Technik spełnił polecenie. Przekręcił znajdujący się za nim przełącznik. Cichy szum podsufitowych wentylatorów zmienił się w przytłumiony ryk. Stavely przysunął końcówkę węża do torby. Po chwili zaczęła zmieniać barwę z lśniącej zieleni na lśniącą czerń. Przesunął końcówkę w dół; spłukiwał stół, kierując wzburzony płyn wprost do kanału odpływowego.

— W porządku. Nożyce.

Technik wziął nożyce z wózka. Odciął róg torby. Przez otwór wypłynął strumień zielonej farby. Zmywana acetonem leniwie spływała kanałem. Trwało to dwie minuty, trzy, pięć; torba spłaszczała się powoli, opadała. W pokoju słychać było tylko ryk wentylatorów i szum tryskającego z węża płynu.

— No, to teraz zaczyna się zabawa — powiedział Stavely.

Wręczył wąż technikowi. Wziął ze stołu skalpel, przeciął torbę na całej długości. Rozciął także obie krótsze krawędzie, górną i dolną, po czym powoli uniósł gumową płachtę, ostrożnie odklejając ją od skóry. Zwinął ją w dwie długie fałdy. Martwa Alison Lamarr leżała przed nimi na stole twarzą w dół.

Tym samym skalpelem doktor ciął torbę przy stopach, wzdłuż nóg, wokół linii bioder, boków i łokci, ramion i, na końcu, głowy. Zdejmował kawałki gumy, aż pozostała tylko jej wierzchnia część, uwięziona pomiędzy warstwą zaschłej farby a stalą stołu. Leżała na stole odwrócona, ponieważ ciało Alison Lamarr złożono twarzą w dół. Jej widoczna powierzchnia była nierówna, galaretowata. Wyglądała jak powierzchnia dalekiej, obcej planety. Stavely spłukiwał jej krawędzie w miejscach, gdzie przylegała do skóry.

— Nie uszkodzisz jej? — spytał Blake.

Doktor potrząsnął głową.

— Kobiety zmywają tym lakier z paznokci.

W opłukanych z farby miejscach ciało nabierało szarobiałej barwy. Stavely usuwał okruchy farby palcami w chirurgicznych rękawiczkach. Mocnymi rękami poruszył ciało. Uniosło się i opadło bezwładnie. Wcisnął pod nie końcówkę węża, sprawdzając, z jaką siłą przylega do niego farba. Technik, stojący tuż przy nim, uniósł nogi Alison. Stavely sięgnął pod nie, odciął jednocześnie farbę i płaszczyznę gumy, i oderwał ją aż po uda. Aceton lał się cały czas, spłukując zielony strumień do kanalizacji.

Stavely zajął się z kolei głową. Umieścił końcówkę węża przy karku i patrzył, jak środek chemiczny płucze włosy. Włosy Alison sprawiały koszmarne wrażenie, splątane, zlepione, pokryte skorupą farby falowały wokół jej twarzy.

— Muszę je obciąć.

Blake skinął głową, poważny, wręcz posępny.

— Chyba nie da się tego uniknąć — przyznał.

— Miała ładne włosy — powiedziała Harper cicho, ledwie było ją słychać tak hałasowały wentylatory. Odwróciła się, cofnęła o krok, oparła ramieniem o pierś Reachera. Jej dotyk trwał o sekundę dłużej niż powinien.

Stavely wziął z wózka kolejny skalpel. Przeciął nim włosy

tak blisko warstwy zastygłej farby, jak to tylko było możliwe. Wsunął potężne ramię pod ramiona Alison, uniósł je. Głowa uniosła się wraz z nimi, pozostawiając włosy wtopione w farbę jak korzenie namorzynu wplątane w bagno. Kolejnym cięciem uwolnił następny kawałek ciała.

— Mam nadzieję, że złapiecie tego faceta — powiedział.

— Taki mamy plan. — Blake nadal był bardzo ponury.

— Teraz ją przewrócimy.

Łatwo było obrócić ciało, aceton w połączeniu z lepką farbą zadziałał jak smar wylany na stal. Alison spoczęła na wznak, nieruchoma, upiorna w jaskrawym świetle. Jej pomarszczona, zielonobiała skóra upstrzona była farbą. Oczy miała otwarte, powieki otoczone zieloną linią. Ostatni pozostały kawałek torby okrywał ją przyklejony do skóry od piersi do ud, jak staroświecki kostium kąpielowy strzegący jej skromności.

Stavely namacał pod gumą metalowy obiekt, który widzieli na zdjęciu. Przeciął torbę, wsunął palce w rozcięcie i wyjął go; wyglądało to na groteskową parodię operacji chirurgicznej.

— Śrubokręt.

Technik umył śrubokręt w acetonie, następnie pokazał go im: narzędzie dobrej jakości, z ciężką plastikową rączką, zrobione z chromowanej stali, ostre.

— Pasuje do innych — powiedział Reacher. — Z kuchennej szuflady. Pamiętacie?

— Ma zadrapania na twarzy — powiedział nagle Stavely.

Opłukał twarz Alison wężem. Na lewym policzku widać było cztery równoległe rozcięcia, biegnące od oka do ust.

— Miała je przedtem? — spytał Blake.

— Nie — odpowiedzieli jednocześnie Reacher i Harper.

— To o co tu chodzi? — zdziwił się Blake.

— Była praworęczna? — spytał Stavely.

— Nie wiem — odparł Poulton.

Harper skinęła głową.

— Chyba tak.

Reacher zamknął oczy. Sięgnął pamięcią wstecz, wrócił do jej kuchni, patrzył, jak nalewa kawę z dzbanka.

— Praworęczna — powiedział.

— Zgadzam się. — Savely obejrzał ramiona i dłonie ofiary. — Prawa ręka jest większa od lewej, a ramię cięższe.

Blake pochylił się, przyjrzał twarzy Alison.

— I co z tego?

— Sądzę, że te rany zadała sobie sama — powiedział doktor.

— Jest pan pewien?

Stavely krążył wokół stołu i leżącej na stole głowy, szukając najlepszego oświetlenia. Rany spuchły od farby, były otwarte, rozjątrzone. I zielone tam, gdzie powinna przeważać czerwień.

— Sami dobrze wiecie, że nie mogę być pewien. To kwestia prawdopodobieństwa. Jeśli zrobił to ten facet, jakie są szanse, że poranił ją w jedyne miejsce, w którym mogła bez problemu poranić się sama?

— Zmusił ją, żeby się okaleczyła — rzekł Reacher.

— Jak? — spytał Blake.

— Nie wiem jak. Ale zmusza je, żeby robiły cholernie dużo różnych rzeczy. Moim zdaniem zmusza je, żeby wlewały farbę do wanny.

— Skąd ten pomysł?

— Śrubokręt. Zdejmowała nim pokrywki z puszek farby. Skaleczenia przyszły mu do głowy później. Gdyby od początku chciał, żeby się poraniła, kazałby jej przynieść z kuchni nóż zamiast śrubokrętu. Albo i śrubokręt, i nóż.

Blake zapatrzył się na ścianę.

— Gdzie teraz są puszki? — spytał.

— W dziale analizy materiałów — odparł Poulton. — W tym budynku. Właśnie je badają.

— To zanieś im śrubokręt. Niech go sprawdzą na zgodność śladów.

Technik włożył śrubokręt do czystej plastikowej torby na dowody. Poulton zrzucił fartuch, zdjął ochraniacze na buty i szybkim krokiem wyszedł z sali.

— Ale dlaczego? — spytał Blake. — Dlaczego kazał jej tak się poranić.

— Gniew? — odparł Reacher. — Kara? Upokorzenie? Zawsze zastanawiałem się, dlaczego nie jest gwałtowniejszy.

— Rany są bardzo płytkie — powiedział Stavely. — Przypuszczam, że odrobinę krwawiły, ale nie powodowały dotkliwego bólu. Głębokość równa na całej długości. Ręka ani drgnęła.

— Może chodziło o rytuał? — zastanawiał się Blake. — Może ma to jakieś znaczenie symboliczne? Czy cztery równoległe linie coś wam mówią?

Reacher potrząsnął głową.

— Mnie nic.

— Jak ją zabił? Tego musimy się dowiedzieć.

— Może pchnął ją śrubokrętem — powiedziała Harper.

— Nic o tym nie świadczy — odparł Stavely. — Na ciele nie widać rany kłutej, która mogłaby spowodować śmierć.

Odciął ostatni kawałek torby. Zmywał farbę z okrytego nią jeszcze przed chwilą ciała, dotykając go palcami chronionymi przez chirurgiczne rękawiczki w miejscach, na które padał strumień acetonu. Technik usunął płachtę i oto Alison Lamarr leżała przed nimi naga w blasku lamp, bardzo mała i bezwładna, i całkiem martwa. Reacher patrzył na nią, pamiętając żywą, pogodną kobietę o uśmiechniętych oczach, promieniejącą energią jak małe słońce.

— Czy to możliwe zabić kogoś tak, by spec od medycyny sądowej nie wiedział, jak zginął? — spytał.

Stavely potrząsnął głową.

— Nie ten spec — powiedział.

Zamknął dopływ acetonu, puścił wąż, który zwinął się na rolkę, zawieszoną u sufitu. Cofnął się o krok, przełączył wentylację; ryk zmienił się w szum i w sali zrobiło się cicho. Ciało leżało na stole tak czyste, że czystsze już być nie mogło. Pory i fałdy skóry poplamione były na zielono, sama skóra, biała, grudkowata, przypominała coś, co żyje na dnie oceanu. Włosy, sztywne od resztek farby, niedbale obcięte, otaczały twarz nieboszczki.

— Istnieją dwa podstawowe sposoby zabicia kogoś — powiedział Stavely. — Albo zatrzymujesz akcję serca, albo zatrzymujesz dopływ tlenu do mózgu. Zrobić jedno i drugie bez zostawiania śladów to sztuka.

— Jak można zatrzymać akcję serca? — spytał Blake.

— Jeśli nie wpakuje się w nie kuli? Najlepszym sposobem byłby zator powietrzny. Duży bąbel powietrza, wstrzyknięty wprost do krwiobiegu. Krew krąży zdumiewająco szybko, bąbel powietrza uderza o wnętrze serca jak kamień, jak mała wewnętrzna kula. Szok jest zazwyczaj śmiertelny. Dlatego pielęgniarki obracają strzykawki igłą do góry, wyciskają z niej trochę płynu i strzepują go paznokciem. Żeby upewnić się, że w zastrzyku nie ma powietrza.

— Zauważyłby pan ślad po ukłuciu, prawda?

— Może tak, może nie. Z całą pewnością nie na ciele takim jak to. Farba zniszczyła skórę. Ale widać byłoby wewnętrzne uszkodzenia serca. Sprawdzę to, oczywiście, gdy tylko ją otworzę, ale nie jestem optymistą. U pozostałych trzech tego nie stwierdzono, prawda? O ile wiem, zakładamy stały sposób działania?

Blake skinął głową.

— A co z tlenem i mózgiem?

— Dla laików uduszeniem. Da się zrobić bez zostawiania wielu śladów. Klasyczny przypadek to staruszek lub staruszka niezdolni do obrony, słabi, którym przyłożono poduszkę do twarzy. W zasadzie niczego nie da się udowodnić. Ale nie mamy do czynienia ze staruszką. Dziewczyna była młoda i silna.

Reacher skinął głową. W swojej burzliwej karierze zdarzyło mu się udusić mężczyznę... kiedyś, dawno temu. Potrzebował całej swej niemałej siły, by przytrzymać faceta z twarzą przyciśniętą do materaca. Facet szarpał się, walczył, kopał. Nie od razu umarł.

— Walczyłaby jak szalona — powiedział.

— Jestem tego samego zdania — rzekł Stavely. — Tylko na nią popatrzcie. Same mięśnie. Nie dałaby sobą pomiatać.

Reacher nie spojrzał na ciało. Odwrócił wzrok. W zimnej sali panowała cisza. Zielona farba była dosłownie wszędzie.

— Myślę, że żyła — powiedział. — Weszła do farby żywa.

— Powód? — zainteresował się Stavely.

— Ani śladu bałaganu. Najmniejszego śladu. Łazienka była nieskazitelnie czysta. Ile ona może ważyć? Pięćdziesiąt pięć kilo? Pięćdziesiąt siedem. Wystarczająco wiele, by trudno było wsadzić ją do wanny bez pozostawiania śladów.

— Może wlał farbę potem — zasugerował Blake. — Lał ją na nią?

Reacher potrząsnął głową.

— Wypłynęłaby jak dwa i dwa cztery. Wygląda na to, że weszła w tę farbę, jak do kąpieli. No wiesz, jedna noga, druga noga, zanurzasz się...

— Będzie nam potrzebny eksperyment — przerwał mu Stavely. — Ale mam wrażenie, że mogę się z tym zgodzić. Zmarła w wannie. U pierwszych trzech nie znaleziono żadnego śladu, nawet dotknięcia. Brak zasinień, brak otarć, nic. I żadnych urazów pośmiertnych. Manipulowanie ciałem zmarłego na ogół uszkadza więzadła stawów, ponieważ nie chroni ich napięcie mięśniowe. W tej chwili zakładam, że ofiary weszły do wanny.

— Ale się nie zabiły — powiedziała Harper.

Stavely skinął głową.

— Samobójstwo w wannie jest praktycznie ograniczone do dwóch sposobów: topisz się pijany albo naćpany, albo otwierasz sobie żyły w ciepłej wodzie. Rzecz jasna nie jest to samobójstwo.

— No i nie zostały utopione — zauważył Blake.

Stavely znów skinął głową.

— Pierwsze trzy nie. W płucach nie było płynu. Co z nią, dowiemy się, kiedy ją otworzymy, ale nie wierzę w utopienie.

— Więc jak on to robi? — spytał Blake.

Stavely patrzył na ciało z czymś, co można by uznać za współczucie.

— W tej chwili nie mam pojęcia — przyznał. — Dajcie mi parę godzin, powiedzmy trzy, to może coś znajdę.

— I nie ma pan żadnego pomysłu?

— Mam... teorię. Opartą na tym, co przeczytałem o pierwszych trzech przypadkach. Problem w tym, że w tej chwili wydaje mi się absurdalna.

— Jaką teorię?

Stavely potrząsnął głową.

— Później, dobrze? A teraz wyjdźcie. Będę ją ciął i nie chcę was przy tym widzieć. W tej sytuacji zasługuje na odrobinę prywatności.

19

Fartuchy i ochraniacze na buty rzucili na stos przy drzwiach. Za drzwiami skręcili w lewo, potem w prawo, szli łącznikami i korytarzami, aż trafili do wyjścia z budynku zakładu medycyny sądowej. Do głównego budynku wrócili okrężną drogą, przez parkingi, jakby dzięki szybkiemu spacerowi na świeżym, ostrym jesiennym powietrzu mogli pozbyć się zapachu farby i śmierci. Zjechali windą cztery kondygnacje pod ziemię. Wąskim korytarzem dotarli do sali konferencyjnej i spotkali w niej Julię Lamarr, siedzącą samotnie przy stole i wpatrzoną w milczący telewizor.

— Miało cię tu nie być — powiedział Blake.

— Dowiedzieliście się czegoś? — spytała Lamarr cichym głosem. — Od Stavely'ego.

Blake potrząsnął głową.

— Później. Powinnaś pojechać do domu.

Lamarr wzruszyła ramionami.

— Przecież mówiłam ci, że nie mogę wrócić do domu. Muszę kontrolować, co się dzieje.

— Jesteś wyczerpana.

— Chcesz powiedzieć, że nie potrafię działać efektywnie?

Blake westchnął ciężko.

— Miej nade mną litość, Julio. Muszę jakoś to wszystko zorganizować. Jeśli padniesz z wyczerpania, będziesz kompletnie nieużyteczna.

— Nie dojdzie do tego.

— Czy zdajesz sobie sprawę, że wydałem ci rozkaz?

Lamarr machnęła ręką, był to wyraźny gest odmowy. Harper spojrzała na nią z niedowierzaniem.

— To był rozkaz — powtórzył Blake.

— A ja go zignorowałam. No i co masz zamiar zrobić? Musimy brać się do roboty. Mamy trzy tygodnie na złapanie faceta. To nie aż tak wiele.

Reacher potrząsnął głową.

— To bardzo dużo czasu.

Harper odwróciła się i teraz patrzyła z niedowierzaniem na niego.

— Jeśli porozmawiamy o jego motywie. Już. Teraz.

Zapadła cisza. Lamarr zesztywniała.

— Uważam, że jego motyw jest sprawą oczywistą.

Głos miała lodowaty. Reacher obrócił się do niej. Twarz miała spokojną, nawet łagodną, choć w ciągu dwóch dni straciła rodzinę. Całą rodzinę.

— Nie dla mnie — powiedział.

Lamarr spojrzała błagalnie na Blake'a.

— Nie stać nas na to, żeby zacząć tę dyskusję od nowa — powiedziała. — Nie teraz.

— Nie mamy wyboru — odparł Reacher.

— Już to przerabialiśmy — warknęła Lamarr.

— Spokojnie, ludzie — przerwał im Blake. — Tylko spokojnie. Mamy trzy tygodnie. Nie marnujmy ich na kłótnie.

— Zmarnujecie całe trzy tygodnie, jeśli będziecie postępowali jak dotąd — ostrzegł Reacher.

W sali zapanowało wyraźnie wyczuwalne napięcie. Lamarr wbiła wzrok w blat stołu. Blake milczał. I nagle skinął głową.

— Masz trzy minuty, Reacher. Powiedz nam, co ci chodzi po głowie.

— Mylicie się co do motywu. Właśnie to mi chodzi po głowie. I przez to szukacie nie tam, gdzie powinniście.

— Już to przerabialiśmy — powtórzyła Lamarr.

— Przerobimy jeszcze raz — rzekł Reacher łagodnie. — Bo

nie złapiemy faceta, jeśli będziemy szukać nie tam, gdzie powinniśmy. To chyba rozsądne podejście, nie uważasz?

— Czy musimy znów przez to przechodzić? — spytała Lamarr.

— Dwie minuty trzydzieści sekund — powiedział Blake. — Mów, Reacher.

Reacher odetchnął głęboko.

— Facet jest bardzo cwany, racja? Bardzo, bardzo, bardzo cwany. Cwany w szczególny sposób. Popełnił cztery morderstwa, cudaczne, skomplikowane, wydumane, nie zostawiając po sobie najmniejszego śladu. Popełnił tylko jeden błąd, nie zamknął pudła, a to stosunkowo drobny błąd, ponieważ do niczego nas nie prowadzi. No więc mamy faceta, który bez problemu podejmuje tysiące decyzji, dba o tysiące szczegółów i to błyskawicznie, w niekorzystnych, stresujących okolicznościach. Zabił cztery kobiety, a my nie wiemy jeszcze nawet jak!

— Jaki stąd wniosek? — spytał Blake.

— Jego inteligencja. Jego inteligencja jest specyficznego rodzaju. Jest praktyczna i skuteczna w rzeczywistym świecie. Facet stąpa twardo po ziemi. Umie planować, rozwiązywać problemy. Jest pragmatykiem. Jest racjonalny aż do bólu. Jego specjalnością jest rzeczywistość.

— I? — powtórzył Blake.

— Pozwól, że ci zadam pytanie. Masz problem z czarnymi?

— Co?

— Odpowiedz na pytanie.

— Nie, nie mam problemu z czarnymi.

— Są tak samo dobrzy albo tak samo źli jak inni, prawda?

— Jasne. Są dobrzy i są źli.

— A co z kobietami? Mogą być tak samo dobre albo tak samo złe jak każdy, nie?

Blake skinął głową.

— Jasne.

— To co zrobisz, kiedy ktoś powie ci, że czarni do niczego się nie nadają lub kobiety do niczego się nie nadają.

— Powiem, że się myli.

— Zgadza się i wiesz, że się myli, bo w głębi serca znasz prawdę.

Blake jeszcze raz skinął głową.

— Jasne. Więc?

— Więc moje doświadczenie mówi mi to samo. Rasiści popełniają fundamentalny błąd, seksiści też. Bez dyskusji. Fundamentalny błąd znaczy, że to całkowicie irracjonalne. Myśl. Każdy, kto dostaje ataku wściekłości z powodu tej sprawy z napastowaniem, nie ma racji. Każdy, kto wini ofiary napastowania, nie ma racji. I każdy, kto chce mścić się za to na ofiarach, popełnia fundamentalny błąd. Ma nierówno pod sufitem. Jego mózg nie funkcjonuje jak należy. Nie jest racjonalny. Traci związek z rzeczywistością. Właśnie to uzgodniliśmy.

— Więc?

— Więc jego nie motywuje gniew skierowany przeciw tym kobietom. Nieprawdopodobne. Niemożliwe. Nie możesz być jednocześnie cwany w rzeczywistym świecie i durny w rzeczywistym świecie. Nie możesz być jednocześnie racjonalny i irracjonalny. Nie możesz jednocześnie radzić sobie z rzeczywistością i nie radzić sobie z nią.

Zapadła cisza.

— Wiemy, jaki jest jego motyw — powiedziała Lamarr. — Może być inny? Grupa docelowa została zdefiniowana zbyt dokładnie, by mogło to być coś innego.

Reacher potrząsnął głową.

— Czy ci się to podoba, czy nie, opisałaś jego motyw w sposób, który czyni z niego szaleńca. A szaleniec nie byłby w stanie popełnić tych morderstw.

Lamarr zacisnęła zęby; Reacher słyszał wręcz, jak stuknęły i zazgrzytały. Obserwował ją uważnie. Potrząsnęła głową. Jej rzadkie włosy poruszyły się sztywno, jak polakierowane.

— To jaki jest jego prawdziwy motyw, cwaniaczku? — spytała cichym, bardzo spokojnym głosem.

— Nie wiem — powiedział Reacher.

— Nie wiesz? Lepiej byłoby dla ciebie, gdybyś żartował. Kwestionujesz moją fachową wiedzę, a sam nie wiesz?

— W końcu okaże się, że chodzi o coś prostego. Tak jest zawsze, prawda? Dziewięćdziesiąt dziewięć razy na sto okazuje się, że proste rozwiązanie jest właściwe. Może nie sprawdza się to tu, u was, kochani, ale w rzeczywistym świecie zawsze.

Nikt się nie odezwał. Nagle otworzyły się drzwi i do pogrążonej w ciszy sali wszedł Poulton, nieznacznie uśmiechając się pod wąsem. Uśmiech znikł, gdy tylko panująca tu atmosfera uderzyła go z siłą ciosu. W milczeniu cicho usiadł obok Lamarr. W odruchu obronnym przyciągnął do siebie stos papierów.

— Co się dzieje? — spytał.

Blake gestem głowy wskazał mu Reachera.

— Ten tu cwaniak zgłosił pretensję do zdefiniowanego przez Julię motywu.

— A co jest nie tak z motywem?

— Cwaniak zaraz nam powie. Zdążyłeś w sam czas na seminarium prowadzone przez prawdziwego eksperta.

— Co ze śrubokrętem? — spytał Reacher. — Wiadomo coś?

Na wargi Poultona powrócił uśmiech.

— Albo ten śrubokręt, albo identyczny posłużył do podważenia wieczek puszek z farbą. Ślady pasują bezbłędnie. Ale... o co dokładnie chodzi z tym motywem?

Reacher odetchnął głęboko. Spojrzał na otaczające go twarze: Blake'a, wrogą Lamarr, bladą, napiętą Harper, zdziwioną Poultona, który nic nie rozumiał.

— W porządku, cwaniaku — powiedział Blake. — Słuchamy.

— W końcu okaże się, że chodzi o coś prostego — powtórzył Reacher. — Coś prostego i oczywistego. Zwykłego. I wystarczająco lukratywnego, by warto to było chronić.

— On coś chroni?

Reacher skinął głową.

— Tak przypuszczam. Może likwiduje świadków albo coś takiego.

— Świadków czego?

— Zapewne jakiegoś kantu.

— Jakiego kantu?

Reacher wzruszył ramionami.

— Dużego. Systematycznego, jak sądzę.

Zapadła cisza.

— W armii? — spytała Lamarr.

— To chyba oczywiste — odparł Reacher.

Blake skinął głową.

— W porządku — powiedział. — Duży, systematyczny kant w armii. Jaki mianowicie?

— Nie wiem — przyznał Reacher.

Znowu zapadła cisza. I nagle Lamarr schowała twarz w dłoniach. Jej ramiona zadrżały. Zaczęła kiwać się na krześle w przód i w tył. Reacher patrzył na nią zdziwiony. Szlochała, jakby jej serce miało pęknąć lada chwila. Zdał sobie z tego sprawę chwilę później, niż powinien, ponieważ szlochała w absolutnej ciszy.

— Julio? — Blake podniósł głos. — Nic ci nie jest?

Lamarr odjęła dłonie od twarzy. Gestykulowała niepewnie: „Tak, nie, jeszcze chwila". Twarz miała bladą, skrzywioną, cierpiącą, oczy zamknięte. W sali panowała cisza, słychać było tylko jej głośny, nierówny oddech.

— Przepraszam — wykrztusiła.

— Nie masz za co przepraszać — rzekł Blake. — To szok.

Histerycznie potrząsnęła głową.

— Nie. Popełniłam straszny błąd. Bo, moim zdaniem, Reacher ma rację. Musi mieć rację. To ja cały czas się myliłam. Spartoliłam sprawę. Nie zauważyłam czegoś tak oczywistego. Powinnam zorientować się wcześniej.

— Nie przejmuj się tak. Nie teraz.

Lamarr podniosła głowę, spojrzała Blake'owi w oczy.

— Mam się tym nie przejmować? Czy ty nic nie rozumiesz? Tyle zmarnowanego czasu...

— To bez znaczenia — powiedział Blake niezbyt przekonująco.

Nie spuszczała z niego wzroku.

— Oczywiście, że ma znaczenie. Nie rozumiesz? Moja siostra zginęła, bo zmarnowałam tyle czasu! Popełniłam błąd! Zabiłam ją, bo się myliłam!

I znów w sali zrobiło się cicho. Blake wpatrywał się w Lamarr. Był bezradny.

— Musisz wziąć sobie wolne — oświadczył.

Lamarr potrząsnęła głową. Wytarła oczy.

— Nie, nie. Muszę pracować. Za dużo czasu zmarnowałam. Teraz muszę myśleć. Muszę to teraz nadrobić.

— Powinnaś wrócić do domu. Choćby na parę dni.

Reacher obserwował ją. Siedziała bezwładnie, niczym po ciężkim pobiciu. Jej bladą twarz pokrywały czerwone plamy. Oddychała płytko, a jej spojrzenie było pozbawione wyrazu.

— Potrzebujesz odpoczynku — powiedział Blake.

Lamarr drgnęła, potrząsnęła głową.

— Może później.

I znów zapadła cisza. Ale Lamarr opanowała się, wyprostowała, odetchnęła głęboko.

— Odpocznę później. Może. Ale najpierw popracuję. Wszyscy musimy wziąć się do roboty. Musimy myśleć. Myśleć o armii. Co to za kant?

— Nie wiem — powtórzył Reacher.

— No więc myśl, na litość boską — warknęła. — Jaki kant chroni ten facet!?

— Mów, co masz do powiedzenia — polecił Blake. — Nie posunąłbyś się tak daleko, gdyby coś ci nie świtało.

Reacher wzruszył ramionami.

— Coś mi chodzi po głowie, ale to nie jest nawet pomysł.

— Mów.

— W porządku. No więc... co robiła Amy Callan?

Blake spojrzał najpierw tępo na niego, a potem na Poultona.

— Urzędniczka intendentury — powiedział Poulton.

— Lorraine Stanley?

— Sierżant w kwatermistrzostwie.

Reacher zawahał się na chwilę.

— Alison?

— Wsparcie piechoty — rzekła Lamarr obojętnym głosem.

— Nie, przedtem.

— Batalion transportowy.

Reacher skinął głową.

— A Rita Scimeca?

Harper skinęła głową.

— Testowanie broni. Teraz rozumiem, dlaczego kazałeś mi ją o to zapytać.

— Dlaczego? — zdziwił się Blake.

— A jaki — spytał Reacher — widzisz związek między urzędniczką intendentury, sierżantem w kwatermistrzostwie, kierowcą w batalionie transportowym i testerem broni?

— Ty mi powiedz.

— Co zabrałem tym facetom w restauracji?

Blake wzruszył ramionami.

— Nie wiem. To sprawa Jamesa Cozo. Nowojorska. Pamiętam, że ukradłeś im forsę.

— Mieli pistolety — przypomniał mu Reacher. — M dziewięć beretta, ze spiłowanymi numerami seryjnymi. Co to znaczy?

— Że weszli w ich posiadanie nielegalnie.

Reacher skinął głową.

— Z armii. M dziewięć beretta to broń wojskowa.

Nie wyglądało na to, by Blake coś zrozumiał.

— I co z tego? — spytał.

— To, że jeśli ktoś w armii kryje jakiś kant, to ten kant najprawdopodobniej dotyczy kradzieży, a jeśli stawka jest wystarczająco wysoka, by zabijać, to chodzi o kradzież broni, bo to lukratywny interes. A każda z tych czterech kobiet zajmowała takie stanowisko, że mogła wykryć kradzież. Były częścią łańcucha: transportowanie, testowanie, przechowywanie broni. Nie robiły nic innego, tylko to.

Nikt się nie odezwał. Blake potrząsnął głową.

— Oszalałeś. Za wiele tu przypadkowości. Nic się nie zgadza. Śmieszne. Jakie są szanse, że wszyscy ci świadkowie będą jednocześnie ofiarami molestowania?

— To nawet mniej niż pomysł — powiedział Reacher — ale w rzeczywistości szanse są całkiem spore. Przynajmniej tak to widzę. Jedyną prawdziwą ofiarą napastowania była siostra Lamarr. Caroline Cooke się nie liczy, ponieważ jej problem był w gruncie rzeczy techniczny.

— Co z Callan i Stanley? — spytał Poulton. — Nie nazywasz tego napastowaniem?

Reacher potrząsnął głową, ale uprzedziła go Lamarr. Siedziała pochylona, bębniąc palcami w blat stołu. Jej oczy płonęły. Wróciła do życia, panowała nad sytuacją.

— Nie. Myślcie, ludzie! Myślcie wielotorowo! Nie były ofiarami napastowania i świadkami. Stały się ofiarami napastowania, ponieważ były świadkami. Jesteś wojskowym kanciarzem i masz w swojej jednostce kobietę, która nie chce odwrócić wzroku, kiedy twoim zdaniem powinna. Co z tym robisz? Pozbywasz się jej, to oczywiste. A jaki jest najprostszy sposób? Sprawić, żeby czuła się niepewnie. Napastować ją.

Znów zapadła cisza. Blake znowu potrząsnął głową.

— Nie, Julio. Reacherowi tylko się wydaje. Nic więcej. Ciągle za dużo tu przypadkowości. Powiedz mi, jakie są szansę, że wieczorem, w alejce przy jakiejś tam restauracji, trafił akurat na ślad kantu, przez który giną nasze ofiary? Milion do jednego. Minimum.

— Miliard do jednego — poprawił go Poulton.

Lamarr wpatrywała się w nich nieruchomym spojrzeniem.

— Myśl, na litość boską! Z pewnością nie twierdzi, że przypadkiem wpadł na ten sam kant. To musiało być co innego. Ile jest przekrętów w armii? Setki? Mam rację?

Reacher skinął głową.

— Masz. Ta sprawa z restauracji sprawiła tylko, że zacząłem myśleć w ten sposób. Ogólnie. To wszystko.

I znów zapadła cisza. Twarz Blake'a mocno się zaczerwieniła.

— Setki kantów? W armii? To w czym ma to nam pomóc? Setki kantów, setki wplątanych w kanty żołnierzy, jak mamy znaleźć tego właściwego? Igła w stogu siana! Robota na trzy lata, a my mamy trzy tygodnie!

— A co z farbą? — spytał Poulton. — Gdyby likwidował świadków, toby po prostu podchodził do nich i strzelał w łeb z dwudziestkidwójki z tłumikiem. Nie bawiłby się w te wszystkie sztuczki. Rytuał jest klasycznym elementem seryjnych zabójstw.

Reacher spojrzał na niego.

— Właśnie. Wyprowadzacie motyw ze sposobu popełnienia przestępstwa. Pomyśl chwilę. Gdyby każda z nich dostała w głowę z dwudziestkidwójki z tłumikiem, co byście pomyśleli?

Poulton nie odpowiedział, ale po jego oczach widać było, że nadal ma wątpliwości. Blake wyprostował się, położył ręce na stole.

— Nazwalibyśmy je egzekucjami — powiedział. — Nie zmieniłoby to naszej oceny motywu.

— Nie. Bądź uczciwy. Sądzę, że bylibyście nieco bardziej otwarci. Zarzucilibyście sieć szerzej. Jasne, rozważylibyście sprawę napastowania, ale wzięlibyście pod uwagę też kilka innych rzeczy. Takich zwykłych. Kula w łeb, i zaczynacie się zastanawiać nad mniej wyszukanymi powodami.

Blake siedział nieruchomo. Wahał się. Milczał.

— Kula w łeb nie jest czymś niezwykłym, prawda? — powiedział Reacher. — Biorąc pod uwagę waszą pracę. Dlatego szukalibyście normalnych powodów. Jak eliminacja świadków przestępstwa. Kula w łeb i moim zdaniem już siedzielibyście po uszy we wszystkich armijnych kantach, szukając skutecznego opiekuna któregoś z nich. Ale facet odbił waszą piłkę, ozdabiając morderstwa całym tym malowniczym gównem. Ukrył prawdziwy motyw. Postawił zasłonę dymną. Wprowadził was na pole pokręconej psychologii. Manipuluje wami, bo jest bardzo cwany.

Blake milczał nadal.

— Nie musiał się mocno napracować — dodał Reacher.

— To tylko spekulacje — powiedział Blake.

Reacher skinął głową.

— Oczywiście, że spekulacje. Sam mówiłem, że nawet nie pomysł. Ale tym właśnie się tu zajmujecie, nie? Siedzicie tu dniami i nocami, aż portki wam świecą na tyłkach, rozważając mnóstwo pomysłów, które nie są nawet pomysłami.

W sali zapanowała cisza.

— Przecież to gówno warte — przerwał ciszę Blake.

Reacher jeszcze raz skinął głową.

— Owszem, może? Ale z drugiej strony może i nie? Może jakiś facet w armii robi grubszą kasę na przekręcie, o którym te kobiety coś wiedziały? I kryje się za napastowaniem seksualnym, robiąc z zabójstw psychodramę. Wiedział, jak chętnie w to wejdziecie. Wiedział, że może sprawić, byście zaczęli szukać nie tam, gdzie powinniście. Bo jest bardzo cwany.

Nikt się nie odezwał.

— Wasza kolej — powiedział Reacher.

Nikt się nie odezwał.

— Julio? — przerwał milczenie Blake.

Lamarr nie odpowiedziała od razu, ale po chwili skinęła głową.

— To prawdopodobny scenariusz. Może nawet bardziej niż prawdopodobny. Całkiem możliwe, że Reacher ma absolutną rację. Na tyle możliwe, że moim zdaniem powinniśmy to natychmiast sprawdzić, nie szczędząc środków.

Znów zapadła cisza.

— Sądzę, że nie powinniśmy już marnować czasu — szepnęła Lamarr.

— Ale on się myli — powiedział Poulton. — Grzebał w papierach, głos miał donośny, radosny. — Caroline Cooke to dowód, że nie ma racji. Wyższy oficer, praca biurowa. Nigdy nie miała nic wspólnego z bronią, magazynem czy kwatermistrzostwem.

Reacher milczał. Ciszę przerwał hałas przy drzwiach. Otworzyły się i do sali niemal wbiegł bardzo zaabsorbowany Stavely. Miał na sobie fartuch laboratoryjny. Na przegubach dłoni widać było zielone pasy od farby, sięgającej poza mankiety rękawiczek. Lamarr dostrzegła te plamy i zbladła tak, że jej twarz stała się bielsza od fartucha. Patrzyła na nie długą chwilę, po czym zamknęła oczy i zachwiała się, jakby miała stracić przytomność. Kurczowo chwyciła krawędź stołu. Białe, rozpostarte palce trzymały go tak mocno, że napięte ścięgna, drżały jak wibrujące przewody elektryczne.

— Chcę iść do domu — powiedziała.

Sięgnęła pod stół, podniosła torbę, przerzuciła pasek przez ramię. Odsunęła krzesło. Wstała. Powoli, chwiejnie podeszła do drzwi. Cały czas przyglądała się śladom związanym z ostatnimi chwilami życia siostry, rozsmarowanych na przegubach wielkich dłoni Stavely'ego. Idąc, obracała głowę, by nie tracić ich z oczu. Wreszcie, z wysiłkiem, zdołała oderwać od nich wzrok. Otworzyła drzwi. Wyszła, pozwalając, by zamknęły się za nią z trzaskiem.

— Co? — spytał Blake.

— Wiem, jak je zabija — oznajmił Stavely. — Tylko że jest z tym pewien problem.

— Jaki?

— To niemożliwe.

20

— Poszedłem na skróty — tłumaczył Stavely. — Macie o tym pamiętać, jasne? Cholernie się spieszycie, sądzimy, że stosuje spójny *modus operandi*, więc tylko sprawdziłem, na jakie pytania nie odpowiedziały pierwsze trzy ofiary. Chodzi mi o to, że wszyscy wiemy, jak tego nie robi, racja?

— Nie mamy pojęcia, jak zabija — powiedział Blake.

— Właśnie. Brak śladów uderzenia tępym narzędziem, ran od broni palnej, ran kłutych, duszenia, trucizny.

— To jak on to robi?

Stavely okrążył stół. Usiadł na wolnym krześle, zachowując dystans, trzy krzesła od Poultona, dwa od Reachera.

— Utopiła się? — spytał Poulton.

Lekarz potrząsnął głową.

— Nie utopiła. Poprzednie trzy też nie. Zajrzałem w jej płuca. Czyściuteńkie.

— To jak to robi? — powtórzył Blake.

— Tak, jak już wam tłumaczyłem. Zatrzymuje albo akcję serca, albo dopływ krwi do mózgu. No więc najpierw obejrzałem serce. Idealne. Ani śladu uszkodzenia. Jak u poprzednich trzech. A to były bardzo sprawne kobiety. Miały serca jak dzwony. Łatwiej jest rozpoznać uszkodzenia takich serc. U starszych ludzi, z problemami, z wcześniejszymi uszkodzeniami, no wiecie,

292

z nalotami lub bliznami po chorobach, te stare mogą ukrywać nowe. Ale to były serca bez zarzutu, jak u sportowców. Jakikolwiek uraz byłby widoczny na kilometr. Nie było urazu. Czyli nie zatrzymał serca.

— No i? — spytał Blake.

— Pozbawił je tlenu. Nic więcej nam nie pozostaje.

— Jak?

— Dobre pytanie, prawda? Najważniejsze. Teoretycznie mógł uszczelnić łazienkę, wypompować tlen i na jego miejsce wprowadzić jakiś obojętny gaz.

Blake potrząsnął głową.

— To absurd — powiedział.

— Oczywiście, że absurd. Potrzebowałby specjalnego wyposażenia, pomp, zbiorników z gazem. I zawsze coś zostałoby w tkankach, a już z całą pewnością w płucach. Nie ma takiego gazu, którego byśmy nie wykryli.

— Tak więc?

— Zablokowanie dróg oddechowych. To jedyna możliwość.

— Sam pan powiedział, że nic nie wskazuje na uduszenie, doktorze.

Stavely skinął głową.

— Nic — przytaknął. — I to mnie właśnie zainteresowało. Uduszenie wiąże się zazwyczaj z potężnymi urazami szyi. Zasinienia, krwawienie wewnętrzne, widać je dosłownie na kilometr. To samo z garotą.

— Ale?

— Istnieje coś, co nazywa się „łagodnym uduszeniem".

— „Łagodnym"? — zdziwiła się Harper. — Jakie ohydne określenie.

— Co to takiego? — spytał Poulton.

— Facet z potężnymi ramionami. Miękko wyłożony rękaw płaszcza. Łagodny ciągły nacisk. To by załatwiło sprawę.

— I tak to zrobił? — spytał Blake.

Stavely potrząsnął głową.

— Nie. Nie tak. Nie chodzi o widoczne ślady, ale żeby dokonać dzieła, trzeba spowodować jakieś obrażenia wewnętrzne.

Złamanie kości gnykowej na przykład, a już z całą pewnością pęknięcie. Uszkodzenia więzadeł. To bardzo delikatna okolica. Weźmy choćby krtań.

— Podejrzewam, że zaraz usłyszę, że nie było uszkodzeń — powiedział Blake.

— Żadnych poważnych uszkodzeń. Kiedy ją spotkaliście, miała może katar?

Zadał pytanie Harper, ale to Reacher odpowiedział:

— Nie.

— Ból gardła?

— Nie.

— Chrypkę?

— Mnie wydawała się całkiem zdrowa.

Stavely skinął głową. Sprawiał wrażenie zadowolonego.

— Gardło ma bardzo lekko opuchnięte. Tak, jakby właśnie wychodziła z kataru. Mogła to zrobić odrobina wydzieliny albo bardzo łagodny wirus, paciorkowiec. Dziewięćdziesiąt dziewięć razy na sto po prostu bym to zignorował. Ale... pozostałe trzy miały to samo. Trochę za duża zbieżność.

— Co to właściwie znaczy? — spytał Blake.

— To znaczy, że wepchnął im coś do gardła.

W sali znów zapanowała cisza.

— Do gardła? — powtórzył Blake.

Stavely skinął głową.

— Tak przypuszczam. Coś miękkiego, co weszłoby na miejsce bez problemu, a potem trochę się rozszerzyło. Choćby gąbkę. W łazience była gąbka?

— W Spokane nie widziałem.

Poulton znów przerzucił papiery.

— W spisie nie ma niczego.

— Może je zabrał? — wtrąciła Harper. — Jak ubrania?

— Łazienki bez gąbek... — rzekł Blake tonem zastanowienia. — To tak jak pies, który nie szczeka.

— Nie — zaprotestował Reacher. — Nie widziałem gąbki w łazience podczas pierwszej wizyty.

— Jesteś pewien? — spytał Blake.

— Całkowicie.

— Może przynosi je ze sobą? — powiedziała Harper. — Ma jakieś ulubione?

Blake, który dotąd obserwował Reachera, teraz spojrzał na Stavely'ego.

— Więc on tak właśnie to robi? Wtyka gąbki w gardła?

Stavely patrzył na swe wielkie dłonie spoczywające na blacie stołu.

— Nie ma innej możliwości — powiedział. — Gąbki albo coś podobnego do gąbek. Ta jak z Sherlocka Holmesa, rozumiecie? Najpierw eliminujesz to, co niemożliwe, i cokolwiek zostanie, musi być prawdziwe, choćby wydawało się nie wiadomo jak nieprawdopodobne. Facet dusi je, wciskając im coś miękkiego w gardło. Wystarczająco miękkiego, by nie zostawiało wewnętrznych obrażeń jak tępy przedmiot, ale wystarczająco spoistego, by blokowało dostęp powietrza.

Blake powoli skinął głową.

— W porządku — powiedział. — Teraz wiemy, jak to robi.

Stavely potrząsnął głową.

— No... nie. Nie wiemy. Ponieważ to niemożliwe.

— Dlaczego?

Doktor tylko bezradnie wzruszył ramionami.

— Podejdź, Harper — poprosił Reacher.

Harper spojrzała na niego zaskoczona, po czym uśmiechnęła się krótko, wstała, przysunęła krzesło do stołu i podeszła.

— Pokazać znaczy więcej niż powiedzieć, prawda? — zażartowała.

— Połóż się na stole, dobrze?

Uśmiechnęła się po raz drugi, usiadła na blacie stołu, przyjęła wymaganą pozycję. Reacher podłożył jej pod głowę stos papierów Poultona.

— Wygodnie ci? — spytał.

Harper skinęła głową. Rozrzuciła włosy, odchyliła głowę, jak u dentysty. Poprawiła marynarkę na bluzce.

— W porządku — powiedział Reacher. — Jest Alison Lamarr w wannie.

Wyciągnął jej spod głowy jedną z kartek. Spojrzał na nią; był to spis przedmiotów z łazienki Caroline Cooke. Zgniótł go w kulkę.

— A to jest gąbka — Zerknął na Blake'a. — Chociaż w tej łazience nie było gąbki.

— Przyniósł ją ze sobą — przypomniał mu Blake.

— No to tylko tracił czas. Nie wierzycie, to patrzcie. Przyłożył zgniecioną kartkę do warg agentki. Natychmiast zacisnęła je mocno.

— Jak ją zmusić do otwarcia ust? Skoro bez żadnych wątpliwości wie, że to, co zamierzam zrobić, zabije ją. — Pochylił się, podłożył lewą dłoń pod jej brodę, tak że palce objęły oba policzki. — Pewnie mógłbym ścisnąć, prawda? Albo zacisnąć nozdrza i czekać, aż będzie musiała odetchnąć. Pozostaje tylko pytanie, co zrobi ona?

— To! — Harper zamachnęła się i wymierzyła mu żartobliwy cios zamachowy wysoko w skroń.

— No właśnie — rzekł spokojnie Reacher. — Po dwóch sekundach mamy walkę. Litry farby na podłodze, kolejne litry na mnie. Żeby jakoś sobie z tym poradzić, musiałbym wleźć do wanny. Stanąć za nią albo położyć się na niej.

— Ma rację — powiedział Stavely. — To po prostu niemożliwe. Walczyłyby o życie. Nie ma sposobu, żeby wcisnąć coś komuś do ust wbrew jego woli, nie zostawiając śladów na policzkach, szczęce, w ogóle wszędzie. Ciało rozerwane na zębach, rozcięte, posiniałe usta, być może chwiejące się zęby? Te kobiety gryzłyby, drapały, kopały. Ślady pod paznokciami, stłuczone kostki palców, rany odniesione w obronie własnej. Walka na śmierć i życie, rozumiecie? A my nie mamy żadnych śladów walki. Nawet najmniejszych.

— Może coś im podał? Żeby były pasywne, wiesz, jak ta pigułka gwałtu.

Stavely potrząsnął głową.

— Nie były naćpane. Toksykologia coś by wykazała, a we wszystkich czterech przypadkach nic nie znaleziono.

I znów w sali zapanowała cisza. Reacher chwycił Harper za

ręce. Pomógł jej usiąść. Ześlizgnęła się ze stołu, otrzepała garnitur, wróciła na miejsce.

— A więc... żadnych konkluzji, doktorze? — spytał Blake.

Stavely tylko wzruszył ramionami.

— Jak powiedziałem, mam wspaniałą konkluzję. Problem w tym, że niemożliwą.

Reakcją na jego słowa było milczenie. Przerwał je Reacher.

— Mówiłem wam przecież, że to bardzo cwany facet. Za cwany dla was. O wiele za cwany. Cztery zabójstwa, a wy nawet nie wiecie, jak on to robi.

— No i co zrobisz, cwaniaczku? Odpowiesz nam na pytanie, na które nie potrafili nam odpowiedzieć czterej najlepsi w tym kraju lekarze sądowi?

Reacher milczał.

— I co? — naciskał Blake.

— Nie wiem — powiedział Reacher.

— Wspaniale! Nie wiesz!

— Ale się dowiem.

— Jasne. Na przykład jak?

— To proste. Znajdę faceta i go o to zapytam.

● ● ●

Zaledwie nieco ponad sto kilometrów dalej, na północ i nieco na wschód, po odbyciu piętnastokilometrowej podróży pułkownik znajdował się w tej chwili ponad trzy kilometry od swego biura. Autobus wahadłowy zabrał go z parkingu przed Pentagonem i wysadził pod Kapitolem. Tam zatrzymał taksówkę. Wrócił nią przez rzekę, dojechał do głównego terminalu lotniska National. Mundur spakowany miał w przewieszoną przez ramię torbę na garnitury, krążył pomiędzy kasami biletowymi w porze szczytu, w tłumie zdolnym zgnieść człowieka na miazgę był całkowicie, absolutnie anonimowy.

— Portland, Oregon — powiedział do kasjera. — Powrotny, open, klasa turystyczna.

Urzędnik wpisał kod Portland. Komputer poinformował go,

że na najbliższy lot bez międzylądowania jest mnóstwo wolnych miejsc.

— Odlatuje za dwie godziny — powiedział.

— Doskonale — odparł pułkownik.

• • •

— Sądzisz, że znajdziesz faceta? — spytał Blake.

Reacher skinął głową.

— Muszę, nie? To jedyny sposób.

Na chwilę w sali konferencyjnej zapadła cisza. Potem Stavely wstał.

— Cóż, życzę panu sukcesu.

Wyszedł, cicho zamykając za sobą drzwi.

— Nie znajdziesz go — rzucił Poulton. — Bo popełniłeś błąd w sprawie Caroline Cooke. Nigdy nie służyła w kwatermistrzostwie, w magazynach, nie testowała broni. Jest dowodem na to, że twoja teoria nie trzyma się kupy.

Reacher się uśmiechnął.

— Czy wiem coś o procedurach FBI? — spytał.

— Nie. Nie wiesz.

— Więc nie mów mi o armii. Cooke była materiałem na oficera. Typem kobiety sukcesu. Musiała taka być, skoro skończyła w planowaniu wojennym. Takich jak ona wysyła się wszędzie, żeby zyskali szersze spojrzenie. Ten wykaz, który masz, jest niekompletny.

— Doprawdy?

Reacher skinął głową.

— Musi być niekompletny. Gdyby wymienili wszystko, co robiła, miałbyś dziesięć stron, nim została podporucznikiem. Skontaktuj się z Departamentu Obrony, zdobądź szczegóły, to znajdziesz coś, co da się powiązać.

Powróciła cisza: szum wymuszonej wentylacji, bzyczenie uszkodzonej świetlówki, wysokie popiskiwanie telewizora... i nic więcej. Nikt się nie odzywał. Poulton patrzył na Blake'a, Harper spojrzała na Reachera. Blake wbił wzrok w swoje dłonie i palce stukające bezgłośnie po blacie stołu.

— Sądzisz, że dasz radę schwytać faceta? — spytał.

— Ktoś musi — odparł Reacher. — Wy przecież do niczego nie dojdziecie.

— Będziesz potrzebował środków.

Reacher skinął głową.

— Odrobina pomocy z pewnością by nie zaszkodziła.

— Zatem zaczynam niebezpieczną grę.

— Lepiej grać, niż stawiać na przegrywającego.

— Zaczynam bardzo niebezpieczną grę. O bardzo wysoką stawkę.

— Na przykład o swoją karierę?

— Siedem kobiet. Nie karierę.

— Siedem kobiet. I karierę.

Blake lekko skinął głową.

— Jakie masz szanse?

Reacher wzruszył ramionami.

— W ciągu trzech tygodni? Mam pewność.

— Jesteś aroganckim sukinsynem, wiesz?

— Nie. Realistycznie oceniam swoje możliwości.

— Czego chcesz?

— Wynagrodzenia.

— Mamy ci zapłacić?

— Jasne. Wam płacą, nie? Robię całą robotę, więc powinienem coś z tego mieć. To chyba zrozumiałe?

Blake skinął głową.

— Znajdź faceta, to pogadam z Deerfieldem. Zapomni o Petrosjanie.

— Plus honorarium.

— Ile chcesz?

— Ile uznacie za stosowne.

Blake znów skinął głową.

— Pomyślę o tym. I... Harper jedzie z tobą. Bo na razie nikt o Petrosjanie nie zapomniał.

— W porządku. Przeżyję. Nie wiem jak ona.

— Ona nie ma wyboru. Co jeszcze?

— Umów mnie z Cozem. Zacznę od Nowego Jorku. Będę potrzebował pewnych informacji.

Blake skinął głową.

— Zadzwonię do niego. Możecie spotkać się dziś wieczorem.

Reacher potrząsnął głową.

— Jutro rano. Dziś wieczorem mam zamiar zobaczyć się z Jodie.

21

Spotkanie zakończyło się gwałtownym wybuchem energii. Blake zjechał windą piętro niżej do swojego biura, skąd miał zadzwonić do Jamesa Coza w Nowym Jorku. Poulton też musiał wykonać kilka telefonów do biura terenowego w Spokane, którego agenci sprawdzali firmy kurierskie i firmy wynajmu samochodów. Harper pojechała na górę, załatwić bilety lotnicze. Reacher został w sali konferencyjnej sam. Siedział przy wielkim stole. Ignorując telewizję, wpatrywał się w fałszywe okno, jakby rozciągał się za nim piękny widok.

Siedział tak blisko dwadzieścia minut. Czekał. Doczekał się powrotu Harper, która niosła plik papierów.

— Biurokracja — powiedziała. — Skoro ci płacimy, musimy cię ubezpieczyć. Wymagania administracji.

Usiadła naprzeciw niego, wyjęła długopis z wewnętrznej kieszeni marynarki.

— Gotowy? — spytała.

Reacher skinął głową.

— Imię i nazwisko?

— Jack Reacher.

— I to wszystko.

Skinął głową.

— To wszystko.

— Niezbyt wiele.

Wzruszył ramionami. Milczał. Harper zapisała jego imię i nazwisko. Dwa słowa, jedenaście liter w rubryce, ciągnącej się przez całą szerokość formularza.

— Data urodzenia?

Podał datę urodzenia. Widział, jak szybko oblicza jego wiek, dostrzegł wyraz zaskoczenia na jej twarzy.

— Starszy czy młodszy? — spytał.

— Od czego?

— Jestem starszy czy młodszy, niż ci się wydawało?

Harper uśmiechnęła się.

— Och, starszy, oczywiście. Nie wyglądasz na swoje lata.

— Gówno prawda. W tej chwili wyglądam mniej więcej na setkę. A z pewnością czuję się tak, jakbym miał setkę.

Kolejny uśmiech.

— Zapewne szybko ci to minie. Numer ubezpieczenia.

W jego pokoleniu żołnierzy był on taki sam jak numer służbowy. Wyrecytował go po wojskowemu, jednym tchem, mechanicznie, osobno każdą cyfrę, od zera do dziewięciu.

— Pełny adres zamieszkania?

— Brak stałego adresu zamieszkania.

— Jesteś tego pewny?

— A dlaczego nie miałbym być tego pewny?

— Co z Garrison?

— Jak to „z Garrison"?

— Chodzi o twój dom. Twój dom to twój adres, nie?

Reacher spojrzał na nią, zdziwiony.

— No... chyba tak. W pewnym sensie. Jakoś o tym nie pomyślałem.

Harper odpowiedziała mu równie zdziwionym spojrzeniem.

— Jak masz dom, to masz adres, nie uważasz?

— W porządku, wpisz Garrison.

— Nazwa ulicy i numer?

Wygrzebał je jakoś z pamięci, wyrecytował.

— Kod?

Wzruszył ramionami.

— Nie znam.

— Nie znasz własnego kodu pocztowego?

Reacher milczał. Harper przyglądała mu się uważnie.

— Ciężko na to zapadłeś, prawda? — spytała.

— Na co?

— Obojętnie. Nazwijmy to mechanizmem wyparcia.

Powoli skinął głową.

— Owszem, wygląda na to, że rzeczywiście ciężko na to zapadłem.

— I co masz zamiar z tym zrobić?

— Nie wiem. Może jakoś się przyzwyczaję?

— A może się nie przyzwyczaisz?

— Co ty byś zrobiła?

— Ludzie powinni robić to, co naprawdę chcą. Myślę, że to jest ważne.

— I ty robisz to, co chcesz?

Skinęła głową.

— Rodzina naciskała, żebym pozostała w Aspen. Została nauczycielką albo coś w tym rodzaju. Ale ja chciałam strzec prawa i porządku. To była prawdziwa wojna.

— Nie chodzi o moich rodziców. Oboje nie żyją.

— Wiem. Chodzi o Jodie.

Reacher potrząsnął głową.

— Nie chodzi o Jodie. Chodzi o mnie. Nie ona mi to robi, sam sobie to robię.

Jeszcze raz skinęła głową.

— Niech będzie.

Na chwilę zapadła cisza.

— No więc co powinienem zrobić? — spytał Reacher.

Harper niepewnie wzruszyła ramionami.

— Nie mnie o to pytaj — powiedziała.

— Dlaczego?

— Mogę udzielić ci takiej odpowiedzi, której nie chciałbyś usłyszeć.

— A jaką bym chciał usłyszeć?

— Chcesz, żebym powiedziała, że powinieneś zostać z Jodie. Ustatkować się, żyć długo i szczęśliwie.

— To chcę usłyszeć?

— Tak mi się wydaje.

— Ale nie możesz mi tego powiedzieć?

Harper potrząsnęła głową.

— Nie, nie mogę — przyznała. — Bo miałam chłopaka. Wyglądało to bardzo poważnie. Był gliną w Aspen. Między glinami i Biurem, jak wiesz, zawsze panuje napięcie. Głupie to, nie ma żadnego powodu, żebyśmy się nie lubili, a jednak. To się rozciąga na sprawy osobiste. Chciał, żebym zrezygnowała. Błagał mnie o to. Byłam rozdarta... ale w końcu powiedziałam „nie".

— Dokonałaś właściwego wyboru?

Skinęła głową.

— Dla mnie to był właściwy wybór. Ty musisz po prostu robić to, co chcesz.

— Byłby to dla mnie dobry wybór?

Wzruszyła ramionami.

— Nie potrafię powiedzieć, ale pewnie tak.

— Najpierw muszę zdecydować, czego naprawdę chcę.

— Wiesz, czego chcesz. Wszyscy zawsze wiedzą, instynktownie. Jeśli masz jakieś wątpliwości, to są tylko zakłócenia, taka próba pogrzebania prawdy, kiedy nie chcesz stanąć z nią twarzą w twarz.

Reacher odwrócił wzrok, znów wpatrzył się w fałszywe okno.

— Zawód? — spytała Harper.

— Głupie pytanie.

— Wpiszę „konsultant".

Skinął głową.

— Brzmi poważnie.

W korytarzu rozległy się kroki. Otworzyły się drzwi, do środka wpadli Blake i Poulton. Mieli ze sobą nowe papiery, a z ich twarzy łatwo dawało się odczytać, że są zdania, iż dokonali postępu.

— Być może zrobiliśmy już pierwszy mały kroczek we właściwym kierunku — oznajmił Blake. — Mamy wiadomości ze Spokane.

— Kierowca w miejscowym oddziale UPS trzy tygodnie temu rzucił pracę — powiedział Poulton. — Przeniósł się do Missuoli w Montanie, pracuje w hurtowni. Rozmawiali z nim przez telefon i jemu się zdaje, że pamięta tę dostawę.

— I co? UPS nie ma papierów? — spytała Harper.

Blake potrząsnął głową.

— Archiwizują je po jedenastu dniach. A my mówimy o dwóch miesiącach. Jeśli kierowca potrafi dokładnie wskazać dzień, może się nam udać.

— Ktoś tu wie coś o baseballu? — spytał Poulton.

Reacher wzruszył ramionami.

— Kilku facetów mocno wyśrubowało wyniki najlepszej dziesiątki, a tylko dwóch z nich miało w imionach i nazwiskach literę „U".

— Dlaczego baseball? — zdziwiła się Harper.

— Tego dnia jakiś gość z Seattle zaliczył wielkiego szlema* — wyjaśnił Blake. — Kierowca usłyszał to przez radio i zapamiętał.

— Jeśli z Seattle, ja też bym zapamiętał — powiedział Reacher. — Tam to nieczęste.

— Babe Ruth tego dokonał — odezwał się nagle Poulton. — A jak się nazywał ten drugi?

— Honus Wagner**.

Poulton spojrzał tępo na Reachera.

— Nigdy o nim nie słyszałem.

— Hertz też się odezwał — powiedział Blake. — Wydaje im się, że ktoś brał na krótko wóz na lotnisku w Spokane. Dokładnie tego dnia, kiedy zginęła Alison. Facet wyjechał i zaraz przyjechał. Po jakichś dwóch godzinach.

— Mają nazwisko? — spytała Harper.

---

* Wielki szlem — w baseballu wybicie na pełne obiegnięcie, gdy w bazie jest trzech biegaczy.
** Honus Wagner — jeden z największych baseballistów wszech czasów grający na pozycji łącznika między drugą i trzecią bazą, wśród fanów tej gry ceniony wyżej od słynnego Babe Rutha.

Blake pokręcił głową.

— Komputer im padł. Pracują nad nim.

— Pracownik na stanowisku wypożyczeń nie pamięta jego nazwiska?

— Żartujesz? Taki facet ma szczęście, jeśli pamięta swoje!

— Więc kiedy je dostaniemy?

— Zapewne jutro. Rano, jeśli będziemy mieli szczęście. Jeśli nie będziemy mieli, po południu.

— Trzy godziny różnicy czasu. Dla nas to i tak będzie popołudnie.

— Prawdopodobnie.

— To co? Reacher leci?

Blake nie odpowiedział. Reacher skinął głową.

— Lecę — powiedział. — Bo nazwisko z pewnością będzie fałszywe. A UPS też nas do niego nie doprowadzi. Ten facet jest cwany, nie popełnia szkolnych błędów, nie zostawi po sobie papierowego śladu.

Wszyscy czekali. Wreszcie Blake przytaknął.

— Chyba muszę się z tym zgodzić. Reacher leci.

• • •

Przed zmierzchem dotarli na lotnisko w Dystrykcie Columbii, dowiezieni na miejsce nierzucającym się w oczy chevroletem Biura. W tłumie prawników i lobbystów stanęli w kolejce do lotu okrężnego linii United. Reacher wyróżniał się wśród stojących w kolejce mężczyzn i kobiet tym, że nie nosił garnituru. Obsługa pasażerów wydawała się znać wszystkich, witała ich przy wejściu niczym starych znajomych. Harper bez wahania przeszła na tył maszyny i tam wybrała im miejsce.

— Nie będziemy się spieszyć — powiedziała. — Z Cozem spotykasz się dopiero jutro rano.

Reacher milczał.

— A Jodie nie zdąży jeszcze wrócić do domu, prawda? O ile wiem, prawnicy pracują bardzo długo. Zwłaszcza ci, którzy lada dzień mają zostać wspólnikami.

Skinął głową. Przed chwilą zaświtała mu właśnie ta myśl.

— Tu sobie usiądziemy. Będzie spokojniej.

— Ten samolot ma silniki z tyłu.

— A faceci w garniturach z przodu.

Reacher się uśmiechnął. Usiadł przy oknie i zapiął pas.

— No i tu będziemy mogli spokojnie porozmawiać — dodała Harper. — Nie lubię, kiedy ludzie mi się przysłuchują.

— Powinniśmy się przespać. Będziemy zajęci.

— Wiem, ale najpierw porozmawiamy. Pięć minut, dobrze?

— O czym mamy rozmawiać?

— O zadrapaniach na jej twarzy. Chcę zrozumieć, o co w tym wszystkim chodzi.

Reacher rzucił jej krótkie spojrzenie.

— Dlaczego? Chcesz rozwiązać sprawę sama?

Harper skinęła głową.

— Gdybym miała okazję dokonać aresztowania, to z pewnością bym z niej nie zrezygnowała.

— Ambicja?

Skrzywiła się.

— Powiedzmy, że cenię sobie współzawodnictwo.

Reacher znów się uśmiechnął.

— Lisa Harper przeciwko jajogłowym.

— A pewnie! Taka sobie zwykła agentka... mają nas za nic.

Silniki wyły. Samolot wycofał się spod rękawa, obrócił, potoczył powoli w stronę drogi dojazdowej do pasa.

— Więc co z tymi śladami na jej twarzy? — spytała Harper.

— Uważam je za dowód, że mam rację. Sądzę też, że to najważniejszy pojedynczy dowód, jaki do tej pory zdobyliśmy.

— Jak to?

Wzruszył ramionami.

— To było takie bez przekonania, prawda? Takie wymuszone. Sądzę, że mamy dowód, że facet stwarza pozory. Udaje. No bo tak: przyglądam się tym sprawom i myślę: A gdzie tu przemoc? Gdzie gniew? A gdzieś tam ten facet analizuje swoje postępy i myśli: O mój Boże, nie okazuję gniewu! No i następnym razem próbuje okazać, ale tak naprawdę gniewu nie czuje, więc właściwie nic mu z tego nie wychodzi.

Harper skinęła głową.

— Zdaniem Stavely'ego nawet nie drgnęła.

— Bezkrwawy gwałt. Niemal dosłownie bezkrwawy. Jak techniczne ćwiczenie. Bo to było techniczne ćwiczenie, cała ta sprawa jest technicznym ćwiczeniem. Jakiś twardy jak skała, całkiem ziemski motyw kryje się za tą psychiczną maskaradą.

— Kazał jej, żeby sama to sobie zrobiła?

— Tak sądzę.

— Ale dlaczego?

— Bał się zostawić odciski palców? Bał się ujawnić, czy jest prawo- czy leworęczny? Chciał pokazać, kto tu rządzi?

— Nie sądzisz, że całkiem nieźle sobie radzi? Ale mamy przynajmniej wytłumaczenie, dlaczego zrobione to zostało w ten sposób. Sama nie raniła się poważnie.

— Jasne — powiedział Reacher sennie.

— Tylko... dlaczego Alison? Dlaczego czekał do numeru czwartego?

— Nieustanne poszukiwanie ideału, przynajmniej tak przypuszczam. Faceci tacy jak on cały czas myślą, cały czas coś doskonalą.

— Czy to czyni ją w pewien sposób wyjątkową? Znaczącą?

Reacher wzruszył ramionami.

— To sprawa dla jajogłowych. Gdyby tak myśleli, to z pewnością by nam powiedzieli.

— Może znał je lepiej niż inne? Współpracował z nią bliżej?

— Może? Ale nie wchodź na terytorium jajogłowych. Stój mocno na ziemi. Pamiętaj, jesteś taką sobie agentką.

Harper skinęła głową.

— A takim sobie motywem są pieniądze.

— Muszą — powiedział Reacher. — Zawsze albo miłość, albo pieniądze. A nie może być miłość, bo z miłości się szaleje, a ten facet nie jest szalony.

Samolot obrócił się i zatrzymał gwałtownie na końcu pasa. Stał tak przez krótką chwilę, po czym ruszył, przyspieszając, aż wreszcie ciężko wzniósł się w powietrze. Światła Waszyngtonu przemknęły za oknami i znikły w dole.

— Dlaczego zmienił odstęp? — spytała Harper, przekrzykując ryk silników.

Reacher wzruszył ramionami.

— Może dlatego, że tak mu się spodobało?

— Spodobało?

— Może zrobił to dla zabawy? Dla was nie ma nic bardziej destrukcyjnego niż wzór, który się zmienia.

— Zmieni się znowu?

Samolot zakołysał się, przechylił, wyrównał lot. Silniki przycichły. Osiągnęli prędkość przelotową.

— Już po wszystkim — powiedział Reacher. — Kobiety znalazły się pod strażą, a ty wkrótce dokonasz aresztowania.

— Taki jesteś pewien siebie?

Reacher znów wzruszył ramionami.

— Bez sensu jest zaczynać, wierząc, że się nie uda.

Ziewnął. Położył głowę między zagłówkiem fotela i plastikową szybą. Przymknął oczy.

— Obudź mnie, kiedy dotrzemy na miejsce — poprosił.

• • •

Ale obudził go stuk i jęk wysuwającego się podwozia, na wysokości tysiąca metrów i pięć kilometrów na wschód od lotniska La Guardia w Nowym Jorku. Zerknął na zegarek. Spał pięćdziesiąt minut. W ustach czuł smak zmęczenia.

— Chcesz zjeść kolację? — spytała go Harper.

Zamrugał i jeszcze raz spojrzał na zegarek. Jodie wróci do domu za godzinę. Najwcześniej. Raczej za dwie. A może nawet trzy.

— Masz na myśli konkretne miejsce? — odpowiedział pytaniem.

— Prawie nie znam Nowego Jorku. Jestem dziewczyną z Aspen.

— A ja znam dobrą włoską restaurację.

— Wynajęli mi pokój w hotelu na rogu Park i Trzydziestej Szóstej. Przypuszczam, że ty zatrzymasz się u Jodie?

— Też tak przypuszczam.

— Czy ta restauracja jest blisko Park i Trzydziestej Szóstej?

Reacher potrząsnął głową.

— Trzeba jechać taksówką. To duże miasto.

Teraz to Harper potrząsnęła głową.

— Żadnych taksówek. Przyślą nam samochód.

Kierowca czekał na nich przy wyjściu, ten sam, który woził ich przedtem. Samochód zaparkował wprost przed terminalem przylotów, w miejscu zakazu parkowania, za wycieraczkę włożył dużą kartę z symbolem Biura. Jechali w korku aż na Manhattan; trwała właśnie druga połowa godzin szczytu, ale facet prowadził, jakby w ogóle nie bał się glin i pod Mostro's zajechali w zaledwie czterdzieści minut od lądowania. Zrobiło się ciemno i restauracja lśniła niczym piękna obietnica. Zajęte były cztery stoliki, z głośników sączył się Puccini. Właściciel dostrzegł Reachera, gdy jeszcze stali na chodniku, i natychmiast pospieszył do drzwi, uśmiechając się promiennie. Zaprowadził ich do stolika, osobiście przyniósł menu.

— Na niego naciskał Petrosjan? — spytała Harper.

Reacher kiwnął głową w kierunku małego właściciela.

— I co powiesz? Zasłużył na to?

— Powinieneś zostawić sprawę gliniarzom.

— To samo powiedziała mi Jodie.

— Musi być mądrą kobietą.

W dużej sali było ciepło. Harper zdjęła marynarkę i obróciła się, by powiesić ją na poręczy fotela. Obróciła się przy tym także jej bluzka, napięła, a potem rozluźniła. Po raz pierwszy od czasu, kiedy się poznali, włożyła biustonosz. Zauważyła, na co patrzy, i zaczerwieniła się.

— Nie byłam pewna, kogo spotkamy — powiedziała.

Skinął głową.

— Kogoś spotkamy. To, cholera, więcej niż pewne. Tak czy inaczej.

Powiedział te słowa w sposób, który kazał Harper przyjrzeć mu się dokładniej.

— Teraz naprawdę chcesz dorwać tego faceta.

— Tak. Teraz naprawdę chcę go dorwać.

— Za Amy Callan? Lubiłeś ją, prawda?

— Była w porządku. Alison Lamarr lubiłem bardziej, chociaż właściwie jej nie znałem. Ale tak naprawdę chcę dorwać tego faceta dla Rity Scimeki.

— Ona też cię lubi. To widać.

Reacher jeszcze raz skinął głową.

— Coś was łączyło?

Wzruszył ramionami.

— Łączyło to takie ogólne słowo.

— Miałeś z nią romans?

Potrząsnął głową.

— Spotkałem ją po tym, jak została zgwałcona. Ponieważ została zgwałcona. Jej stan wykluczał cokolwiek, co choćby przypominałoby romans. Sądząc z tego, co widziałem, nadal wyklucza. Jestem trochę od niej starszy, pięć, może sześć lat. Zaprzyjaźniliśmy się, ale to był taki paternalistyczny układ, rozumiesz. Potrzebowała go chyba, ale jednocześnie nienawidziła. Jeśli dobrze pamiętam, musiałem się napracować jak cholera, by zmienić go w braterski. Umówiliśmy się parę razy, ale jak starszy braciszek z młodszą siostrzyczką. Była jak wracający do zdrowia ranny żołnierz.

— Tak to widziała?

— Dokładnie tak. Jak ktoś, komu odstrzelono nogę. Nie można wyprzeć tego ze świadomości, ale można nauczyć się z tym żyć.

— A teraz cofa się przez tego faceta?

Reacher skinął głową.

— Na tym właśnie polega problem. Ukrywając się za tą sprawą z napastowaniem, facet rozdrapuje ledwie zagojoną ranę. Gdyby wystąpił otwarcie, byłoby w porządku. Moim zdaniem Rita zaakceptowałaby to jako odrębny problem. Tak jak beznogi facet radzi sobie, powiedzmy, z grypą. Ale to się pojawia jak upiór z przeszłości.

— I doprowadza cię do wściekłości.

— Czuję się odpowiedzialny za Ritę. Nadepnął jej na odcisk, a więc nadepnął na odcisk mnie.

— A ludzie nie powinni ci deptać po odciskach.

— Rzeczywiście, nie powinni.

— A jeśli nadepną?

— No to wpadli po szyję w gówno.

Harper skinęła głową, powoli.

— Przekonałeś mnie.

Reacher nie skomentował jej słów.

— Zdaje się, że Petrosjana też udało ci się przekonać.

— Nigdy nie zbliżyłem się do Petrosjana. Nawet go nie widziałem.

— A wiesz, jesteś swego rodzaju arogantem. Prokurator, sędzia, ława przysięgłych i kat, wszystko w jednej osobie. Co z zasadami.

Uśmiechnął się.

— To są zasady. Jeśli ktoś nadepnie mi na odcisk, szybko się o tym dowiaduje.

Harper potrząsnęła głową.

— Aresztujemy tego faceta, pamiętaj. My go znajdziemy i my go aresztujemy. Załatwimy to jak należy. Zgodnie z moimi zasadami. W porządku?

Reacher skinął głową.

— Już wcześniej się na to zgodziłem, nie pamiętasz?

Podszedł kelner, stanął nad nimi z ołówkiem w dłoni. Zamówili, każde dwa dania, i w milczeniu czekali, aż im je podadzą. Potem zjedli, także w milczeniu. Niewiele tego było, ale doskonałe jak zwykle, a może nawet lepsze. I to na koszt zakładu.

• • •

Po kawie kierowca FBI zabrał Harper do jej hotelu w północnej części centrum, a Reacher przeszedł się do mieszkania Jodie. Był sam i cieszył się samotnością. Otworzył sobie drzwi, sam wsiadł do windy. Otworzył mieszkanie. Powietrze wewnątrz było nieruchome, mroczne, panowała cisza. Nikogo tu nie było. Włączył lampę, zasunął zasłony. Usiadł na sofie w dużym pokoju i czekał.

22

Tym razem będą jej pilnować. Wiesz to z pewnością. Tym razem będzie trudno. Uśmiechasz się do siebie i korygujesz dobór słów. W rzeczywistości tym razem będzie bardzo trudno. Bardzo, bardzo trudno. Ale to nie jest niemożliwe. Nie dla ciebie. Po prostu wyzwanie, nic więcej. Podstawienie strażników do równania podniesie sprawę na wyższy poziom, uczyni ją nieco bardziej interesującą. Na poziom umożliwiający ci rozwinięcie skrzydeł, wykazanie się prawdziwym talentem. Takim wyzwaniem można się rozkoszować. Takiemu wyzwaniu warto stawić czoło. I zwyciężyć.

Ale nikogo nie zwyciężysz bez zastanawiania. Nikogo nie zwyciężysz bez dokładnej obserwacji i planowania. Strażnicy są czynnikiem nowym, wymagają więc analizy. Ale to twoja siła, prawda? Dokładna, beznamiętna analiza. Nikt nie robi tego lepiej niż ty. Udowadniałeś to wielokrotnie. A dokładnie: czterokrotnie.

Zatem... co znaczą dla ciebie strażnicy? Tu, na zapadłej wsi, milion kilometrów od czegokolwiek, pierwsze wrażenie jest takie, że masz do czynienia z tępymi lokalnymi gliniarzami. Na razie to żaden problem. Na razie to żadne zagrożenie. Druga strona medalu jest jednak taka, że tu, milion kilometrów od czegokolwiek, nie ma aż tylu tępych lokalnych gliniarzy, by wystarczyło ich na całą dobę. Byle miasteczko pod Portland nie dysponuje tyloma gliniarzami, by mogli trzymać straż przez dwadzieścia cztery godziny na dobę. Poszukają pomocy, a ty wiesz, że pomocy udzieli im FBI. Co do tego nie masz żadnych wątpliwości. Tak jak ty to widzisz, miejscowi wezmą dzień, a FBI noc. Przez to praktycznie nie masz wyboru, nie będziesz przecież zadzierać z Biurem. Tak więc musisz unikać nocy. Skorzystać z dnia, kiedy między tobą a nią stać będzie tylko miejscowy grubas w crown victorii, pełnej papierków po cheeseburgerach i kartonowych kubków z zimną kawą. Skorzystasz z dnia także dlatego, że to eleganckie rozwiązanie. „W biały dzień". Kochasz to określenie. Ludzie często go używają, prawda?

„Przestępstwo popełnione zostało w biały dzień" — szepczesz do siebie.

Wykiwanie lokalnego gliny w biały dzień nie będzie wielkim problemem. Mimo to nie masz zamiaru traktować sprawy lekko. Nie masz zamiaru się spieszyć. Masz zamiar obserwować uważnie, z daleka, póki nie przekonasz się, jak to rzeczywiście wygląda. Poświęcisz tyle czasu, ile będzie trzeba, na ostrożną, cierpliwą obserwację. Na szczęście masz trochę czasu, a to, co zamierzasz zrobić, nie jest trudne. Górzyste okolice mają dwie cechy charakterystyczne. Obie korzystne dla ciebie. Po pierwsze, tam i tak zawsze pełno jest durniów w swetrach, z rzemykami lornetek naokoło szyi. Po drugie, w terenie górzystym łatwo jest obserwować punkt A z punktu B. Po prostu znajdujesz sobie kryjówkę na jakimś szczycie wierchu czy jak to nazywają miejscowi, a potem urządzasz się w niej, patrzysz z góry i czekasz. Czekasz.

• • •

Reacher długo czekał na Jodie, siedząc nieruchomo na jej kanapie. Potem usiadł nieco wygodniej. Po godzinie się położył. Zamknął oczy. Otworzył je. Robił wszystko, by zachować przytomność. Znów zamknął oczy i już ich nie otworzył. Uznał, że dziesięć minut drzemki nie zaszkodzi. Wydawało mu się, że słyszy windę, że słyszy, jak otwierają się drzwi, ale kiedy się otworzyły, nie usłyszał ich. Obudził się, widząc Jodie nad sobą, pochylającą się i całującą go w policzek.

— Cześć, Reacher — powiedziała cicho.

Przyciągnął ją do siebie i przytulił bez słowa. A Jodie przytuliła się do niego, jedną ręką, bo w drugiej nadal trzymała teczkę. Ale przytuliła się mocno.

— Jak minął dzień? — spytał Reacher.

— Później.

Rzuciła teczkę. Reacher pociągnął ją na siebie. Jodie zrzuciła płaszcz, upuściła go na podłogę; jedwabna podszewka zaszeleściła cicho. Miała na sobie wełnianą sukienkę zapinaną na zamek błyskawiczny, sięgający od szyi po podstawę kręgosłupa. Rozpiął go powoli, czując pod materiałem ciepło jej ciała. Jodie podparła się łokciami; poczuł, jak wbijają mu się w brzuch. Rozpinała jego koszulę. Reacher zsunął jej sukienkę z ramion, ona wyciągnęła mu koszulę ze spodni i rozpięła pasek.

Wstała; sukienka opadła na ziemię. Wyciągnęła dłoń. Ujął ją, pozwolił się poprowadzić do sypialni, po drodze oboje zrzucali resztki ubrania. Dotarli do łóżka, białego i chłodnego. Neonowe światła miasta rzucały abstrakcyjne, przypadkowe cienie.

Jodie położyła mu dłonie na ramionach. Popchnęła go, silna niczym gimnastyczka; poczuł ją na sobie, gibką, ruchliwą. Stracił poczucie rzeczywistości.

Zakończyli zlani potem, wśród zgniecionej, splątanej pościeli. Tuliła się do niego mocno, czuł, jak jej serce uderza w jego pierś. W ustach trzymał kosmyk jej włosów. Oddychał ciężko. Jodie uśmiechała się; wtuliła się w niego i bardziej czuł, niż widział jej uśmiech, kształt ust, chłód zębów. Niecierpliwie napięcie mięśni na policzku.

Była piękna w sposób, którego nie potrafił opisać, wysoka, szczupła, pełna wdzięku, jasnowłosa, lekko opalona... a te wspaniałe włosy i oczy! Ale była także kimś więcej. Promieniała energią, silną wolą, pasją. Biła od niej inteligencja. Powoli przesunął dłonią po jej plecach, a ona wyprostowała stopę, spróbowała spleść jej palce z palcami jego stopy. Tajemniczy uśmiech nadal igrał jej na wargach. Reacher wciąż go czuł.

— Teraz możesz spytać, jak mi minął dzień.

— Jak minął dzień?

Położyła dłoń na jego piersi, odepchnęła się, podparła na łokciu. Wydęła usta, zdmuchnęła włosy z twarzy. Uśmiech powrócił.

— Wspaniale — powiedziała.

Teraz Reacher się uśmiechnął.

— Jak wspaniale?

— Sekretarki plotkują. Moja rozmawiała przy lunchu z koleżanką z góry.

— I?

— Za parę dni będzie spotkanie wspólników.

— I?

— Sekretarka z góry właśnie przepisała porządek dzienny. Mają zamiar zaoferować stanowisko wspólnika.

Uśmiechnął się jeszcze raz.

— Komu?

— Zgadnij.

Reacher udał, że głęboko się nad tym zastanawia.

— Z pewnością komuś wyjątkowemu, prawda? Komuś najlepszemu. Najmądrzejszemu, najciężej pracującemu, najbardziej uroczemu i tak dalej...

— Zazwyczaj tak właśnie postępują.

Skinął głową.

— W takim razie gratulację, mała. Zasłużyłaś na to. Naprawdę zasłużyłaś.

Jodie uśmiechnęła się radośnie, objęła go za szyję. Przytuliła się do niego całym ciałem.

— Wspólniczka — powiedziała. — Jak ja tego chciałam!

— Zasłużyłaś na to — powtórzył Reacher. — Naprawdę zasłużyłaś.

— Wspólniczka w wieku trzydziestu lat. Możesz w to uwierzyć?

Zapatrzył się w sufit i uśmiechnął się.

— Owszem, potrafię w to uwierzyć — powiedział. — Gdybyś zajęła się polityką, już byłabyś prezydentem.

— Nie wierzę. Nigdy nie wierzyłam, kiedy dostawałam to, czego chciałam.

Zamyśliła się.

— Ale to się jeszcze nie stało. Może powinnam poczekać?

— Stanie się.

— To tylko porządek dzienny. Może nie przejdę w głoso-waniu?

— Przejdziesz.

— Zorganizują przyjęcie. Przyjdziesz?

— Jeśli chcesz? Jeśli nie zrujnuję twojego image'u?

— Możesz kupić sobie garnitur. Przypiąć do niego wszystkie te medale. Oszaleją z zachwytu.

Reacher milczał. Zastanawiał się nad garniturem. Gdyby go kupił, byłby to pierwszy garnitur w jego życiu.

— A ty? Czy dostałeś to, czego chciałeś?

Otoczył ją ramionami.

— Teraz? — spytał.

— Tak w ogóle.

— Chcę sprzedać dom.

Jodie milczała przez chwilę.

— W porządku — powiedziała wreszcie. — Nie, żebyś po-trzebował mojego pozwolenia...

— Przygniata mnie. Nie potrafię sobie z nim poradzić.

— Nie musisz mi się tłumaczyć.

— Pieniędzy za dom starczyłoby mi do końca życia.

— Musiałbyś zapłacić podatek.

Reacher skinął głową.

— Mimo wszystko. Zostałoby mi na wiele motelowych pokoi.

— Powinieneś dokładnie to rozważyć. Nie masz aktywów, tylko dom.

— Nie dla mnie. Dla mnie aktywami są pieniądze na motele. Dom jest ciężarem.

Jodie milczała.

— Zamierzam także sprzedać samochód.

— Wydawało mi się, że go lubisz?

Reacher skinął głową.

— Jest w porządku. Jak na samochód. Ja po prostu nie lubię mieć.

— Posiadanie samochodu to przecież nie koniec świata.

— Dla mnie tak. Straszne zawracanie głowy. Trzeba go ubezpieczyć i w ogóle.

— Nie masz ubezpieczenia?

— Myślałem o tym. Ale najpierw trzeba wypełnić stos formularzy.

Jodie zastanawiała się chwilę.

— To jak się będziesz poruszał?

— Jak zwykle. Podjadę na łebka, wsiądę do autobusu.

Na chwilę znów zapadła cisza.

— W porządku. Sprzedaj samochód, jeśli chcesz. Ale może zatrzymałbyś dom? Czasem się przydaje.

Reacher potrząsnął głową, spoczywającą na poduszce tuż przy głowie Jodie.

— Doprowadza mnie do szaleństwa.

Poczuł, że Jodie się uśmiecha.

— Jesteś jedyną znaną mi osobą, która chce być bezdomna. Na ogół ludzie bardzo starają się tego uniknąć.

— Niczego nie pragnę bardziej — powiedział Reacher. — Ty chcesz być wspólniczką, ja chcę być wolny.

— Także ode mnie? — spytała cicho Jodie.

— Wolny od domu. To ciężar. Jak kotwica. Ty nie jesteś ciężarem.

Jodie puściła jego szyję. Podparła się na łokciu.

— Nie wierzę własnym uszom — powiedziała. — Dom trzyma cię jak kotwica i to ci się nie podoba, ale ja przecież też trzymam cię jak kotwica, prawda?

— Dom sprawia, że czuję się źle. Ty sprawiasz, że czuję się dobrze. Ja tylko wiem, co czuję.

— Więc sprzedasz dom, ale będziesz się trzymał Nowego Jorku?

Reacher nie odpowiedział od razu.

— Może pojadę tu i tam? Przecież podróżujesz. I często jesteś bardzo zajęta. Mogłoby się nam udać.

— Oddalimy się od siebie.

— Nie sądzę.

— Będziesz znikał na coraz dłużej i dłużej.

Potrząsnął głową.

— Nic się nie zmieni, tylko spadnie mi z głowy ten kłopot z domem.

— Podjąłeś już decyzję, prawda?

Reacher skinął głową.

— Ta sytuacja doprowadza mnie do szaleństwa. Nie pamiętam nawet swojego kodu pocztowego. Prawdopodobnie dlatego, że w głębi duszy nie chcę go pamiętać.

— Nie potrzebujesz mojego pozwolenia — powtórzyła Jodie. I umilkła.

— Zdenerwowałem cię? — spytał niepotrzebnie Reacher.

— Boję się.

— To niczego nie zmieni.

— Więc po co to robisz?

— Bo muszę.

Jodie nie odpowiedziała.

• • •

Zasnęli, nie zamieniając już ani słowa, mocno do siebie przytuleni; ich radosne spełnienie przeplatała nić melancholii. Przyszedł ranek i nie mieli już czasu na rozmowy. Jodie wzięła prysznic i wyszła, nie jedząc śniadania i nie pytając Reachera, czym się teraz zajmuje i kiedy wróci. Reacher wziął prysznic, ubrał się, zamknął mieszkanie, zjechał windą na dół, wyszedł z domu i zobaczył czekającą już na niego Lisę Harper. Miała na sobie swój trzeci garnitur, stała oparta o błotnik samochodu Biura. Dzień był jasny, choć zimny, słoneczny; promienie słońca odbijały się w jej włosach. Samochód stał przy krawężniku, blokując jeden pas ruchu. Facet z Biura siedział nieruchomo za kierownicą, patrząc wprost przed siebie. Hałas panował straszny.

— Wszystko w porządku? — spytała.

Reacher wzruszył ramionami.

— Chyba tak.

— No to jedziemy.

Kierowca wyjeżdżał z centrum na północ przez dwadzieścia

przecznic, dzielnie walcząc z ruchem ulicznym. Zjechali do tego samego zatłoczonego podziemnego garażu, do którego wcześniej przywiozła Reachera Lamarr. Tą samą narożną windą wjechali na dwudzieste pierwsze miejsce. Po wyjściu z windy znaleźli się w tym samym cichym, szarym korytarzu. Kierowca wysiadł z niej pierwszy jak gospodarz. Wskazał w lewo.

— Trzecie drzwi — powiedział.

James Cozo siedział za biurkiem. Sprawiał takie wrażenie, jakby siedział za nim już od godziny. Marynarkę zdjął i powiesił na wieszaku z giętego drewna. Oglądał telewizję, kablówkę nastawioną na kanał polityczny; poważnego reportera stojącego pod Kapitolem zastąpił właśnie widok gmachu Hoovera. Przesłuchania budżetowe.

— Powrót samowolnego stróża prawa — powiedział.

Skinął głową Harper. Zamknął leżącą przed nim teczkę. Wyłączył dźwięk w telewizorze, odepchnął się od biurka, przetarł twarz dłońmi, jakby mył ją na sucho.

— Czego właściwie chcesz? — spytał.

— Adresów — powiedział Reacher. — Adresów chłopców Petrosjana.

— Tych dwóch, których posłałeś do szpitala? Wątpię, czy chętnie cię powitają.

— Z pewnością chętnie mnie pożegnają.

— Masz zamiar znowu im zaszkodzić?

— To całkiem prawdopodobne.

Cozo skinął głową.

— Mnie pasuje. Nie krępuj się, przyjacielu.

Wyciągnął ze stosu skoroszyt, przewrócił kartki. Zapisał adres na kartce.

— Mieszkają razem — powiedział. — To bracia.

Zawahał się i podarł kartkę na drobne kawałki. Odwrócił leżący na biurku skoroszyt wyciągnął nową. Dorzucił do niej długopis.

— Sam zapisz. Nie chcę, żeby mój charakter pisma pojawił się przy tej sprawie.

Bracia mieszkali na Sześćdziesiątej Szóstej, niedaleko Piątej.

— Miła okolica — zauważył Reacher. — Droga.

Cozo znów skinął głową.

— Lukratywna operacja — powiedział i z uśmiechem dodał: — To znaczy była lukratywna operacja. Była lukratywna do czasu, kiedy zacząłeś rozrabiać w Chinatown.

Reacher milczał.

— Weź taksówkę — powiedział Cozo, zwracając się do Harper. — I trzymaj się od tego z daleka. Oficjalnie Biuro nic do tego nie ma, rozumiesz?

Harper niechętnie skinęła głową.

— Bawcie się dobrze.

• • •

Przeszli do Madison; Harper rozglądała się dookoła niczym turystka. Złapali taksówkę, pojechali na północ, za centrum, wysiedli na rogu Sześćdziesiątej Szóstej.

— Resztę drogi przejdziemy pieszo — powiedział Reacher.

— My? — zdziwiła się Harper. — To dobrze. Nie chcę trzymać się z dala od sprawy.

— I nie możesz — powiedział Reacher. — Bo bez ciebie nie dam rady.

Szukając adresu, przeszli sześć przecznic na północ. Ich celem okazał się średniej wysokości blok mieszkalny o ścianach wyłożonych szarą cegłą. Ramy okienne były zrobione z metalu, brakowało balkonów, klimatyzatory wbudowano pod okna. Nad wejściem brakowało markizy, przy wejściu portiera. Ale budynek był czysty i dobrze utrzymany.

— Mieszkania tu są drogie? — spytała Harper.

Reacher wzruszył ramionami.

— Nie wiem. Przypuszczam, że nie najdroższe. Ale z pewnością nie rozdają ich za darmo.

Drzwi wejściowe były otwarte. Korytarz okazał się wąski; jego pomalowane farbą twarde stiukowe ściany dobrze imitowały marmur. Zamykały go wąskie, brązowe drzwi pojedynczej windy.

Mieszkanie, którego szukali, znajdowało się na ósmym piętrze. Reacher dotknął przycisku windy i drzwi się rozsunęły. Wszystkie cztery ściany kabiny stanowiły brązowe lustra. Harper weszła do środka, Reacher wcisnął się za nią. Przycisnął ósemkę. Wraz z nimi pojechały zmieniające się refleksy świetlne.

— Zadzwonisz do drzwi — powiedział Reacher. — Tobie otworzą, ale gdyby zobaczyli przez wizjer mnie...

Skinęła głową. Winda zatrzymała się na ósmym piętrze. Drzwi się rozsunęły. Przed nimi był ciemny korytarz, taki sam jak przy wejściu. Właściwe mieszkanie znajdowało się z tyłu budynku, po prawej.

Reacher zatrzymał się przytulony do ściany, Harper stanęła przed drzwiami. Pochyliła się i nagle wyprostowała, odrzucając włosy z twarzy. Wzięła głęboki oddech, uniosła dłoń, zapukała. Przez chwilę nic się nie działo. Nagle zesztywniała, jakby zorientowała się, że jest pod obserwacją. Szczęknął łańcuch, drzwi uchyliły się.

— Administracja — powiedziała Harper. — Mam sprawdzić klimatyzację.

Nie o tej porze roku — pomyślał Reacher, no ale agentka miała ponad metr osiemdziesiąt wzrostu, długie blond włosy i trzymała ręce w kieszeniach, co napinało bluzkę na jej piersiach. Drzwi zamknęły się na sekundę, znów szczęknął łańcuch i znów się otworzyły, tym razem znacznie szerzej. Harper weszła do środka, jakby przyjęła uprzejme zaproszenie. Reacher oderwał się od ściany. Wszedł do mieszkania tuż za nią, nim zamknęły się drzwi. Mieszkanie było małe, mroczne, z oknami wychodzącymi na wewnętrzne podwórko studnię, jedyne źródło światła. Wszystko tu było brązowe: wykładziny, meble, zasłony. Z małego przedpokoju wchodziło się do małego pokoju dziennego. Znajdowała się w nim kanapa, dwa fotele... i Harper. No i dwaj faceci, których po raz ostatni widział, kiedy wychodzili z alejki za Mostro's.

— Cześć, chłopaki — powiedział.

— Jesteśmy braćmi — powiedział jeden facet, jakby miało to jakiekolwiek znaczenie.

Obaj mieli na czołach szerokie pasy szpitalnej gazy, czystej, białej, nieco dłuższej i szerszej od metek, które nalepił im Reacher. Jeden z nich miał też zabandażowane obie dłonie. Obaj ubrani byli identycznie, w swetry i golfowe spodnie. Bez obszernych płaszczy wydawali się mniejsi. Jeden z nich miał na nogach płócienne buty z plastikową podeszwą, drugi sznurowane kapcie wyglądające tak, jakby sam je zrobił z części kupionych z katalogu. Reacher przyjrzał się im i poczuł, jak przepełniający go gniew znika.

— Cholera — powiedział.

Obaj faceci spojrzeli na niego zdziwieni.

— Siadajcie.

Usiedli obok siebie na sofie. Patrzyli na Reachera przestraszeni spod śmiesznych plastrów gazy.

— To oni? — spytała Harper.

Reacher skinął głową.

— Wygląda na to, że wszystko się zmienia — powiedział.

— Petrosjan nie żyje — rzekł pierwszy facet.

— O tym już wiemy.

— My nie wiemy nic więcej — zapewnił drugi facet.

Reacher potrząsnął głową.

— Nie mów tak. Sporo wiecie.

— Na przykład?

— Na przykład gdzie jest Bellevue.

Pierwszy facet wydawał się zdenerwowany.

— Bellevue?

Reacher skinął głową.

— Szpital, do którego was zabrali.

Bracia zapatrzyli się w ścianę.

— Podobało się wam w szpitalu?

Nie odpowiedzieli, ani jeden, ani drugi.

— Chcecie tam wrócić?

Nadal żadnej odpowiedzi.

— Mają dużą salę nagłych wypadków, prawda? Mogą w niej naprawić różne rzeczy. Połamane ręce, połamane nogi, tego typu urazy.

Brat z obandażowanymi rękami był starszy. Pełnił funkcję rzecznika.

— Czego chcesz? — spytał.

— Pohandlujemy.

— Co za co?

— Informacje. W zamian za to, że nie wrócicie do Bellevue.

— W porządku.

Harper się uśmiechnęła.

— To było łatwe — zauważyła.

— Łatwiejsze, niż myślałem — przyznał Reacher.

— Wszystko się zmieniło — powiedział facet. — Petrosjan nie żyje.

— Pistolety, które wtedy mieliście — powiedział Reacher. — Skąd je wzięliście?

— Dostaliśmy od Petrosjana.

— A on skąd je miał?

— Nie wiemy.

Reacher uśmiechnął się i pokręcił głową.

— Tego akurat nie wolno ci powiedzieć. Nie możesz powiedzieć „nie wiemy". To niezbyt przekonujące. Możesz powiedzieć „nie wiem", ale nie możesz mówić za brata. Bo skąd wiesz, co twój brat wie, a czego nie wie?

— Nie wiemy — powtórzył facet.

— To były wojskowe pistolety — powiedział Reacher.

— Petrosjan je kupił.

— Pertosjan za nie zapłacił — poprawił go Reacher.

— Kupił je.

— Zaaranżował transakcję. Na to mogę się zgodzić.

— Dostaliśmy je od niego — powiedział młodszy brat.

— Przyszły pocztą?

Starszy brat skinął głową.

— Tak, przyszły pocztą.

Reacher zaprzeczył gestem.

— Nie, nie przyszły pocztą. Wysłał was gdzieś, żebyście je odebrali. Prawdopodobnie był to duży ładunek.

— Odebrał go sam.

— Nie. Wysłał was. Nie załatwiałby tego sam. Wysłał was tym mercedesem, którego używaliście.

Bracia znów zapatrzyli się w ścianę. Myśleli. Najwyraźniej usiłowali podjąć jakąś decyzję.

— Kim jesteś? — spytał starszy.

— Nikim — odparł Reacher.

— Nikim?

— Nie jestem gliną, nie jestem z FBI, nie jestem z ATF. Jestem nikim.

Bracia zachowali milczenie.

— Ma to swoje zalety, ale ma i wady. Co mi powiecie, zatrzymuję dla siebie. Nie muszę puszczać tego dalej. Interesuje mnie armia, nie wy. To zaleta. Wada jest taka, że jeśli mi nic nie powiecie, nie odeślę was przed oblicze sądu z jego prawami obywatelskimi i tak dalej. Odeślę was do Bellevue z połamanymi rękami i tak dalej.

— Jesteś z Urzędu Imigracyjnego?

Reacher się uśmiechnął.

— Zgubiliście gdzieś zielone karty?

Bracia milczeli.

— Nie, nie jestem z Urzędu Imigracyjnego. Powiedziałem wam przecież, że jestem nikim. Zwykłym facetem, który chce usłyszeć kilka zwykłych odpowiedzi. Odpowiecie na pytania i możecie tu sobie siedzieć tak długo, jak wam się podoba, korzystać z dobrodziejstw amerykańskiej cywilizacji. Tylko że zaczynam się niecierpliwić. Wasze buty nie będą działać wiecznie.

— Buty?

— Nie chciałbym pobić faceta noszącego takie fajne kapcie.

Zapadła cisza. Przerwał ją starszy brat.

— New Jersey — powiedział. — Trzeba przejechać przez tunel Lincolna. Jest taki zajazd, tam gdzie trójka dochodzi do autostrady.

— Jak się nazywa?

— Nie wiem. Czyjś tam bar, tyle pamiętam. Mac coś tam, po irlandzku.

— Z kim się spotkaliście?

— Mówią mu Bob.

— Bob jak?

— Bob, nie wiem jak. Nie wymienialiśmy się wizytówkami ani nic. Petrosjan powiedział, że mamy pytać o Boba.

— Żołnierz?

— Chyba tak. To znaczy nie nosi munduru ani nic, ale ma naprawdę krótkie włosy.

— Jak to się załatwia?

— Idziesz do baru, znajdujesz go, dajesz mu forsę, on bierze cię na parking i daje towar wyjęty z bagażnika samochodu.

— Cadillaca — powiedział ten drugi. Starego deville. Ciemnego.

— Ile razy?

— Trzy.

— Co to był za towar?

— Beretty. Za każdym razem dwanaście.

— Pora dnia?

— Wieczór. Około ósmej.

— Umawialiście się wcześniej? Przez telefon?

Młodszy brat potrząsnął głową.

— Jest tam codziennie około ósmej — powiedział. — Wiemy od Petrosjana.

Reacher skinął głową.

— Jak wygląda ten Bob? — spytał.

— Jak ty — powiedział starszy brat. — Jest wielki i groźny.

23

Prawo stanowi, że wyrok w sprawie o narkotyki musi łączyć się z konfiskatą dóbr, a to oznacza, że nowojorska DEA ma więcej samochodów, niż może wykorzystać nawet w najbardziej sprzyjających okolicznościach. Wypożycza je więc innym służbom ochrony porządku publicznego, w tym FBI. FBI używa wozów wypożyczonych od DEA, gdy zachodzi konieczność przewiezienia czegoś samochodem, który nie wygląda przesadnie rządowo. Albo gdy chce zachować pełen szacunku dystans między sobą a działalnością w najlepszym razie nieokreśloną. Z tego powodu Cozo odebrał im służbowy samochód ze służbowym kierowcą i rzucił Harper kluczyki do czarnego, rocznego nissana maxima, zaparkowanego w jednym z tylnych rzędów podziemnego parkingu.

— Bawcie się dobrze — powiedział.

Prowadziła Harper. Po raz pierwszy miała okazję prowadzić w Nowym Jorku i trochę się z tego powodu denerwowała. Przejechała kilka przecznic, skręciła w Piątą, powlokła się nią na południe, a wokół niej przemykały, a także hamowały i trąbiły taksówki.

— W porządku, co teraz? — spytała.

Teraz będziemy marnować czas — pomyślał Reacher, a głośno powiedział:

— Bob pojawi się w barze dopiero koło ósmej. Mamy wolne popołudnie.

— Mam wrażenie, że powinniśmy coś robić.

— Nie ma pośpiechu — uspokoił ją Reacher. — Trzy tygodnie to sporo.

— Co robimy?

— Najpierw zjemy śniadanie.

• • •

Z radością rezygnujesz ze śniadania, ponieważ musisz mieć pewność. Tak jak można było przewidzieć, miejscowa policja i FBI miały podzielić się dobą po połowie i zmieniać o ósmej rano i ósmej wieczorem. Wczoraj, na twoich oczach, zmienili się o ósmej wieczorem, więc teraz pojawiasz się na miejscu, po dobrze przespanej nocy, by zobaczyć, co będzie o ósmej rano. Rezygnacja z taniego, serwowanego w holu wejściowym motelowego śniadania to mała cena do zapłacenia za taką pewność. No więc najpierw jedziesz długo, bardzo długo. Nie jesteś głupi, by wynająć pokój gdzieś bliżej. I nie jesteś głupi, by jechać na wprost. Kręcisz się po górskich drogach, parkujesz na wysypanym żwirem miejscu do zawracania prawie kilometr od upatrzonej kryjówki. Twój samochód jest tu bezpieczny. Z takich miejsc do zawracania korzystają przecież przede wszystkim przeróżne dupki, zostawiające tu swoje wozy, idące obserwować orły, wspinać się po skałkach albo po prostu łazić z górki i pod górkę. Wypożyczony, porządnie zaparkowany samochód jest tam tak niewidzialny jak narty w pokrowcach w lotniskowej hali bagażowej. Po prostu część scenerii.

Oddalasz się od drogi, wspinasz na górkę mającą może trzydzieści metrów wysokości. Porastają ją nędzne drzewka, które sięgają ci do ramienia. Nie mają liści, ale sam teren jest doskonałą kryjówką. Znajdujesz się w czymś w rodzaju szerokiego okopu. Skręcasz to w lewo, to w prawo, by ominąć wielkie głazy, które tu spadły. Na szczycie wzgórza idziesz w lewo. Zaczyna opadać, wówczas pochylasz się nisko. Przyklękasz. Na klęczkach docierasz do miejsca, gdzie dwa głazy opierają się o siebie. Przez powstałą między nimi trójkątną lukę masz cudowny, choć przecież przypadkowy, widok na dolinę. Opierasz się prawym ramieniem o głaz po prawej i dom porucznik Scimeki pojawia się w samym środku twego pola widzenia, odległy o niewiele więcej niż dwieście metrów.

Dom leży nieco na północ i zachód od twojej pozycji, więc widzisz krawędź ulicy od frontu. Znajduje się jakieś sto metrów niżej, przed oczami masz więc coś w rodzaju planu. Samochód Biura stoi przy krawężniku. Ciemnoniebieski, czysty buick. W środku siedzi jeden facet. Korzystasz z lornetki. Widzisz, że facet nie śpi. Głowę trzyma prosto. Prawie się nie rozgląda, patrzy przed siebie znudzony jak cholera. Trudno go za to winić. Dwanaście nocnych godzin w miejscu, w którym ostatnim razem coś się działo przed Bożym Narodzeniem, kiedy panie domu zorganizowały świąteczną sprzedaż ciast.

Na wzgórzach jest zimno. Głaz wyciąga ci ciepło z ramienia. Nie ma słońca, są tylko ponure chmury piętrzące się nad szczytami. Odwracasz się na chwilę, wkładasz rękawiczki. Podciągasz golf, zasłaniając nim dolną część twarzy. Częściowo dlatego, by ochronić się przed chłodem, częściowo po to, by nie zdradziły cię kłęby pary, unoszące się w powietrze przy każdym oddechu. Potem znów patrzysz na dom. Poruszasz stopami, kręcisz się w miejscu, znajdujesz wygodniejszą pozycję. Znów podnosisz lornetkę do oczu.

Działka, na której postawiono dom, ogrodzona jest siatką, z wyjątkiem podjazdu. To krótki podjazd. Prowadzi prosto do bramy garażu, znajdującego się pod frontowym gankiem. Odchodzi od niego ścieżka do głównego wejścia, kręta, prowadząca przez ładny ogródek skalny. Samochód FBI parkuje naprzeciw wylotu podjazdu, nieco maską w dół. Dzięki temu kierowca patrzy wprost na początek ścieżki. Wybór stanowiska świadczy o inteligencji. Jeśli zechcesz zbliżyć się do domu, idąc pod górę, widać cię będzie praktycznie przez całą drogę. Jeśli podejdziesz od tyłu, zapewne zauważy cię w lusterku, a już z pewnością wtedy, kiedy go miniesz. I będzie cię widział od tyłu, jak idziesz krętą ścieżką. Inteligentny wybór stanowiska, no ale od czego jest Biuro?

W odległości niespełna kilometra na zachód i sześćdziesięciu paru metrów niżej na zboczu góry widzisz ruch. Pojawia się czarno-biała crown victoria. Wyjeżdża z bocznej uliczki, powoli skręca w prawo. Jedzie krętą górską drogą. Z rury wydechowej bije kłąb spalin, silnik jeszcze się nie rozgrzał, radiowóz stał całą noc zaparkowany za cichym, spokojnym posterunkiem. Wspina się w górę, zwalnia, zatrzymuje obok buicka; dzieli je dwadzieścia, może trzydzieści centymetrów. Nie widzisz tego, ale wiesz, że opuszczają się szyby. Kierowcy witają się, wymieniają uwagi. „Cicho i spokojnie — mówi facet z Biura. — Miłego dnia". Miejscowy gliniarz tylko chrząka. Udaje znudzonego, ale tak naprawdę jest bardzo przejęty zadaniem. Może to jego pierwsza tak ważna misja?

Radiowóz podjeżdża wyżej, zawraca. Silnik buicka ożywa, samochód drga, to agent wrzucił bieg. Radiowóz podjeżdża, przystaje tuż za nim. Buick rusza, zjeżdża zboczem. Radiowóz toczy się jeszcze kawałek i staje. Dokładnie w tym miejscu, które jeszcze przed chwilą zajmował samochód FBI. Co do centymetra. Dwukrotnie podskakuje lekko i nieruchomieje. Silnik cichnie, chmura spalin rozpływa się w powietrzu. Gliniarz odwraca głowę w prawo, widzi teraz ścieżkę tak, jak jeszcze przed chwilą mógł ją widzieć agent. Może jednak nie jest takim dupkiem, jak można by przypuszczać?

· · ·

Harper zjechała na płatny podziemny parking przy Zachodniej Dziewiątej zaraz po tym, jak Reacher uprzedził ją, że za chwilę ulice przestaną krzyżować się pod kątem prostym i w planie miasta zrobi się bałagan. Cofnęli się na południe i wschód, znaleźli bistro z widokiem na Washington Square Park. Kelnerka używała filozoficznego pisma małego formatu jako podkładki pod notes do wpisywania zamówień. Studentka Uniwersytetu Nowojorskiego, której brakowało do pierwszego. Powietrze nadal było chłodne, przejmujące, lecz na czystym, błękitnym niebie rozbłysło słońce.

— Podoba mi się tu — rzekła Harper. — Wspaniałe miasto.

— Powiedziałem Jodie, że sprzedaję dom — oznajmił Reacher.

Harper spojrzała na niego przenikliwie.

— Spodobał się jej pomysł?

Reacher wzruszył ramionami.

— Boi się. Nie rozumiem czego. Jeśli to mnie uszczęśliwi, to czego tu się bać?

— Może tego, że zyskasz pełną swobodę?

— Nic się nie zmieni.

— Więc po co to robić?

— To samo mi powiedziała.

Harper wzruszyła ramionami.

— I powinna. Ludzie na ogół robią coś z jakiegoś powodu, prawda? Więc pomyślała: A jaki jest powód?

— Powód jest taki, że nie chcę mieć domu.

— Powody można stopniować. To jest pierwszy stopień. Teraz zadaje sobie kolejne pytanie: W porządku, ale dlaczego on nie chce mieć domu?

— Bo to straszne zawracanie głowy. Wie o tym. Sam jej powiedziałem.

— Biurokratyczne zawracanie głowy?

Reacher skinął głową.

— Cholerny wrzód na dupie.

— Owszem, to prawda. Prawdziwy, wielki, bolesny wrzód na dupie. Ale ona sądzi, że biurokratyczne zawracanie głowy tylko symbolizuje coś zupełnie innego.

— Na przykład co?

— Na przykład potrzebę zyskania pełnej swobody.

— Ty tylko kręcisz się w kółko.

— Ja tylko mówię ci, jak myśli Jodie.

Studentka filozofii przyniosła im kawę i drożdżówki. Pozo-stawiła rachunek wypisany eleganckim akademickim stylem pisma. Zabrała go Harper.

— Ja się tym zajmę — powiedziała.

— W porządku.

— Musisz ją przekonać — ciągnęła Harper. — No wiesz, sprawić, żeby uwierzyła, że zamierzasz przy niej zostać. Mimo że sprzedajesz dom.

— Powiedziałem jej też, że sprzedaję samochód.

Harper skinęła głową.

— To może pomóc. Brzmi tak, jakbyś wolał jednak kręcić się w pobliżu.

Reacher milczał przez chwilę.

— Powiedziałem jej też, że mogę trochę podróżować.

Spojrzała na niego z niedowierzaniem.

— Chryste, człowieku, to chyba nie podniosło jej na duchu.

— Ona podróżuje. W tym roku dwa razy była w Londynie. Nie robiłem z tego sprawy.

— Ile chcesz podróżować?

Reacher jeszcze raz wzruszył ramionami.

— Nie wiem. Chyba trochę. Wiesz, że nie lubię tkwić w miejscu. Już ci mówiłem.

Harper zastanawiała się przez chwilę.

— Wiesz — powiedziała w końcu — nim ją przekonasz, że jednak będziesz się kręcił w pobliżu, może najpierw powinieneś przekonać siebie?

— Jestem przekonany.

— Rzeczywiście? Czy może sobie wyobrażasz, że będziesz to znikał, to pojawiał się, jak ci się podoba?

— Znikał na trochę, a potem się pojawiał. Chyba tak.

— To was rozdzieli.

— Ona też tak powiedziała.

Harper skinęła głową.

— Wcale mnie to nie dziwi.

Reacher nie komentował. Wypił kawę, zjadł drożdżówkę.

— Przyszedł czas na podjęcie decyzji — rzekła Harper. — Na miejscu czy w drodze, nie możecie razem robić i jednego, i drugiego.

• • •

Pora lunchu będzie pierwszym poważnym testem. Taki jest twój wstępny wniosek. Przedtem pojawiła się też odpowiedź na pytanie, jak załatwiono sprawę potrzeb naturalnych; facet po prostu wszedł do domu i skorzystał z łazienki. Wysiadł z samochodu po jakiś dziewięćdziesięciu minutach, kiedy przeleciała już przez niego poranna kawa. Wysiadł, wyprostował się, przeciągnął, a potem przeszedł do drzwi krętą ścieżką i zadzwonił. Po wyregulowaniu ostrości lornetki widok z boku na tę scenę okazał się całkiem niezły. Lokatorki nie było widać, bo nie wyszła z domu. Ze sposobu zachowania gliniarza można było wywnioskować, że czuje się trochę niezręcznie i jest zażenowany. Nic nie powiedział. O nic nie prosił. Po prostu stanął na progu. A więc tę sprawę uzgodniono wcześniej. Myślisz sobie, że dla Scimeki musi to być trudne pod względem psychologicznym. Zgwałcona kobieta, nieoczekiwane wtargnięcie wielkiego mężczyzny w sprawie bezpośrednio związanej z członkiem... ale poszło gładko. Wszedł, drzwi się zamknęły, minęła minuta, odtworzyły się drzwi, wyszedł. Wrócił do samochodu, rozglądając się czujnie dookoła. Otworzył drzwiczki, wsiadł i wszystko wróciło do normy.

A więc przerwy na wizyty w toalecie nic ci nie dadzą. Kolejną szansą jest lunch. Nie ma mowy, żeby facet wytrzymał dwanaście godzin bez jedzenia. Gliniarze ciągle jedzą, tak wynika z twojego doświadczenia. Pączki, ciasta, kawa, stek z jajkiem. Ciągle jedzą.

* * *

Harper zapragnęła widoku miasta. Zachowywała się jak turystka. Reacher poprowadził ją na południe, przez Washington Square Park i dalej West Broadway do World Trade Center. Przeszli prawie trzy kilometry. Nie spieszyli się, zabrało im to pięćdziesiąt minut. Niebo było zimnobłękitne, panował duży ruch i to wszystko bardzo się Lisie spodobało.

— Możemy pojechać na górę do restauracji — powiedział. — Biuro mogłoby postawić mi lunch.

— Właśnie postawiłam ci lunch.

— Nie, to było późne śniadanie.

— Ty tylko jesz!

— Jestem dużym facetem. Muszę dużo jeść.

Oddali płaszcze w holu i wjechali na samą górę. Poczekali w kolejce przy wejściu do restauracji; Harper spędziła czas oczekiwania przyklejona do szyby, chłonąc widoki. We właściwym czasie pokazała legitymację. Dostali stolik dla dwojga przy samym oknie wychodzącym na West Broadway i dalej, na Piątą Aleję, widoczną z wysokości czterystu metrów.

— Niesamowite — powiedziała Harper.

I rzeczywiście, to słowo doskonale oddawało rzeczywistość. Powietrze było rześkie, czyste, widoczność sięgała setek kilometrów. Rozciągające się daleko pod nimi, w zniżającym się słońcu, miasto miało kolor khaki. Zatłoczone, skomplikowane, tętniące życiem. Rzeki wydawały się zielone i szare. Przedmieścia przechodziły w Westchester, Connecticut i Long Island. Z drugiej strony, za rzeką, New Jersey ciągnęło się daleko, aż po horyzont.

— Tam jest Bob — powiedziała.

— Gdzieś tam — zgodził się Reacher.

— Kim jest Bob?

— Dupkiem.

Harper uśmiechnęła się.

— Niezbyt dokładny opis... zwłaszcza z punktu widzenia kryminalistyki.

— Jest magazynierem. Pracuje od dziewiątej do piątej, jeśli może co wieczór siedzieć w barze.

— Nie jest naszym człowiekiem, prawda?

Nie jest niczyim człowiekiem — pomyślał Reacher.

— Jest nieważny — powiedział. — Sprzedaje z bagażnika samochodu na parkingu. Nie ma ambicji. Za mała sprawa, żeby z jej powodu zabijać ludzi.

— Więc jak może nam pomóc?

— Może wymienić nazwiska. Ktoś dostarcza mu broń, wie, kto w co gra. Jakiś inny gość wymieni kolejne nazwiska, następny jeszcze inne...

— Oni się wszyscy znają?

Reacher skinął głową.

— Kroją tort. Mają specjalności i terytoria, jak wszyscy inni.

— To może nam zająć sporo czasu.

— Podoba mi się geografia.

— Geografia? Dlaczego?

— Bo to ma sens. Jesteś żołnierzem, chcesz kraść broń, to gdzie ją kradniesz? Nie skradasz się przecież nocą po koszarach, nie wyciągasz jej z kolejnych wojskowych kuferków. W ten sposób masz może osiem spokojnych godzin, aż ktoś się zbudzi i powie: „Hej, gdzie się podziała moja cholerna beretta".

— Więc gdzie ją kraść?

— Gdzieś, gdzie nikt nie zauważy kradzieży, co oznacza magazyny. Wystarczy znaleźć odpowiedni, taki, gdzie składają ją w oczekiwaniu na kolejną wojnę.

— A gdzie są takie magazyny?

— Przyjrzyj się mapie drogowej.

— Dlaczego drogowej?

— A jak myślisz, po co budowano autostrady międzystanowe? Przecież nie po to, żeby rodzina Harperów mogła spokojnie pojechać na wakacje z Aspen do parku Yellowstone. Po to, żeby armia mogła dyslokować siły, ludzi i broń, szybko i bezproblemowo.

— Naprawdę?

Reacher skinął głową.

— Jasne, że tak. Eisenhower pobudował je w latach pięćdziesiątych w samym szczycie zimnej wojny. A Eisenhower w każdym calu był produktem West Point.

— No i?

— No i szukaj miejsc, w których spotykają się wszystkie autostrady. Tam pobudowano magazyny, żeby ich zawartość przenosić w dowolną stronę bez straty czasu. Głównie w pobliżu wybrzeży, bo stary Ike nie przejmował się przesadnie spadochroniarzami lądującymi w Kansas. Myślał raczej o statkach na morzu.

— I Jersey się do tego nadaje?

Reacher skinął głową powtórnie.

— To doskonała strategiczna lokalizacja. Jest tam wiele magazynów, a tym samym wiele kradzieży.

— Dzięki czemu Bob może coś wiedzieć?

— Skieruje nas we właściwą stronę. Tylko tego możemy spodziewać się po Bobie.

• • •

Przerwa na lunch nie nadaje się do niczego. Zupełnie do niczego. Przyciskasz lornetkę do oczu i patrzysz, jak to się odbywa. Kolejny radiowóz wyjeżdża zza zakrętu i powoli wjeżdża pod górę. Zatrzymuje się bok w bok z pierwszym, nie wyłączając silnika. Dwa cholerne radiowozy w jednym miejscu! Prawdopodobnie wszystko, czym dysponuje tutejszy posterunek, jeden przy drugim, tu, dokładnie na twoich oczach!

Widzisz to tylko częściowo. W obu samochodach opuszczone jest okno od strony kierowcy. Pojawia się brązowa papierowa torba i zamknięty kubek kawy. Ten nowy podaje je, unosząc łokcie, żeby utrzymać zestaw w pionowej pozycji. Poprawiasz ostrość polowej lornetki. Widzisz, jak ten, co stał tu wcześniej, wyciąga ręce. Scena jest płaska, dwuwymiarowa i ziarnista, jakby optyka sięgnęła granic swych możliwości. Najpierw bierze kawę. Odwraca głowę, szuka wzrokiem uchwytu na kubek. Przychodzi kolej na torbę. Opiera ją na krawędzi drzwi, otwiera, zagląda do środka. Uśmiecha się. Ma szeroką, mięsistą twarz. Patrzy tak na cheeseburgera, może nawet dwa. I kawałek ciasta.

Zwija wierzch torby. Kładzie ją w środku, z pewnością na siedzeniu pasażera. Jego głowa porusza się. Gadają. Gliniarz jest podniecony. To młody chłopak, nie ma zmarszczek. Jest z siebie dumny. Oczarowany wagą pełnionej funkcji. Obserwujesz go przez długą chwilę. Widzisz wyraz zadowolenia na jego gębie. Zastanawiasz się, jak będzie wyglądała, kiedy podejdzie do drzwi, bo zachciało mu się siusiu, i stwierdzi, że nikt nie otwiera. Ponieważ w tym miejscu i w tej chwili podejmujesz decyzję w dwóch sprawach. Po pierwsze: wjedziesz tam i wykonasz robotę. Po drugie, wykonasz ją, nie zabijając najpierw gliniarza, tylko dlatego, że chcesz zobaczyć, jak zmienia się wyraz jego twarzy.

• • •

Nissan maxima był przez krótki czas ulubionym środkiem komunikacji handlarzy narkotyków, więc Reacher uznał, że może podjechać nim pod bar, że jest w porządku, na parkingu będzie wyglądał wystarczająco niewinnie. Autentycznie. Nieoznakowane samochody rządowe nigdy tak nie wyglądają. Kiedy normalny człowiek wydaje dwadzieścia tysięcy na wóz, to nie żałuje sobie, zamawia do niego chromowane felgi i metalizowany lakier. Rząd nigdy tak nie postępuje. Jego samochody wyróżniają się, są sztucznie pospolite, jakby miały po bokach wymalowane „jestem nieoznakowanym samochodem policyjnym". Gdyby Bob zobaczył takie coś na parkingu, złamałby przyzwyczajenie całego życia i spędził wieczór gdzie indziej.

Prowadził Reacher. Harper wolała nie ryzykować w mroku i w godzinach szczytu. A godziny szczytu nie dawały o sobie zapomnieć. Wzdłuż kręgosłupa Manhattanu jechało się wolno, przed tunelami nie jechało się w ogóle. Reacher bawił się radiem, póki nie znalazł stacji, która kobiecym głosem poinformowała ich, jak długo będą musieli czekać. Czterdzieści, czterdzieści pięć minut. Przeszliby tę trasę piechotą dwa razy szybciej.

Posuwali się centymetr za centymetrem, głęboko pod Hudsonem. Podwórko Reachera znajdowało się prawie sto kilometrów dalej, w górze rzeki. Siedział nieruchomo, przypominając sobie, jak wygląda, sprawdzając smak swej decyzji. Ogród był całkiem fajny, jak na ogród. A z pewnością żyzny. Skosiłeś trawę i wystarczyło na chwilę się odwrócić, a już miała kilkanaście centymetrów. I było w nim wiele drzew. Klony, wyjątkowo efektowne wczesną jesienią. Cedry, które Leon musiał sadzić sam, ponieważ rosły w dekoracyjnych grupach. Z klonów opadały liście, na cedrach wyrastały fioletowe szyszki. Kiedy opadły liście, widok na rzekę był wspaniały. A na przeciwległym brzegu rzeki stało West Point będące ważną częścią jego życia.

Reacher nie był jednak sentymentalnym facetem. Charakterystyczną cechą życia włóczęgi jest to, że nie patrzysz za siebie, lecz przed siebie. Koncentrujesz się na tym, co cię jeszcze czeka. Gdzieś głęboko czujesz, że z wielką radością skupiasz się na tym, co cię czeka, na czymś nowym. Miejscach, w których nigdy nie byłeś, rzeczach, których jeszcze nigdy nie widziałeś. Ironią jego życia było to, że choć odwiedził większość miejsc na ziemi, miał wrażenie, że niewiele widział. Życie w wojsku jest jak bieg wąskim korytarzem ze wzrokiem wbitym w to, co przed tobą, a tymczasem po bokach jest tak wiele kuszących rzeczy, na które w pośpiechu nie zwracasz żadnej uwagi. Teraz chciał skręcać w bok. Poruszać się zygzakiem. Wybierać dowolny kierunek w dowolnej chwili, gdy tylko zechce.

Powracanie każdej nocy w to samo miejsce nie było tym, czego chciał. Zatem podjął właściwą decyzję. Powiedział sobie: „Sprzedam dom. Mam dom na sprzedaż". Wypowiedział w myśli te słowa i poczuł, jak kamień spada mu z serca. Nie będzie się już martwił o przeciekające rury, rachunki w skrzynce pocztowej, dostawy oleju opałowego i ubezpieczenie. Ale przede wszystkim odzyska wolność! Wróci do życia, nie będzie dźwigał garbu. Będzie wolny, gotów ruszyć w drogę. Poczuł się tak, jakby otworzyły się przed nim zamknięte drzwi, przez które wpadły promienie słońca. Uśmiechnął się do siebie w szumiącej ciemności tunelu, z Harper przy boku.

— Ciebie to rzeczywiście bawi? — spytała Harper.

— To był najlepszy kilometr w moim życiu — powiedział.

• • •

Patrzysz i czekasz, godzinę po godzinie. Takiej doskonałości nie spotyka się na każdym kroku. Ale ty jesteś chodzącą doskonałością i zamierzasz pozostać chodzącą doskonałością. Musisz zyskać absolutną pewność. Na razie masz pewność, że gliniarz jest stałym elementem krajobrazu. Je w samochodzie, od czasu do czasu korzysta z toalety w domu i to wszystko. Myślisz więc, że przecież można by porwać gliniarza tuż przed ósmą rano i wcielić się w jego osobę. Posiedzieć trochę w samochodzie, a potem podejść do drzwi i zapukać, jakby przyszedł czas na załatwienie potrzeby naturalnej. Myślisz o tym przez jakieś półtorej sekundy i oczywiście odrzucasz ten pomysł. Mundur nie będzie na ciebie pasował. No i facet z Biura spodziewa się, że pogadasz z nim chwilę, kiedy będziecie się zmieniać. A on natychmiast zorientuje się, że ty to nie ten glina. Przecież to nie tak, że współpracuje z wielkim departamentem policji w wielkim mieście, Nowym Jorku czy Los Angeles.

Dlatego należy albo usunąć gliniarza, albo jakoś go ominąć. Najpierw bawisz się pomysłem dywersji. Czego trzeba, żeby usunąć go z posterunku? Może wypadku samochodowego na skrzyżowaniu? Pożaru w szkole? Tylko że, o ile wiesz, tu nie ma żadnej szkoły. Drogą do Portland i z Portland jeżdżą przecież żółte autobusy. Szkoła mieści się zatem w innym rejonie. A wypadek samochodowy za trudno byłoby zaaranżować. Nie masz przecież zamiaru brać udziału w wypadku, a jak skłonić dwóch kierowców, żeby się zderzyli?

Zagrożenie bombowe? Gdzie? Na posterunku? To nic nie da. Gliniarzowi każą pozostać bezpiecznie na miejscu, nie wchodzić w drogę, póki nie sprawdzi się, czy zagrożenie rzeczywiście istnieje. Co zostaje? Może miejsce, gdzie zbierają się ludzie? Z którego ewakuację musi przeprowadzić cała miejscowa policja? Ale to przecież malutka wiocha. Gdzie się gromadzą mieszkańcy wiochy? Może w kościele? Widziałeś wieżę kościelną kawałek dalej, przy przelotówce. Nie możesz jednak czekać do niedzieli. Biblioteka? Pewnie nie ma tam nikogo, najwyżej dwie starsze damy robiące na drutach i ignorujące książki, jakby ich w ogóle nie było. Ewakuację przeprowadzi jeden glina mniej więcej w trzy sekundy.

Poza tym o zagrożeniu bombowym informuje się przez telefon. Najwyższy czas pomyśleć i o tym. Skąd dzwonić? Rozmowy telefoniczne można lokalizować. Możesz wrócić na lotnisko w Portland i zadzwonić stamtąd. Prześledzenie rozmowy do automatu na lotnisku oznacza w istocie nieprześledzenie jej wcale. Tylko że wówczas w krytycznej chwili będziesz kilometry od właściwego miejsca; rozmowa bezpieczna, ale i bezcelowa. Paragraf dwadzieścia dwa. A innych automatów nie ma w promieniu miliona kilometrów stąd, nie w środku cholernych Gór Skalistych czy jak tam je nazywają. Z komórki skorzystać nie możesz, bo w końcu przyjdzie rachunek za połączenia; równie dobrze można by od razu przyznać się do winy przed sądem. Poza tym do kogo dzwonić? Przecież nikt nie może usłyszeć twego głosu. Jest zbyt charakterystyczny. To byłoby niebezpieczne.

Ale im dłużej o tym myślisz, tym bardziej twoja strategia koncentruje się wokół telefonu. Istnieje jedna osoba, która może usłyszeć twój głos i będzie to absolutnie bezpieczne. Problem jest geometryczny. Czterowymiarowy. Czas i przestrzeń. Musisz zadzwonić stąd, z miejsca na otwartej przestrzeni, z którego widać dom, ale nie możesz skorzystać ze swojej komórki. Impas.

• • •

Wyjechali z tunelu, parli na zachód z prądem ruchu ulicznego. Droga numer trzy skręciła lekko na północ, w stronę autostrady. Nad New Jersey zapadła lśniąca noc, asfalt błyszczał wilgocią, wokół lamp sodowych mgła tworzyła kręgi niczym naszyjniki. Po prawej i lewej stały reklamujące wszelkiego rodzaju biznesy billboardy i neonowe znaki, kryjące się za niedbale wyasfaltowanymi parkingami.

Zajazd, którego szukali, znaleźli za parkingiem w miejscu, gdzie zbiegały się trzy drogi. Zdobiła go reklama browaru: MacStiophan's, co, jeśli gaelicki nie zawodził Reachera, oznaczało Stevenson's. Był to niski budynek o płaskim dachu. Ściany wyłożone miał brązowymi deskami, w każdym oknie świecił zielony znak koniczyny. Parking był kiepsko oświetlony i w trzech czwartych pusty. Reacher zaparkował maximę pod dość swobodnym kątem, okrakiem na dwóch miejscach. Wysiadł rozejrzał się. Powietrze było chłodne. Obrócił się dookoła, w świetle ulicznych lamp uważnie badając wzrokiem parking.

— Nie ma cadillaca deville — stwierdził. — Jeszcze nie przyjechał.

Harper przyjrzała się drzwiom baru. Z powątpiewaniem.

— Jesteśmy trochę za wcześnie. Chyba trzeba będzie poczekać.

— Możesz zaczekać tutaj — powiedział Reacher. — Jeśli wolisz?

Potrząsnęła głową.

340

— Bywałam w gorszych miejscach.

Reacher nie bardzo potrafił sobie wyobrazić kiedy i gdzie. Drzwi prowadziły do holu wielkości niespełna dwa na dwa metry, wyposażonego w automat sprzedający papierosy i sizalową matę, zużytą, gładką i tłustą. Kolejne drzwi otwierały się na niską, ciemną salę, śmierdzącą dymem papierosowym i zwietrzałym piwem. Wentylacji nie było. Zielone koniczynki w oknach świeciły zarówno na zewnątrz, jak i do środka, przesycając wnętrze upiornym blaskiem. Ściany wyłożone były ciemnymi deskami, matowymi i lepiącymi się od dymu. Długi, drewniany bar zdobiły od frontu przepołowione beczki. Stały przy nim wysokie stołki z czerwonymi plastikowymi siedzeniami. Niższe wersje takich stołków rozstawione były przy stołach z lakierowanych beczek, na które nabito dyktę pełniącą funkcję blatów, wygładzoną i brudną od dotyku tysięcy dłoni.

Przy barze królował barman, klientów było ośmiu. Każdy z klientów miał przed sobą szklankę piwa. Nie było wśród nich kobiet. Wszyscy wpatrywali się w nowych gości. Żaden nie był żołnierzem. Żaden z nich nie mógł być żołnierzem, ten za stary, tamten za miękki, jeszcze inny ze zbyt długimi brudnymi włosami. Po prostu zwykli ludzie. Ciężko pracujący albo bezrobotni. Wrodzy i milczący, jakby właśnie przerwali prowadzoną zniżonym głosem rozmowę. Gapili się na nich nieprzyjaźnie, próbowali ich zastraszyć.

Reacher przesunął wzrokiem po sali. Każdej twarzy przyjrzał się z osobna, patrząc na nią wystarczająco długo, by pokazać, że się nie boi, ale wystarczająco krótko, by zasygnalizować, że żadna szczególnie go nie zainteresowała, po czym podszedł do baru. Jeden ze stołków przysunął Harper.

— Co jest z beczki? — spytał.

Barman ubrany był w brudną koszulę od garnituru, bez kołnierzyka, plisowaną od samej góry do samego dołu. Przez ramię przewiesił złożoną ściereczkę do naczyń. Miał może pięćdziesiąt lat i szarą, obwisłą twarz. Nie odpowiedział.

— Co jest z beczki — powtórzył Reacher. Nie doczekał się odpowiedzi.

— Hej, człowieku, głuchy jesteś? — spytała Harper podniesionym głosem. Przysiadła na brzeżku, z jedną nogą opartą na ziemi, a drugą na podpórce, skręcona w talii. Marynarkę miała rozpiętą, rozpuszczone włosy spływały jej na plecy.

— Umówmy się — zaproponowała. — Ty nam dajesz piwo, my dajemy ci pieniądze. Od tego zaczniemy i może jeszcze zrobisz z tego biznes. No wiesz, taki, co się nazywa „prowadzić bar".

Barman obrócił się w jej kierunku.

— Nigdy was tu nie widziałem — powiedział.

Harper się uśmiechnęła.

— Oczywiście. Jesteśmy nowymi klientami. O to przecież chodzi, to się nazywa „zdobywać nowych klientów". Spróbuj, a jeśli się trochę postarasz, wkrótce staniesz się królem barmanów Garden State*.

— Czego chcecie?

— Dwa piwa.

— A poza tym?

— Już cieszymy się nastrojem i przyjacielskim przywitaniem.

— Tacy jak wy nie przychodzą do mnie, jeśli czegoś nie chcą.

— Czekamy na Boba — powiedziała Harper.

— Jakiego Boba?

— Boba z bardzo krótkimi włosami, jeżdżącego starym cadillakiem deville — powiedział Reacher. — Boba z wojska. Przychodzi tu codziennie o ósmej.

— I na niego czekacie?

— Tak. Na niego czekamy — powiedziała Harper.

Barman uśmiechnął się, pokazując zęby. Kilku brakowało, a te, co zostały, były żółte.

— To będziecie długo czekali.

— Dlaczego?

— Kupcie coś, to wam powiem.

— Próbujemy coś kupić co najmniej od pięciu minut — zauważył Reacher.

---

* Garden State (Stan Ogród) — oficjalny przydomek New Jersey.

— Co ma być?

— Dwa piwa, obojętnie jakie. Z beczki.

— Bud czy bud lite?

— Jedno takie, drugie takie, dobrze?

Barman zdjął dwie szklanki spośród wielu, zwisających nad jego głową, napełnił je piwem. Na sali nadal panowała cisza. Reacher czuł ciężar ośmiu par oczu na plecach. Barman postawił szklanki na barze. Dobre trzy centymetry w każdej z nich zabierała piana. Wyjął z uchwytu dwie ściereczki koktajlowe, rzucił im, jakby rozdawał karty. Harper wyjęła z kieszeni portfel, rzuciła dziesiątkę na bar.

— Reszta dla ciebie — powiedziała. — I... dlaczego mamy czekać na Boba tak długo?

Barman znów się uśmiechnął, przyciągnął dziesiątkę do siebie, złożył w dłoni i schował dłoń do kieszeni.

— Ponieważ, o ile wiem, siedzi w więzieniu — powiedział.

— Za co?

— Za coś, co ma związek z armią. Nie znam szczegółów i nie chcę znać. Tak się załatwia sprawy w tej części Garden State, panienko, cholernie przepraszam, chociaż wy macie pewnie jakiś lepsze pomysły.

— Co się właściwie stało? — spytał Reacher.

— Pojawiła się żandarmeria i capnęła go tu, w tej sali.

— Kiedy?

— Trzeba ich było sześciu na niego jednego. Rozwalił stół. Właśnie dostałem czek od wojska. Z samego Waszyngtonu. Z Pentagonu.

— Kiedy to było?

— Kiedy przyszedł czek? Parę dni temu.

— Nie, kiedy go aresztowali.

— Nie jestem pewien — powiedział barman. — Ale nadal grali w baseball, tego akurat jestem pewien. Regularne rozgrywki. Pewnie parę miesięcy temu.

24

Pozostawili na barze nietknięte piwo, wyszli na parking. Reacher otworzył nissana. Wślizgnęli się do środka.

— Parę miesięcy temu... — powiedziała Harper. — To nam nic nie daje. Usuwa go z obrazu na zawsze.

— Nigdy nie był częścią obrazu — zaprotestował Reacher — ale i tak z nim pogadamy.

— Jakim cudem? Utknął w trybach armii. Diabli wiedzą gdzie.

Reacher spojrzał na nią rozbawiony.

— Harper, byłem żandarmem przez trzynaście lat. Jeśli ja nie potrafię go znaleźć, to kto potrafi?

— Może być wszędzie.

— Nie, nie może. Jeśli ta dziura jest jego barem, to wiemy już, że stacjonuje niedaleko. Facet jest niski rangą, a więc zajmuje się nim miejscowy posterunek żandarmerii. Dwa miesiące, nie stanął jeszcze przed sądem wojskowym, więc póki nic się nie dzieje, przetrzymują go na terenie tutejszej żandarmerii. Odpowiednia mieści się w Fort Armstrong pod Trenton, czyli niespełna dwie godziny drogi stąd.

— Jesteś pewien?

Reacher wzruszył ramionami.

— Owszem, chyba że przez ostatnie trzy lata wszystko się zmieniło.

— Jest jakiś sposób, żeby to sprawdzić?

— Nic nie muszę sprawdzać.

— Nie chcemy przecież marnować czasu.

Reacher nie odpowiedział. Harper uśmiechnęła się, otworzyła torebkę. Wyjęła z niej złożony telefon komórkowy wielkości paczki papierosów.

— Skorzystaj z mojej komórki — powiedziała.

● ● ●

Wszyscy używają telefonów komórkowych. Używają ich przez cały czas, bez przerwy. To prawdziwy fenomen naszych czasów. Wszyscy gadają, gadają, gadają przez cały czas z uchem przyklejonym do telefonu. Skąd się biorą te rozmowy? Co się działo z tymi rozmowami przed wynalezieniem telefonu komórkowego? Były gdzieś zamknięte? Były palącymi wrzodami w ludzkich żołądkach? Czy też może zrodziły się spontanicznie, ponieważ zaistniała umożliwiająca ich istnienie technika?

Interesujesz się tym tematem. Impulsami kierującymi ludzkim zachowaniem. Przypuszczasz, że bardzo niewielki procent rozmów prowadzonych przez telefon komórkowy polega na rzeczywistej wymianie użytecznych informacji. Ogromna większość należy do jednej z dwóch kategorii: rozrywkowej, kiedy to prawdziwą przyjemność czerpie się z tego, że robi się coś tylko dlatego, że można coś zrobić, lub podreperowywania ego; zwykłej, prostej gównianej zarozumiałości. Nie jest to opinia, którą chętnie dzieliłbyś się z innymi, ale prywatnie nie wątpisz, że kobiety rozmawiają, ponieważ je to bawi, a mężczyźni dlatego, że dzięki temu czują się ważni. „Cześć, kochanie, właśnie wysiadłem z samolotu". I co z tego? Kogo to obchodzi?

Jednocześnie masz niemal całkowitą pewność, że użycie komórek przez mężczyzn jest bardziej związane z potrzebami ich ego, co oczywiście tworzy bliższy związek, a więc potrzebę częstszego korzystania z nich. Dlatego jeśli ukradniesz telefon mężczyźnie, kradzież zostanie odkryta wcześniej i przyjęta z większym zdenerwowaniem. Nie wątpisz w to, więc siedzisz w lotniskowej restauracji, przyglądając się kobietom.

Przewaga kobiet polega też na tym, że mają mniejsze kieszenie, a czasami wcale ich nie mają. Dlatego noszą torebki, do których wkładają wszystko, co mają przy sobie. Portfele, klucze, kosmetyczki. Oraz telefony komórkowe. Wyjmują je, żeby porozmawiać, może na chwilę odłożą na stół, ale zawsze w końcu chowają do torebki. Torebki oczywiście zabierają, kiedy na przykład idą dolać sobie kawy, ten odruch jest w nich głęboko zakorzeniony. Zawsze bierz ze sobą torebkę. Ale niektóre z nich mają nie tylko torebki. Także na przykład torby na laptopy, które dziś robi się z różnego rodzaju kieszonkami na dyskietki, płyty CD, kable. W niektórych są także kieszonki na komórki, naszyte z zewnątrz prostokąciki wielkości kieszonek na papierosy i zapalniczki, których kobiety używały w czasach, kiedy ludzie jeszcze palili. Tych innych bagaży już ze sobą nie zabierają. Jeśli chcą tylko kupić coś do picia, zostawiają je przy stoliku. Częściowo po to, żeby nikt nie zajął im miejsca, a częściowo dlatego, że jak tu nieść i torebkę, i torbę na laptopa, i filiżankę?

Niemniej ignorujesz kobiety z laptopami, ponieważ ich właścicielki za godzinę znajdą się w domu i może zechcą sprawdzić e-maile czy skończyć pracę nad diagramem kołowym czy cokolwiek innego. A więc otworzą torbę... i zorientują się, że już nie mają telefonu. Policja zawiadomiona, konto anulowane, rozmowy śledzone... a wszystko w godzinkę. Nie ma mowy.

Obserwujesz więc kobiety, które nie podróżują służbowo. Te z bagażem podręcznym w małych nylonowych plecakach. Zwłaszcza te, które wyjeżdżają z domu, a nie przyjeżdżają do domu. One załatwią jeszcze kilka rozmów, a potem wsuną telefon do plecaczka i całkiem o nim zapomną, ponieważ opuszczają swój teren, a nie chcą płacić za roaming. Może nawet spędzą wakacje za granicą; w takim razie telefon będzie im potrzebny mniej więcej tak, jak klucze do mieszkania. Będzie czymś, co trzeba ze sobą zabrać, ale o czym na wakacjach wcale się nie myśli.

Celem, który obserwujesz szczególnie uważnie, jest kobieta mająca dwadzieścia trzy, może dwadzieścia cztery lata. Znajduje się w odległości około dwunastu metrów od ciebie. Ubrana jest wygodnie, jakby czekał ją długi lot, siedzi rozparta w krześle, z głową przechyloną w lewo. Ramieniem przytrzymuje telefon.

Rozmawiając, uśmiecha się nieobecnym uśmiechem, bawi się paznokciami, skubie je, przygląda się im pod światło. Gawędzi o niczym z przyjaciółką. Na jej twarzy nie widać napięcia. Po prostu gada, żeby sobie pogadać.

Bagaż pokładowy trzyma pod nogami w specjalnie zaprojektowanym plecaczku, całym w pętelkach, rzepach i zamkach błyskawicznych. Trudno go zapiąć, tak trudno, że nawet nie próbowała i plecak jest otwarty. Podnosi filiżankę i zaraz ją opuszcza; jej filiżanka jest pusta. Ciągle rozmawiając, zerka na zegarek, a potem patrzy na ladę, przy której wydają napoje. Kończy rozmowę. Zamyka telefon, wrzuca go do plecaka. Bierze dopasowaną do niego torebkę, wstaje i powoli odchodzi po jeszcze jedną filiżankę kawy.

Natychmiast wstajesz. W ręku trzymasz kluczyki do samochodu. Idziesz wprost przez salę, pięć metrów, dziesięć. Bawisz się kluczykami. Sprawiasz wrażenie zaabsorbowanego. Kobieta stoi w kolejce, za chwile dadzą jej kawę. Upuszczasz kluczyki; ślizgają się po podłodze. Pochylasz się, żeby je podnieść. Przesuwasz ręką po plecaku, podnosisz jednocześnie i kluczyki, i telefon. Idziesz dalej. Kluczyki wędrują do kieszeni, telefon trzymasz w dłoni. Nie ma nic bardziej naturalnego niż mężczyzna idący przez salę lotniska z telefonem w dłoni.

Idziesz normalnym, swobodnym krokiem. Zatrzymujesz się, opierasz o kolumnę. Otwierasz telefon, przykładasz go do ucha, udajesz, że rozmawiasz. Właśnie stałeś się niewidzialny. Jesteś kimś opartym o kolumnę, rozmawiającym przez komórkę. W promieniu dziesięciu metrów jest kilkunastu takich jak ty. Oglądasz się. Kobieta wróciła do stolika. Usiadła. Pije kawę. Mijają trzy minuty. Cztery. Pięć. Naciskasz kilka przypadkowych guzików. Masz do przeprowadzenia jeszcze jedną rozmowę. Jesteś zajęty. Jesteś jednym z wielu takich facetów. Kobieta wstaje. Chce zamknąć plecak, szarpie za sznurki. Podnosi go za te sznurki i szarpie nim, żeby pod własnym ciężarem się zacisnął. Dopina zatrzaski. Zarzuca plecak na ramię, otwiera torebkę. Sprawdza, czy w torebce, na wierzchu, są bilety. Zamyka torebkę. Rozgląda się raz i rusza przed siebie. Idzie w twoim kierunku. Mija cię w odległości półtora metra. Znika w korytarzu odlotów. Zamykasz telefon, wsuwasz go do kieszeni marynarki i odchodzisz w przeciwnym kierunku. Idąc, uśmiechasz się do siebie. Teraz ta najważniejsza rozmowa pojawi się na rachunku kogoś innego. To absolutnie bezpieczne.

• • •

Rozmowa z oficerem dyżurnym w Fort Armstrong pozornie nie ujawniła niczego, ale facet unikał tematu tak wyraźnie i w taki sposób, że armijny gliniarz z trzynastoletnim stażem, taki jak Reacher, wziął to za potwierdzenie swych przypuszczeń tak pewne, jakby miał przed sobą oświadczenie złożone pod przysięgą w obecności notariusza.

— On tam jest — powiedział.

Harper słyszała rozmowę i nie sprawiała wrażenia przekonanej.

— Potwierdzili ci to? — spytała.

— Mniej więcej.

— Czyli warto jechać?

Reacher skinął głową.

— On tam jest. Gwarantuję ci to.

W nissanie nie było map, a Harper nie miała pojęcia, gdzie się znajduje. Reacher bardzo niewiele wiedział o geografii New Hampshire. Wiedział, jak dotrzeć z punktu A do punktu B, z B do C i z C do D, ale czy to najkrótsza droga z A do D, nie miał pojęcia. Ruszył i pojechał w kierunku wjazdu na autostradę. Uznał, że godzina jazdy na południe to dobry początek. Niemal natychmiast zorientował się, że jedzie tą samą drogą, którą zaledwie kilka dni temu wiozła go Lamarr. Padał lekki deszczyk, nissan miał niższe, twardsze zawieszenie niż buick. Jechali w smudze wodnego pyłu. Na przedniej szybie zgromadził się nalot miejskiego, tłustego brudu; wycieraczki rozmazywały go przy co drugim poruszeniu. Brudź, czyść, brudź, czyść. Strzałka wskaźnika paliwa spadła poniżej jednej czwartej baku.

— Powinniśmy się zatrzymać — powiedziała Harper. — Zatankować, wyczyścić szybę.

— I kupić mapę — dodał Reacher.

Skorzystał ze zjazdu do najbliższego centrum obsługi. Niemal niczym nie różniło się od tego, gdzie wraz z Lamarr jedli lunch. Ten sam układ, te same budynki. Podjechał przez deszcz na stanowisko z pełną obsługą. Kiedy wrócił mokry, samochód był już zatankowany i właśnie myto szyby. W ręku trzymał kolorową mapę, rozwijającą się niewygodnie w płachtę długą chyba na metr.

— Jedziemy złą drogą — oznajmił. — Jedynka byłaby lepsza.

— W porządku. Następny zjazd. Skorzystamy z dziewięćdziesiątkipiątki.

Przejechała palcem po jedynce na południe. Znalazła Fort Armstrong na granicy żółtej plamy reprezentującej Trenton.

— To blisko Fort Dix — zauważyła. — Byliśmy tam.

Pracownik stacji skończył myć szybę. Harper podała mu banknot przez okno. Reacher wytarł mokrą twarz rękawem, włączył silnik. Wjechał na szosę; prowadził ostrożnie, wypatrując zjazdu na dziewięćdziesiątkępiątkę.

Dziewięćdziesiątka okazała się paskudna, z trudem posuwali się w korku. Jedynka była znacznie lepsza. Biegła łukiem przez Highland Park, a potem przez trzydzieści kilometrów prosto jak strzelił, aż do samego Trenton. Reacher pamiętał, że gdy wyjeżdżał z Trenton, trzeba było skręcić w lewo, zatem skoro jechał z południa, powinien skręcić w prawo. Kolejna biegnąca prosto droga doprowadziła ich aż do szlabanu, za którym znajdowała się dwukondygnacyjna strażnica, a za nią więcej dróg dojazdowych, prowadzących do kolejnych budynków. Drogi były płaskie, z wymalowanymi wapnem krawężnikami, budynki ceglane z zaokrąglonymi narożnikami i zewnętrznymi schodami, zrobionymi ze spawanej, okrągłej w przekroju stali, pomalowanej na zielono. Okna miały ramy z metalu. Klasyczna wojskowa architektura lat pięćdziesiątych, tworzona dzięki nieograniczonemu budżetowi, w poczuciu nieograniczonych możliwości. Bezgranicznie optymistyczna.

— Armia Stanów Zjednoczonych — powiedział Reacher. — Kiedyś byliśmy królami świata.

W stłumionym świetle, bijącym z okna wartowni najbliżej

szlabanu, widać było sylwetkę wartownika, potężnego w płaszczu przeciwdeszczowym i hełmie. Najpierw wyjrzał przez okno, potem podszedł do drzwi. Otworzył je, wyszedł. Reacher opuścił szybę samochodu.

— Pan jest ten facet, co dzwonił do kapitana Leightona? — spytał. Był potężnie zbudowanym Murzynem. Mówił cicho, z rozwlekłym akcentem charakterystycznym dla głębokiego Południa. Z dala od domu, w deszczowy dzień...

Reacher skinął głową. Murzyn się uśmiechnął.

— Kapitan przewidział, że zjawi się pan u nas osobiście. Proszę jechać.

Wrócił na wartownię. Szlaban powędrował do góry. Reacher przejechał ostrożnie przez schowane w tej chwili kolce. Skręcił w lewo.

— Łatwo poszło — powiedziała Harper.

— Spotkałaś kiedyś emerytowanego agenta FBI?

— Jasne. Kilku starszych panów.

— Jak ich traktujecie?

Harper skinęła głową.

— Chyba tak, jak ten żołnierz potraktował ciebie.

— Wszystkie organizacje są takie same. Żandarmeria pewnie nawet bardziej. Reszta armii nas nienawidzi, więc trzymamy się razem jak mało kto.

Skręcił w prawo, potem jeszcze raz w prawo i w lewo.

— Byłeś tu kiedyś? — spytała Harper.

— Wszystkie garnizony są takie same. Jeśli znajdziesz największy kwietnik, znalazłaś biuro jednostki.

Harper wyciągnęła rękę.

— Tamto miejsce wygląda obiecująco.

Reacher skinął głową.

— Zrozumiałaś.

Światła reflektorów padły na klomb róż wielkości basenu olimpijskiego. Róże były tylko czekającymi na swój czas patykami, sterczącymi z nierównej powierzchni końskiego nawozu i rozdrobnionej kory. Za klombem znajdował się niski, symetryczny budynek. Wywapnowane schody prowadziły do umieszczonych centralnie dwuskrzydłowych drzwi. W oknie pośrodku lewego skrzydła paliło się światło.

— Biuro oficera dyżurnego — powiedział Reacher. — Wartownik zadzwonił do kapitana, gdy tylko przejechaliśmy przez bramę. Kapitan idzie teraz korytarzem do drzwi. Obserwuj światła.

W tym momencie zapaliło się światło widoczne przez półkolistą szybę nad drzwiami.

— Teraz oświetlenie zewnętrzne.

Zapłonęły dwie żółte latarnie, umieszczone na podporach z boku drzwi.

— Teraz otworzą się drzwi.

Otworzyły się do środka. Na progu pojawił się umundurowany mężczyzna.

— To ja, jakieś milion lat temu — powiedział Reacher.

Kapitan czekał u szczytu schodów, wystarczająco wysunięty, by oświetlały go latarnie, ale niewystarczająco wysunięty, by wystawić się na deszcz. Głowę niższy od Reachera, lecz szeroki w ramionach, sprawiał wrażenie bardzo sprawnego. Ciemne włosy miał starannie przyczesane, oczy zakrywały mu okulary w prostej stalowej oprawie. Kurtkę mundurową zapiął na wszystkie guziki. Reacher wysiadł z nissana, obszedł go z przodu. Harper dołączyła do niego u stóp schodów.

— Zejdźcie z tego deszczu! — zawołał kapitan.

Miał akcent ze Wschodniego Wybrzeża. Wielkomiejski. Inteligentny. Raźny i czujny. Uśmiechał się przyjaźnie. Wyglądał na przyzwoitego faceta. Reacher wszedł na schody pierwszy; Harper zauważyła, że zostawia na ich bieli brudne ślady butów. Spojrzała pod nogi. Jej buty też zostawiały ślady.

— Przepraszam — powiedziała.

Kapitan znów się uśmiechnął.

— Proszę się nie martwić. Więźniowie malują je co rano.

Przywitali się po kolei przed drzwiami, po czym Leighton poprowadził ich do budynku. Wyłączył latarnie na zewnątrz przyciskiem, który znajdował się przy wejściu, potem wcisnął drugi, gasząc światło przenikające przez szybę nad drzwiami.

— Budżet — wyjaśnił. — Mamy żyć oszczędnie.

Światło w jego biurze oświetlało korytarz. Poprowadził ich w jego kierunku. Stanął na progu, gestem zaprosił gości do środka. Biuro zachowało oryginalny wystrój z lat pięćdziesiątych, unowocześniony wyłącznie tam, gdzie było to absolutnie niezbędne. Stare biurko, nowy komputer. Stare szafki na akta, nowy telefon. Półki na książki i w ogóle każdy kawałek wolnej przestrzeni zawalone były papierami.

— Pilnują, żebyś się nie nudził — zauważył Reacher.

Leighton skinął głową.

— Nie musisz mi mówić — mruknął.

— Spróbujemy nie zmarnować za wiele twojego czasu.

— Nie martw się. Po tym, jak zadzwoniłeś, wykonałem parę telefonów. Przyjaciel przyjaciela powiedział, żebym pchnął sprawę. Wieść niesie, że jesteś przyzwoitym facetem... jak na majora.

Reacher uśmiechnął się krótko.

— O to mi tylko chodziło. Jak na majora. Kim jest przyjaciel przyjaciela?

— Pewien facet, który pracował dla ciebie, kiedy ty pracowałeś dla starego Leona Garbera. Powiedział, że byłeś zawsze uczciwym facetem i Leon przysięgał na ciebie, co dowodzi, że jesteś więcej niż w porządku, przynajmniej tak długo, jak długo to pokolenie ciągnie wózek.

— Ludzie nadal pamiętają Garbera?

— A czy fani Jankesów nadal pamiętają Joego DiMaggio?

— Spotykam się z córką Garbera — powiedział Reacher.

— Wiem. Ludzie gadają. Szczęściarz z ciebie. Jodie Garber to miła osoba z tego, co pamiętam.

— Znasz ją?

Leighton skinął głową.

— Spotkałem ją w którejś z baz, kiedy zaczynałem służbę.

Reacher umilkł. Myślał o Jodie i Leonie. Miał zamiar sprzedać dom, który zostawił mu Leon, a Jodie się tym martwiła.

— Siadajcie, proszę — powiedział Leighton.

Przed biurkiem stały dwa proste krzesła z metalowych rurek

i płótna, w rodzaju tych, które pokolenie temu wywalały z wynajętych pomieszczeń urzędujące tam kościoły.

— Jak mogę ci pomóc? — spytał Leighton. Zadał to pytanie Reacherowi, ale patrzył na Harper.

— Ona wszystko wyjaśni — powiedział.

Harper zrelacjonowała wydarzenia od samego początku, choć w skrócie. Zabrało jej to siedem, może osiem minut. Leighton wysłuchał jej uważnie, od czasu do czasu zadając pytania.

— Wiem o kobietach — przyznał. — Mówiło się o nich.

Skończyła relację, streszczając teorię Reachera o zasłonie dymnej, o możliwych kradzieżach w armii. Wspomniała także o chłopcach Petrosjana w Nowym Jorku i śladzie prowadzącym od nich do Boba w New Jersey.

— Nazywa się Bob McGuire — powiedział Leighton. — Sierżant w kwatermistrzostwie. To nie wasz człowiek. Trzymamy go od dwóch miesięcy, a poza tym jest cholernie głupi.

— Nam też się tak wydawało — zdziwiła się Harper. — Ale liczyliśmy na to, że poda nazwiska, doprowadzi nas do kogoś ważniejszego.

— Grubej ryby?

Harper skinęła głową.

— Człowieka robiącego na tym interes wystarczająco duży, by warto było dla niego zabijać ludzi.

Leighton także skinął głową.

— Teoretycznie mogłaby być taka osoba — rzekł ostrożnie.

— Masz może nazwisko?

Leighton spojrzał na Harper. Potrząsnął głową. Odchylił się w krześle, zatarł ręce. Nagle wydał się bardzo zmęczony.

— Jakiś problem? — spytał Reacher.

— Kiedy odszedłeś? — odpowiedział pytaniem Leighton. Mówił z zamkniętymi oczami.

— Chyba jakieś trzy lata temu.

Leighton ziewnął, przeciągnął się, usiadł prosto.

— Sporo się zmieniło. Nowe czasy i tak dalej.

— Co się zmieniło?

— Wszystko. No, powiedzmy, przede wszystkim to. — Pochylił się, postukał paznokciem w monitor, który odpowiedział dźwięcznym stukiem jak butelka. — Mniejsza armia, łatwiejsza do zorganizowania, więcej wolnego czasu. No więc skomputeryzowali nas od góry do dołu. To bardzo ułatwia komunikację. Teraz wszyscy wiedzą, co robią inni. Chcesz wiedzieć, ile kompletów opon do jeepa willysa mamy w magazynie, choć nie używamy już jeepów willysów? Daj mi dziesięć minut, to się dowiesz.

— I?

— Śledzimy wszystko znacznie skuteczniej niż kiedyś. Na przykład wiemy, ile m-dziewiątek berett dostaliśmy, ile z nich zostało kiedykolwiek legalnie wydanych, wiemy, ile ich jest w magazynie. Jeśli te dane, by się nam nie zgodziły, wierz mi, bylibyśmy tym bardzo zaniepokojeni.

— Więc dane się wam zgadzają?

Przez twarz Leightona przemknął krótki uśmiech.

— Teraz już tak. Tego jesteśmy bardziej niż pewni. Nikt nie ukradł Armii Stanów Zjednoczonych ani jednej beretty, nie w ciągu ostatniego półtora roku.

— Więc co Bob McGuire robił dwa miesiące temu? — spytał Reacher.

— Sprzedawał resztkę zapasów. Kradł co najmniej przez dziesięć lat. Prosta analiza komputerowa nie pozostawiła co do tego żadnych wątpliwości. On i paru innych, w kilku różnych miejscach. Wdrożyliśmy procedurę uniemożliwiającą kradzież i złapaliśmy wszystkich złych facetów sprzedających to, co im jeszcze zostało.

— Wszystkich?

— Komputery tak twierdzą. Broń przecieka nam między palcami, mamy różne opisy, dane z kilku miejsc, więc zgarniamy kilku facetów, broń przestaje przeciekać. McGuire był chyba ostatni. No, może przedostatni, nie jestem pewien.

— Nie ma kradzieży broni?

— Były i nie ma. Czasy cię wyprzedziły.

Zapadła cisza. Przerwał ją Reacher.

— Dobra robota. Moje gratulacje.

— Mniejsza armia — powiedział Leighton. — Więcej wolnego czasu.

— Macie ich wszystkich? — spytała Harper.

Leighton skinął głową.

— Wszystkich. Duża sprawa, na skalę światową. Nie było ich wcale tak wielu. Komputery załatwiły sprawę.

W biurze zapadła cisza.

— No i nasza teoria rozsypała się w cholerę — westchnęła Harper.

Wpatrywała się w podłogę. Leighton zaprzeczył gestem, ale ostrożnie.

— A może nie? Mamy własną teorię.

Natychmiast podniosła wzrok.

— Gruba ryba?

Leighton skinął głową.

— Tak.

— Kto?

— Na razie to czysto teoretyczna gruba ryba.

— Teoretyczna?

— Facet nie jest aktywny — wyjaśnił Leighton. — Niczego nie kradnie. Jak powiedziałem, zidentyfikowaliśmy dziury i załataliśmy wszystkie. Paru facetów czeka na proces, wszystkie przecieki zatkane. Ale... wszystkich dopadliśmy w jeden sposób: wysyłaliśmy tajniaków, żeby dokonali zakupu. Pułapka. Bob McGuire na przykład sprzedał parę berett paru porucznikom w tym swoim barze.

— Stamtąd jedziemy — powiedziała Harper. — McStiophan's, niedaleko autostrady New Jersey.

— Ano właśnie. Nasi ludzie kupili dwie m-dziewiątki z bagażnika jego samochodu po dwieście dolców sztuka, czyli, tak na marginesie, mniej więcej za jedną trzecią tego, co za berettę płaci armia. Zgarniamy McGuire'a i ostro się do niego zabieramy. Wiemy mniej więcej, ile sztuk ukradł przez te lata, mamy w końcu komputerową analizę inwentarza, obliczamy średnią cenę jednej sztuki i zaczynamy szukać pieniędzy. Znajdujemy mniej więcej połowę albo na kontach bankowych, albo w rzeczach, które sobie kupił.

— I? — spytał Reacher.

— I nic. Wtedy jeszcze nic. Ale... dalej zbieramy informacje, no i okazuje się, że historia się powtarza. Wszędzie. Znajdujemy mniej więcej połowę forsy. We wszystkich wypadkach proporcja jest mniej więcej ta sama. A ci goście nie należą do najcwańszych, jakiś miałeś okazję poznać. Nie mieli szansy ukryć forsy przed nami. A gdyby nawet ukryli, to dlaczego wszyscy akurat połowę? Dlaczego nie jest tak, że niektórzy ukryli wszystkie, niektórzy dwie trzecie, a niektórzy trzy czwarte? No wiesz, cokolwiek, różne proporcje w różnych wypadkach.

— I tu wkracza do akcji teoretyczna gruba ryba — zauważył Reacher.

Leighton skinął głową.

— Właśnie tak. Bo jak to inaczej wyjaśnić? Mamy układankę z brakującym elementem. Zaczęliśmy sobie tworzyć postać w rodzaju Ojca Chrzestnego. Ważny facet, rozumiesz, kryjący się gdzieś w cieniu, może organizujący to wszystko, może dający ochronę za połowę zysków.

— Albo połowę broni — wtrącił Reacher.

— Właśnie.

— Ktoś tu bawi się w płatną ochronę — powiedziała Harper. — To jak przekręt w przekręcie.

— Tak jest — powtórzył Leighton.

Cisza trwała długą chwilę. Przerwała ją Harper.

— Z naszego punktu widzenia wygląda to nieźle. Taki facet musi być sprytny i kompetentny, no i musi poruszać się swobodnie, likwidując problemy w różnych przypadkowych miejscach. Mamy też wyjaśnienie, dlaczego interesuje się tyloma różnymi kobietami. Nie dlatego, że wszystkie go znają, raczej dlatego, że każda z nich zna któregoś z jego klientów.

— Czasowo też to się dla was nieźle układa — zauważył Leighton. — Jeśli nasz facet jest waszym facetem, zaczął planować jakieś dwa, trzy miesiące temu, kiedy zorientował się, że klientela mu się sypie.

Harper wyprostowała się w krześle.

— Jaki był rozmiar tego biznesu dwa, trzy lata temu?

— Całkiem spory — powiedział Leighton. — Tak naprawdę chodzi ci o to, ile te kobiety mogły widzieć?

— Właśnie.

— Mogły widzieć bardzo dużo.

— A jak wygląda twoja sprawa? To znaczy sprawa przeciw na przykład Bobowi McGuire?

Leighton wzruszył ramionami.

— Nie tak znowu rewelacyjnie — przyznał. — Mamy go za dwie sztuki, które sprzedał naszym ludziom, to oczywiste, ale to tylko dwie sztuki. Reszta to dowody poszlakowe, a fakt, że nie możemy się doliczyć pieniędzy, dodatkowo całą sprawę osłabia. Całkiem poważnie osłabia.

— Eliminacja świadków przed procesem ma sens?

Leighton skinął głową.

— Ma, i to cholernie duży — przyznał.

— Więc... kim jest ten facet?

Leighton znów potarł oczy.

— Nie mamy pojęcia. Przecież nawet nie wiemy, czy jest jakiś facet. Na razie istnieje tylko w sferze przypuszczeń. Teoretycznie.

— Nikt nic nie mówi?

— Nikt nie puścił cholernej pary z cholernej gęby. Pytamy, oczywiście. Pytamy bez przerwy od dwóch miesięcy. Mamy ze dwa tuziny gości i wszyscy trzymają gęby na kłódkę. Dlatego myślimy, że naprawdę boją się tej naszej grubej ryby.

— Jest przerażający, to fakt — przyznała Harper. — Jak wynika z tego, co o nim wiemy.

W biurze zapadła cisza. Tylko drobne krople deszczu stukały w szyby.

— Jeśli istnieje — podsumował w końcu Leighton.

— Istnieje.

Leighton skinął głową.

— Nam też się tak wydaje — przytaknął.

— No i chyba potrzebujemy jego nazwiska — wtrącił się Reacher.

Odpowiedziała mu cisza.

— Powinienem pogadać z McGuire'em. W twoim imieniu — dodał.

Leighton uśmiechnął się.

— Tak mi się wydawało, że niedługo to od ciebie usłyszę. Chciałem powiedzieć: „Nie, to wbrew przepisom", ale wiesz co? Właśnie zmieniłem zdanie. Postanowiłem powiedzieć: „Jasne, nie żałuj sobie. Bądź moim gościem".

• • •

Areszt znajdował się poniżej poziomu ziemi, jak zawsze w regionalnych kwaterach żandarmerii, pod przysadzistym ceglanym budynkiem z żelaznymi drzwiami, stojącym samotnie po drugiej stronie klombu. Leighton poprowadził ich tam w deszczu, ukrytych za podniesionymi kołnierzami, z podbródkami mocno przyciśniętymi do piersi. Przycisnął guzik staroświeckiego dzwonka. Żelazne drzwi otworzyły się niemal natychmiast. Za nimi był jasno oświetlony korytarz, a w korytarzu stał potężnie zbudowany starszy sierżant. Sierżant odsunął się na bok, Leighton, Reacher i Harper weszli do środka.

Ceglany mur był od wewnątrz wyłożony białą glazurą. Sufit i podłogę z wyszpachlowanego betonu pomalowano na lśniącą zieleń. Światło rzucały lampy fluorescencyjne ukryte za grubymi metalowymi siatkami. Żelazne drzwi miały u góry okienka, również okratowane. We wnęce po prawej stał drewniany regał na klucze doczepione do metalowych obręczy. Na wielkim biurku piętrzył się stos magnetowidów nagrywających mlecznobiały, drżący obraz widoczny na dwunastu małych monitorach. Ukazywały wnętrza cel, jedenastu pustych i jednej zajętej przez kogoś, kto leżał skulony na pryczy i przykryty kocem.

— Spokojna noc w Hiltonie — powiedział Reacher.

Leighton skinął głową.

— W sobotnie noce bywa tu interesująco, ale na razie McGuire jest naszym jedynym gościem.

— Nagranie wideo to może być pewien problem.

— Te urządzenia ciągle się psują.

Leighton pochylił się, przyjrzał się obrazom na monitorach. Oparł

358

dłonie na biurku. Pochylił się jeszcze niżej. Zwinął prawą dłoń w pięść, kostkami palców dotknął wyłącznika. Magnetowidy ucichły, kontrolki nagrywania w rogu ich wyświetlaczy zgasły.

— Widzicie? System jest bardzo zawodny.

— Naprawa potrwa parę godzin — powiedział sierżant. — Co najmniej.

Z sierżanta był kawał chłopa o lśniącej skórze koloru kawy. Dopasowaną kurtkę mundurową miał tak wielką, że z powodzeniem mogła służyć za namiot. Reacher i Harper zmieściliby się pod nią bez problemu, a możliwe, że Leighton też. Prawdziwy ideał podoficera żandarmerii.

— McGuire ma gościa, sierżancie — powiedział Leighton. Głosem wyraźnie sugerującym, że to odwiedziny prywatne. — Nie musi wpisywać się w dziennik.

Reacher zdjął płaszcz i kurtkę. Złożył je i przewiesił przez krzesło sierżanta. Sierżant zdjął z wieszaka jedne z kluczy na kółku i podszedł do wewnętrznych drzwi. Otworzył je, wpuścił Reachera, sam wszedł, przekręcił klucz w zamku. Wskazał schody.

— Pan pierwszy — powiedział uprzejmie.

Każdy stopień ceglanych schodów miał zaokrągloną krawędź, ściany po obu stronach wyłożono glazurą taką samą jak na górze. Metalowa poręcz umocowana była do ściany śrubami, rozmieszczonymi co trzydzieści centymetrów. Na dole znajdowały się kolejne metalowe drzwi, a za nimi pokój z trojgiem zamkniętych drzwi, prowadzących do trzech bloków cel. Sierżant otworzył środkowe. Pstryknął przełącznikiem; białe światło zamrugało nerwowo i zalało jasnym blaskiem pomieszczenie o wymiarach dwanaście metrów na sześć. Reszta podzielona była na cztery cele z masywnych żelaznych prętów, pokrytych grubą warstwą lśniącej białej emalii. Miały mniej więcej trzy na cztery metry. W każdą z nich mierzyła kamera wideo, zamontowana wysoko pod sufitem. Trzy były puste, z kratami wejścia zsuniętymi na bok, czwarta zamknięta. McGuire budził się właśnie, z trudem. Usiadł, mrużąc oczy oślepione światłem.

— Masz gościa! — zawołał sierżant.

W rogu pomieszczenia, najbliżej drzwi wejściowych, stały dwa stołki. Sierżant ustawił jeden z nich blisko, na wprost celi McGuire'a, sam usiadł na drugim. Reacher zignorował stołek. Stał w milczeniu, z rękami założonymi na plecach, przyglądając się więźniowi przez kraty nieruchomym spojrzeniem.

McGuire odrzucił koc, oparł bose stopy na podłodze. Był wielkim facetem ubranym w oliwkowy podkoszulek i oliwkowe szorty. Miał ponad trzydzieści pięć lat, metr dziewięćdziesiąt wzrostu i ważył ponad setkę. Gruba szyja, potężne mięśnie, ramiona i nogi. Krótko przycięte, rzedniejące włosy. Małe oczka, tatuaże. Reacher stał nieruchomo przyglądając mu się w całkowitym milczeniu.

— Kim jesteś, do diabła? — Głęboki głos McGuire'a doskonale pasował do jego postaci, słowa nikły w połowie, pochłaniane przez wielką pierś. Reacher nie odpowiedział. Tę technikę opanował do perfekcji, gdy był o połowę młodszy. Stać bez najmniejszego ruchu, nie odzywać się, nawet nie mrugać. Poczekać, aż przeciwnik przemyśli sobie sytuację. Nie kumpel, nie prawnik, no to kto? Poczekać, aż zacznie się bać.

— Kim jesteś, do diabła? — powtórzył McGuire.

Reacher odsunął się od prętów. Podszedł do siedzącego na stołku sierżanta, pochylił się, wyszeptał mu coś do ucha. Brwi sierżanta podjechały wysoko: „Jesteś pewien?". Reacher znów coś szepnął. Sierżant skinął głową. Wstał. Dał mu klucze na kółku, wyszedł, zamknął za sobą drzwi. Reacher powiesił klucze na kołku, po czym wrócił pod celę McGuire'a. McGuire gapił się na niego przez pręty.

— Czego chcesz? — spytał.

— Chcę, żebyś na mnie spojrzał.

— Co?

— I co widzisz?

— Nic — powiedział McGuire.

— Jesteś ślepy?

— Nie, nie jestem ślepy.

— No to łżesz. Coś jednak widzisz.

— Widzę jakiegoś faceta.

— Widzisz jakiegoś faceta większego od siebie. Faceta, który przechodził różne specjalne przeszkolenia, kiedy ty przekładałeś papiery w jakimś gównianym magazynie kwatermistrzostwa.

— I co z tego?

— Właściwie nic. Ale może powinieneś o tym pamiętać? Przyda się na później.

— Jakie później?

— Tego dopiero się dowiesz.

— Więc czego chcesz?

— Dowodu.

— Dowodu na co?

— Na to, jakim jesteś gównianym durniem.

McGuire nie odpowiedział. Zmrużył oczy, niemal zniknęły pod fałdą brwi.

— Łatwo ci gadać — powiedział w końcu. — Stoisz dwa metry od kraty.

Reacher zrobił jeden manifestacyjnie długi krok w jego kierunku.

— Teraz stoję o wiele mniej niż metr od kraty. A ty nadal jesteś gównianym durniem.

McGuire też zrobił krok przed siebie. Zatrzymał się może ćwierć metra od stalowych prętów, chwycił je mocno. Patrzył Reacherowi wprost w oczy. Reacher też się do niego zbliżył.

— Widzisz, teraz jestem ćwierć metra od krat, tak samo jak ty. I ciągle jesteś gównianym durniem.

McGuire puścił pręt. Jego prawa dłoń zacisnęła się w pięść, wystrzeliła jak tłok, poruszana potęgą mięśni ramienia. Mierzyła w krtań Reachera. Reacher chwycił go za nadgarstek, odchylił się, przepuścił pięść koło głowy, złapał równowagę, przyciągnął McGuire'a do prętów, wykręcił mu rękę spodem dłoni do siebie i przesunął się tak, by wygiąć ją w stawie łokciowym.

— Widzisz, jaki jesteś durny? Mały kroczek i złamię ci rękę.

McGuire dyszał ciężko. Reacher skrzywił twarz w uśmiechu i puścił go. Więzień tylko na niego popatrzył, po czym cofnął rękę i zaczął nią poruszać, sprawdzając, jakich szkód doznał.

— Czego chcesz? — powtórzył.

— Chcesz, żebym otworzył celę?

— Co?

— Tam wiszą klucze. Chcesz, żebym otworzył celę? Wyrównał szanse.

McGuire jeszcze bardziej zmrużył oczy. Skinął głową.

— Jasne. Otwórz tę cholerną celę.

Reacher podszedł do ściany, zdjął klucze z kołka przy wejściowych drzwiach, przerzucił je, znalazł właściwy. Zamykał i otwierał w życiu tak wiele cel, że właściwy mógłby znaleźć z zawiązanymi oczami. Odtworzył także tę. McGuire stał nieruchomo. Reacher odszedł i odwiesił klucze. Stał przodem do drzwi, plecami do więźnia.

— Siadaj! — zawołał. — Ten stołek jest dla ciebie!

Wyczuł, że McGuire wychodzi z celi. Słyszał kroki jego bosych stóp na betonie. Słyszał, że się zatrzymuje.

— Czego chcesz? — powtórzył McGuire.

Reacher stał, nadal odwrócony do niego plecami. Wytężył słuch, czekając, aż się zbliży. Ale się nie zbliżał.

— To dość skomplikowane — powiedział. — Będziesz musiał uporać się z kilkoma czynnikami.

— Jakimi czynnikami? — spytał tępo McGuire.

— Pierwszy czynnik to wiedza, że jestem tu nieoficjalnie. Rozumiesz?

— Co to znaczy?

— Ty mi powiedz.

— Nie wiem.

Reacher się odwrócił.

— To znaczy, że nie jestem wojskowym gliniarzem, nie jestem cywilnym gliniarzem i w ogóle jestem nikim.

— I co z tego?

— To, że nie ma na mnie haka. Nie ma mowy o procedurach dyscyplinarnych, utracie emerytury i tak dalej.

— I co z tego?

— To, że nawet jeśli po rozmowie ze mną do końca życia będziesz chodził o kulach i pił przez słomkę, nikt mi nic nie zrobi, bo nie może. No i nie mamy świadków.

— Czego chcesz?

— Drugi czynnik to wiedza, że cokolwiek obiecała ci gruba ryba, ja mogę być gorszy.

— Jaka gruba ryba?

Reacher się uśmiechnął. McGuire zacisnął pięści. Miał potężne bicepsy i szerokie ramionami.

— Teraz zaczyna się sprawa naprawdę skomplikowana. Musisz się skupić, żeby cokolwiek z tego zrozumieć. Trzeci czynnik to wiedza, że jeśli podasz mi nazwisko faceta, facet odejdzie daleko i na zawsze. Jeśli podasz mi jego nazwisko, nie zdoła cię dorwać. Nigdy, rozumiesz?

— Jakie nazwisko? Jaki facet?

— Facet, któremu płaciłeś połowę forsy.

— Nie ma takiego faceta.

Reacher potrząsnął głową.

— To stadium mamy za sobą, jasne? Wiemy, że taki facet istnieje. Nie zmuszaj mnie, żebym cię sponiewierał, nim dojdziemy do naprawdę ważnych spraw.

McGuire zesztywniał. Oddychał ciężko, głośno. I nagle uspokoił się, rozluźnił, ponownie zmrużył oczy.

— Dlatego lepiej się skoncentruj — mówił dalej Reacher. — Sądzisz, że przez wsypanie faceta wpadniesz w głębokie gówno. I właśnie tu się mylisz. Musisz zrozumieć, że sypiąc go, stajesz się bezpieczny. Na całe życie. Bo szukają go za rzeczy znacznie gorsze niż wykantowanie armii.

— A co zrobił? — spytał McGuire.

Reacher się uśmiechnął. Jaka szkoda, że kamery wideo nie nagrywały z dźwiękiem. Facet istnieje! Leighton tańczyłby teraz w swym biurze.

— FBI uważa, że zabił cztery kobiety. Dasz jego nazwisko, to usuną go na zawsze. Nikt nie zapyta go o nic innego.

McGuire milczał. Miał o czym myśleć, ale Reacherowi zdarzyło się spotkać parę osób, którym szło to nieco szybciej.

— Dwie dodatkowe sprawy — powiedział. — Jeśli podasz mi jego nazwisko natychmiast, powiem o tobie dobre słowo. Posłuchają mnie, bo kiedyś byłem jednym z nich. Gliny trzymają się razem, nie? Mogę ci umilić życie.

McGuire nadal milczał.

— Ostatnia sprawa — rzekł Reacher bardzo łagodnie. — Powiesz mi, co chcę wiedzieć, tak czy inaczej. To tylko kwestia czasu. Masz wybór. Możesz powiedzieć to teraz, a możesz za pół godziny, kiedy połamię ci ręce i nogi, i właśnie będę się zbierał, żeby ci skręcić kark.

— To zły facet — odparł McGuire.

Reacher skinął głową.

— Wierzę, że jest naprawdę zły. Ale musisz określić swoje priorytety. Cokolwiek ci obiecał, to sprawa czysto teoretyczna, kwestia dalekiej przyszłości, a zresztą, jak mówiłem, nic takiego się nie zdarzy. A to, co ja ci obiecałem, zdarzy się tu i teraz.

— Nic mi nie zrobisz.

Reacher odwrócił się, podniósł drewniany stołek, na wysokość piersi, obrócił go i chwycił dłońmi za nogi. Rozstawił łokcie. Zgarbił się lekko, napiął mięśnie ramion. A potem odetchnął głęboko i szarpnął, gwałtownie opuszczając łokcie. Wyrwał obie nogi, wyłamując poprzeczki, które z trzaskiem opadły na podłogę. Ponownie odwrócił stołek. W lewej ręce trzymał siedzenie, w prawej wyrwaną nogę. Upuścił szczątki, a wyrwaną nogę ścisnął mocno w prawej ręce. Miała jakiś metr długości, rozmiarem i masą odpowiadała kijowi do baseballu.

— Teraz ty — powiedział.

McGuire naprawdę przyłożył się do roboty. Robił wszystko, żeby urwać nogę we własnym stołku. Napinał mięśnie, aż drżały tatuaże na jego ramionach. Nie dał rady. Po prostu stał, trzymając odwrócony do góry nogami stołek.

— Szkoda — westchnął Reacher. — Dawałem ci równe szanse.

— Był w siłach specjalnych — powiedział McGuire. — Brał udział w Pustynnej Burzy. Jest naprawdę twardy.

— To nie ma żadnego znaczenia. Jeśli będzie się opierał, FBI go zastrzeli i po problemie.

McGuire milczał.

— Nie dowie się, że to ty go wsypałeś. Dowie się od nich, że zostawił na miejscu jakieś dowody.

McGuire milczał. Reacher zamachnął się oderwaną nogą.

— Prawa czy lewa? — spytał.

— Co?

— Którą rękę mam złamać ci najpierw?

— LaSalle Kruger — powiedział McGuire. — Oficer dowodzący batalionu zaopatrzenia. Jest pułkownikiem.

25

Ukraść dziewczynie telefon było równie łatwo jak dziecku cukierek, ale rekonesans to mordęga. Najważniejsze jest zgranie w czasie. Musisz zaczekać, aż zrobi się zupełnie ciemno, a także na ostatnią godzinę dyżuru gliniarza; tak byłoby najlepiej. Bo gliniarz jest bardziej tępy niż facet z Biura, a poza tym czyjaś ostatnia godzina znacznie lepiej się nadaje niż pierwsza godzina kogoś innego. Uwaga nie jest już taka skupiona. Znudzenie jest gorsze niż kiedykolwiek. Oczy zaczynają się szklić, myślami jesteś już przy piwie z kumplami, wieczorze przed telewizorem, z żoną przy boku czy co tam robisz w wolnym czasie.

Na swoje sprawy masz więc czterdzieści minut, od siódmej, powiedzmy, do siódmej czterdzieści. Twój plan składa się z dwóch części. Po pierwsze dom, po drugie otoczenie domu. Wracasz z lotniska, podjeżdżasz od strony przelotówki. Przejeżdżasz na wprost przez skrzyżowanie odległe od jej domu o trzy ulice. Zatrzymujesz się dwieście metrów dalej na północ, na parkingu dla wycieczkowiczów. Szeroka żwirowa ścieżka prowadzi na wschód, w górę zbocza Mount Hope. Wysiadasz z samochodu, odwracasz się plecami od ścieżki, idziesz na zachód i północ przez słabo zadrzewiony teren. Jesteś mniej więcej na poziomie swej poprzedniej pozycji obserwacyjnej, ale po drugiej stronie jej domu, za nim, a nie przed nim.

Ukształtowanie terenu sprawia, że podwórka przy domach są

niewielkie, ot wąski kawałek zadbanej, zarośniętej roślinami ziemi, dalej ogrodzenia, a za ogrodzeniami strome zbocze porośnięte krzakami. Przedzierasz się przez krzaki, stajesz przy jej ogrodzeniu. Stoisz nieruchomo w ciemności. Obserwujesz. Zasłony są zasunięte. Jest bardzo spokojnie. Słychać bardzo cichy dźwięk fortepianu. Domy wbudowano we wzgórze, stoją obrócone prawą ścianą do ulicy. Ich bok jest naprawdę frontem. Ganek biegnie dookoła. Patrzysz na ścianę z kilkoma oknami. Nie widzisz drzwi. Prześlizgujesz się przy ogrodzeniu, sprawdzasz z drugiej strony, tej, która w rzeczywistości jest tyłem domu. I tu nie ma drzwi. A więc do środka można wejść wyłącznie przez drzwi frontowe na ganku lub przez garaż wychodzący na ulicę. Nie jest to sytuacja idealna, ale właśnie tego należało się spodziewać. Trzeba planować na taką ewentualność. Planować na każdą ewentualność.

• • •

— W porządku, pułkowniku Kruger — powiedział kapitan Leighton. — Twoja dupa już jest nasza.

Siedzieli w jego biurze, mokrzy po krótkiej przebieżce w nocnym deszczu, pełni radosnego uniesienia, zaczerwienieni od zimnego powietrza i poczucia sukcesu. Wymieniono uściski dłoni, przybito piątki. Harper śmiała się i tuliła do Reachera. W tej chwili Leighton przeglądał dane komputerowe, a Reacher i Harper, oddychając szybko, siedzieli obok siebie naprzeciw jego biurka na starych prostych krzesłach. Harper uśmiechała się ciągle, pławiąc się w poczuciu ulgi i triumfie.

— Podobał mi się ten numer ze stołkiem — powiedziała. — Widzieliśmy wszystko na monitorze wideo.

Reacher wzruszył ramionami.

— Kantowałem — przyznał. — Po prostu wybrałem właściwy stołek. Uznałem, że podczas odwiedzin sierżant siada na tym przy drzwiach, nudzi się i wierci. Facet tych parametrów musiał osłabić konstrukcję. Można powiedzieć, że właściwie rozpadł się sam.

— Ale wyglądało to świetnie.

— Taki był plan. Pierwsza zasada: musi wyglądać świetnie.

— W porządku — przerwał im Leighton. — Mamy go na liście personelu. LaSalle Kruger. Pełny pułkownik. O tu.

Postukał paznokciem w monitor. Ten dźwięk już znali; dźwięczny stuk, jakby puknął w butelkę.

— Miał problemy? — spytał Reacher.

— Na razie nie mogę powiedzieć. Wyobrażasz sobie, że będzie w aktach żandarmerii?

— Coś się musiało stać. Siły specjalne w Pustynnej Burzy, a teraz zaopatrzenie? O co chodzi?

Leighton skinął głową.

— Rzeczywiście, sprawa wymaga wyjaśnienia. Zapewne problemy dyscyplinarne.

Wyszedł z akt personalnych, kliknął inną pozycję w menu. I zawahał się.

— To może potrwać całą noc — powiedział.

Reacher się uśmiechnął.

— Chodzi ci o to, żebyśmy przypadkiem nic nie zobaczyli, prawda?

Leighton odpowiedział mu uśmiechem.

— Trafiłeś za pierwszym razem, przyjacielu. Aresztanta możesz mi tarmosić, ile ci się podoba, ale nie wolno ci zaglądać w komputerową bazę danych.

— Jasne — zgodził się Reacher.

Leighton czekał cierpliwie.

— A... ta sprawa z oponami do jeepa — powiedziała nagle Harper. — Potrafilibyście znaleźć brakującą farbę maskującą?

— Może. Teoretycznie chyba tak.

— Jedenaście kobiet na liście... to powinno być jakieś tysiąc sto pięćdziesiąt litrów. Gdyby udało ci się połączyć Krugera z farbą, mnie wystarczyłoby to w zupełności.

Leighton skinął głową.

— Daty — mówiła dalej Harper. — Sprawdź, czy nie pełnił służby, kiedy ginęły te kobiety. No i miejsca, to może być przydatne. Potwierdź, że zdarzały się tam, gdzie służyły kobiety. Udowodnij, że mogły coś widzieć.

Leighton spojrzał na nią niezbyt przyjaźnie.

— Armia mnie za to pokocha, nie sądzisz? Kruger to nasz facet, a ja tu zarywam noc tylko po to, żeby potem oddać go wam.

— Przykro mi — powiedziała Harper, ale jurysdykcja jest w tym wypadku jednoznaczna. — Morderstwo bije kradzież.

Leighton skinął głową. Po jego wcześniejszej wesołości nie pozostał nawet najmniejszy ślad.

— Jasne — powiedział. — Nożyczki tną papier.

* * *

O domu wiesz już wszystko. Niczego nie zmieni stanie w ciemności i słuchanie, jak Scimeca gra na tym cholernym fortepianie. Odklejasz się od ogrodzenia, znikasz w krzakach, idziesz na wschód i południe. Wracasz do samochodu. Dochodzisz na miejsce, otrzepujesz się, wślizgujesz za kierownicę, włączasz silnik. Wracasz tą samą drogą, którą przyjeżdżasz. Przed tobą zadanie numer dwa. Na jego wykonanie masz dwadzieścia minut. Mijasz skrzyżowanie, jedziesz dalej. Nieco ponad trzy kilometry za skrzyżowaniem, po twojej lewej, znajduje się małe centrum handlowe. Staroświeckie, jednokondygnacyjne, ma kształt litery „C" o dwóch kątach prostych. Pośrodku, niczym zwornik, znajduje się supermarket, w obu ramionach stanowiska na małe sklepiki, niektóre zamknięte i niefunkcjonujące. Wjeżdżasz na parking z przeciwległego końca, jedziesz powoli drogą przeciwpożarową, rozglądasz się. Trzy stanowiska za supermarketem znajdujesz dokładnie to, czego potrzebujesz. Właśnie tego można się było spodziewać, lecz mimo to zaciskasz dłoń w pięść i uśmiechając się do siebie, walisz nią w kierownicę.

Zawracasz, ciągle jedziesz bardzo powoli, przestajesz się uśmiechać. To ci się nie podoba. To ci się wcale nie podoba. Wszystko widać jak na dłoni, dobry widok z każdego sklepu. W tej chwili światło jest kiepskie, ale tobie chodzi przecież o dzień. Przejeżdżasz więc na drugą stronę ramienia litery „C" i znów możesz się uśmiechnąć. Jest tu dodatkowy parking, jeden rząd miejsc, dokładnie naprzeciw drzwi magazynowych będących tylnymi drzwiami do sklepów. Tu nie ma żadnych okien.

Zatrzymujesz samochód, rozglądasz się dookoła. Nie pomijasz niczego. Tak, to właściwe miejsce, co do tego nie masz żadnych wątpliwości. Po prostu doskonałe.

Wracasz na główny parking, zatrzymujesz się w małej grupce stojących tam samochodów. Wyłączasz silnik. Czekasz. Obserwujesz drogę przelotową. Patrzysz i czekasz dziesięć minut. Po dziesięciu minutach przejeżdża nią buick, ani za wolno, ani za szybko. Biuro skończyło zmianę.

Włączasz silnik. Wyjeżdżasz z parkingu. Skręcasz w przeciwną stronę.

• • •

Leighton polecił im motel znajdujący się przy drodze numer jeden, półtora kilometra dalej w kierunku Trenton. Powiedział, że zatrzymują się tam rodziny aresztowanych, że jest tani, czysty i że to jedyne miejsce w promieniu wielu kilometrów, którego numer telefonu zna. Harper usiadła za kierownicą. Na miejsce trafili bez problemu. Z zewnątrz wyglądał przyzwoicie, wolnych pokoi nie brakowało.

— Dwunastka to ładny dwuosobowy pokój — powiedział recepcjonista.

Harper skinęła głową.

— Dobrze, weźmiemy go — zdecydowała.

— My? — zdziwił się Reacher. — Dwuosobowy pokój?

— Później o tym porozmawiamy.

Zapłaciła gotówką, wzięła klucz.

— Numer dwanaście — powtórzył recepcjonista. — Kawałek drogi stąd.

Reacher poszedł piechotą, w deszczu. Harper przyprowadziła samochód. Zastała go czekającego przed wejściem do domku.

— O co ci chodzi? — spytała. — Przecież nie pójdziemy spać. Będziemy czekali na telefon od Leightona. Lepiej tutaj niż w samochodzie.

Reacher tylko wzruszył ramionami. Czekał, aż otworzy drzwi i wejdzie do środka. Poszedł za nią.

— Jestem zbyt podekscytowana, żeby zasnąć — powiedziała Harper.

Dostali typowy pokój motelowy, o pokrzepiająco znanym wyglądzie. W środku było za gorąco, deszcz hałaśliwie bębnił w dach. Przy oknie stał stół i dwa krzesła. Reacher usiadł na tym po prawej, oparł łokcie na blacie stołu, schował głowę w dłoniach. Siedział nieruchomo. Harper niecierpliwie chodziła od ściany do ściany.

— Mamy go, rozumiesz? — powiedziała.

Reacher milczał.

— Powinnam zadzwonić do Blake'a, przekazać mu dobrą nowinę.

Reacher potrząsnął głową.

— Jeszcze nie — zaprotestował.

— Dlaczego nie?

— Niech Leighton skończy sprawę. Jeśli teraz włączy się Quantico, to mu ją odbiorą. Jest tylko kapitanem. Wciągną w nią jakiegoś dwugwiazdkowego dupka, a on nic nie znajdzie, bo nie potrafi. Zostawcie Leightona, niech ma chwilę chwały.

Harper poszła do łazienki. Przyjrzała się ręcznikom wiszącym na wieszakach, buteleczkom szamponu, mydełkom w opakowaniach. Wyszła i zdjęła marynarkę.

— Możesz patrzeć na mnie bezpiecznie — powiedziała. — Włożyłam stanik.

Reacher milczał.

— Coś ci chodzi po głowie?

— Tak sądzisz?

— Jasne. To dla mnie nie tajemnica. Jestem kobietą. Mam intuicję.

Tym razem spojrzał jej wprost w oczy.

— Szczerze mówiąc, wolałbym nie być w jednym pokoju z tobą i łóżkiem.

Harper uśmiechnęła się radośnie, figlarnie.

— Kusi cię?

— Jestem tylko człowiekiem.

— Ja też. Jeśli potrafię oprzeć się pokusie, to jestem pewna, że ty też.

Reacher nie odpowiedział.

— Wezmę prysznic — oznajmiła Harper.

— Chryste — mruknął pod nosem.

• • •

To standardowy pokój motelowy, jak tysiące innych pokoi motelowych, znanych ci osobiście, od oceanu do oceanu. Drzwi, po prawej łazienka, po lewej szafa, łóżko półtora na dwa metry, komoda, stół, dwa krzesła. Stary telewizor. Wiaderko z lodem. Okropne obrazki na ścianach. Wieszasz płaszcz w szafie, ale nie zdejmujesz rękawiczek. To bez sensu upstrzyć tu wszystko odciskami palców. Wprawdzie szanse, by kiedykolwiek doszli, gdzie się zatrzymałeś, są praktycznie zerowe, ale całe swe życie zbudowałeś przecież na ostrożności. Zdejmujesz je wyłącznie wówczas, gdy się myjesz, a motelowe łazienki są najzupełniej bezpieczne. Wyprowadzasz się o jedenastej, a o dwunastej pokojówka spryskuje wszystko środkiem czyszczącym i przeciera wilgotną ścierką. Nikt nigdy nie znalazł sensownych odcisków palców w motelowej łazience.

Przechodzisz przez pokój, siadasz na krześle po lewej. Prostujesz plecy, odchylasz głowę, zamykasz oczy. Zaczynasz myśleć. Jutro. To musi być jutro. Ramy czasowe określasz, posuwając się wstecz. Wyjdziesz dopiero wtedy, gdy zrobi się ciemno, to sprawa podstawowa rządząca wszystkim innym. Ale chcesz, by znalazł ją gliniarz z dziennej zmiany. Oczywiście wiesz, że to z twojej strony kaprys i tylko kaprys, ale do cholery, jeśli nie wolno ubarwić sobie życia jednym i drugim wymyślnym kaprysem, to co to za pieprzone życie? Zatem musisz być gotów, kiedy będzie ciemno, lecz przed ostatnią wizytą gliniarza w toalecie. Masz już czas oznaczony całkiem dokładnie: gdzieś między szóstą a szóstą trzydzieści. Przyjmijmy margines błędu: piątą czterdzieści pięć. Nie, piątą trzydzieści, bo przecież musisz wrócić na pozycję, by zobaczyć jego twarz.

Piąta trzydzieści. W porządku. Wprawdzie bardziej zmierzch niż mrok, ale jest to do przyjęcia. W żadnym poprzednim miejscu nie zajęło ci to więcej niż dwadzieścia dwie minuty. W zasadzie

372

należałoby uznać, że i teraz nie potrwa dłużej, przyjmujesz jednak pełne pół godziny. Więc musisz być w środku i zacząć o piątej. Następnie stawiasz się w jej sytuacji i widzisz, że trzeba zadzwonić o drugiej.

A więc wymeldowujesz się z tej nory o jedenastej. Jesteś na miejscu przed dwunastą, czekasz, patrzysz, dzwonisz o drugiej. Decyzja zapadła. Otwierasz oczy, wstajesz, rozbierasz się, idziesz do łazienki. Odrzucasz kołdrę, wsuwasz się do łóżka. Nagi, jeśli nie liczyć rękawiczek.

• • •

Harper wyszła z łazienki ubrana wyłącznie w ręcznik. Twarz miała wymytą do czysta i mokre włosy. Pozbawiona makijażu wydawała się bardzo wrażliwa. Wyglądałaby na czternastolatkę, gdyby nie przeszło metr osiemdziesiąt wzrostu. Motelowe ręczniki nie są przeznaczone dla takich ludzi i jako strój nie spełniają swego zadania.

— Chyba jednak zadzwonię do Blake'a — powiedziała. — Powinnam się zameldować.

— Tylko nic mu nie mów. Jestem śmiertelnie poważny. Sprawy wymkną się nam spod kontroli.

Skinęła głową.

— Powiem tylko, że jesteśmy już blisko.

Reacher potrząsnął głową.

— Nie aż tak dokładnie, dobrze? Powiedz, że jutro spotykamy się z pewnym facetem, który może wiedzieć o czymś związanym ze sprawą.

— Będę ostrożna — obiecała Harper. Usiadła przed lustrem. Ręcznik powędrował do góry. Przyglądała się swoim włosom.

— Mógłbyś podać mi telefon? — spytała. — Jest w torebce.

Podszedł do łóżka, posłusznie wsunął rękę do torebki. Przesuwał ręką drobiazgi, czując jej słaby zapach. Odnalazł telefon i podał go jej.

— Nic mu nie mów, dobrze? — powtórzył.

Harper skinęła głową. Otworzyła telefon.

— Nie martw się — powiedziała.

— Chyba też wezmę prysznic.

— Baw się dobrze — powiedziała. — Nie wejdę do łazienki, obiecuję.

Reacher wszedł do łazienki, zamknął drzwi. Na haczyku po ich wewnętrznej stronie wisiały jej rzeczy. Wszystkie, łącznie z białymi koronkowymi majteczkami. Pomyślał, że weźmie lodowaty prysznic, ale w końcu zdał się wyłącznie na siłę woli i nastawił bardzo gorący. Zrzucił ubranie, cisnął je na podłogę. Wyjął z kieszeni składaną szczoteczkę, umył zęby samą wodą. Wszedł pod prysznic, skorzystał z tego samego mydła i szamponu co ona. Stał pod nim bardzo długo, ale poddał się wreszcie, przestawił na zimny jak lód. Wytrzymał dwie minuty, walcząc o oddech. Uznał, że wystarczy, zaczął po omacku szukać ręcznika.

Usłyszał pukanie do drzwi.

— Skończyłeś? Chciałabym odzyskać moje rzeczy.

Rozwinął ręcznik, zawiązał go w pasie.

— W porządku, możesz wejść! — krzyknął.

— Lepiej mi je podaj!

Zdjął rzeczy Harper z haczyka. Uchylił drzwi, wyciągnął rękę. Harper zabrała ubranie i odeszła. Reacher wytarł się do sucha, ubrał niezdarnie w ograniczonej przestrzeni. Przeczesał palcami włosy. Przez dobrą minutę stał nieruchomo, a potem wyszedł.

Harper stała obok łóżka, niekompletnie ubrana; większość jej stroju wisiała na oparciu krzesła stojącego obok komody. Zdążyła się uczesać. Zamknięty telefon leżał obok wiaderka na lód.

— Co mu powiedziałaś?

— Tylko to, co kazałeś. Rano spotykamy się z pewnym facetem. Same ogólniki.

Miała na sobie koszulę, ale krawat wisiał na oparciu krzesła. Biustonosz też. I spodnie od garnituru.

— A on miał nam coś do powiedzenia?

— Poulton jest w Spokane. Z Hertzem nie wyszło, okazało się, że to jakaś kobieta podróżująca w interesach, za to facet z UPS może się nam przydać. Będą z nim rozmawiali dzisiaj wieczorem, ale u nich jest trzy godziny wcześniej, więc jeśli się

374

czegoś dowiemy, to pewnie dopiero rano. W każdym razie odtworzyli datę po tym wydarzeniu z baseballu i UPS grzebie w papierach.

— Jedno wiemy na pewno, nie znajdą w nich LaSalle Krugera.

— Prawdopodobnie nie, ale co to ma za znaczenie? Żadne, prawda? Dorwaliśmy go! — Harper przysiadła na krawędzi łóżka, plecami do Reachera. — I to dzięki tobie! Miałeś rację, po prostu sprytny facet mający przyzwoity, prosty, mocny motyw.

Wstała. Nie mogła sobie znaleźć miejsca. Nerwowo chodziła po małym kawałku wolnej przestrzeni między łóżkiem i stolikiem. Włożyła majteczki. Widział je przez rozcięcia koszuli. Miała cudowny tyłeczek. Smukłe nogi. Bardzo długie. I małe jak na jej wzrost delikatne stopy.

— Powinniśmy jakoś to uczcić.

Reacher rzucił poduszki w przeciwległy róg łóżka, oparł się na nich, spojrzał w sufit i skoncentrował na stuku kropli deszczu walących w dach.

— W miejscach takich jak to nie obsługują w pokojach — powiedział.

Harper obróciła się twarzą do niego. Górne dwa guziki koszuli miała rozpięte. Efekt rozpiętych górnych guzików koszuli zależy od dzielącej je odległości. Jeśli to odległość niewielka, jest praktycznie zerowy. Ale guziki tej koszuli rozstawione były szeroko, co siedem, może nawet dziesięć centymetrów.

— Chodzi o Jodie, prawda? — spytała.

Reacher skinął głową.

— To przecież oczywiste.

— Gdyby nie ona, tobyś chciał?

— I tak chcę... — Reacher umilkł na chwilę — ale nic z tego. Przez nią.

Harper spojrzała na niego. Uśmiechnęła się.

— Chyba podoba mi się to u mężczyzny.

Reacher nie skomentował jej słów.

— Konsekwencja.

Reacher milczał. Zapanowała cisza, słychać było tylko ciągły, nieustępliwy stuk kropel deszczu o dach.

— Jest bardzo atrakcyjna.

Reacher gapił się w sufit.

— Tobie też nic nie brakuje — ciągnęła.

Wsłuchiwał się w deszcz. Harper westchnęła cichutko. Odsunęła się. Zaledwie o centymetr, może dwa, ale i to wystarczyło, by zażegnać kryzys.

— A więc zamierzasz kręcić się po Nowym Jorku — powiedziała.

Jeszcze raz skinął głową.

— Dom ją wkurzy. Jej ojciec zapisał ci go w testamencie.

— Być może. Ale będzie musiała sobie z tym poradzić. Tak jak ja to widzę, przede wszystkim zostawił mi możliwość wyboru. Dom albo pieniądze, które za niego dostanę. Mogę zdecydować. Wiedział, jaki jestem. Nie czułby się zaskoczony. Ani zmartwiony.

— W grę wchodzą kwestie uczuciowe.

— Nie rozumiem dlaczego. Przecież to nie jest dom jej dzieciństwa czy coś w tym rodzaju. Tak naprawdę to nigdy tu nie mieszkali. Nie tu dorastała. Po prostu drewniany budynek.

— Dla niej jest kotwicą. Tak to widzi.

— I dlatego chcę go sprzedać.

— Toteż się boi, to całkiem naturalne.

Reacher wzruszył ramionami.

— Przekona się, że nie ma czego. Będę w pobliżu, dom nie dom.

Znowu zapadła cisza. Deszcz ustępował. Harper usiadła na łóżku naprzeciw niego. Podciągnęła pod siebie kolana.

— Nadal uważam, że powinniśmy to uczcić. — Położyła dłoń na łóżku pomiędzy nimi, pochyliła się. — Tylko cię pocałuję. Nic więcej.

Reacher spojrzał na nią, wyciągnął lewą rękę, przytulił ją do siebie. Pocałował w usta. Harper ujęła go za głowę, przeciągnęła dłonią po jego włosach. Spojrzała mu w oczy, rozchyliła wargi. Poczuł jej język na zębach, w swych ustach. Ruchliwy język, głęboko w ustach. Było to bardzo przyjemne uczucie. Rozchylił powieki. Jej oczy były tak blisko, że nie mógł skupić na nich wzroku. Ale widział, że są zamknięte. Puścił ją i odsunął się z głębokim poczuciem winy.

— Jest coś, co powinienem ci powiedzieć.

Harper oddychała ciężko, włosy miała w nieładzie.

— Co?

— Nie byłem wobec ciebie uczciwy.

— Jak to?

— Nie sądzę, by Kruger był naszym człowiekiem.

— Co!?

Zapadła cisza. Nadal dzieliły ich zaledwie centymetry. Nadal siedzieli na łóżku. I Harper nadal trzymała dłoń w jego włosach.

— Jest człowiekiem Leightona. Moim zdaniem nie naszym. Nigdy nie miałem go za naszego człowieka.

— Co? Przecież miałeś! Przecież to była twoja teoria, Reacher. Dlaczego teraz się z niej wycofujesz?

— Ponieważ nigdy nie traktowałem jej poważnie, Harper. Ja tylko myślałem głośno. Nawet gorzej, plotłem trzy po trzy. Zaskoczyło mnie, że w ogóle istnieje taki facet.

Harper cofnęła rękę zaskoczona.

— Przecież to była twoja teoria, Reacher — powtórzyła.

Wzruszył ramionami.

— Wymyśliłem ją. Nie przywiązywałem do niej znaczenia. Potrzebowałem sensownego pretekstu, żeby choć na trochę wyrwać się z Quantico.

Harper patrzyła na niego z niedowierzaniem.

— Wymyśliłeś!? Nie przywiązywałeś znaczenia?

Reacher powtórnie wzruszył ramionami.

— Chyba rzeczywiście ta teoria była przekonująca. Ale ja nie wierzyłem w nią ani przez chwilę.

— Więc po cholerę ją głosiłeś!

— To tłumaczyłem. Chciałem się stamtąd wynieść. Dać sobie trochę czasu. Pomyśleć. To był także rodzaj eksperymentu. Sprawdzałem, kto mnie poprze, a kto się będzie sprzeciwiał. Kto naprawdę chce rozwiązania zagadki.

— Nie wierzę własnym uszom. Dlaczego?

— A dlaczego nie?

— Przecież wszyscy chcemy rozwiązania zagadki!

— Poulton był przeciw.

Harper przyglądała mu się z odległości może trzydziestu centymetrów.

— Czym to dla ciebie jest? — spytała z niedowierzaniem. — Grą?

Reacher nie odpowiedział. Milczał minutę, dwie, trzy.

— Co ty, do cholery, wyprawiasz! Przecież w tej grze stawką jest ludzkie życie.

Przerwał im łomot do drzwi. Głośny i natarczywy. Harper odsunęła się od Reachera. Reacher puścił ją, postawił stopy na podłodze, wstał. Przygładził dłonią włosy, podszedł do drzwi, w które ktoś znów walił z całej siły.

— W porządku! — krzyknął. — Już otwieram!

Hałasy ustały. Reacher otworzył drzwi. Przed ich pokojem stał zaparkowany krzywo chevrolet. Na ganku stał Leighton. Rękę miał podniesioną, kurtkę rozpiętą, krople deszczu na ramionach.

— Kruger jest naszym człowiekiem — oznajmił.

Przeszedł obok Reachera, nie czekając na zaproszenie, i zobaczył Harper zapinającą koszulę.

— Przepraszam — powiedział.

Harper spuściła wzrok.

— Nie ma za co. Tu jest bardzo gorąco.

Reacher spojrzał na łóżko, jakby jego obecność go zaskoczyła.

— Jest naszym człowiekiem — powtórzył. — Pasuje jak ulał.

W tym momencie zadzwonił telefon komórkowy. Leżał na komodzie obok wiaderka do lodu i brzęczał jak budzik. Leighton umilkł, pokazał gestem, że chętnie zaczeka. Harper przesunęła się na łóżku w jego kierunku, chwyciła go i otworzyła. Reacher usłyszał głos, cienki, zniekształcony, daleki. Widział, jak z twarzy słuchającej go agentki odpływa krew, jak staje się ona coraz bledsza. Patrzył, jak zamyka i odkłada telefon.

— Wzywają nas do Quantico — powiedziała. — Mamy wracać natychmiast. Dostali pełne akta służby Caroline Cooke.

Miałeś rację, stacjonowała dosłownie wszędzie. Ale nigdy nie zbliżyła się do magazynów broni. Nigdy. Choćby na kilometr. Choćby na minutę.

— Właśnie to miałem wam powiedzieć — wtrącił Leighton. — Kruger jest naszym człowiekiem. Naszym, nie waszym.

Reacher tylko skinął głową.

26

Leighton przeszedł przez pokój i usiadł przy stole na krześle po prawej, tym samym, przy którym wcześniej siedział Reacher. Położył łokcie na blacie, podparł głowę dłońmi. Ta sama pozycja.

— Po pierwsze, nie mieliśmy żadnej listy — powiedział i spojrzał na Harper. — Poprosiłaś mnie, żebym sprawdził kradzieże w miejscach, gdzie pracowały kobiety, więc oczywiście potrzebowałem listy kobiet. Spróbowałem ją znaleźć. Nie znalazłem. Wykonałem parę telefonów i okazało się, że kiedy twoi ludzie przyszli do nas miesiąc temu, musieliśmy taką listę stworzyć od początku. Było to cholernie upierdliwe, grzebanie w papierach i tak dalej. Jakiś gość wpadł wtedy na błyskotliwy pomysł, poszedł na skróty, pod byle pretekstem zadzwonił do jednej z kobiet. Sądzimy, że była to właśnie Alison Lamarr. I ta kobieta dała mu listę. Wygląda, że parę lat temu założyły sobie wielką grupę wsparcia.

— Scimeca nazwała je siostrami — powiedział Reacher. — Pamiętasz? Powiedziała, że cztery jej siostry nie żyją.

— To była ich lista? — zdziwiła się Harper.

— Nie mieliśmy żadnej listy — powtórzył Leighton. — A potem zaczęły przychodzić akta Krugera. Miejsca i daty się nie pokrywają. Nawet we fragmentach.

— Nie mógł ich sfałszować?

Leighton wzruszył ramionami.

— Móc to by pewnie mógł. To as w fałszowaniu inwentarzy, co do tego mamy absolutną, cholerną pewność. Tylko że na razie nie wiecie o tym, co najważniejsze.

— O czym?

— Jak powiedział Reacher, droga od sił specjalnych do zaopatrzenia wymaga jednak jakiegoś wytłumaczenia. Sprawdziłem. Kruger był ważnym człowiekiem podczas wojny w Zatoce. Prawdziwa gwiazda. Major. Operowali na pustyni za linią wroga. Szukali ruchomych wyrzutni scudów. Mały oddział, kiepskie radio. Nikt oprócz nich nie wiedział tak naprawdę, gdzie są, to się zmieniało z godziny na godzinę. No więc zaczęła się nawała ogniowa i ludzie Krugera mocno ucierpieli. Ostrzał własny. Wielkie straty. Sam Kruger został poważnie ranny. Ale armia to było całe jego życie. Chciał zostać. Dali mu awans do pełnego pułkownika i stanowisko tam, gdzie rany mu nie przeszkadzały, czyli za biurkiem. Moim zdaniem dowiemy się, że zgorzkniał, że ma fioła, że zorganizował przekręt jako swego rodzaju zemstę. Takie tam. No wiesz, przeciw armii, przeciw całemu życiu.

— Ale co jest w tym najważniejsze?

Leighton odpowiedział nie od razu.

— Ogień własny. Facet stracił obie nogi.

Zapadło milczenie.

— Jeździ na wózku inwalidzkim.

— Gówniana sprawa — powiedziała Harper.

— Racja, gówniana sprawa. Nie ma mowy, żeby biegał po schodach z łazienki i do łazienki. Ostatnim razem robił to dziesięć lat temu.

Harper zapatrzyła się w ścianę.

— W porządku. Kiepski pomysł.

— Obawiam się, że ma pani rację. A oni mieli rację w sprawie Cooke. Ja też sprawdziłem. Przez swą całą krótką karierę nie miała w dłoni nic cięższego od pióra. To też miałem wam powiedzieć.

— W porządku.

Nadal gapiła się w ścianę.

— Tak czy inaczej, dziękujemy — rzekła po chwili. — No,

381

najwyższy czas ruszać w drogę. Do Quantico. Jakoś poradzimy sobie z konsekwencjami.

— Chwileczkę — powiedział Leighton. — Powinniście dowiedzieć się o farbie.

— Kolejna zła wiadomość?

— Dziwna wiadomość. Chcieliście, żebym sprawdził brakującą zieloną maskującą, więc zacząłem ją sprawdzać. Jedyna konkretna rzecz, jaką udało mi się znaleźć, była zagrzebana głęboko w aktach. Zamknięta sprawa. Kradzież trochę ponad tysiąca dwustu litrów.

— To musi być to — powiedziała Harper. — Tysiąc dwieście litrów, jedenaście kobiet. Jakieś sto dziesięć litrów na osobę.

— Dowody nie pozostawiają najmniejszych wątpliwości. Wskazują na sierżanta zaopatrzenia z Utah.

— Co to za facet?

— Nie facet. Sierżant Lorraine Stanley.

Tym razem milczenie było dłuższe niż poprzednio. Przerwała je Harper.

— Ale to przecież niemożliwe! Jest jedną z ofiar.

Leighton potrząsnął głową.

— Zadzwoniłem do Utah. Złapałem oficera prowadzącego dochodzenie. Wyciągnąłem go z łóżka. Powiedział, że to Stanley i nikt inny, i że nie ma wątpliwości. Próbowała zatrzeć ślady, ale nie była wystarczająco cwana. Proste jak drut. Nie wszczęli przeciw niej postępowania, ponieważ akurat wtedy nie było to możliwe. Polityka. To było tuż po zakończeniu sprawy o napastowanie. Nie ma mowy, żeby się do niej dobrali właśnie wtedy. Dlatego tylko ją obserwowali, aż odeszła. Ale to była ona.

— Jedna ofiara ukryła farbę? — spytał Reacher. — A druga dostarczyła listę nazwisk?

Leighton bardzo poważnie skinął głową.

— Tak właśnie było. Daję słowo. Wiesz, że nie oszukałbym jednego z chłopców Garbera.

Reacher tylko skinął głową. Krótko.

• • •

Potem nie było już żadnej rozmowy. Nawet obojętnej. W pokoju panowała cisza. Leighton siedział przy stole, Harper ubierała się obojętnie, mechanicznie. Reacher włożył płaszcz, znalazł kluczyki do nissana w jej marynarce. Wyszedł z pokoju, przez długą chwilę stał na deszczu, a potem wsiadł do samochodu, włączył silnik i czekał. Harper i Leighton pojawili się na progu jednocześnie, ona podeszła do ich samochodu, on do swojego. Pożegnał się z nimi, na chwilę unosząc rękę. Reacher wrzucił bieg i powoli wyjechał z parkingu.

— Sprawdź mapę, dobrze? — poprosił.

— Dwieściedziewięćdziesiątkąpiątką do autostrady.

Skinął głową.

— Co potem, to już wiem — powiedział. — Lamarr mi pokazała.

— Po cholerę Lorraine Stanley miałaby kraść farbę?

— Nie wiem.

— I jeszcze wytłumacz mi, dlaczego to zrobiłeś? Wiedziałeś, że ta sprawa z armią nic nie znaczy, ale kazałeś nam spędzić nad nią trzydzieści sześć godzin. Dlaczego?

— Już ci tłumaczyłem. To był eksperyment. I potrzebowałem czasu do namysłu.

— O czym myślałeś.

Nie odpowiedział. Harper zamilkła, ale tylko na chwilę.

— Przynajmniej nie posunęliśmy się za daleko w świętowaniu.

Tych słów także nie skomentował. Potem już nie rozmawiali. Reacher po prostu skręcał w kolejne właściwe drogi i przebijał się przez deszcz. Pojawiły się nowe pytania, szukał na nie odpowiedzi, ale ich nie znajdował. Potrafił myśleć wyłącznie o jej języku w swych ustach. Był inny niż język Jodie. Smakował inaczej. Miał nieodparte wrażenie, że w ogóle wszystko było inne.

• • •

Prowadził szybko, z przedmieść Trenton do Quantico dojechali w niespełna trzy godziny. Reacher skręcił z dziewięćdziesiątkipiątki w nieoznakowaną boczną drogę, w ciemności minął posterunki piechoty morskiej, zatrzymał się przy szlabanie. Strażnik FBI oświetlił latarką najpierw ich znaczki, a potem twarze, po czym podniósł pasiasty słup i gestem kazał im jechać dalej. Pokonali garby na drodze dojazdowej, powoli, zygzakiem przejechali przez puste parkingi i wreszcie zatrzymali się naprzeciw szklanych drzwi. W Marylandzie przestało padać, Wirginia była sucha jak pieprz.

— Jesteśmy na miejscu — powiedziała Harper. — Idziemy. Zaraz dobiorą nam się do dupy.

Reacher skinął głową. Wyłączył silnik i światła. Przez krótką chwilę siedzieli nieruchomo, po czym wymienili krótkie spojrzenia, wysiedli i podeszli do drzwi. Wzięli głęboki oddech. Ale wewnątrz budynku panował niezwykły spokój. I cisza. Nie widzieli nikogo. Nikt na nich nie czekał. Zjechali windą na dół, poszli do podziemnego biura Blake'a. Znaleźli go siedzącego za biurkiem, z jedną ręką na telefonie, a drugą ściskającą zwinięty w rulon faks. Telewizor z wyłączonym dźwiękiem, nastawiony na kablowy program polityczny, ukazywał mężczyzn w garniturach siedzących przy imponującym stole. Blake kompletnie go ignorował. Wpatrywał się w blat biurka, dokładnie pomiędzy telefonem i faksem, z twarzą doskonale obojętną, nieruchomą. Harper skinęła głową na powitanie, Reacher nie odezwał się ani słowem.

— Faks z UPS — powiedział Blake. Mówił cicho, łagodnie, przyjaźnie, wręcz dobrotliwie. Sprawiał wrażenie załamanego, zagubionego, jakby nie wiedział, co dalej. Wyglądał na załamanego. — Zgadniecie, kto wysłał farbę do Alison Lamarr?

— Lorraine Stanley — powiedział Reacher.

Blake skinął głową.

— Zgadłeś. Z małego miasteczka w Utah. Był to adres magazynów do wynajęcia. Chcesz zgadywać dalej?

— Wysłała farbę wszystkim.

Blake skinął głową po raz drugi.

— UPS ma jedenaście kolejnych adresów listów przewozowych na jedenaście identycznych przesyłek wysłanych na jedenaście adresów, w tym jej własny w San Diego. Zgadujesz dalej?

— Co?

— Umieszczała farbę w magazynie, nie mając jeszcze adresu w San Diego. Czekała przeszło półtora roku, póki nie urządziła się komfortowo, a potem wróciła do Utah i zarządziła wysyłkę. Co z tego rozumiesz?

— Nic — przyznał Reacher.

— Ja tak samo.

Blake podniósł słuchawkę telefonu, popatrzył na nią i odłożył ją na miejsce.

— Przed chwilą dzwonił Poulton — oznajmił. — Ze Spokane. Zgadniesz, co miał do powiedzenia?

— Co?

— Skończył przesłuchanie kierowcy UPS. Facet świetnie pamięta przesyłkę. Takie pustkowie, taka ciężka paka, to chyba powinien pamiętać.

— I?

— Kiedy przyjechał, Alison była w domu. Zaprosiła go do środka, zaparzyła kawę i wówczas był ten wielki szlem. Pokrzyczeli trochę, poskakali z radości, dostał drugą kawę, powiedział, że ma dla niej duże ciężkie pudło.

— I?

— I ona na to: „Och, świetnie!". Facet wrócił więc do samochodu, uruchomił windę załadowczą, zwiózł nią paczkę na ręczny wózek, a kiedy przygotowała miejsce w garażu, przetransportował tam i złożył. A Lamarr cieszyła się jak głupia.

— Jakby spodziewała się przesyłki?

Blake przytaknął, kolejny raz kiwając głową.

— Takie odniósł wrażenie. A potem co robi?

— Co?

— Oddziera tę torebkę z papierami, niesie do kuchni. Facet idzie za nią dopić kawę. Widzi, jak wyjmuje papiery z plastikowej torebki, drze je na drobne kawałki i wrzuca je do śmieci, torebkę też.

— Dlaczego?

Blake wzruszył ramionami.

— A kto, u diabła, może to wiedzieć? Facet pracował dla UPS cztery lata, sześć razy na dziesięć ludzie czekali na niego na miejscu, ale nigdy czegoś podobnego nie widział.

— Można na nim polegać?

— Poulton jest zdania, że tak. Mówi, że to solidny facet, mówi jasno i zrozumiale, i jest gotów przysiąc na cały stos Biblii, że powiedział prawdę.

— Rozumiesz coś z tego?

Blake potrząsnął głową.

— Jeśli coś zrozumiem, dowiecie się o tym pierwsi.

W pokoju zapanowała cisza.

— Przepraszam — powiedział nagle Reacher. — Moja teoria nie doprowadziła nas do niczego.

Blake skrzywił się przeraźliwie.

— Nie ma o czym mówić. Myśmy decydowali. Uznaliśmy, że warto spróbować. Gdybyśmy uznali inaczej, tobyśmy cię nie puścili.

— Jest Lamarr?

— Dlaczego pytasz?

— Ją także powinienem przeprosić.

Blake potrząsnął głową.

— Pojechała do domu. Jeszcze nie wróciła. Twierdzi, że jest wrakiem człowieka, i ma rację. Trudno ją za to winić.

Reacher skinął głową.

— Ciągły stres. Powinna wyjechać.

Blake wzruszył ramionami.

— Dokąd? Nie lata przecież, a w tym stanie nie pozwolę jej poprowadzić samochodu.

Nagle jego spojrzenie stwardniało, zupełnie jakby w jednej chwili powrócił na ziemię.

— Zamierzam poszukać nowego konsultanta — oznajmił. — Kiedy go znajdę, ty się stąd wynosisz. Kręcisz się w kółko. Z ludźmi z Nowego Jorku musisz radzić sobie sam.

Reacher skinął głową.

— W porządku.

Blake spojrzał na Harper, która właściwie zrozumiała jego spojrzenie i wyprowadziła Reachera z biura. Wyjechali windą najpierw na poziom ziemi, potem na trzecie piętro. Przeszli razem korytarzem pod jakże znajome drzwi.

— Dlaczego Alison spodziewała się przesyłki farby, kiedy wszystkie inne się jej nie spodziewały — spytała Harper.

Reacher wzruszył ramionami.

— Nie wiem.

Harper otworzyła drzwi do pokoju.

— Jasne. No to dobranoc.

— Jesteś na mnie wściekła?

— Zmarnowałeś trzydzieści sześć godzin.

— Nie. Zainwestowałem trzydzieści sześć godzin.

— W co?

— Nie wiem. Jeszcze nie wiem.

Wzruszyła ramionami.

— Dziwny z ciebie facet.

Reacher skinął głową.

— Tak o mnie mówią — przyznał.

Nim zdążyła się uchylić, pocałował ją skromnie, w policzek. Potem wszedł do pokoju. Harper odczekała, aż zamkną się drzwi, a następnie wróciła do windy.

● ● ●

Zmieniono pościel i ręczniki. W łazience było nowe mydło, nowy szampon, nowe ostrza do golenia i nowa pianka w sprayu. Reacher obrócił kubeczek i włożył do niego swoją szczoteczkę do zębów, a potem podszedł do łóżka i położył się na nim całkowicie ubrany, nawet w płaszczu. Najpierw patrzył w sufit, a później obrócił się na bok i podniósł słuchawkę. Wybrał numer Jodie. Po czterech sygnałach usłyszał jej senny głos.

— Kto mówi?

— To ja — powiedział.

— Jest trzecia rano.

— Prawie.

— Obudziłeś mnie.

— Przepraszam.

— Gdzie jesteś?

— W Quantico. Zamknięty na cztery spusty.

Jodie milczała. Usłyszał szum linii i dalekie nocne odgłosy

Nowego Jorku. Klaksony samochodów, odzywające się rzadko, z przerwami, dalekie wycie syreny.

— Co tam u ciebie?

— U mnie nic. Zamierzają zmienić konsultanta. Wkrótce będę w domu.

— W domu?

— W Nowym Jorku.

Znów zapadła cisza. Dźwięk syreny, nadal cichy, stawał się coraz bardziej natarczywy. Prawdopodobnie dobiega z Broadwayu — pomyślał Reacher. Rozlega się tuż pod jej oknami. Jaki samotny.

— Dom niczego nie zmieni — powiedział. — Przecież mówiłem.

— Jutro mam spotkanie wspólników.

— To będzie co świętować. Kiedy wrócę. Jeśli nie wsadzą mnie do więzienia. Nadal mam na pieńku z Deerfieldem i Cozem.

— Myślałam, że zamierzają o tobie zapomnieć?

— Jeśli się wykażę. A jeszcze się nie wykazałem.

Jodie znów nie od razu odpowiedziała.

— Przede wszystkim nie powinieneś się w to wplątać.

— Teraz już wiem.

— Ale i tak cię kocham.

— Ja też cię kocham. Trzymaj się jutro. Życzę szczęścia.

— Tobie też się przyda.

Reacher odłożył słuchawkę, opadł na wznak i wrócił do kontemplowania sufitu. Pragnął zobaczyć na suficie Jodie, ale widział Lisę Harper i Ritę Scimecę, czyli dwie kobiety, z którymi szczególnie nie powinien iść do łóżka. Z Scimecą byłoby to skrajnie nieodpowiednie, z Harper byłaby to niewierność. Bardzo słuszne powody, ale powody, dla których nie należy czegoś robić, nie sprawiają, że znika chęć zrobienia tego. Pomyślał o ciele Harper, o tym, jak się porusza, o niewinnym uśmiechu, o szczerym, ujmującym spojrzeniu. Pomyślał o twarzy Scimeki, o niewidzialnych ranach, o pełnym poczucia krzywdy spojrzeniu. O życiu, które odbudowała sobie w Oregonie, kwiatach, fortepianie, lśnieniu politury na meblach; defensywnym domowym zaciszu. Zamknął oczy, a potem otworzył je i jeszcze pilniej zapatrzył się w białą farbę, po czym znów przewrócił się na bok i podniósł słuchawkę do ucha. Wybrał zero z nadzieją, że połączy się z centralą.

— Tak? — powiedział głos, którego nigdy przedtem nie słyszał.

— Mówi Reacher. Z trzeciego piętra.

— Wiem, kim pan jest i gdzie pan jest.

— Czy Lisa Harper nadal przebywa w budynku?

— Agent Harper? Proszę zaczekać.

Zapadła cisza. Nie słyszał muzyczki. Nie słyszał nagranych reklam. Śladu sugestii, że twój telefon jest dla nas bardzo ważny. Po prostu cisza.

Znów odezwał się ten głos.

— Agent Harper nadal przebywa na terenie.

— Proszę poinformować ją, że chcę się z nią zobaczyć. Jak najszybciej.

— Przekażę wiadomość.

Na tym skończyła się rozmowa. Reacher siadł na krawędzi łóżka, opuścił nogi na podłogę. Patrzył na drzwi i czekał.

• • •

Trzecia nad ranem w Wirginii oznaczała północ na wybrzeżu Pacyfiku, a Rita Scimeca szła spać dokładnie o północy. Co noc o tej samej porze, częściowo dlatego, że z natury była osobą zorganizowaną, a częściowo dlatego, że ten aspekt jej natury wzmocniły rygory wojskowego życia. Poza tym jeśli zawsze było się samotnym i samotnym pozostanie, do łóżka chodzi tylko po to, by spać.

Zaczęła od garażu. Wyłączyła zasilanie automatu otwierającego drzwi, zasunęła rygle, sprawdziła, czy samochód jest zamknięty, wyłączyła światło. Zamknęła i zaryglowała drzwi do piwnicy. Sprawdziła piec. Weszła na górę, wyłączyła światło w piwnicy, zamknęła drzwi na korytarz. Sprawdziła drzwi frontowe, też je zaryglowała, założyła łańcuch.

Następnie przyszła kolej na okna. W domu było czternaście

okien, wszystkie wyposażone w zamki. Późną, chłodną jesienią nie otwierała ich w ogóle, ale i tak sprawdzała je co wieczór. Rutyna. Wróciła do frontowego saloniku ze ścierką. Grała przez cztery godziny, głównie Bacha, głównie na pół tempa, ale robiła postępy. Musiała wytrzeć klawisze. To bardzo ważne, zetrzeć z nich kwas z opuszek palców. Wiedziała, że klawisze wyłożone są najprawdopodobniej odpowiednim tworzywem sztucznym i odporne na kwas, ale w ten sposób okazywała fortepianowi oddanie. Właściwie traktowany z pewnością jej się odwdzięczy.

Energicznie wycierała klawiaturę, od dźwięcznych basów w górę, wszystkie osiemdziesiąt osiem klawiszy. Zamknęła pokrywę, wyłączyła światło, odniosła ściereczkę do kuchni. Wyłączyła światło w kuchni, po omacku dotarła do sypialni. Skorzystała z łazienki, umyła ręce, zęby i twarz, jak zwykle w ściśle przestrzeganej kolejności. Stała pod kątem do umywalki, tak żeby nie widzieć wanny. Nie patrzyła na wannę od chwili, gdy Reacher powiedział jej o farbie.

Wróciła do sypialni, wślizgnęła się do łóżka. Podciągnęła kolana, objęła je ramionami. Myślała o Reacherze. Lubiła go. Naprawdę lubiła. Miło było znowu spotkać Reachera. Po chwili przewróciła się jednak na drugi bok i przestała o nim myśleć, bo nie spodziewała się zobaczyć go znowu.

* * *

Czekał dwadzieścia minut, nim otworzyły się drzwi i stanęła w nich Harper. Nie zapukała, po prostu skorzystała ze swego klucza i weszła jak do siebie. Nie miała marynarki, rękawy koszuli podwinęła aż po łokcie. Przedramiona miała smukłe, opalone, włosy rozpuszczone. Nie włożyła stanika. Może nadal byli w pokoju motelowym w Trenton?

— Chciałeś mnie widzieć? — spytała.

— Nadal pracujesz przy sprawie?

Harper weszła do pokoju. Zerknęła na swoje odbicie w lustrze. Stanęła obok komody, odwróciła się, stanęła z nim twarzą w twarz.

— Jasne — powiedziała. — Bycie zwykłym, pospolitym

agentem ma swoje plusy. Nikt nie obciąża cię winą za zwariowane pomysły innych.

Reacher milczał. Spojrzała na niego.

— Czego ode mnie chcesz?

— Chcę ci zadać pytanie. Co by się stało, gdybyśmy wcześniej wiedzieli o farbie i zapytali o nią Alison Lamarr zamiast tego faceta z UPS? Co by nam powiedziała?

— Prawdopodobnie to samo co on. Poulton twierdzi, że facet jest rzetelny.

— Nie — odparł Reacher. — Jest rzetelny. To ona by nas okłamała.

— Okłamałaby nas? Dlaczego?

— Ponieważ one wszystkie nas okłamują, Harper. Rozmawialiśmy z siedmioma kobietami i wszystkie nas okłamały. Te ich mgliste opowieści o lokatorkach i pomyłkach... co za bzdury! Gdybyśmy wiedzieli wcześniej, Alison sprzedałaby nam podobną historyjkę.

— Skąd wiesz?

— Stąd, że Rita Scimeca łgała. Nie mam żadnych wątpliwości, że łgała. Uświadomiłem to sobie dosłownie przed chwilą. Nigdy z nikim nie mieszkała. Nigdy. To do niej po prostu nie pasuje.

— Jak to?

— Zwyczajnie. Nie pasuje. Widziałaś jej dom. Widziałaś, jak żyje. Wszystko zapięte na ostatni guzik. Wszystko takie sztywne, poukładane, czyste i wypolerowane. Obsesja. Żyjąc w ten sposób, nie zniosłaby niczyjej obecności w tym swoim domu. Nawet nas wyprosiła cholernie szybko, a przecież byłem jej przyjacielem. Przecież nie potrzebuje współlokatorki z powodu pieniędzy! Widziałaś jej samochód, nowy i całkiem spory. Widziałaś fortepian. Wiesz, ile kosztuje koncertowy fortepian? Prawdopodobnie więcej niż samochód. Widziałaś te jej narzędzia wiszące schludnie na kołkach? Wszystkie te kołki zabezpieczone były plastikowymi nakładkami!

— Opierasz swe rozumowanie na plastikowych nakładkach na kołkach?

— Na wszystkim. To wszystko na coś wskazuje.

— Co właściwie próbujesz udowodnić?

— Twierdzę, że spodziewała się dostawy, podobnie jak Alison. Jak one wszystkie. Przychodziła do niej paczka i każda mówiła: „Och! To dobrze!". Jak Alison, każda miała przygotowane miejsce. Każda ją przyjęła.

— Niemożliwe. Dlaczego miałyby to robić?

— Bo nasz facet coś na nie ma — powiedział Reacher. — Zmusza je do współpracy. Zmusił Alison, by dała mu ich własną listę, zmusił Lorraine Stanley do kradzieży farby, zmusił ją do ukrycia jej w Utah, zmusił ją do wysłania farby we właściwym czasie, zmusił każdą z nich do przyjęcia przesyłki i przechowania jej, aż będzie gotowy. Zmuszał każdą z nich do natychmiastowego niszczenia papierów. Każda z nich gotowa była załgać się na śmierć, gdyby coś wyszło na jaw, nim do nich dotrze.

Harper patrzyła na niego z niedowierzaniem.

— Ale... jak? Jak, do diabła! Jak mógł tego dokonać?

— Nie wiem — powiedział Reacher.

— Szantaż? Pogróżki? Mówił każdej z nich: rób co każę, to inne zginą, a ty nie? Jakby oszukiwał każdą z osobna?

— Po prostu nie wiem. Nic tu do niczego nie pasuje. Te kobiety nie były szczególnie strachliwe, prawda? Zwłaszcza Alison. Ja wiem, że niewiele było rzeczy zdolnych przestraszyć Ritę Scimecę.

Harper nie spuszczała z niego wzroku.

— Ale nie chodzi tylko o współpracę, prawda? — powiedziała. — Także o coś więcej. On je zmusza, żeby były z tego powodu szczęśliwe! Kiedy przyszła paczka, Alison powiedziała: „Och! To dobrze!".

W pokoju zapadła cisza.

— Może poczuła ulgę czy coś w tym rodzaju — mówiła dalej Harper. — Czyżby obiecał jej, że jeśli dostanie przesyłkę UPS, a nie FedExem, albo wieczorem zamiast rano, albo jakiegoś szczególnego dnia tygodnia to znaczy, że wszystko będzie w porządku?

— Nie wiem — powtórzył Reacher.

Cisza.

— Czego ode mnie chcesz?

Wzruszył ramionami.

— Myśl — powiedział. — Chyba tylko tego, żebyś nie przestawała myśleć. Jesteś jedyną osobą, która może jeszcze coś zdziałać w tej sprawie. Inni do niczego nie dojdą, nie jeśli nadal będą szli drogą, którą szli do tej pory.

— Musisz powiedzieć Blake'owi.

Reacher potrząsnął głową.

— Blake nie będzie mnie słuchał. Przestałem być dla niego wiarygodny. Teraz wszystko zależy od ciebie.

— Może dla mnie też przestałeś być wiarygodny?

Usiadła obok niego na łóżku, jakby nogi się pod nią ugięły. Przyglądał się jej, a w jego oczach było coś dziwnego.

— No co? — spytała.

— Kamera włączona?

Zaprzeczyła gestem.

— Nie — powiedziała. — Pod tym względem się poddali. A co?

— Chcę cię znów pocałować.

— Dlaczego?

— Za pierwszym razem bardzo mi się to spodobało.

— Dlaczego ja miałabym chcieć cię pocałować?

— Bo za pierwszym razem bardzo ci się to spodobało.

Harper nagle się zaczerwieniła.

— Jeden pocałunek?

Reacher skinął głową.

— No... to chyba nie zaszkodzi.

Obróciła się ku niemu, a on wziął ją w ramiona i pocałował. Poruszyła głową dokładnie tak jak wtedy. Mocniej przycisnęła wargi do jego warg, przesunęła po nich językiem, sięgnęła nim głębiej, do zębów, w głąb ust. Wplotła palce w jego włosy. Całowała go jeszcze mocniej. Jej język był bardzo natarczywy. Nagle przyłożyła mu dłoń do piersi i odsunęła się. Oddychała szybko, ciężko.

— Powinniśmy przestać — powiedziała.

— Chyba tak.

Wstała, zachwiała się, pochyliła w przód i gwałtownie wyprostowała. Odrzuciła włosy na ramiona.

— Idę — oznajmiła. — Do zobaczenia jutro.

Otworzyła drzwi, przestąpiła próg. Słyszał, że czeka na korytarzu, póki drzwi się za nią nie zamkną. Słyszał, jak odchodzi w stronę windy. Położył się na łóżku. Nie zasnął, tylko myślał o posłuszeństwie i przyzwoleniu, o środkach, motywach i okazjach. O prawdzie i kłamstwie. Spędził całe pięć godzin na myśleniu o tych rzeczach.

• • •

Harper wróciła o ósmej rano, umyta aż lśniąca, ubrana w inny garnitur i krawat. Aż kipiała energią. Reacher był zmęczony, wygnieciony, spocony, było mu na przemian to zimno, to gorąco. Ale czekał na nią, tuż przy drzwiach, w zapiętym płaszczu, a serce waliło mu mocno. Sprawa była wyjątkowo pilna.

— Idziemy — powiedział. — Już.

Blake siedział w swoim gabinecie przy biurku, dokładnie tak jak poprzedniego dnia. Być może spędził tu całą noc. Faks z UPS leżał przy jego łokciu. Telewizor z wyłączonym dźwiękiem nadal grał, nastawiony na ten sam kanał. Jakiś waszyngtoński reporter stał na Pennsylvania Avenue, mając za plecami Biały Dom. Pogoda wyglądała całkiem obiecująco: błękitne niebo, czyste chłodne powietrze. Niezły dzień na podróż.

— Dziś znowu posiedzisz przy papierach — powiedział Blake.

— Nie — zaprotestował Reacher. — Muszę się dostać do Portland. Możesz mi dać samolot?

— Samolot? — powtórzył Blake. — Człowieku, czyś ty oszalał? Nie ma mowy!

— W porządku — powiedział Reacher.

Podszedł do drzwi. Obrzucił pokój pożegnalnym spojrzeniem. Wyszedł na wąski korytarz, zatrzymał się. Harper pospieszyła za nim.

— Dlaczego Portland? — spytała.

Spojrzał na nią.

— Prawda i kłamstwa.

— Co to znaczy?

— Jedź ze mną, to się dowiesz.

27

— O co, do diabła, chodzi — spytała Harper.

Reacher potrząsnął głową.

— Nie mogę powiedzieć. Pomyślisz, że oszalałem. Odwrócisz się i odejdziesz.

— Co niby jest takie szalone? Powiedz!

— Nie. Nie mogę. Na razie to domek z kart. Zwalisz go. Każdy by go zwalił. Musisz zobaczyć to na własne oczy. Do diabła, ja muszę zobaczyć to na własne oczy! Ale chcę, żebyś przy mnie była. Dokonała aresztowania.

— Jakiego aresztowania? Mów!

Reacher jeszcze raz potrząsnął głową.

— Gdzie samochód? — spytał.

— Na parkingu.

— Idziemy!

• • •

Pobudka o szóstej była standardem całego jej okresu służby i Rita Scimeca nie uznała za stosowne łamać tego zwyczaju w nowym, cywilnym życiu. Przesypiała sześć godzin z każdych dwudziestu czterech, od północy do szóstej rano. Ćwierć życia. Wstawała, by stawić czoło pozostałym trzem czwartym.

Ciągła, niekończąca się procesja pustych dni. Późną jesienią w ogródku nie było nic do roboty. Zimowe temperatury nie dawały młodym roślinom szans na wegetację. Sadzenie ograniczało się więc do wiosny, a przycinanie i pielenie trwało do końca lata. Późną jesienią i zimą zamykało się drzwi i pozostawało pod dachem.

Dzisiaj zamierzała popracować nad Bachem. Poprawić wykonanie inwencji trójgłosowych. Kochała je. Kochała sposób, w jaki parły przed siebie, dalej i dalej, nieodparcie logiczne, by wreszcie skończyć się tam, gdzie się zaczęły. Przypominały rysunki Mauritsa Eschera, jego schody biegnące coraz wyżej i wyżej, aż do samego dołu. Cudowne. Tylko że strasznie trudno się grało te inwencje. A przecież grała je bardzo powoli. Jej pomysł na Bacha polegał na tym, żeby najpierw opanować nuty, potem frazy, potem znaczenie, a dopiero na końcu tempo. Nie ma nic gorszego od grania Bacha szybko i źle.

Wzięła prysznic, ubrała się w sypialni. Zrobiła to szybko, ponieważ lubiła, żeby w domu było chłodno. Jesień na północnym zachodzie jest zimna, ale dziś niebo było jasne. Wyjrzała przez okno sypialni. Promienie jutrzenki biegły na wschód i zachód jak pręty polerowanej stali. Uznała, że dzień będzie pochmurny, ale pojawi się halo słońca. Ot, kolejny z wielu dni jej życia, ani dobry, ani zły. Da się przeżyć.

* * *

Harper przystanęła na chwilę w podziemnym korytarzu, a potem poprowadziła Reachera do windy. Wspólnie wyjechali na światło dzienne, wyszli na chłodny świat i poprzez dzieło architekta krajobrazu dotarli na parking. Okazało się, że jeździ żółtym dwumiejscowym wozem sportowym. Reacher uświadomił sobie nagle, że do tej pory nie miał o tym pojęcia. Harper otworzyła drzwiczki; musiał się zgarbić i wciągnąć głowę, żeby jakoś wcisnąć się do środka. Spojrzała na niego raz, twardo, rzuciła mu na kolana torbę i usiadła za kierownicą. Potrącali się ramionami. Wóz miał ręczną skrzynię biegów z dźwignią w podłodze, wrzucając jedynkę, wymierzyła Reacherowi cios łokciem w bok.

— Jak się tam dostaniemy? — spytała.

— Musimy polecieć normalną linią — powiedział. — Jedź na National. Masz karty kredytowe?

Harper pokręciła głową.

— Na wszystkich limit. Zostaną odrzucone.

— Wszystkich?

Skinęła głową.

— W tej chwili jestem spłukana.

Reacher milczał.

— A ty co?

— Ja zawsze jestem spłukany.

* * *

Piąta z inwencji trójgłosowych Bacha, w uczonych zapisach nosząca symbol BWV 791, jedna z najtrudniejszych w kanonie, dla Rity Scimeki była najwspanialszym dziełem muzycznym na świecie. Wszystko zależało od barwy tonu rodzącej się w umyśle i po ramionach spływającej do dłoni i palców. Powinna być kapryśna, lecz pewna. Cała konstrukcja opierała się na nonsensach i ton musiał się do tego przyznać, lecz jednocześnie pożądany efekt osiągało się wyłącznie wtedy, gdy brzmiał bardzo poważnie. Powinien być jednocześnie wyrafinowany i szalony. W głębi duszy Scimeca nie wątpiła, że z Bacha był kawał wariata.

Fortepian jej pomagał. Pozwalał wydobyć dźwięk wystarczająco głęboki, by brzmiał dźwięcznie, a jednocześnie wystarczająco delikatny, by wydawał się płynny. Odegrała inwencję dwukrotnie od początku do końca, na pół tempa. To, co usłyszała, sprawiło jej względną satysfakcję. Postanowiła grać jeszcze trzy godziny, potem przerwa na lunch, a później trzeba zająć się domem. Nie robiła planów na popołudnie. Może znów pogra?

* * *

Zajmujesz pozycję wcześnie. Wystarczająco wcześnie, by usadowić się w niej przed zmianą o ósmej. Obserwujesz ją; wszystko odbywa się tak samo jak wczoraj. Facet z Biura jeszcze nie śpi, ale już nie jest aż tak uważny. Pojawia się nierozgrzana crown victoria. Stają bok w bok. Odbywa się obowiązkowa wymiana grzeczności. Kierowca buicka uruchamia silnik, crown victoria zawraca. Buick stacza się po zboczu wzgórza, crown victoria zajmuje jego miejsce. Silnik cichnie. Kierowca odwraca głowę, zagłębia się w siedzenie. Rozpoczyna się jego ostatnia zmiana jako gliniarza. Począwszy od jutra, nikt nie zaufa mu nawet na tyle, by skierować go do kierowania ruchem za kręgiem polarnym.

• • •

— Jak się tam dostaniemy? — powtórzyła pytanie Harper. Reacher myślał przez chwilę.

— Na przykład tak — powiedział nagle.

Sięgnął do jej torebki, wyjął z niej telefon komórkowy, otworzył go. Przymknął oczy; przypominał sobie, jak siedzi w kuchni Jodie, wybiera numer. Przypominał sobie cenny szereg cyfr. Wprowadził je powoli, z nadzieją. Wcisnął przycisk. Usłyszał sygnał, trwający bardzo długo. W końcu ktoś przyjął rozmowę. Basowy, lekko zdyszany głos.

— Pułkownik John Trent — powiedział głos.

— Trent, mówi Reacher. Nadal mnie kochasz?

— Co?

— Potrzebuję transportu dla dwóch osób, z Andrews do Portland w Oregonie.

— Kiedy na przykład?

— Na przykład teraz, natychmiast.

— Żartujesz, prawda?

— Skądże, już jedziemy. W bazie będziemy za pół godziny.

Krótka chwila ciszy była naprawdę krótka.

— Z Andrews do Portland w Oregonie, tak? — upewnił się Trent.

— Właśnie tak.

— Jak szybko musicie tam być?

— Jak najszybciej.

Kolejna sekunda ciszy.

— W porządku.

Na tym skończyła się rozmowa. Reacher złożył telefon.

398

— On to załatwi, prawda? — bardziej powiedziała, niż spytała Harper.

Skinął głową.

— Jest mi winien przysługę. No to w drogę.

Harper zwolniła sprzęgło, wyjechała z parkingu na drogę dojazdową. Maleńki samochodzik rzuciło na garbach. Minęli strażnika FBI, przyspieszyli na zakręcie, przymknęli koło pierwszego posterunku piechoty morskiej. Kątem oka Reacher zauważył obracające się głowy, zaskoczone twarze pod zielonymi hełmami.

— Więc o co chodzi? — spytała Harper.

— Prawdę i kłamstwa. Sposób, motyw, okazję. Trójca Święta sił przestrzegania prawa. Trzy na trzy to dopiero sukces, nie?

— Dla mnie jedno na trzy to już sukces — przyznała Harper. — Podpowiedz mi coś.

Drugi posterunek, kolejne obracające się głowy. Jechali naprawdę szybko.

— Fragmenty. Okruchy. Wiemy wszystko, co musimy wiedzieć. Część tego wiemy od wielu dni. Ale spieprzyliśmy, co tylko było do spieprzenia, Harper. Wielkie pomyłki, złe założenia.

Na ślepo skręciła w lewo, w dziewięćdziesiątą piątą, na północ. Ruch był ożywiony, znaleźli się na najdalszej granicy korków w porannych godzinach szczytu. Zmieniła pas, zatrzymał ją sznur samochodów, wcisnęła hamulec.

— Cholera! — zaklął Reacher.

— Nie obawiaj się. Przecież jej pilnują. Ich wszystkich pilnują.

— Niewystarczająco dobrze. Pilnują, ale bez nas nie upilnują. To sprytny, sprytny gość.

Harper skinęła głową. Przeskakiwała z pasa na pas, szukała najszybszego. Po wszystkich wlokły się samochody. Ich prędkość spadła, z sześćdziesięciu pięciu do pięćdziesięciu kilometrów na godzinę. A potem do trzydziestu.

* * *

Przez lornetkę obserwujesz jego pierwszą wizytę w toalecie. Siedział w samochodzie godzinę, opity poranną kawą, którą przywiózł w sobie, i teraz musi się popłuczyn po tej kawie pozbyć. Otwiera drzwi po stronie kierowcy. Obraca się, stawia na ziemi wielkie stopy, wstaje. Zesztywniał w tym samochodzie. Przeciąga się, podpierając o dach. Zamyka drzwi. Przechodzi przed maską swojego radiowozu. Idzie najpierw podjazdem, potem ścieżką. Widzisz, jak wchodzi na ganek. Widzisz jego dłoń na przycisku dzwonka. Widzisz, jak cofa się i czeka.

Nie dostrzegasz jej w drzwiach, nie ten kąt obserwacji. Ale gliniarz kiwa głową, uśmiecha się z jakiegoś powodu, wchodzi do środka. Czekasz, nie opuszczając lornetki. Trzy, może cztery minuty później znów pojawia się na ganku. Odchodzi, ogląda się przez ramię, coś mówi. Idzie najpierw ścieżką, potem podjazdem. Przechodzi przed maską samochodu. Wsiada. Zawieszenie ugina się lekko od jego strony. Trzaskają drzwiczki. Obraca głowę. Znów pełni wartę.

• • •

Zjechała na prawo, na pobocze. Przyspieszyła do pięćdziesięciu, pięćdziesięciu pięciu kilometrów na godzinę. W ten sposób mijała korek po zewnętrznej. Pobocze było nierówne, pełne żwiru i śmieci. Po lewej stała osiemnastokołowa ciężarówka. Każde z jej kół było większe od jej samochodu.

— Jakie pomyłki? Jakie złe założenia? — spytała.

— Bardzo, bardzo ironiczne, biorąc pod uwagę okoliczności — powiedział. — Ale nie wszystko to nasza wina. Myślę, że uwierzyliśmy także w kilka wielkich kłamstw.

— Jakich?

— Wielkich, pięknych, zapierających dech w piersi kłamstw. Tak wielkich i tak oczywistych, że nikt nie zauważył, czym są w istocie.

• • •

Kiedy gliniarz wyszedł, oddychała ciężko i długo próbowała się uspokoić. Wchodził i wychodził, wchodził i wychodził, i tak przez cały czas. Nie pozwalał jej się skoncentrować. Żeby właś-

400

ciwie zagrać ten utwór, trzeba być w czymś w rodzaju transu, a on nic, tylko przeszkadzał i przeszkadzał, cholerny głupiec.

Usiadła do fortepianu i znów grała, dziesięć razy, piętnaście, dwadzieścia, od pierwszego do ostatniego taktu. Nie pomyliła się ani razu, ale co z tego? Czy w jej grze była jakaś głębia? Czy dźwięk niósł w sobie emocje? Idee? Uznała, że, ogólnie biorąc, do pewnego stopnia tak. Zagrała jeszcze raz. I znowu. Uśmiechnęła się do siebie. Spojrzała na swoje odbicie w lśniącej czerni pokrywy klawiatury, uśmiechnęła się ponownie. Jednak robiła postępy. Pozostało jej już tylko przyspieszyć. Ale nie przesadnie. Wolała Bacha granego wolno. Za szybkie tempo trywializowało jego muzykę. To oczywiście element jego intelektualnych igraszek — pomyślała. Bach z rozmysłem pisał trywialną muzykę, aż proszącą się o to, by wykonywać ją niezmiernie uroczyście.

Wstała i przeciągnęła się. Opuściła pokrywę klawiatury, przeszła do holu. Kolejny problem stanowił lunch. Zmuszała się do jedzenia. Może to problem wszystkich mieszkających samotnie ludzi? Kiedy je się samemu, jedzenie nie jest przesadnie atrakcyjne.

Na parkiecie holu pozostały ślady wielkich, ubłoconych butów. Cholerny glina, wszystko psuje. Uniemożliwia koncentrację, uniemożliwia utrzymanie porządku w domu. Wpatrywała się w brudną podłogę, a wtedy znów odezwał się dzwonek. Idiota! Znowu? Co się z nim, do cholery, dzieje? Nie potrafi kontrolować pęcherza?

Omijając ślady podeszła do drzwi i otworzyła je.

— Nie — powiedziała.

— Co?

— Nie, nie może pan skorzystać z toalety. Mam tego dość.

— Ale ja muszę! Taka była umowa.

— Zmieniam naszą umowę. Nie chcę, żeby właził pan do mojego domu. To śmieszne! I doprowadza mnie do szaleństwa!

— Przecież muszę tu tkwić!

— To śmieszne — powtórzyła Scimeca. — Nie potrzebuję waszej ochrony. Niech pan już sobie idzie, dobrze?

401

Zamknęła drzwi bardzo stanowczo. Zamknęła je na wszystkie zamki. Poszła do kuchni, oddychając ciężko.

• • •

Nie wchodzi do środka. Obserwujesz to bardzo uważnie. Stoi na ganku i najpierw tylko się dziwi, a potem sprawia wrażenie zawiedzionego. Widać to po jego zachowaniu. Mówi cztery słowa, odchylając się lekko, jakby w samoobronie, a potem chyba drzwi zamykają mu się przed nosem, ponieważ cofa się nagle. Sprawia wrażenie urażonego. Stoi tak, gapiąc się na nie, a potem odwraca się i wraca ścieżką, dwadzieścia sekund po tym, jak szedł nią w przeciwnym kierunku. Co tu się właściwie dzieje? Przechodzi przed maską samochodu. Otwiera drzwiczki. Nie, nie wsiada, siedzi na siedzeniu bokiem, z nogami na ulicy. Pochyla się, bierze do ręki mikrofon radia. Trzyma go tak trzydzieści sekund, wpatrując się w niego i myśląc, a potem odwiesza go na miejsce. Czyli jednak nie ma zamiaru meldować się centrali. Co mógłby powiedzieć? Panie komendancie, ona nie pozwala mi się wysikać?

No więc... co zamierza zrobić? Czy to coś zmienia?

• • •

Do Andrews dojechali poboczem, czasami tylko wjeżdżając na prawy pas i zjeżdżając z niego gdy tylko okazywało się to konieczne. Sama baza była oazą spokoju. Nie działo się tu prawie nic. W powietrzu unosił się wprawdzie helikopter, tak daleko jednak, że w ogóle nie było go słychać. Trent poinformował wartownię o Reacherze. Było to jasne, ponieważ wartownik się ich spodziewał. Podniósł szlaban i poinformował ich, że mają zaparkować przed biurem transportu marynarki, gdzie wszystkiego się dowiedzą.

Harper ustawiła swój żółty samochodzik w rzędzie typowych oliwkowych chevroletów. Wyłączyła silnik. Dogoniła idącego parkingiem Reachera, weszła do baraku zaraz za nim. Kapral obejrzał ją sobie i przekazał sierżantowi. Sierżant obejrzał ją sobie i przekazał kapitanowi. Kapitan obejrzał ją sobie i poinformował ich, że trasa lotu próbnego nowego boeinga została zmieniona: zamiast do San Diego poleci do Portland. Mogą się nim zabrać. Będą jedynymi pasażerami na pokładzie. Start ma nastąpić za trzy godziny.

— Trzy godziny? — powtórzył Reacher.

— Portland to lotnisko cywilne — wyjaśnił kapitan. — Były jakieś problemy z planem lotu.

Reacher milczał. Kapitan wzruszył ramionami.

— Pułkownik nie mógł zrobić nic więcej.

28

Kapitan zaprowadził ich do sali dla oczekujących na odlot, mieszczącej się na piętrze. Było to pomieszczenie stricte użytkowe, oświetlone jarzeniówkami, z podłogą pokrytą linoleum. Plastikowe składane krzesła otaczały niskie stoliki w nieporządnych formacjach. Kubki kawy odcisnęły kręgi na blatach, stojący w rogu kosz na śmieci był ich pełen.

— Nie wygląda to najlepiej — powiedział kapitan — ale nic więcej nie mamy. Nawet najwyższe szarże muszą tu czekać na samolot.

Czy najwyższe szarże czekają tu trzy godziny? — pomyślał Reacher, ale nie powiedział tego głośno. Podziękował kapitanowi, stanął w oknie, zapatrzył się na pasy startowe. Niewiele się na nich działo. Harper podeszła do niego, wyjrzała przez okno, odwróciła się i opadła na krzesełko.

— Mów do mnie — prosiła. — O co chodzi?

— Zacznij od motywu. Kto ma motyw?

— Nie wiem.

— Wróć do Amy Callan. Załóżmy, że jest jedyną ofiarą. Kim byście się zajęli, biorąc pod uwagę motyw?

— Mężem.

— Dlaczego mężem?

— Jeśli ofiarą jest żona, zawsze sprawdzasz męża. Bo motywy są często osobiste. Mąż i żona są ze sobą bezpośrednio związani.

— A jak byście się do niego wzięli?

— Jak? Tak samo jak zawsze. Popracowalibyśmy nad nim, popracowalibyśmy nad jego alibi, nie odpuścilibyśmy, póki coś by nie wyskoczyło.

— A on by w końcu pękł, nie?

— Prędzej czy później.

Reacher skinął głową.

— W porządku. Więc załóżmy, że sprawcą jest mąż Amy Callan. W jaki sposób mógłby uniknąć takiego potraktowania.

— Nie ma sposobu.

— Owszem, jest. Mógłby go uniknąć, gdyby się przyłożył, znalazł kilka kobiet w pewien sposób podobnych do żony i też je zabił. W możliwie wymyślny sposób, taki żeby miał pewność, że wszyscy zaraz pogonią za jakąś mrzonką. Innymi słowy zamaskował swój cel kupą jakiegoś gówna. Zszedłby z oświetlonej sceny, grzebiąc związek osobisty w masie wymyślonych związków. Bo gdzie najlepiej ukryć ziarnko piasku?

Harper skinęła głową.

— Na plaży, oczywiście.

— Oczywiście — przytaknął Reacher.

— Więc chodzi o męża Callan?

— Nie. Nie chodzi o męża Callan. Ale...

— Ale wystarczy, że dopasujemy motyw do jednej kobiety — domyśliła się Harper. — Niekoniecznie jeden do wszystkich. Wszystkie oprócz tej jednej to makiety. Atrapy. Piasek na plaży.

— Kamuflaż — dodał Reacher. — Szumy tła.

— Której? Która z nich jest prawdziwym celem?

Nie odpowiedział. Odszedł od okna, usiadł na krzesełku i czekał.

• • •

Czekasz. Tu, na wzgórzach, jest zimno. Zimno i niewygodnie tak tkwić w kucki pomiędzy głazami. Wiatr wieje z zachodu. W dodatku jest wilgotno. A ty po prostu czekasz. Inwigilacja jest ważna. Z pewnością jest wszystkim. Wiesz, że jeśli się skoncentrujesz, zdołasz zrobić wszystko. Dokonać wszystkiego. Dlatego czekasz.

Obserwujesz gliniarza w samochodzie i zabawiasz się myślami o jego niedoli. Dzieli was trochę ponad sto metrów, ale facet egzystuje w zupełnie innym świecie. Tobie wystarczy odejść trochę na bok od swojego głazu i masz wokół siebie miliony hektarów dzikich gór, mogących służyć ci za łazienkę. On należy do świata cywilizacji. Ulice, chodniki, przydomowe ogródki. Z nich skorzystać nie może. Zostałby aresztowany. Musiałby aresztować sam siebie. I nie włącza silnika. W samochodzie musi być zimno. Czy to poprawia jego sytuację, czy może ją pogarsza? Obserwujesz go i czekasz.

• • •

Kapitan pojawił się krótko przed upływem trzech godzin. Poprowadził ich na dół. Wyszli przez te same drzwi, przez które weszli. Służbowy samochód już na nich czekał.

— Miłego lotu — pożegnał ich.

Samochodem przejechali około półtora kilometra po drodze obwodowej, a potem, jadąc na skróty, dotarli do pasażerskiego boeinga stojącego samotnie. Odłączono właśnie przewody paliwowe, obsługa naziemna miała pełne ręce roboty. Samolot był nowiutki, śnieżnobiały.

— Malujemy je dopiero wtedy, kiedy przekonamy się, że wszystko działa jak powinno — powiedział kierowca.

Do drzwi przedniej kabiny pasażerskiej przystawione były schodki na kółkach. Umundurowana załoga maszyny tłoczyła się na jej szczycie, wszyscy z grubymi teczkami i plikami papierów na podkładkach.

— Witamy na pokładzie — powiedział drugi pilot. — Nie powinniście mieć kłopotów ze znalezieniem wolnych miejsc.

Mieli ich do wyboru dwieście sześćdziesiąt. Był to normalny, rejsowy samolot pasażerski, tyle że bez fajerwerków. Żadnych telewizorów, magazynów, przycisków wzywających stewardesy. Żadnych koców, poduszek czy słuchawek. Siedzenia wszystkie miały ten sam kolor khaki. Materiał był jeszcze sztywny i pachniał nowością. Reacher zajął trzy miejsca. Siedział bokiem, opierając się o okno.

— Przez ostatnie kilka dni sporo się nalataliśmy — zauważył.
Harper usiadła za nim. Zapięła pas.

— Mało powiedziane.

— Słuchajcie, panie i panowie! — krzyknął stojący w drzwiach kabiny drugi pilot. — To lot wojskowy, nie Federalnego Zarządu Lotnictwa, więc powiem wam po żołniersku: nie martwcie się, nie spadniemy. A jeśli spadniemy, zostanie z was kotlet mielony spalony na węgiel, więc czym tu się przejmować?

Reacher się uśmiechnął. Harper zignorowała pilota.

— Która z nich jest prawdziwym celem? — powtórzyła.

— Sama odpowiedz na to pytanie.

Boeing cofnął się, obrócił, wykołował na pas startowy. Minutę później wznosił się już gładko w powietrze, cichy, potężny. Nad ogromnym Dystryktem Columbii nadal zwiększał wysokość. Wleciał w chmury. Skierował się na zachód.

• • •

Gość trzyma się dzielnie. Tkwi w radiowozie, a radiowóz nadal stoi przed jej domem. Widziałeś, jak partner przywiózł mu lunch. W torbie był kubek kawy, trzy czwarte litra. Biednego sukinsyna czekają jeszcze trudniejsze chwile. Ale na twój plan nie ma to żadnego wpływu. Jak może mieć? Jest druga. Pora na telefon.

Otwierasz skradzioną komórkę. Wybierasz numer. Wciskasz przycisk z zielonym rysuneczkiem słuchawki. Słyszysz sygnał. Kulisz się pod osłoną głazu. Wszystko przygotowane. Tu, niżej, jest cieplej. Nie czujesz wiatru. Nadal słyszysz sygnał. Odbierze? A może nie? Upartą sukę w rodzaju tych, co nie pozwalają ochroniarzowi skorzystać z łazienki, stać na to, żeby nie odbierać telefonów. Czujesz nagły przypływ paniki. Co zrobisz, jeśli rzeczywiście nie zareaguje?

Zareagowała.

— Halo?

Jest nieufna. Zaniepokojona. Reaguje defensywnie. Sądzi, że to sierżant policji będzie się jej skarżył. Albo koordynator Biura spróbuje przywołać ją do porządku.

— Cześć, Rito — mówisz.

Rozpoznaje twój głos. Czujesz, jak się odpręża.

— Tak?

Mówisz jej, co ma dla ciebie zrobić.

* * *

— Nie ta pierwsza — powiedziała Harper. — Pierwszą będzie ta przypadkowa. Fałszywy trop. I druga też raczej nie. Druga ustanawia wzór.

— Zgadzam się. Callan i Cooke to szum tła. Stawianie zasłony dymnej.

Harper skinęła głową. Umilkła. Zmieniła miejsce, zamiast siedzieć za nim, rozsiadła się wygodnie w tym samym rzędzie, po przeciwnej stronie przejścia. Dla niego było to niesamowite uczucie. Znajome, lecz dziwne. Wokół nic, tylko rząd za rzędem pustych foteli.

— Ale nie mógł czekać za długo — mówiła dalej Harper. — Wyznaczył sobie cel i chce go osiągnąć nim coś pójdzie nie tak.

— Zgadzam się — powtórzył Reacher.

— W takim razie trzecia albo czwarta.

Reacher skinął głową, ale nic nie powiedział.

— Tylko która? Co jest kluczem?

— Wszystko. Tak jest zawsze. Tropy. Geografia, farby, brak przemocy.

* * *

Za lunch posłużyło zimne pomarszczone jabłko i kawałek szwajcarskiego sera, czyli wszystko, co miała do zaoferowania lodówka. Zaserwowała sobie te delicje na talerzu, by zachować przynajmniej pozory ładu. Potem umyła talerz i odstawiła go do szafki. Przeszła przez korytarz, otworzyła drzwi frontowe. Przez chwilę stała, oddychając chłodnym powietrzem, potem zeszła po schodach na ścieżkę, a następnie na podjazd. Policyjny samochód nadal stał przed domem. Gliniarz zauważył ją. Opuścił szybę.

— Przyszłam pana przeprosić — powiedziała. — Byłam

nieuprzejma. Jestem zdenerwowana, to wszystko. Może pan oczywiście korzystać z toalety, gdy tylko pan zechce.

Facet patrzył na nią mocno zdziwiony, jakby myślał sobie: Te kobiety! Uśmiechała się nadal, nawet lekko uniosła brwi i przekrzywiła głowę w zapraszającym geście.

— Skorzystałbym od razu — powiedział. — Jeśli jest pani pewna, że to będzie w porządku.

Skinęła głową. Zaczekała, aż wyjdzie z samochodu. Zauważyła, że lewa szyba, ta od strony pasażera, pozostała otwarta. Kiedy wróci, w jego samochodzie będzie zimno. Poprowadziła go ścieżką. Biedak bardzo się spieszył. Pewnie jest w rozpaczliwej sytuacji — pomyślała.

— Wie pan, gdzie to jest.

Czekała w korytarzu. Gliniarz wyszedł z toalety z wyraźnie widocznym na twarzy wyrazem ulgi. Otworzyła przed nim drzwi.

— Na przyszłość proszę się nie krępować. — Wystarczy przycisnąć dzwonek.

— Dziękuję. Jeśli jest pani pewna...

— Jestem pewna. Doceniam, co dla mnie robicie.

— Po to jesteśmy — odparł gliniarz, dumny i zarazem zawstydzony.

Odprowadziła go wzrokiem aż do samochodu, a potem przeszła do saloniku. Przystanęła, spojrzała na fortepian i postanowiła pograć jeszcze czterdzieści pięć minut. Może godzinę.

• • •

Tak lepiej. I może nawet to wszystko doskonale rozłożyło się w czasie? Tego nie możesz być pewien. Jesteś ekspertem w wielu dziedzinach, lecz nie urologiem. Obserwujesz go, kiedy wraca do samochodu. Masz wrażenie, że jest zbyt młody, by mieć problemy z prostatą, więc w gruncie rzeczy liczy się tylko pełny pęcherz oraz naturalna niechęć do kłopotania jej po raz kolejny. Druga trzydzieści. Przed końcem zmiany zapewne jeszcze dwukrotnie skorzysta z toalety. Być może raz przed jej śmiercią, a raz po.

• • •

Niebo oczyściło się nad Dakotą Północną. Widzieli przed sobą ziemię, odległą o jedenaście kilometrów. Drugi pilot odwiedził kabinę. Pokazał im, gdzie się urodził. W małym miasteczku, na południe od Bismarck. Przepływa przez nie Missouri w postaci małego, srebrnego strumyczka. Potem wrócił na miejsce, pozostawiając Reachera rozważającego zagadnienia nawigacji. Nie miał o niej zielonego pojęcia. Z Wirginii do Oregonu leciałby nad Kentucky, Illinois, Iową, Nebraską, Wyoming, Idaho. Nie zboczyłby nad Dakotę Północną. Coś, co nazywa się ortodromą sprawia jednak, że krócej jest zboczyć z prostej drogi. O tym akurat wiedział, ale to nie znaczy, że coś z tego rozumiał. Jak można dotrzeć na miejsce szybciej okrężną drogą niż prostą?

— Lorraine Stanley ukradła farbę — powiedziała Harper. — Brak przemocy oznacza, że facet udaje. A co udowadnia geografia?

— Demonstruje zasięg.

Harper skinęła głową.

— I szybkość.

Teraz z kolei głową skinął Reacher.

— I mobilność. Nie zapomnij o mobilności.

• • •

W końcu grała półtorej godziny. Gliniarz trzymał się od niej z daleka, więc odprężyła się i grała z większą pewnością siebie. Wychodziło jej jak nigdy. Skupiła się wyłącznie na zapisie nutowym, zwiększała tempo do momentu, w którym nie mogła go już utrzymać. Zwolniła tuż poniżej oznaczonego. Co, do diabła! — pomyślała, przecież ta muzyka brzmi wspaniale, może nawet lepiej, niż gdybym dostosowała się do oznaczeń. Była wciągająca, logiczna, stateczna. Więcej niż zadowalająca.

Wyprostowała się na stołku, splotła dłonie, rozciągnęła je, unosząc ręce nad głowę. Następnie zamknęła klapę. Wstała. Przeszła korytarzem i po schodach, do łazienki. Rozczesała włosy przed lustrem. Potem zeszła na dół. Wyjęła z szafy kurtkę, krótką, wygodną, do samochodu, a jednocześnie wystarczająco ciepłą na tę pogodę. Zmieniła buty na cięższe. Otworzyła prowadzące do piwnicy drzwi, zeszła na dół. Otworzyła kolejne drzwi, do garażu. Pilotem na łańcuszku otworzyła samochód. Usiadła za kierownicą, włączyła silnik. Brama garażowa powoli się uniosła.

Wycofała się na podjazd, wcisnęła przycisk zamykający bramę. Obróciła się na siedzeniu. Policyjny radiowóz zamykał jej drogę. Nie wyłączając silnika, wysiadła, ruszyła w jego kierunku. Gliniarz obserwował ją i kiedy podeszła bliżej, otworzył okno.

— Jadę do sklepu — powiedziała.

Policjant przyglądał się jej przez chwilę, jakby ten scenariusz nie należał do grupy dozwolonych.

— Na jak długo? — spytał w końcu.

Wzruszyła ramionami.

— Pół godziny? Godzinę?

— Do sklepu?

Skinęła głową.

— Muszę zrobić zakupy.

Gliniarz pomilczał jeszcze chwilę i w końcu podjął decyzję.

— W porządku, ale ja zostaję. Obserwujemy dom, nie panią osobiście. Do nas należy przemoc domowa.

Jeszcze raz skinęła głową.

— W porządku. Przecież nikt nie porwie mnie w sklepie.

Kiwnął głową, był tego samego zdania. Włączył silnik i cofnął się pod górę, robiąc jej przejazd. Przyglądał się, jak jechała w dół zbocza, a potem wrócił na miejsce.

• • •

Widzisz, jak otwiera się brama garażu, widzisz wyjeżdżający samochód i zamykającą się z powrotem bramę. Zatrzymuje się na podjeździe. Wysiada. Obserwujesz rozmowę prowadzoną przez otwarte drzwi crown victorii. Gliniarz cofa się, a ona tyłem wyjeżdża na drogę. Gliniarz wraca na pozycję, ona zjeżdża na dół. Uśmiechasz się do siebie i wycofujesz powoli za zasłonę głazów. Wstajesz. Bierzesz się do roboty.

• • •

U stóp wzgórza skręciła w lewo, a zaraz potem w prawo, w drogę przelotową prowadząca do Portland. Było zimno. Jeśli temperatura będzie obniżać się jeszcze przez tydzień, spadnie śnieg. Wówczas dokonany przez nią wybór samochodu zacznie wyglądać nieco bezsensownie. Wszyscy inni jeździli wielkimi wozami z napędem na cztery koła albo jeepami, albo ciężkimi pick-upami. Ona zdecydowała się na szybkiego, nisko zawieszonego sedana. Złoty lakier, chromowane felgi, obicia z mięciutkiej garbowanej skóry. Prezentował się wspaniale, ale miał napęd tylko na przednie koła i brakowało kontroli trakcji. Zimą skazana była na poruszanie się pieszo lub proszenie o podwiezienie sąsiadów. Za to silnik sedana pracował niemal bezgłośnie, wóz poruszał się miękko i prowadził jak marzenie.

Przejechała trzy kilometry na zachód, zwolniła, skręciła w lewo do centrum handlowego. Przepuściła jadącą z naprzeciwka powolną ciężarówkę, zjechała na parking. Ciasny zakręt skierował ją za zajmujące prawe skrzydło sklepy. Zatrzymała się; samotny samochód na rezerwowym parkingu. Wyłączyła silnik, wyjęła kluczyki ze stacyjki, wrzuciła je do torebki. Wysiadła. Przeszła kawałek, marznąc, i znalazła się w supermarkecie.

W środku było cieplej. Wzięła wózek. Chodziła wzdłuż półek po całym sklepie, zabijając czas. W jej zakupach nie było metody. Po prostu oglądała wszystko i brała to, czego jej zdaniem akurat zabrakło. Niewiele brała, bo ten sklep nie sprzedawał tego, czym akurat najbardziej się interesowała, ani nut, ani roślin ogrodowych. W końcu okazało się, że może podjechać wózkiem do kasy ekspresowej.

Dziewczyna siedząca za kasą załadowała jej zakupy do papierowej torby. Zapłaciła gotówką i wyszła. Skręciła w prawo na wąski chodnik. Po drodze oglądała wystawy kolejnych sklepów, w powietrzu skraplał się jej oddech. Po drodze zatrzymała się przy sklepie z narzędziami. Staroświeckim sklepiku, w którym można dostać po trochu wszystkiego. Kiedyś robiła już w nim zakupy. Mączka kostna i nawóz dla roślin wrzosowatych, mający pomoc jej różanecznikom.

Przełożyła torbę pod pachę. Wolną ręką otworzyła drzwi.

Brzęknął dzwonek. Przy kasie siedział starszy mężczyzna w brązowej marynarce. Kiwnął głową na powitanie. Weszła w wąski korytarzyk między półkami. Nie interesowały jej narzędzia i gwoździe, lecz artykuły dekoracyjne. Były tu tanie tapety, opakowania kleju, pędzle i wałki malarskie. Oraz puszki farby na regale wyższym od niej. Do półek przypięte były oprawione karty barw. Postawiła torbę na podłodze, wyjęła kartę z oprawy, rozłożyła ją. Pokryta kolorami wyglądała jak ogromna tęcza. Było w czym wybierać.

— Może pomóc? — spytał starszy mężczyzna. Podszedł do niej cicho, jakby się skradał. Bardzo chciał coś sprzedać.

— Czy ta farba miesza się z wodą? — spytała.

Skinął głową.

— Nazywają ją farbą lateksową — powiedział. — Co oznacza tyle, że jest produkowana na bazie wody. Można ją wodą rozcieńczyć, można wodą umyć wałek.

— Potrzebuję ciemnozielonej. — Pokazała właściwy odcień na karcie. — Może taki, oliwkowy.

— Awokado wygląda bardzo atrakcyjnie.

— Za jasne.

— Będzie pani rozcieńczać wodą?

Skinęła głową.

— Chyba tak.

— To ją jeszcze rozjaśni.

— Chyba jednak wezmę oliwkową — zdecydowała. — Chcę uzyskać taki wojskowy kolor.

Starszy mężczyzna skinął głową.

— Ile?

— Jedną puszkę. To prawie cztery litry.

— Nie tak wiele. Chociaż rozcieńczonej będzie więcej.

Osobiście zaniósł puszkę do kasy. Wbił cenę. Zapłaciła gotówką. Dostała jeszcze patyczek do mieszania. Na patyczku była nadrukowana krzywo nazwa sklepu.

— Dziękuję — powiedziała.

Wzięła torbę z zakupami w jedną rękę, torbę z puszką w drugą. Przeszła wzdłuż rzędu sklepów. Było zimno. Podniosła głowę, spojrzała w niebo. Niebo zasnuwało się chmurami. Nadciągały z zachodu. Skręciła za ostatnim z rzędu. Przyspieszyła kroku. Rzuciła torby na tylne siedzenie, wsiadła, zatrzasnęła drzwi. Włączyła silnik.

• • •

Gliniarzowi było zimno i dzięki temu cały czas pozostawał skupiony. W lecie, gdyby tak siedział, nie mając nic do roboty, pewnie zachciałoby mu się spać, ale przy temperaturze tak niskiej jak teraz na sen nie było szans. Dzięki temu zauważył zbliżającą się postać z odległości dobrych stu metrów. Szła z dołu i przekraczała właśnie grzbiet wzgórza, co sprawiło, że najpierw pojawiła się głowa, potem ramiona, a później pierś. Postać zmierzała ku niemu energicznym krokiem, wznosząc się ponad pozornie bliskim horyzontem, coraz wyraźniejsza, coraz bliższa. Ten człowiek był siwy, gęste włosy miał porządnie przystrzyżone i przyczesane. Jego ramiona ozdabiała wojskowa kurtka mundurowa. Orły na pagonach, orły na wyłogach. Pułkownik. W miejscu kołnierzyka koszuli i krawata znajdowała się koloratka. Ksiądz. Kapelan wojskowy. Szedł po chodniku szybkim krokiem. Przy każdym kroku głowa mu podskakiwała i w tym samym rytmie poruszała się koloratka. Gość rzeczywiście szedł szybko. Praktycznie maszerował.

Zatrzymał się nagle, metr od prawego reflektora radiowozu. I po prostu stał z podniesioną głową, przyglądając się domowi Scimeki. Gliniarz otworzył okno od strony pasażera. Nie bardzo wiedział, co powiedzieć. Gdyby był to któryś z miejscowych obywateli powiedziałby: „Pan będzie uprzejmy podejść", tak by nie pozostawić żadnych wątpliwości co do tego „uprzejmy". Ale miał przecież do czynienia z duchownym i w dodatku pułkownikiem! Pod każdym praktycznym względem dżentelmenem.

— Przepraszam bardzo! — zawołał.

Pułkownik się obrócił, Przeszedł wzdłuż błotnika. Zgiął się wpół. Był wysoki. Jedną rękę oparł o dach, drugą o otwarte okno. Patrzył wprost w oczy gliniarza.

— Tak, panie władzo?

— W czym mogę pomóc? — spytał gliniarz.

— Przyjechałem odwiedzić panią tego domu — wyjaśnił ksiądz.

— W tej chwili jej nie ma. Poza tym mamy pewien problem.

— Problem?

— Pilnujemy jej. Więcej nie mogę powiedzieć. Muszę jednak prosić pana o zajęcie miejsca w samochodzie i okazanie mi dowodu tożsamości.

Kapelan wahał się przez chwilę, jakby ta prośba wytrąciła go z równowagi, po czym się wyprostował. Otworzył drzwi od strony pasażera. Złożył się jak scyzoryk, wsiadł, sięgnął do wewnętrznej kieszeni kurtki. Wyjął portfel. Otworzył go, wyciągnął zniszczoną legitymację wojskową. Gliniarz sprawdził ją dokładnie, porównał twarz siedzącego obok mężczyzny z twarzą na fotografii. Oddał legitymację z lekkim ukłonem.

— W porządku, pułkowniku — powiedział. — Jeśli pan chce, może pan zaczekać ze mną. Na dworze jest chyba zimno.

— Nawet bardzo — przyznał pułkownik, chociaż gliniarz zauważył warstewkę potu na jego twarzy. Pomyślał, że to pewnie skutek szybkiego marszu pod górę.

• • •

— Niczego nie wymyśliłam — przyznała Harper.

Samolot obniżał lot, Reacher czuł to w uszach. Wyczuwał także gwałtowne skręty. Za sterami siedział pilot wojskowy, który swobodnie używał steru kierunku. Cywilni piloci niechętnie z niego korzystają. Użycie steru kierunku sprawia, że samolot skręca podobnie do wpadającego w poślizg samochodu. Pasażerowie zdecydowanie nie lubią tego uczucia, więc cywilni piloci skręcają, zwiększając ciąg silników po jednej stronie, a zmniejszając po drugiej. Wówczas zwrot jest gładki. Ale piloci wojskowi nie przejmują się uczuciami pasażerów. W końcu ich pasażerowie nie płacili za bilety.

— Pamiętasz raport Poultona ze Spokane? — spytał Reacher.

— Co z tym raportem?

— On jest kluczem. Do czegoś wielkiego i oczywistego.

• • •

Skręciła w lewo, zjeżdżając z głównej drogi, a potem w prawo, w swoją uliczkę. Gliniarz znowu zagrodził jej wjazd. Ktoś siedział obok niego na przednim siedzeniu. Zatrzymała się na grzbiecie wzgórza, czekała, żeby ją zauważył, przesunął samochód, ale on otworzył drzwi i wysiadł, jakby chciał z nią porozmawiać. Podszedł do niej; szedł sztywno, widocznie zdrętwiał od długiego siedzenia. Położył dłoń na dachu jej wozu, pochylił się. Otworzyła okno. Zajrzał do środka, zerknął na leżące na tylnym siedzeniu torby.

— Dostała pani wszystko? — spytał.

Skinęła głową.

— Nie było żadnych problemów?

Zaprzeczyła gestem.

— Jest tu człowiek, który chce się z panią spotkać. Kapelan, z armii.

— Ten w pańskim samochodzie? — spytała, chociaż było jasne, o kim mowa. Ze swojego miejsca widziała koloratkę.

— Pułkownik jakiśtam. Dokumenty ma w porządku.

— Proszę się go pozbyć.

Gliniarza wyraźnie zaskoczyło to polecenie.

— Przyleciał aż z Dystryktu Columbii. Jego dokumenty mówią, że tam stacjonuje.

— Nie obchodzi mnie, gdzie stacjonuje. Nie chcę się z nim widzieć.

Gliniarz nic nie powiedział, tylko obejrzał się przez ramię. Pułkownik właśnie wysiadał z radiowozu. Stanął na chodniku, wyprostował się sztywno. Ruszył w ich kierunku. Scimeca zostawiła silnik na chodzie, otworzyła drzwi i wysiadła. Przyglądała mu się, otulona kurtką od chłodu. Kiedy zbliżył się wystarczająco, spytał:

— Rita Scimeca?

— O co chodzi?

— Chciałem sprawdzić, czy u pani wszystko w porządku?

— Wszystko w porządku? — powtórzyła.

— Czy radzi pani sobie ze swymi problemami.

— Moimi problemami?

— Skutkami ataku na pani osobę.

— A jeśli sobie nie radzę?

— Być może zdołałbym pomóc.

Kapelan głos miał ciepły, dźwięczny, doskonale modulowany. Bez najmniejszych wątpliwości godny zaufania. Głos duchownego.

— Armia pana wysłała? — spytała Scimeca. — Czy to oficjalna wizyta?

Potrząsnął głową.

— Niestety, nie — przyznał. — Choć wielokrotnie z nimi na ten temat rozmawiałem.

Scimeca skinęła głową.

— Oferując pomoc terapeutyczną, przyznaliby się do odpowiedzialności.

— To ich punkt widzenia. Godny pożałowania. Przyjechałem więc prywatnie. Tak między nami, wbrew jasnym rozkazom. Jest to jednak kwestia sumienia, prawda?

Odwróciła wzrok.

— Dlaczego właśnie ja? — spytała. — Przecież było nas więcej.

— Jest pani piątą kobietą, którą odwiedzam. Zacząłem od kobiet bez wątpienia mieszkających samotnie. Uznałem, że tam moja pomoc może być najbardziej potrzebna. Zjeździłem cały kraj. Niektóre odwiedziny można uznać za udane, inne nie. Nie zwykłem narzucać się ludziom, jednak czuję, że powinienem przynajmniej spróbować.

Milczała przez chwilę.

— Obawiam się, że tę wizytę można uznać za nieudaną — rzekła w końcu. — Odrzucam ofertę, pułkowniku. Nie chcę pańskiej pomocy.

Kapelan nie wydawał się zaskoczony tą odpowiedzią, lecz nie sprawiał też wrażenia, by się jej spodziewał.

— Jest pani pewna?

Skinęła głową.

— Całkowicie.

— Doprawdy? Proszę się zastanowić. Przybyłem z daleka.

Scimeca nie odpowiedziała, tylko posłała gliniarzowi zniecierpliwione spojrzenie. Policjant przestąpił z nogi na nogę, zwracając w ten sposób uwagę na swą osobę.

— Otrzymał pan odpowiedź na swoje pytanie, pułkowniku — powiedział tonem prawnika.

Na ulicy zapanowała cisza, tylko silnik samochodu Scimeki szumiał cicho, wysyłając w powietrze chmurkę spalin, przesycających jesienne powietrze ostrą wonią.

— Muszę teraz poprosić pana, by nas pan opuścił, pułkowniku. Mamy tutaj pewien problem.

Przez długą chwilę kapelan stał całkowicie nieruchomo. Potem skinął głową.

— Moja oferta pozostaje ważna — powiedział. — Zawsze mogę wrócić. W każdej chwili.

Odwrócił się gwałtownie i ruszył w dół szybkim krokiem. Scimeca odprowadziła go wzrokiem, a kiedy znikł, usiadła za kierownicą. Gliniarz skinął głową sam do siebie, dwukrotnie postukał w dach.

— Ładny wóz — powiedział zupełnie bez związku.

Skinęła głową.

— No, tak.

Wrócił do radiowozu. Cofnął się pod górę, nie zamykając drzwiczek. Scimeca wjechała na podjazd własnego domu. Wcisnęła przycisk, brama garażu zaczęła się powoli unosić. Wjechała do środka, powtórnie wcisnęła przycisk. Nim brama opadła, pozostawiając ją w ciemności, zdążyła jeszcze zauważyć radiowóz zajmujący swoją zwykłą pozycję.

Otworzyła drzwiczki i wewnątrz jej wozu zapłonęła lampka. Pociągnęła dźwignię przy fotelu kierowcy, odblokowującą zamek bagażnika. Wysiadła. Zabrała torby z tylnego siedzenia, przeszła z nimi do piwnicy. Weszła po schodach, najpierw do holu, potem do kuchni. Ustawiła je na kuchennym blacie porządnie, jedną przy drugiej, po czym usiadła na stołku. Czekała.

• • •

To niewysoki, nisko zawieszony samochód, więc choć jego bagażnik jest wystarczająco długi i szeroki, wysokość pozostawia wiele do życzenia. Leżysz na boku w ciasnej przestrzeni, z podciągniętymi nogami, w pozycji płodu.

418

Zamknięcie się w bagażniku nie stanowiło problemu. Zgodnie z poleceniem zostawiła samochód otwarty. Na twoich oczach poszła do sklepu; wystarczyło wyjść z cienia, otworzyć drzwiczki, pociągnąć za dźwignię. Zamknąć drzwiczki, unieść klapę. Żaden problem. Nikt nie patrzył, nikt nic nie widział. Wsunąć się do środka. Zamknąć klapę. Nic trudnego. Od wewnątrz klapa ma ożebrowanie wzmacniające konstrukcję. Łatwo je chwycić, pociągnąć.

Pozostało już tylko czekać. Długo czekać, ale wreszcie rozległy się jej kroki. Wróciła. Włączyła silnik. Zrobiło ci się ciepło w uda, bo pod nimi biegnie rura wydechowa.

Podróż nie należy do komfortowych. Trochę tobą rzuca. Liczysz w myśli zakręty, wiesz, kiedy podjeżdża pod dom. Słyszysz głos gliniarza. Pojawia się problem. Jakiś cholerny kapelan o coś prosi. Sztywniejesz ze strachu, czujesz, jak ogarnia cię panika. Co się, do diabła, dzieje? Co będzie, jeśli zaprosi go do środka? Ale nie, spławia go, a jej głos jest wręcz lodowaty. Uśmiechasz się w ciemności, zaciskasz i rozprostowujesz dłonie w triumfie.

Słyszysz, jak wjeżdża do garażu, silnik brzmi zupełnie inaczej, głośniej, spaliny uderzają w podłogę i ściany. A kiedy go wyłącza, robi się bardzo cicho.

Pamięta o otwarciu bagażnika. Nie zaskakuje to cię, przecież dostała polecenie, by o tym pamiętać. Potem słyszysz jej oddalające się kroki, zgrzyt otwierających się, a potem zamykających drzwi do piwnicy. Podnosisz klapę bagażnika. Wysiadasz. Przeciągasz się w ciemności, rozmasowujesz uda w miejscu, gdzie wydech omal ich nie poparzył. Potem robisz kilka kroków przed siebie. Stajesz przy masce. Nakładasz rękawiczki, siadasz na błotniku. I czekasz.

29

Ich samolot wylądował na lotnisku Portland International jak każdy inny boeing, ale nie podkołował do terminalu, tylko zatrzymał się na odległym stanowisku postojowym. Na jego spotkanie wyjechał pick-up ze schodkami przyśrubowanymi do platformy ładunkowej. Za pick-upem jechał minivan. Oba pojazdy lśniły czystością. Wymalowane były w kolory firmowe Boeinga. Załoga została w maszynie; czekała ją teraz analiza danych komputerowych. Minivan podrzucił Reachera i Harper pod terminal przylotów, prawie na postój taksówek. Pierwszy w rzędzie stał poobijany caprice z kraciastym pasem na boku. Kierowca nie pochodził stąd. Musiał znaleźć na mapie drogę prowadzącą na wschód, do małej wioski na zboczu Mount Hood.

• • •

Była w domu pięć minut, kiedy zadzwonił dzwonek. Wrócił gliniarz. Wyszła z kuchni, przeszła korytarzem, otworzyła drzwi. Gliniarz stał na ganku; nic nie mówił, tylko próbował zakomunikować jej swą potrzebę żałosnym wyrazem twarzy.

— Cześć — powiedziała. I tylko na niego patrzyła, bez wyrazu, bez uśmiechu.

— Cześć — powiedział gliniarz.

Czekała. Zamierzała zmusić go, żeby o to poprosił. Przecież nie miał się czego wstydzić.

— Mam prośbę — powiedział gliniarz.

— Jaką prośbę?

— Czy mógłbym skorzystać z toalety?

Zimne powietrze owiało jej nogi. Czuła, jak przenika przez nogawki dżinsów.

— Oczywiście.

Zamknęła za nim drzwi, żeby dom całkiem się nie wychłodził. Czekała obok nich, a gliniarz najpierw zniknął, a potem znów się pojawił.

— Miło tu i ciepło — zauważył.

Skinęła głową, chociaż nie była to prawda. Utrzymywała w domu temperaturę tak niską, jaką tylko mogła znieść. Dla brzmienia fortepianu. Żeby drewno się nie rozsychało.

— W samochodzie jest bardzo zimno — dodał.

Jeszcze raz skinęła głową.

— Trzeba włączyć silnik — poradziła. — I ogrzewanie.

Gliniarz potrząsnął głową.

— Nie wolno. Nie wolno nam stać z włączonym silnikiem. Zakaz zanieczyszczania środowiska.

— To proszę pokrążyć trochę po ulicach. Samochód się zagrzeje, a mnie przecież nie spotka nic złego.

Wyraźnie widać było, że gliniarz nie na taką propozycję czekał. Niemniej zastanawiał się przez chwilę, a potem znów potrząsnął głową.

— Za to zabraliby mi odznakę. Muszę siedzieć na miejscu.

Milczała.

— Przepraszam za kłopot z kapelanem — powiedział gliniarz, zaznaczając wyraźnie, że interweniował i pozbył się intruza.

Skinęła głową.

— Zrobię gorącą kawę — powiedziała. — Będzie za pięć minut, dobrze?

Gliniarz sprawiał wrażenie wręcz uszczęśliwionego. Uśmiechnął się wstydliwie.

— I znowu będę potrzebował toalety — powiedział. — Kawa po prostu przeze mnie przelatuje.

— Zapraszam.

Zamknęła za nim drzwi. Poszła do kuchni. Włączyła ekspres. Siedziała na stołku obok toreb z zakupami, czekając, aż zaparzy się kawa. Znalazła największy kubek. Dodała do kawy śmietankę z lodówki i cukier z cukierniczki wyjętej z kredensu. Gliniarz wyglądał na takiego, co pije kawę ze śmietanką i z cukrem; młody, z lekką nadwagą. Wyszła z pełnym kubkiem w ręku, przeszła ścieżką. Kawa parowała, poziomy pasek mgły ciągnął się za nią od drzwi aż na chodnik. Zastukała w szybę; gliniarz odwrócił się, uśmiechnął na jej widok, opuścił szybę. Wziął kubek niezręcznie, oburącz.

— Dzięki — powiedział.

Podniósł kubek do ust w geście podziękowania, a ona odwróciła się i ruszyła podjazdem, ścieżką do drzwi i weszła, do środka. Zatrzasnęła drzwi, zamknęła je na wszystkie zamki, a kiedy się odwróciła, gość, na którego czekała, stał nieruchomo u szczytu prowadzących do garażu drzwi.

— Cześć, Rito — powiedział gość.

— Cześć — odparła.

• • •

Taksówka jechała dwieście piątą na południe, a potem skręciła w lewo, na zachód, w znalezioną z pewnymi problemami dwudziestkęszóstkę. Wyglądała tak, jakby następny kurs powinna odbyć na złomowisko. Kolor drzwi w środku nie pasował do koloru karoserii. Najprawdopodobniej odsłużyła swoje trzy lata w Nowym Jorku, a potem pewnie kolejne trzy na przedmieściach Chicago. Jakoś jednak parła przed siebie, a licznik cykał znacznie wolniej, niż cykałby w Nowym Jorku czy Chicago. A to było ważne, bo Reacher dopiero przed chwilą zorientował się, że w kieszeni prawie nie ma pieniędzy.

— Dlaczego demonstracja mobilności jest taka ważna? — spytała Harper.

— Bo to jedno z wielkich kłamstw — odparł Reacher. —
A my posłusznie uwierzyliśmy w nie bez zastrzeżeń.

• • •

Scimeca stała przy drzwiach do domu, spokojna, nieruchoma.
Gość mierzył ją pytającym spojrzeniem z drugiego końca kory-
tarza.
— Kupiłaś farbę?
Skinęła głową.
— Tak.
— A więc jesteś gotowa?
— Nie wiem, czy jestem gotowa.
Gość przyglądał się jej chwilę dłużej bardzo spokojnie.
— Teraz jesteś gotowa?
— Nie wiem — powiedziała Scimeca.
Uśmiechnął się.
— Sądzę, że jesteś gotowa. Naprawdę tak sądzę. A co ty
o tym myślisz? Jesteś gotowa?
Scimeca skinęła głową powoli.
— Tak, jestem gotowa.
— Przeprosiłaś policjanta?
Kolejne skinienie.
— Tak, powiedziałam mu, że go przepraszam.
— Koniecznie trzeba wpuścić go do domu, prawda?
— Powiedziałam mu, że może przyjść, kiedy tylko zechce.
— Koniecznie musi cię znaleźć. On i tylko on. Bo ja tego chcę.
— Oczywiście.
Gość milczał przez długą chwilę. Po prostu stał, nic nie mówił,
tylko przyglądał się jej dokładnie. Czekała, czując się nieco
niezręcznie.
— Tak, to on powinien mnie znaleźć — rzekła w końcu. —
Jeśli tego sobie życzysz.
— Dobrze poradziłaś sobie z kapelanem — powiedział gość.
— Chciał mi pomóc.
— Nikt nie może ci pomóc.
— Chyba rzeczywiście nie.

— Chodźmy do kuchni.

Scimeca odeszła od drzwi. Przecisnęła się koło gościa w wąskim korytarzu, poprowadziła go do kuchni.

— Farba jest tam — powiedziała.

— Pokaż ją.

Scimeca wyjęła z torby puszkę. Podniosła ją, trzymając za drucianą rączkę.

— Oliwkowozielona. Nie mieli nic bardziej pasującego.

Gość skinął głową.

— Dobrze. Poradziłaś sobie doskonale.

Aż zaczerwieniła się z radości, cienka warstwa różu ukryta pod chorobliwą bielą jej twarzy.

— A teraz musisz się skoncentrować. Zamierzam ci przekazać wiele informacji.

— O czym?

— O tym, co masz dla mnie zrobić.

Scimeca skinęła głową.

— Oczywiście.

— Więc... możesz się dla mnie uśmiechnąć?

— Nie wiem.

— Spróbuj, dobrze?

— Prawie się nie uśmiecham.

Gość skinął głową, pełen współczucia.

— Wiem. Ale teraz po prostu spróbuj, dobrze?

Scimeca pochyliła głowę, skoncentrowała się i zdobyła na słaby, nieśmiały uśmiech. Bardziej przypominający lekkie skrzywienie, ale to już było coś. Rozpaczliwie starała się go utrzymać.

— To bardzo miłe. A teraz pamiętaj, chcę, żebyś uśmiechała się przez cały czas.

— W porządku.

— Praca uszczęśliwia, prawda?

— Prawda.

— Potrzebujemy czegoś do otwierania puszek.

— Na dole mam narzędzia.

— Jest wśród nich śrubokręt?

— Oczywiście. Mam osiem albo dziewięć śrubokrętów.

— Przynieś mi taki duży, dobrze?

— Jasne.

— I nie zapomnij o uśmiechu.

— Przepraszam.

• • •

Kubek był zbyt wielki, nie mieścił się w zamontowanym w crown victorii uchwycie, nie miał gdzie go odstawić, toteż wypił całą kawę prawie duszkiem. Zawsze tak było. Na przyjęciu, kiedy musiał trzymać butelkę piwa w garści, wypijał je szybciej, niż gdy siedział przy barze, gdzie zawsze mógł odstawić ją na serwetkę. Albo papieros. Gdy w pobliżu była popielniczka, starczał mu na znacznie dłużej niż kiedy z nim chodził. Wówczas papieros wystarczał mu na jakieś półtorej minuty.

Siedział z pustym kubkiem opartym o kolano i zastanawiał się, czy powinien odnieść go do domu. Powie: „Zwracam kubek. Bardzo dziękuję". Będzie miał okazję powtórzyć, że na dworze jest bardzo zimno. Może skłoni ją, żeby postawiła krzesło w korytarzu? Dosiedzi do końca zmiany pod dachem. O to nikt nie mógłby mieć do niego pretensji. Taka ochrona byłaby skuteczniejsza.

Ale też denerwował się na myśl o tym, że musiałby znów nacisnąć dzwonek. Ta kobieta była wyjątkowo drażliwa, bez dwóch zdań. Kto wie, jak zareaguje, chociaż on przecież tylko stara się być uprzejmy i zwraca pożyczony kubek? Chociaż tak zręcznie spławił dla niej kapelana. Podrzucał kubek na kolanie i starał się znaleźć wyjście z sytuacji.

• • •

Taksówka minęła Gresham, Elso i Sandy. Dwudziestkaszóstka zyskała nazwę, nazywała się teraz Mount Hood Highway. Zrobiła się bardziej stroma; stary V-8 zebrał się w sobie i rozpoczął wspinaczkę.

— No więc kto? — spytała Harper.

— Kluczem jest raport Poultona ze Spokane.

— Naprawdę?

Reacher skinął głową.

— Takie to wielkie i oczywiste. Ale długo nie mogłem się zorientować.

— UPS? Przecież sprawdziliśmy wszystko.

Potrząsnął głową.

— Nie. Wcześniej. Informacja od Hertza. Wypożyczony przez nich samochód.

* * *

Scimeca przyniosła z piwnicy śrubokręt; tylko dwa były od niego większe. Miał jakieś dwadzieścia centymetrów długości i końcówkę wystarczająco ostrą, by wcisnąć ją w szczelinę między puszką, a wieczkiem, i wystarczająco szeroką, by wygodnie podważyć nią wieczko.

— Chyba będzie najlepszy — powiedziała. — No wiesz, akurat do tego.

Gość przyjrzał się śrubokrętowi z pewnej odległości.

— Oczywiście. Doskonały. Jeśli ci pasuje? Przecież to ty go użyjesz, nie ja.

Scimeca skinęła głową.

— Moim zdaniem jest w porządku — powiedziała.

— Gdzie jest łazienka?

— Na górze.

— Pokażesz mi?

— Oczywiście.

— Zabierz ze sobą farbę. I śrubokręt.

Scimeca wróciła do kuchni po puszkę.

— Będziemy potrzebować czegoś do mieszania farby?! — zawołała.

Gość się zawahał. Nowa technika wymaga nowych procedur.

— Tak, przynieś coś do mieszania farby.

Patyczek do mieszania farby miał jakieś trzydzieści centymetrów długości. Scimeca wzięła go w lewą rękę, wraz ze śrubokrętem. Prawą podniosła puszkę za druciany kabłąk.

— Tędy — powiedziała.

Poprowadziła gościa schodami i korytarzem na piętrze do

swojej sypialni, a w sypialni natychmiast skierowała się do łazienki.

— Jesteśmy na miejscu — oznajmiła.

Gość obejrzał ją sobie dokładnie. Czuł się jak prawdziwy ekspert od łazienek, ta była przecież piąta. Ocenił ją jako urządzoną w miarę niedrogo, może nieco staroświecką, ale pasującą do wieku domu. W tym wypadku wymyślne marmury wyglądałyby nie na miejscu.

— Postaw to wszystko na podłodze — polecił.

Scimeca pochyliła się, postawiła puszkę na terakocie z cichym stukiem. Druciany kabłąk opadł na bok. Na wieczku puszki ułożyła śrubokręt i otrzymany w sklepie patyczek. Gość wyjął z kieszeni płaszcza złożoną plastikową torbę na śmieci.

— Włóż do niej ubranie.

• • •

Wysiadł, trzymając w dłoni kubek. Obszedł radiowóz od strony maski, poszedł podjazdem. Przeszedł krętą ścieżką, wspiął się po schodach na ganek. Przełożył kubek z ręki do ręki, podniósł dłoń do dzwonka. I zawahał się. W środku było bardzo cicho. Nie słyszał dźwięku fortepianu. Czy to dobry znak, czy zły? Ta kobieta miała chyba coś w rodzaju obsesji, cały czas grała jeden i ten sam kawałek, raz po raz, bez przerwy. Pewnie nie lubiła, żeby jej przerywano. Teraz wprawdzie nie grała, ale mogło to oznaczać, że zajmuje się czymś innym, równie ważnym. Może ucięła sobie drzemkę? Facet z Biura mówił, że wstaje o szóstej, więc może po południu robi sobie sjestę? Może czyta książkę? Cokolwiek robi, raczej nie siedzi cicho z nadzieją, że to on zapuka do jej drzwi. Z pewnością nie świadczyło o tym jej dotychczasowe zachowanie.

Stał tak niezdecydowany, z ręką o centymetry od dzwonka, wreszcie ją opuścił. Odwrócił się, zszedł schodami na ścieżkę, ze ścieżki na podjazd. Obszedł radiowóz od strony maski. Wsiadł, pochylił się, postawił kubek na podłodze, po stronie pasażera.

• • •

Scimeca sprawiała wrażenie zdezorientowanej.

— Jakie ubranie? — spytała.

— To, które masz na sobie.

Niemal niezauważalnie skinęła głową.

— W porządku.

— Nie podoba mi się twój uśmiech, Rito — powiedział gość. — Prawie go nie widać.

— Przepraszam.

— Przejrzyj się w lustrze. Powiedz mi, czy to jest szczęśliwa twarz.

Scimeca obróciła się, spojrzała w lustro, po czym zaczęła pracować nad mięśniami twarzy, każdym po kolei. Gość obserwował jej odbicie.

— Uśmiechnij się szeroko. Naprawdę wesoło, dobrze?

Scimeca odwróciła się twarzą do niego.

— Jak to wygląda? — spytała, uśmiechając się najszerzej, jak potrafiła.

— Doskonale. Chcesz mnie uszczęśliwić, prawda?

— Tak, oczywiście.

— W takim razie włóż ubrania do tej torby.

Scimeca zdjęła sweter, gruby, robiony na drutach, wąski przy szyi. Ujęła go obiema dłońmi, przeciągnęła nad głowę, pochyliła się i wywrócony na drugą stronę wrzuciła do torby. Pod nim miała flanelowa koszulę, praną tak często, że stała się miękka i bezkształtna. Rozpięła wszystkie guziki, wyciągnęła ją z dżinsów, wrzuciła do torby.

— Teraz jest mi zimno — poskarżyła się.

Rozpięła dżinsy, rozsunęła zamek błyskawiczny. Zsunęła je, zrzuciła kapcie i wyszła z nich. Owinęła nimi kapcie. Jedno i drugie powędrowało do torby, a za nimi skarpetki.

— Pospiesz się, Rito.

Skinęła głową. Sięgnęła za plecy, rozpięła stanik. Włożyła go do torby, a za nim zgniecione w kulkę majteczki. Gość zamknął torbę i postawił ją na podłodze. Scimeca stała naga. Czekała na kolejne polecenie.

— Napełnij wannę wodą. Gorącą, skoro jest ci zimno.

Pochyliła się, zatkała wannę zwykłą gumową zatyczką na łańcuszku. Otworzyła kran, nastawiony w trzech czwartych na gorącą wodę, w jednej czwartej na zimną.

— Otwórz farbę.

Przykucnęła, ujęła śrubokręt. Włożyła jego czubek w szczelinę pod wieczkiem, nacisnęła. Obracała puszkę, podważając je, aż dało się zdjąć.

— Ostrożnie. Nie chcę żadnego bałaganu.

Odłożyła wieczko na kafelki. Podniosła wzrok wyczekująco.

— Wlej farbę do wanny.

Scimeca ujęła puszkę obiema dłońmi. Szeroką puszkę niełatwo było utrzymać. Trzymając ją oburącz, zaniosła pod wannę. Zgięła się, przechyliła puszkę, zaczęła wlewać jej zawartość do wanny. Farba była gęsta, pachniała amoniakiem. Ciekła powoli, wirując wraz z lejącą się do wanny wodą. Utworzyła spiralę i zatonęła jak kamień. Woda zaczęła rozpuszczać ją po brzegach, nabierać zielonego koloru, który rozchodził się ku brzegom wanny jak pędzona wiatrem chmura. Scimeca trzymała puszkę, aż strumień farby najpierw osłabł, a potem w ogóle znikł.

— Ostrożnie — powiedział gość. — Odłóż puszkę. I pamiętaj, ostrożnie. Nie chcę bałaganu.

Odwróciła puszkę, znów przykucnęła, odstawiła ją na kafelki. Ponownie rozległ się stuk, nieco stłumiony przez pokrywający metal osad.

— Weź pałeczkę. Zamieszaj farbę.

Wzięła pałeczkę, przyklękła na krawędzi wanny. Włożyła ją w leżącą na dnie masę, obróciła.

— Miesza się — powiedziała.

Gość skinął głową.

— Właśnie dlatego kupiłaś farbę lateksową.

W miarę rozpuszczania farby zmieniała się barwa wypełniającej wannę wody, z ciemnooliwkowej na kolor trawy rosnącej w kępach na wilgotnej ziemi. Jednocześnie mieszanina zmieniała gęstość, aż nabrała konsystencji mleka. Gość przyglądał się jej uważnie. Nie wyglądało to źle. Efekt nie był wprawdzie tak dramatyczny jak poprzednio, ale biorąc pod uwagę okoliczności, samo użycie farby było wystarczająco dramatyczne.

— W porządku, wystarczy. Włóż pałeczkę do puszki. I pamiętaj, żadnego bałaganu.

Scimeca posłusznie wyjęła pałeczkę z wody, otrząsnęła, sięgnęła za siebie i włożyła ją do puszki.

— Śrubokręt też.

Ustawiła śrubokręt obok pałeczki.

— Zamknij puszkę.

Ujęła wieczko za krawędź i położyła na puszce, lekko przekrzywione, bo koniec pałeczki wystawał poza krawędź.

— Teraz możesz zakręcić kran.

Obróciła się, zakręciła kran. Powierzchnię wody dzieliło od krawędzi wanny mniej więcej piętnaście centymetrów.

— Gdzie trzymałaś karton?

— W piwnicy. Ale oni go zabrali.

Gość skinął głową.

— Wiem. Pamiętasz, w którym miejscu? Dokładnie.

Teraz Scimeca skinęła głową.

— Stał tam długo — powiedziała.

— Chcę, żebyś odstawiła puszkę dokładnie w to samo miejsce. Postawiła ją dokładnie tam, gdzie był karton. Potrafisz to zrobić?

Kolejne skinienie.

— Tak, potrafię to zrobić.

Scimeca uniosła puszkę za kabłąk. Podniosła ją powoli, ostrożnie, żeby przekrzywione wieczko nie spadło. Niosła przed sobą, drugą dłonią przytrzymując wieczko. Zeszła po schodach na parter, przeszła korytarzem do drugich schodów, potem schodami do garażu i z garażu do piwnicy. Zatrzymała się na chwilę, bosymi stopami wyczuwając chłód betonu. Musiała odstawić puszkę na miejsce. Dokładnie. Zrobiła krok w lewo, postawiła puszkę na podłodze dokładnie tam, gdzie wcześniej stał karton.

• • •

Taksówka pracowicie wspinała się stromym zboczem wzgórza. Minęła małe centrum handlowe: supermarket i rząd sklepików. Parking był niemal całkowicie pusty.

— Co my tu właściwie robimy? — spytała Harper.

— Scimeca ma być następna — powiedział Reacher.

Taksówka dzielnie parła przed siebie. Harper potrząsnęła głową.

— Powiedz mi, kto?

— Pomyśl o tym jak. To absolutny, ostateczny dowód.

• • •

Scimeca przesunęła pustą puszkę kilka centymetrów w prawo. Przyjrzała się jej uważnie, skinęła głową. Odwróciła się i pobiegła na górę. Czuła, że musi się śpieszyć.

— Zadyszałaś się — powiedział gość.

Przełknęła ślinę z wysiłkiem, kiwnęła głową.

— Biegłam — powiedziała. — Biegłam z piwnicy.

— W porządku, odpocznij minutkę.

Scimeca odetchnęła głęboko. Odgarnęła włosy z twarzy.

— Już w porządku — oznajmiła.

— Teraz musisz wejść do wanny.

Uśmiechnęła się.

— Będę cała zielona.

— Tak — przytaknął gość. — Będziesz cała zielona.

Scimeca stanęła przy krawędzi wanny. Uniosła stopę, włożyła ją do wody, najpierw palce.

— Ciepła — powiedziała.

Gość skinął głową.

— To dobrze.

Przeniosła ciężar ciała na nogę, którą włożyła do wanny, dostawiła drugą. Stała po kolana w wypełniającym ją płynie.

— A teraz usiądź. Ostrożnie.

Oparła się obiema dłońmi o krawędź wanny, usiadła powoli.

— Wyprostuj nogi.

Wyprostowała nogi, jej kolana znikły pod wodą.

— Zanurz ramiona.

Puściła krawędzie. Położyła dłonie obok ud.

— Dobrze — powiedział gość. — A teraz ześlizgnij się na dół, powoli, ostrożnie.

Scimeca przesunęła się do przodu. Jej kolana wynurzyły się na powierzchnię, u góry ciemnozielone, niżej, tam gdzie ciecz strumykami ściekała po skórze, jaśniejsze. Odchyliła się, poczuła wypełniające ciało ciepło. Ciepło sięgające barków.

— Odchyl głowę.

Odchyliła głowę, spojrzała w sufit. Czuła, jak jej włosy unoszą się po powierzchni cieczy.

— Jadłaś ostrygi?

Skinęła głową. Ten ruch spowodował, że jej włosy zafalowały.

— Kilka razy — powiedziała.

— Pamiętasz to uczucie? Trzymasz je w ustach i nagle przełykasz całe? Tak, jakbyś je wchłaniała?

Kolejne skinienie.

— Lubię ostrygi.

— Udawaj, że twój język jest ostrygą.

Scimeca spojrzała na gościa, zdziwiona.

— Nie rozumiem — przyznała.

— Chcę, żebyś połknęła język. Żebyś go przełknęła, szybko, zupełnie tak, jakby to była ostryga.

— Nie wiem, czy potrafię to zrobić.

— Ale możesz spróbować.

— Oczywiście. Mogę spróbować.

— No to spróbuj. Już.

Scimeca skoncentrowała się i spróbowała. Przełknęła konwulsyjnie... i nic się nie stało. Tylko zabulgotało jej w gardle.

— Tego się nie da zrobić — powiedziała.

— Pomóż sobie palcem — poradził jej gość. — One wszystkie musiały sobie pomagać.

— Palcem?

Gość skinął głową.

— Popchnij język. Innym się udawało.

— Dobrze.

Podniosła rękę, spłynęły z niej strumyki rozcieńczonej farby;

432

od czasu do czasu pojawiała się w nich nie do końca rozpuszczona grubsza kulka.

— Którym palcem?

— Spróbuj środkowym. Jest najdłuższy.

Scimeca wyprostowała środkowy palec, podkurczyła pozostałe. Otworzyła usta.

— Włóż go pod język — polecił gość. — I mocno popchnij.

Otworzyła usta jeszcze szerzej, pchnęła język.

— A teraz przełknij.

Przełknęła. Jej oczy otwarły się szeroko w przypływie paniki.

30

Taksówka zatrzymała się maska w maskę z policyjnym radio-
wozem. Reacher wyskoczył z niej pierwszy, częściowo dlatego,
że był strasznie spięty, a częściowo dlatego, że to Harper musiała
zapłacić za taksówkę. Stanął na chodniku, rozejrzał się dookoła,
a potem zszedł na jezdnię i podszedł do okna kierowcy.

— Wszystko w porządku? — spytał.

— Kim pan jest? — odpowiedział pytaniem gliniarz.

— FBI. Czy wszystko w porządku?

— Mógłbym zobaczyć legitymację?

— Harper, pokaż facetowi legitymację!

Taksówka wycofała się i zakręciła szerokim łukiem, od krawężnika do krawężnika. Harper schowała portmonetkę do torebki
i wyjęła legitymację, złotą na złotym tle z orłem mającym łeb
obrócony w lewo. Gliniarz rozpoznał ją z daleka i wyraźnie się
odprężył. Harper schowała legitymację i stojąc na chodniku,
uważnie przyjrzała się domowi.

— Wszystko w porządku, cisza, spokój — powiedział gliniarz.

— Jest w domu? — spytał Reacher.

Gliniarz wskazał gestem drzwi garażu.

— Właśnie wróciła ze sklepu.

— Wyjeżdżała?

— Nie mogę zabronić jej wychodzić z domu — wyjaśnił
gliniarz.

434

— Sprawdziłeś samochód?

— Tylko ona i dwie torby z zakupami. Przyjechał do niej z wizytą kapelan z armii. Z jakąś pomocą czy poradą. Odesłała go.

Reacher skinął głową.

— To do niej pasuje. Nie jest religijna.

— Jakbym nie wiedział — powiedział gliniarz.

— W porządku. Wchodzimy — zdecydował Reacher.

— Tylko nie proście o pozwolenie skorzystania z toalety.

— Dlaczego?

— Łatwo się denerwuje, kiedy uzna, że ktoś jej przeszkadza.

— Zaryzykuję.

— Możesz jej to oddać? Ode mnie?

Gliniarz pochylił się na siedzenie pasażera, po czym przez okno wręczył Reacherowi kubek.

— Poczęstowała mnie kawą — wyjaśnił. — Jest bardzo miła... kiedy ją lepiej poznać.

— Tak, to prawda — przyznał Reacher.

Wziął kubek, poszedł podjazdem za Harper. Przeszli krętą ścieżką, weszli po schodkach na ganek. Harper przycisnęła dzwonek. Reacher słuchał jego dźwięku odbijającego się echem od polerowanego drewna wnętrza. Harper odczekała dziesięć sekund, po czym ponownie przycisnęła dzwonek. Rozległo się głośne, mechaniczne terkotanie, odbiło echem, umilkło.

— Gdzie ona jest? — spytała.

Zadzwoniła trzeci raz. Hałas, echo, cisza. Spojrzała na Reachera wyraźnie przestraszona, a Reacher spojrzał na zamek w drzwiach. Wielki i ciężki. Najprawdopodobniej nowy. Pewnie z różnymi gwarancjami na cały okres używalności. Najprawdopodobniej gwarantujący różne zniżki ubezpieczeniowe. Bez wątpienia wyposażony w zasuwę z utwardzanej stali, doskonale pasującą do stalowej obejmy wpuszczonej we framugę drzwi. Framugę wykonano przypuszczalnie z oregońskiej sosny powalonej sto lat temu. Najlepsze budowlane drewno w historii miało wiek, by stwardnieć na kamień.

— Cholera — powiedział.

Cofnął się pod balustradę ganku, postawił na niej kubek, zrobił baletowy krok i z całej siły kopnął zamek.

— Co ty wyprawiasz? — krzyknęła Harper.

Reacher cofnął się, kopnął drzwi jeszcze raz i jeszcze, i jeszcze. Czuł, jak drewno zaczyna się poddawać. Złapał balustradę ganku niczym skoczek narciarski ławkę startową, podciągnął się dwukrotnie, po czym odepchnął od niej z całej siły. Wyprostował nogę, całą siłę i całe swe sto pięć kilogramów włożył w jedno kopnięcie piętą, tuż nad zamkiem. Framuga pękła, jej część wraz z drzwiami, poleciała do środka, lądując w korytarzu.

— Na górę — wystękał Reacher.

Pobiegł po schodach; Harper deptała mu po piętach. Wskoczył do sypialni. Nie tej sypialni. Pościel kiepskiej jakości, zapach stęchlizny, chłód. Pokój gościnny. Skoczył do następnych drzwi. To była ta sypialnia. Zasłane łóżko, przyklepane poduszki, zapach snu, na nocnym stoliku telefon i szklanka do wody. Drugie drzwi. Podbiegł do nich, otworzył je gwałtownie. Zobaczył łazienkę.

Lustro, umywalka, kabina prysznicowa.

Łazienka pełna obrzydliwie zielonej wody.

W wodzie Scimeca.

A na krawędzi wanny siedzi... Julia Lamarr.

Julia Lamarr poderwała się na równe nogi, odwróciła, stanęła twarzą w twarz z Reacherem. Miała na sobie sweter, spodnie, a na dłoniach czarne skórzane rękawiczki. Jej twarz była blada ze strachu i z nienawiści, usta na pół otwarte, zęby wyszczerzone w panice. Reacher złapał ją za sweter na piersi, obrócił, uderzył w głowę; tylko raz. Był to nagły, potężny, brutalny cios, zadany wielką pięścią, za którą stała potężna fizyczna siła i ślepy, wściekły gniew. Pięść trafiła ją z boku wprost w szczękę, obróciła jej głowę; Lamarr uderzyła plecami w ścianę i osunęła się na podłogę, jakby walnęła ją ciężarówka. Ale tego Reacher już nie widział, zdążył odwrócić się w stronę wanny. Wygięte w łuk ciało Scimeki wystawało ponad powierzchnię wypełniającej ją cieczy, nagie i sztywne. Głowę miała odrzuconą, oczy wytrzeszczone, usta rozchylone w wyrazie strasznego cierpienia.

Nie poruszała się.

Nie oddychała.

Reacher podłożył jej dłoń pod kark. Wyprostował palce drugiej dłoni. Wbił je w otwarte usta, ale nie sięgnął języka. Zwinął dłoń kciukiem w dół, pchnął ją z całej siły, aż kostki palców zniknęły za linią zębów. Usta Scimeki przybrały kształt upiornego „O", otaczającego jego nadgarstek, jej zęby rozdarły mu skórę, ale palcem zdołał namacać jej podwinięty język i pociągnąć go, choć był śliski i ruchliwy jak żywa istota, długi, ciężki, umięśniony. Zwinięty w ciasny kłębek, po wyjęciu z krtani wyprostował się i bezwładnie opadł. Reacher uwolnił rękę, tracąc jeszcze trochę skóry. Pochylił się, gotów rozpocząć sztuczne oddychanie, ale kiedy ich twarze znalazły się blisko siebie, usłyszał, jak Scimeca gwałtownie wciąga powietrze. I kaszle. Jej pierś poruszyła się, Scimeca oddychała samodzielnie, kurczowo chwytała wielkie hausty powietrza. Nadal podtrzymywał jej głowę. Rzęziła. Z jej gardła dobywały się ostre, urywane, wręcz bolesne dźwięki.

— Puść prysznic! — krzyknął.

Harper wskoczyła do kabiny. Z prysznica poleciał strumień wody. Reacher podłożył rękę pod plecy Scimeki, wyjął zatyczkę. Gęsty zielony płyn zawirował, obmywając jej ciało, po czym zaczął się cofać. Dźwignął je w ramionach. Wyprostował się, cofnął. Stał pośrodku łazienki; strugi zielonej mazi brudziły podłogę.

— Trzeba to z niej zmyć — rzekł bezradnie.

— Ja to zrobię — powiedziała łagodnie Harper.

Chwyciła Scimecę pod pachy. W pełnym stroju cofnęła się pod prysznic. Wbiła się w róg kabiny; bezwładne ciało podtrzymywała w pozycji pionowej, jakby miała do czynienia z pijakiem. Bijąca z góry woda zmieniła kolor farby na jasnozielony, po chwili pojawiły się czyste, zaczerwienione kawałki ciała. Harper trzymała ją minutę, dwie, trzy... Już była przemoczona do suchej nitki i cała wymazana na zielono. Poruszała się w kabinie, jakby wykonywała jakiś dziwny, spowolniony taniec, podstawiając pod strumień wody kolejne fragmenty ciała, aż wreszcie cofnęła się i przechyliła; przyszła pora na lepkie, sztywne włosy. Zabarwiona na zielono woda ciekła nieprzerwanym strumieniem, Harper zaczęła się męczyć. Farba była śliska, Scimeca nieuchronnie wymykała się jej z rąk.

— Ręczniki — wydyszała. — Znajdź szlafrok.

Wisiały na hakach w ścianie, Lamarr leżała nieruchomo niemal dokładnie pod nimi. Reacher wziął dwa. Harper, chwiejąc się, wyszła spod prysznica; rozłożył je i przejął od niej Scimecę. Owinął ją grubym ręcznikiem, a Harper zamknęła prysznic i wzięła drugi. Stała w zapadłej nagle ciszy, oddychając ciężko i wycierając twarz.

Reacher wziął Scimecę na ręce, przeniósł do sypialni, delikatnie ułożył na łóżku. Pochylił się, odgarnął wilgotne włosy z jej twarzy. Nadal rzęziła; oczy miała otwarte, lecz nieprzytomne.

— Wszystko w porządku? — spytała z łazienki Harper.

— Nie wiem.

Przyglądał się Scimece. Jej pierś wznosiła się i opadała, wznosiła i opadała, szybko, gwałtownie, jak po wyścigu na milę.

— Chyba tak. W każdym razie oddycha.

Chwycił jej nadgarstek, sprawdził puls. Okazał się silny i szybki.

— W porządku — powiedział z ulgą. — Serce pracuje bez zarzutu.

— Powinniśmy zawieźć ją do szpitala! — krzyknęła Harper.

— Lepiej jej będzie w domu.

— Musi dostać środki uspokajające. To, co przeżyła, może doprowadzić ją do szaleństwa.

Reacher potrząsnął głową.

— Obudzi się, niczego nie pamiętając.

Harper spojrzała na niego, zdumiona.

— Kpisz sobie ze mnie?

Dopiero teraz Reacher spojrzał na nią. Stała, trzymając szlafrok, przemoczona do suchej nitki, wysmarowana farbą. Jej bluzka nabrała barwy oliwkowozielonej... i była przezroczysta.

— Została zahipnotyzowana — powiedział.

Skinął głową w kierunku łazienki.

— Tak to właśnie załatwiała. Od początku. Za każdym razem. Była pieprzonym najlepszym ekspertem Biura.

438

— Hipnoza?

Reacher zabrał jej szlafrok, przykrył nim nieruchome ciało Scimeki. Otulił je dokładnie szlafrokiem. Pochylił się, wsłuchał w jej oddech, nadal silny i już znacznie spokojniejszy. Sprawiała wrażenie pogrążonej w głębokim śnie, tylko oczy miała szeroko otwarte, nieprzytomne i niewidzące.

— Nie wierzę — powiedziała Harper.

Reacher wytarł twarz Scimeki rogiem ręcznika.

— Tak to właśnie załatwiała — powtórzył.

Kciukami zamknął jej oczy; wydawało mu się to rzeczą odpowiednią i właściwą. Oddychała głęboko, lekko obróciła głowę, przeciągając po poduszce mokrymi włosami, najpierw w jedną stronę, potem w drugą. Przeciągała twarzą po poduszce niczym śpiąca kobieta, śniąca niespokojne sny. Harper gapiła się na nią nieruchomym wzrokiem. Nagle odwróciła się i przemówiła do drzwi do łazienki.

— Od kiedy wiesz? — spytała.

— Z całą pewnością? Od wczorajszego wieczoru.

— Ale... skąd?

Reacher znów użył ręcznika, ścierając nim bladozielone pasemko wody ściekające z włosów śpiącej.

— Po prostu myślałem. Myślałem i myślałem, w dzień i w nocy. Doprowadzało mnie to do szaleństwa. To było takie myślenie: „A co, jeśli?". Potem pojawiło się kolejne pytanie. „I co jeszcze?".

Harper patrzyła, jak podciąga szlafrok na ramieniu Scimeki.

— Wiedziałem, że mylą się co do motywu — mówił dalej. — Wiedziałem od samego początku, ale nie mogłem tego zrozumieć. Przecież to cwani ludzie, powtarzałem sobie, nie? A tak strasznie się mylą. Sam siebie pytałem dlaczego? Dlaczego?! Czyżby aż tak zgłupieli? Nagle? Czyżby specjalizacja zawodowa odebrała im zdolność patrzenia? Najpierw byłem przekonany, że o to właśnie chodzi. Małe zespoły, działające wewnątrz wielkich organizacji, czasem przyjmują taką defensywną postawę. Z natury rzeczy. Uznałem, że banda psychologów, którym płacą za rozwiązanie trudnej, bardzo skomplikowanej pracy, nie podda się chętnie, nie powie: „Myliliśmy się, niestety, chodzi o coś zwykłego i prostego". Wydawało mi się nawet, że to może być podświadome. Ale wreszcie machnąłem ręką. Byłoby to zbyt nieodpowiedzialne. Więc myślałem, myślałem i myślałem. Aż w końcu pozostała tylko jedna odpowiedź. Mylą się, ponieważ chcą się mylić.

— Wiedziałeś, że motywem zajmuje się Lamarr. Bo w istocie to była jej sprawa. Dlatego zacząłeś ją podejrzewać.

Reacher skinął głową.

— No właśnie. Kiedy zginęła Alison, po prostu musiałem zacząć myśleć o Lamarr, ponieważ istniał tu bliski związek, a jak sama powiedziałaś, bliskie związki rodzinne są zawsze znaczące. Zadałem sobie pytanie: A co jeśli zabiła je wszystkie? Jeśli przypadkowość pierwszych trzech ofiar ma tylko zamaskować motyw osobisty w zabójstwie czwartej? Nie miałem jednak pojęcia, jak tego dokonała. I dlaczego? Brakowało motywu osobistego. Może nie były najlepszymi siostrami na świecie, ale układało się im w porządku. Żadnych konfliktów rodzinnych, choćby niesprawied-liwego dziedziczenia. Miały dziedziczyć po równo. Nie musiały być o siebie zazdrosne. Poza tym nie latała, więc jak mogła to być ona?

— Ale...?

— Ale w końcu pękła tama. Chodzi o to, co powiedziała Alison. Przypomniałem sobie o tym dopiero później. Powiedziała, że ojciec umiera, ale „siostry się sobą zajmują, nie?". Myślałem, że mówi o wsparciu emocjonalnym czy czymś takim, ale potem przyszło mi do głowy, że można to przecież inaczej rozumieć. Co ludzie mają na myśli, używając takiego określenia? Na przykład ty. Piliśmy kawę w Nowym Jorku, dostaliśmy rachunek i wtedy powiedziałaś: „Ja się tym zajmę". Chodziło o to, że zapłacisz, że ty mnie zaprosiłaś. Pomyślałem: A co, jeśli Alison chciała powiedzieć, że zajmie się Julią? Finansowo? Że się z nią podzieli? Jakby wiedziała, że to ona dziedziczy, Julia nie dostaje nic i jest z tego powodu bardzo rozdrażniona? Ale przecież Julia powiedziała mi, że dziedziczą po równo i że i tak jest bogata, ponieważ stary był hojny i sprawiedliwy? Toteż nagle zadałem sobie pytanie: A co, jeśli w tej sprawie kłamie? Jeśli stary nie był hojny, nie był sprawiedliwy? Jeśli nie jest bogata?

— Kłamała? W tym kłamała?

Reacher skinął głową.

— Musiała. Bo nagle zaczęło to mieć sens. Uświadomiłem sobie, że nie sprawia wrażenia bogatej. Ubierała się bardzo tanio. Miała tanią torbę.

— Wyciągałeś wnioski po jej torbie?!

Wzruszył ramionami.

— Mówiłem ci przecież, że to domek z kart. Ale doświadczenie mówi mi, że jeśli ktoś dysponuje pieniędzmi większymi niż pensja, jakoś to po nim widać. Może subtelnie, ze smakiem, ale jednak widać. Po Julii Lamarr nic nie było widać. Czyli była biedna. I kłamała. A Jodie powiedziała mi, że w takich sytuacjach w jej firmie zadają kolejne pytanie: I co jeszcze? Kiedy znajdą gościa, który łże w jednej sprawie, zadają sobie pytanie: I co jeszcze? Na jaki temat jeszcze kłamie? Pomyślałem, że ona może kłamać o stosunkach z siostrą. Może nadal jej nienawidzić, może jej zazdrościć, jak wtedy, kiedy była małą dziewczynką. A co, jeśli kłamie o równym podziale spadku? Jeśli w ogóle nie dziedziczy?

— Sprawdziłeś to?

— A mogłem? Sprawdź sama, to zobaczysz. Tylko tak wszystko pasuje. Wtedy pomyślałem: I co jeszcze, do diabła? Co, jeśli wszystko jest kłamstwem? Jeśli kłamie o strachu przed lataniem? Jeśli jest to wielkie, piękne kłamstwo, całe na widoku, takie wielkie i takie oczywiste, że nikt nie poświęci mu nawet chwili uwagi? Pamiętasz, pytałem nawet, jak udaje się jej z tym pracować. Powiedziałaś, że wszyscy jakoś sobie z tym radzą, jak z prawem natury. No więc rzeczywiście, wszyscy sobie z tym radziliśmy. Dokładnie tego chciała. Bo to ją wykluczało, całkowicie, nieodwołalnie. Kłamstwo. Bez wątpienia kłamstwo. Jest zbyt racjonalna, żeby bać się latania.

— Przecież to kłamstwo niemożliwe. To znaczy, albo człowiek lata, albo nie lata — zaprotestowała Harper.

— Sama mi powiedziała, że przed laty nie bała się samolotów. Należy założyć, że potem zaczęła się ich bać. Brzmiało to całkiem przekonująco. No i nikt z nowych znajomych nigdy nie widział jej na lotnisku. Uwierzyli na słowo. Ale, jeśli chciała, potrafiła przestać się bać. Jeśli się opłacało. A jej się bardzo opłacało. Chcesz motywu, ten jest najlepszy w świecie. Alison miała dostać wszystko, a to ona chciała dostać wszystko. Była kopciuszkiem, zżerała ją uraza, zazdrość, nienawiść.

— Ze mnie zrobiła idiotkę — przyznała Harper. — To z pewnością.

Reacher pogładził Scimecę po włosach.

— Zrobiła idiotów ze wszystkich. Nie przypadkiem zaczęła od miejsc najbardziej od siebie odległych. Chciała, żeby wszyscy zaczęli myśleć o geografii, odległościach, zasięgu, dystansie. Usunęła się z naszego pola widzenia. Wykluczyliśmy ją podświadomie.

Harper milczała przez krótką chwilę.

— Ale... taka była wstrząśnięta. Pamiętasz, nawet się popłakała. Popłakała się przy nas wszystkich.

Reacher potrząsnął głową.

— Wcale nie była taka wstrząśnięta. Raczej przerażona. W tym momencie znalazła się w największym niebezpieczeństwie. Pamiętasz, co było przedtem? Odmówiła wzięcia urlopu okolicznościowego. Wiedziała, że musi trzymać się blisko nas, kontrolować sytuację, gdyby sekcja zwłok jednak coś ujawniła. Potem ja zacząłem kwestionować motyw i cała spięła się jak cholera, ponieważ mogłem pójść we właściwym kierunku. Popłakała się, kiedy powiedziałem, że chodzi o kradzież wojskowej broni. Nie dlatego, że była wstrząśnięta, tylko z ulgi. Nie wykurzyłem lisa z jamy. Nadal była bezpieczna. Pamiętasz, co wtedy zrobiła?

Harper skinęła głową.

— Natychmiast poparła tę twoją teorię o broni.

— Właśnie — powiedział Reacher. — Nagle stała się jej zagorzałą zwolenniczką. Wkładała mi w usta odpowiednie słowa. Powiedziała, że powinniśmy myśleć wielotorowo, spróbować tego podejścia, poświęcić mu cały nasz wysiłek. Uczepiła się kurczowo czegoś, o czym wiedziała, że jest błędne. Cały czas myślała, improwizowała jak szalona, posłała nas w kolejną ślepą uliczkę. Nie myślała jednak wystarczająco dobrze. W tym rozumowaniu był błąd wielkości góry.

— Jaki błąd?

— To przecież zupełnie niemożliwe, by jedenastoma świadkami było wyłącznie jedenaście kobiet, żyjących potem ostentacyjnie samotnie. Powiedziałem ci, że częściowo był to eksperyment. Chciałem sprawdzić, kto mnie nie poprze. Okazało się, że tylko Poulton. Blake się nie liczył, był wytrącony z równowagi, bo Lamarr była wytrącona z równowagi. Lamarr poparła mnie z całego serca. Poparła mnie manifestacyjnie, bo gwarantowałem jej bezpieczeństwo. A potem wróciła do domu, otoczona powszechnym współczuciem i sympatią. Jednak nie wróciła do domu, a przynajmniej nie na dłużej, niż wymaga tego spakowanie torby. Przyleciała tu i zabrała się do roboty.

Harper zrobiła się nagle przeraźliwie blada.

— Przecież ona praktycznie się przyznała! Właśnie wtedy, przed wyjazdem. Nie pamiętasz? Powiedziała „zabiłam siostrę". Przez to, że zmarnowała dużo czasu. Ale w zasadzie powiedziała prawdę. To był chory żart.

Reacher skinął głową.

— Bo ona jest chora. Taka chora, że bardziej nie można. Zabiła cztery kobiety dla pieniędzy ojczyma. A ta historia z farbą? Zawsze była dziwaczna. Taka dziwaczna, że aż oszałamiająca. Ale też trudna. Potrafisz sobie wyobrazić te trudności? Po co ktoś używa takiej sztuczki?

— Żeby nas zmylić.

— I?

— Ją to bawiło — powiedziała powoli Harper. — Jest naprawdę chora.

— Taka chora, że bardziej nie można — powtórzył Reacher. — A także bardzo sprytna. Wyobrażasz sobie to planowanie? Musiała zacząć planować dwa lata temu. Jej ojczym zachorował mniej więcej wtedy, kiedy przyrodnia siostra wystąpiła z armii. To wówczas zaczęła sobie wszystko układać. Bardzo, bardzo skrupulatnie. Listę członków grupy wsparcia dostała od siostry. Wybrała te kobiety, które żyją bez wątpienia samotnie. Odwiedziła wszystkie, w tajemnicy, prawdopodobnie w weekendy, przenosząc się z miejsca na miejsce samolotem. Wszędzie wchodziła, jak chciała, bo jest kobietą z legitymacją FBI, zupełnie jak ty, kiedy weszłaś do domu Alison, a dziś bez problemu minęłaś gliniarza. Nie ma nikogo budzącego większe zaufanie niż kobieta z legitymacją FBI, prawda? Opowiedziała im pewnie jakąś historyjkę, jak to Biuro próbuje dopaść wreszcie armię, co dla nich musiało być bardzo przyjemne i satysfakcjonujące. Powiedziała, że rozpoczyna śledztwo zakrojone na naprawdę dużą skalę. Siedziała w pokojach dziennych ich własnych domów, pytała każdą po kolei, czy może ją zahipnotyzować, żeby zdobyć dodatkowe informacje, prawidłowo zarysować tło.

— Siostrę też? Jak to możliwe? Alison od razu zorientowałaby się, że musiała do niej przylecieć!

— Skłoniła Alison, żeby przyleciała do Quantico. Nie pamiętasz? Przecież Alison sama powiedziała nam, że przyleciała, by Julia mogła zahipnotyzować ją i w ten sposób poznać szczegóły. Nie pytała jednak o żadne szczegóły. W ogóle o nic nie pytała, tylko wydawała polecenia na przyszłość. Powiedziała jej, co ma zrobić, wszystkim mówiła, co mają zrobić. Lorraine Stanley jeszcze wtedy służyła, więc miała ukraść i przechować farbę. Inne miały odebrać przesyłki i przechować. Każdą uprzedziła, że kiedyś jeszcze ją odwiedzi, a do tego czasu, gdyby ktokolwiek spytał je o cokolwiek, mają zaprzeczać. Sama napisała im bzdurne historyjki o nieistniejących współlokatorkach i przypadkowych pomyłkach.

Harper skinęła głową. Patrzyła na drzwi łazienki.

— Potem poleciła Stanley rozpocząć wysyłki — powiedziała. — A później poleciała na Florydę. Zabiła Amy Callan. I Caroline Cooke. Wiedziała, że zabójstwo Cooke ustali wzór, a skoro jest wzór seryjnych zabójstw, sprawę dostanie Blake z Quantico. Była na miejscu, gotowa motać w śledztwie. Boże, przecież powinnam się zorientować! Nalegała, żeby przydzielili jej tę pracę. Nalegała, żeby przy niej zostać. Idealna sytuacja, nie uważasz? Kto opracowywał profile psychologiczne? Ona, oczywiście. Kto nalegał na motyw wojskowy? Ona. Kto powiedział, że szukamy żołnierza? Ona. Podała nawet ciebie jako przykład kogoś, kogo szukamy!

Reacher milczał. Harper nadal wpatrywała się w drzwi.

— To Alison była jej jedynym prawdziwym celem. I pewnie dlatego skróciła odstęp. Była cała nabuzowana, podniecona, nie mogła się doczekać.

— Zrobiliśmy dla niej rozpoznanie — dodał Reacher. — Pamiętasz, jak nas wypytywała? Skracała odstęp, nie miała czasu, więc wykorzystała naszą wizytę. Pamiętasz? Czy dom stoi samotnie? Czy drzwi są zamykane? Odwaliliśmy jej robotę.

Harper zamknęła oczy.

— W dniu śmierci Alison nie było jej na służbie. Niedziela. W Quantico cisza, spokój. Wtedy o tym nie pomyślałam. Wiedziała, że w niedzielę nikt niczego nie wymyśli. Bo nikogo nie będzie.

— Jest bardzo sprytna.

Harper skineła głową. Otworzyła oczy.

— Przypuszczam, że tłumaczy to też brak dowodów. Wie, czego szukamy na miejscu przestępstwa.

— I jest kobietą — dodał Reacher. — Prowadzący śledztwo szukali mężczyzny, bo powiedziała im, że mają szukać mężczyzny. Tak samo z wypożyczonymi samochodami. Wiedziała, że nawet jeśli komuś przyjdzie do głowy je sprawdzić, dostanie kobiece nazwisko, które oczywiście zignoruje. Co też się stało.

— Jakie nazwisko? Do wypożyczenia samochodu potrzebny jest dowód tożsamości.

— Tak jak do kupienia biletu lotniczego. Jestem pewien, że ma szufladę pełną fałszywych dokumentów. Po kobietach, które Biuro posłało do więzienia. Dopasujecie je bez większych problemów, odpowiednie daty i miejsca. Niewinnie brzmiące nazwiska, niemające żadnego znaczenia.

Harper spojrzała na niego żałośnie.

— To ja przekazałam wiadomość, pamiętasz? „Nic wielkiego, jakaś kobieta podróżująca w interesach".

Reacher skinął głową.

— Jest bardzo sprytna. Moim zdaniem nawet ubierała się jak

445

ofiary, kiedy przyjeżdżała do ich domów. Obserwowała je i jeśli któraś z nich miała na sobie, powiedzmy, bawełnianą sukienkę, ona też wkładała bawełnianą sukienkę. Jak spodnie, to spodnie. Nawet teraz ma na sobie stary sweter. Jak Scimeca. Jeśli nawet pozostawiała włókna, to je ignorowaliście. Spytała nas przecież, jak wyglądała Alison. Nie miała czasu na obserwację, więc zwróciła się do nas, tak niewinnie i nie wprost. Czy ciągle taki z niej sportowy typ? Czy ciągle jest opalona? Nosi kowbojskie buty? Odpowiedzieliśmy, że właśnie tak, oczywiście, więc z pewnością pojechała do niej w dżinsach i ciężkich buciorach.

— Podrapała jej twarz, ponieważ jej nienawidziła.

Reacher potrząsnął głową.

— Nie. Obawiam się, że to przeze mnie. Dziwił mnie brak oznak przemocy, ciągle do niego wracałem. Przy niej. Dlatego przy najbliższej okazji się o nie postarała. Powinienem trzymać gębę na kłódkę.

Harper milczała.

— Właśnie dlatego wiedziałem, że będzie tutaj — kontynuował Reacher. — Przez cały czas próbowała naśladować kogoś takiego jak ja, a przecież powiedziałem ci, że według mnie następna powinna być Scimeca. Wiedziałem, że prędzej czy później się u niej pojawi. Tylko okazała się odrobinę szybsza, niż sądziłem. A my odrobinę wolniejsi. Nie marnuje czasu, prawda?

Harper zerknęła na drzwi łazienki. Zadrżała, odwróciła wzrok.

— Jak domyśliłeś się, że to hipnoza? — spytała.

— Tak jak wszystkiego innego. Sądziłem, że wiem kto i dlaczego, ale jak... to zupełnie inna sprawa. Więc myślałem i myślałem. Właśnie dlatego tak bardzo chciałem wynieść się z Quantico. Potrzebowałem przestrzeni do myślenia. Zabrało mi to strasznie dużo czasu, ale w końcu uznałem, że to jedyna możliwość. Hipnoza wyjaśniała wszystko. Pasywność, posłuszeństwo, przyzwolenie. I to, że miejsca zbrodni wyglądały, jak wyglądały. Jakby sprawca nie tknął ofiary nawet paluszkiem. Bo nie tykał jej, nawet paluszkiem. Lamarr po prostu znów rzucała na nie urok. Mówiła im, co mają robić, krok po kroku. Ofiary wszystko robiły same. Same wypełniały wanny, same połykały języki. Jej pozostawało jedno: wyciągała języki, żeby lekarze sądowi się nie zorientowali.

— Ale... skąd wiedziałeś o językach?

Reacher zawahał się na krótką chwilkę.

— Stąd, że cię pocałowałem — przyznał.

— Co?

Uśmiechnął się lekko.

— Twój wspaniały język, Harper, sprawił, że zacząłem myśleć. Wyniki badań Stavely'ego wskazywały na uduszenie. W grę wchodził w zasadzie tylko język. Ale uznałem, że nie ma sposobu, żeby zmusić kogoś do połknięcia języka. Jednak potem, kiedy uświadomiłem sobie, że to Lamarr, a ona jest hipnotyzerką, nagle wszystko stało się jasne.

Harper milczała.

— I wiesz co?

— Co?

— Po tym, jak się spotkaliśmy, dosłownie pierwszego wieczoru, chciała zahipnotyzować mnie. Powiedziała, że to może pomóc jej znaleźć głęboko ukryte podstawowe informacje, ale jestem pewien, że powiedziałaby mi tylko, że mam wyglądać przekonująco i nic nie robić. Blake nalegał, żebym się zgodził, ale powiedziałem „nie", bo jeszcze każe mi biegać nago po Piątej Alei. Żartowałem, ale to był żart cholernie bliski prawdy.

Harper zadrżała.

— Aż strach pomyśleć, kiedy to się mogło skończyć.

— Pewnie jeszcze jedna. Sześć by jej wystarczyło. Sześć ofiar załatwiłoby sprawę. Piasek na plaży.

Harper podeszła, usiadła na łóżku obok Reachera. Spojrzała na Scimecę, leżącą nieruchomo, przykrytą szlafrokiem.

— Nic jej nie będzie? — spytała.

— Prawdopodobnie. Jest cholernie twarda.

Przeniosła wzrok na niego. Koszulę i spodnie miał mokre, zabrudzone farbą, ramiona zielone aż po łokcie.

— Cały jesteś mokry — powiedziała z roztargnieniem.

— Ty też. Nawet bardziej niż ja.

Skinęła głową. Milczała.

— Oboje jesteśmy mokrzy — rzekła po chwili. — Ale przynajmniej to już koniec.

Reacher milczał.

— Uczcijmy nasz sukces.

Pochyliła się, mokrymi ramionami otoczyła jego szyję. Przyciągnęła go i pocałowała w usta, mocno. Poczuł jej język na swoich wargach. I nagle ten język przestał się poruszać. A Harper odsunęła się od niego.

— Dziwne uczucie — powiedziała. — Nie zdołam zrobić tego nigdy więcej, nie myśląc źle o językach.

Reacher spojrzał na nią. Uśmiechnął się.

— Kiedy spadniesz z konia, to powinnaś od razu na niego wsiąść.

Pochylił się, ujął ją za głowę, przyciągnął do siebie. Pocałował. No chwilę znieruchomiała, potem mu się poddała. Był to długi pocałunek, a kiedy się wreszcie odsunęła, na jej ustach pojawił się wstydliwy uśmiech.

— Idź, ocuć ją — powiedział Reacher. — Dokonaj aresztowania, zacznij przesłuchanie. Wielka sprawa jest twoja.

— Nie zechce ze mną rozmawiać.

Spojrzał na rozluźnioną we śnie twarz Scimeki.

— Zechce, zechce. Powiedz jej, że po pierwszym pytaniu, na które nie udzieli odpowiedzi, złamię jej rękę. Po drugim zacznę ocierać o siebie odłamki kości.

Harper znów zadrżała. Odwróciła się. Wstała, poszła do łazienki. W sypialni zrobiło się bardzo cicho. Znikąd nie dobiegał żaden dźwięk, tylko Scimeca oddychała równo, ale głośno, jak maszyna. Po długiej chwili w sypialni pojawiła się Harper. Była blada jak upiór.

— Nie odpowie mi na żadne pytanie — powiedziała.

— Skąd wiesz? Jeszcze o nic jej nie zapytałaś.

— Bo nie żyje.

Cisza.

— Zabiłeś ją.

Cisza.

— Kiedy ją uderzyłeś.

Cisza.

— Skręciłeś jej kark.

Na korytarzu na parterze rozległy się donośne kroki. Zatupały po schodach. Odbiły się echem od ścian korytarza piętra. W sypialni pojawił się gliniarz sprzed drzwi. W ręku trzymał kubek; zabrał go z balustrady na ganku. Zamarł, wytrzeszczył oczy.

— Co tu się, do cholery, dzieje? — spytał.

31

Siedem godzin później było już dobrze po północy. Reacher siedział bezpiecznie zamknięty, samotny w celi budynku biura terenowego FBI w Portland. Wiedział, że gliniarz skontaktował się ze swoim sierżantem. Wiedział, że sierżant skontaktował się z wyznaczonym agentem Biura. Wiedział, że Portland skontaktowało się z Quantico, Quantico z gmachem Hoovera, a gmach Hoovera z Nowym Jorkiem. Gliniarz przekazał mu te wiadomości cały zdyszany z podniecenia. Potem pojawił się jego sierżant i gliniarz zamknął gębę. Harper gdzieś znikła, karetka zabrała Scimecę do szpitala. Słyszał, jak policja oddaje sprawę FBI, nie próbując się o nią kłócić nawet dla zachowania pozorów. W końcu przyjechali dwaj agenci z Portland i dokonali aresztowania. Skuli go, zawieźli do miasta, wsadzili do celi i zostawili w spokoju.

W celi było gorąco. Ubranie wyschło na nim w godzinę i teraz było sztywne jak deska i poplamione farbą na oliwkowo. Poza tym nic się nie działo. Przypuszczał, że to po prostu kwestia czasu; w końcu ludzie muszą się jakoś zorganizować. Był tylko ciekaw, czy przylecą do niego, do Portland, czy też odtransportują go do Quantico. Nikt nic mu nie mówił. Nikt nawet się do niego nie zbliżał. Myślał o Ricie Scimece. Wyobrażał sobie obcych dręczących ją na oddziale nagłych wypadków, badania, zamieszanie i dyskusje.

Cicho i spokojnie było do północy, a po północy coś zaczęło

się dziać. Wreszcie dobiegły go jakieś dźwięki, ktoś przyjeżdżał, ktoś z kimś rozmawiał. Pierwszą osobą, którą zobaczył, był Nelson Blake. Pomyślał, że teraz się zacznie. Musieli uzgodnić stanowisko i odpalić leara. W czasie pasowało to nawet dość dobrze. Wewnętrzne drzwi otworzyły się i za kraty wszedł Blake. Zajrzał do celi. W jego twarzy było coś sugerującego wyraźnie: „Teraz to naprawdę wszystko spieprzyłeś". Wyglądał na spiętego i zmęczonego, był jednocześnie czerwony na twarzy i blady. Potem, na jakąś godzinę, znów zapanował spokój. Po pierwszej w nocy przyleciał Alan Deerfield. Z samego Nowego Jorku. Przed nim też otworzyły się wewnętrzne drzwi, Wszedł, ponury i milczący, patrząc przed siebie zaczerwienionymi oczami, ukrytymi za grubymi szkłami okularów. Zatrzymał się. Zajrzał przez kraty. Zamyślone spojrzenie, które Reacher już znał, mówiło: „Więc ty jesteś tym facetem, tak?".

Wyszedł. Zrobiło się spokojnie. Na kolejną godzinę. Po drugiej pojawił się miejscowy agent z pękiem kluczy. Otworzył drzwi.

— Pora pogadać — powiedział.

Wyprowadził Reachera z aresztu na korytarz. Przeszli do sali konferencyjnej, mniejszej niż ta w Nowym Jorku, lecz tak samo tandetnej. To samo oświetlenie, ten sam wielki stół. Deerfield i Blake siedzieli po jednej stronie, po przeciwnej stało krzesło. Reacher usiadł. Przez długą chwilę panowała cisza. Nikt nic nie mówił, nikt nawet się nie poruszył. Wreszcie Blake drgnął i wyprostował się.

— Mam martwego agenta — powiedział — i wcale mi się to nie podoba.

Reacher zmierzył go spojrzeniem.

— Masz cztery martwe kobiety. Mogło ich być pięć.

Blake potrząsnął głową.

— O pięciu nie ma nawet mowy. Mieliśmy sytuację pod kontrolą. Julia Lamarr była na miejscu. Udzielała pomocy piątej kobiecie, kiedy ją zabiłeś.

Cisza. Reacher powoli skinął głową.

— Więc takie jest wasze stanowisko?

Deerfield podniósł na niego wzrok.

— To całkiem rozsądne wyjaśnienie, nie sądzisz? Pracując na własną rękę, w wolnym czasie, Lamarr dokonuje przełomu w śledztwie. Przezwycięża strach przed podróżami samolotem, przybywa na miejsce, depcząc sprawcy dosłownie po piętach. Właśnie ma udzielić pierwszej pomocy, kiedy wpadasz do domu i uderzasz ją. Ona zostaje bohaterką, ty stajesz przed sądem oskarżony o zamordowanie agenta federalnego.

Kolejna chwila ciszy.

— Poradzicie sobie z następstwem w czasie? — spytał Reacher.

Blake skinął głową.

— Jasne, że sobie poradzimy. Lamarr pojawia się u siebie w domu powiedzmy o dziewiątej rano czasu Wschodniego Wybrzeża, pod Portland jest o piątej czasu Pacyfiku. To jedenaście godzin. Mnóstwo czasu na burze mózgów, dojazd na National, wejście na pokład samolotu.

— Gliniarz widzi złego faceta wchodzącego do domu?

Deerfield wzruszył ramionami.

— Wychodzi na to, że zasnął. Wiesz, jacy są ci wsiowi gliniarze.

— Widział wizytę kapelana. Wówczas nie spał.

Deerfield potrząsnął głową.

— Armia zezna, że nie wysyłała tam żadnego kapelana. Musiało mu się przyśnić.

— Widział Lamarr wbiegającą do domu?

— Nie. Spał.

— Jak dostała się do środka?

— Zadzwoniła do drzwi, spłoszyła sprawcę. Uciekł. Nie goniła go, ponieważ chciała sprawdzić, co z Scimecą. Zawsze była taka humanitarna.

— Gliniarz widział uciekającego sprawcę?

— Nie. Spał.

— A Lamarr nie zapomniała zamknąć za sobą drzwi na zamek, chociaż spieszyła się na górę, bo zawsze była taka ludzka.

— Najwyraźniej.

I znów cisza.

— Scimeca odzyskała przytomność? — spytał Reacher.

Deerfield skinął głową.

— Dzwoniliśmy do szpitala. Nie wie o niczym, niczego nie pamięta. Zakładamy, że po prostu tłumi wspomnienia. Cała kupa psychiatrów będzie gotowa stwierdzić pod przysięgą, że to normalne.

— U niej wszystko w porządku?

— Nic jej nie jest.

Blake się uśmiechnął.

— Nie będziemy jej przyciskać w sprawie rysopisu sprawcy. Nasi psychologowie powiedzą też, że byłoby to z naszej strony obrzydliwe i bez serca. W tych okolicznościach...

Kolejna chwila ciszy.

— Gdzie jest Harper? — spytał Reacher.

— Zawieszona — odparł Blake.

— Nie godzi się z linią partii?

— Pozwoliła sobie na zbytnie oddanie romantycznym iluzjom. Opowiadała jakieś gówno warte fantastyczne historyjki.

— Chyba rozumiesz już, na czym polega twój problem? — powiedział Deerfield. — Nienawidziłeś Lamarr od samego początku. Więc zabiłeś ją z powodów osobistych i wymyśliłeś sobie historyjkę mającą kryć ci tyłek. Tylko że nie była to najlepsza historyjka. Nie ma żadnego poparcia w faktach. Nie uda ci się powiązać Lamarr z żadnym poprzednim zabójstwem.

— Bo nie zostawiała śladów — powiedział Reacher.

Blake znowu się uśmiechnął.

— Co za ironia, nie uważasz? Na samym początku powiedziałeś nam, że mamy tylko przypuszczenie, że sprawcą jest ktoś taki jak ty. No to teraz masz tylko przypuszczenie, że to Lamarr jest sprawcą.

— Gdzie jest samochód? — spytał Reacher. — Jeśli przyjechała z lotniska pod dom Scimeki, to gdzie samochód?

— Sprawca go ukradł. Musiał podkraść się do domu na piechotę, od tyłu, nie wiedząc, że gliniarz smacznie śpi. Zaskoczyła go, a on ukradł jej samochód.

— Znajdziecie formularz wynajmu z jej nazwiskiem?

Blake skinął głową.

— Najprawdopodobniej tak. Jeśli bardzo chcemy coś znaleźć, to zazwyczaj znajdujemy.

— A co z lotem z Dystryktu Columbii? Znajdziecie jej prawdziwe nazwisko w komputerach linii lotniczej?

Blake znowu skinął głową.

— Jeśli zajdzie taka potrzeba.

— Chyba rozumiesz, na czym polega twój problem? — powtórzył Deerfield. — Po prostu nie możemy dopuścić do sytuacji, w której mamy martwego agenta, a nie mamy jego zabójcy.

Reacher skinął głową.

— I nie możecie dopuścić do sytuacji, w której wasz agent jest mordercą.

— Nawet o tym nie myśl — powiedział Blake.

— Nawet jeśli rzeczywiście jest mordercą?

— Lamarr nie była morderczynią — wyjaśnił spokojnie Deerfield — tylko lojalną agentką odwalającą wspaniałą robotę.

Reacher skinął głową.

— Zdaje się, że oznacza to, że z mojej forsy nici...

Deerfield skrzywił się, jakby coś mu nagle zaśmierdziało.

— To nie czas na dowcipy, Reacher. Wyjaśnijmy sobie wszystko od samego początku do samego końca. Masz naprawdę duży problem. Możesz sobie gadać w cholerę, co ci tylko ślina na język przyniesie. Możesz twierdzić, że miałeś podejrzenia, ale skończy się na tym, że wyjdziesz na idiotę. Nikt nie zechce cię słuchać. Zresztą to i tak nie ma znaczenia. Bo nawet jeśli miałeś podejrzenia, powinieneś pozwolić Harper ją aresztować.

— Brakowało mi czasu.

Deerfield potrząsnął głową.

— Gówno prawda.

— Czy możesz twierdzić bez żadnych wątpliwości, że w twojej obecności wyrządziła krzywdę Scimece? — spytał Blake.

— Stała mi na drodze.

— Nasz prawnik powie, że nawet jeśli żywiłeś szczere, choć błędne podejrzenia, powinieneś zająć się leżącą w wannie Scimecą, zostawiając Lamarr podążającej za tobą Harper. Znajdowaliście się w sytuacji dwóch na jednego. W rzeczywistości takie zachowanie oszczędziłoby ci czasu. Skoro tak się troszczyłeś o przyjaciółkę z dawnych dni...

— Oszczędziłoby mi może pół sekundy.

— Te pół sekundy mogło okazać się krytyczne — zauważył Deerfield. — W wymagającej pierwszej pomocy sytuacji zagrożenia życia? Nasz prawnik zrobi z tego wielką sprawę. Stwierdzi uczenie, że marnowanie cennego czasu na akt uderzenia kogoś jest faktem znaczącym, dowodzącym niechęci osobistej.

W pokoju zrobiło się cicho. Reacher gapił się w blat stołu.

— Tacy domorośli prawnicy jak na przykład ty oczywiście wiedzą o tym wszystko — powiedział Blake. — Zwykłe pomyłki zdarzają się, jasne, ale mimo wszystko jest tak, że ofiary trzeba bronić dokładnie w chwili, gdy jest atakowana. Nie potem. Potem to już nie jest obrona tylko normalna, zwykła zemsta.

Reacher milczał.

— I nie możesz twierdzić, że to była pomyłka i wypadek — ciągnął Blake. — Powiedziałeś mi kiedyś, że wiesz wszystko o tym, jak rozwalić komuś łeb. Że nie ma szans, żebyś zrobił to przypadkowo. Ten facet w alejce, pamiętasz? Chłopak Petrosjana. Rozwalić łeb czy skręcić kark to przecież bez różnicy. A więc nie rozmawiajmy o wypadku. Mieliśmy do czynienia z morderstwem z premedytacją.

Odpowiedziała mu cisza.

— W porządku — powiedział Reacher. — Jaki układ proponujecie?

— Idziesz siedzieć — powiedział Deerfield. — Żadnych układów.

— Gówno prawda. Zawsze jest jakiś układ.

Kolejna chwila ciszy. Ta cisza ciągnęła się przez kilka minut. W końcu Blake wzruszył ramionami.

— No cóż, jeśli zechcesz współpracować, możemy zgodzić się na kompromis. Możemy powiedzieć, że Lamarr popełniła samobójstwo. Rozpaczała po stracie ojca, cierpiała, bo nie zdołała zapobiec śmierci siostry...

— A ty możesz trzymać swą wielką gębę na kłódkę — dodał Deerfield. — Możesz nie mówić nikomu nic oprócz tego, co każemy ci powiedzieć.

I znowu cisza.

— Dlaczego miałbym to zrobić? — spytał Reacher.

— Bo jesteś cwanym facetem — powiedział Deerfield. — Pamiętaj, na Lamarr nie ma dosłownie nic i ty o tym doskonale wiesz. Na to była o wiele za sprytna. Jasne, możesz sobie kopać wokół sprawy lata... jeśli masz parę milionów na honoraria dla prawników. Zyskasz może kilka nic nieznaczących dowodów poszlakowych... i co niby sędziowie przysięgli mieliby z nimi zrobić? Wielki facet nienawidzi małej kobietki. On jest cholernym włóczęgą i pasożytem, ona agentem federalnym. Skręca jej kark, a potem głosi, że to jej wina. Opowiada jakieś głodne kawałki o hipnozie. Człowieku, daj sobie spokój!

— I przyjmij wreszcie do wiadomości, że teraz jesteś nasz — dodał Blake.

Cisza. Po chwili Reacher pokręcił głową.

— Nie. Nie kupuję.

— To idziesz siedzieć.

— Dobrze. Ale najpierw pytanie.

— Jakie?

— Zabiłem Lorraine Stanley?

Blake potrząsnął głową.

— Nie. Nie zabiłeś.

— Skąd możecie wiedzieć?

— Dobrze wiesz, skąd możemy wiedzieć. Przez cały ten tydzień ciągnąłeś za sobą nasz ogon.

— A moja prawniczka dostała od was kopię raportu z obserwacji, tak?

— Tak.

— W porządku — powiedział Reacher.

— Co w porządku, cwaniaczku?

— Możecie się pieprzyć. Dla mnie to w porządku.

— Zechciałbyś uzupełnić swą wypowiedź?

Reacher potrząsnął głową.

— Sami ją sobie uzupełnijcie.

Milczenie.

— Co? — spytał w końcu Blake.

Reacher uśmiechnął się do niego słodko.

— Pomyśl o strategii — poradził mu. — Być może zdołacie mnie zamknąć za Lamarr, ale nigdy nie uda się wam przyczepić mi morderstw kobiet, ponieważ moja prawniczka ma wasz raport dowodzący, że nie ma takiej możliwości. I co zrobicie?

— Nic ci do tego — powiedział Blake. — Siedzisz tak czy inaczej.

— No to teraz pomyśl o przyszłości. Oznajmiliście całemu światu, że to nie ja, zapieracie się wszystkimi czterema łapami, że nie Lamarr, więc musicie szukać mordercy, nie? Nie możecie przestać, bo ludzie natychmiast zaczęliby się zastanawiać, dlaczego przestaliście. To teraz wyobraź sobie te nagłówki: „Elitarna jednostka FBI zawodzi... już dziesiąty rok". Będziecie musieli łykać to gówno z uprzejmym uśmiechem. Będziecie musieli trzymać na miejscu strażników. Będziecie musieli pracować dwadzieścia cztery godziny na dobę, angażować kolejnych ludzi, wkładać w to coraz więcej wysiłku i środków budżetowych, i tak rok po roku, rok po roku. Żeby znaleźć sprawcę. Macie na to ochotę?

Odpowiedziała mu cisza.

— Nie, nie macie ochoty — powiedział pewnie Reacher. — Na to nie pójdziecie, a nie idąc na to, przyznajecie, że znacie prawdę. Lamarr nie żyje, śledztwo zamknięte, nie ja jestem mordercą, więc to musi być ona. Macie, panowie, przed sobą trudny wybór: wszystko albo nic. Pora podjąć decyzję. Jeśli nie przyznacie, że to Lamarr, będziecie marnowali środki do końca świata, udając, że szukacie faceta, który nie istnieje, o czym wiecie. A jeśli przyznacie, że to Lamarr, to nie możecie mnie zamknąć, bo w tych okolicznościach moje postępowanie jest całkowicie usprawiedliwione.

Nikt się nie odezwał.

— No więc pieprzcie się — powiedział Reacher.

Milczenie. Przerwał je Reacher.

— I co teraz? — spytał.

Minęła długa chwila, ale Blake i Deerfield w końcu doszli do siebie.

— Jesteśmy FBI — powiedział Deerfield. — Możemy poważnie utrudnić ci życie.

Reacher potrząsnął głową.

— Moje życie jest już wystarczająco trudne. Nawet wy, chłopcy, nie zdołacie go utrudnić. Dlatego proponuję, żeby skończyć z pogróżkami. I tak nie mam zamiaru nic nikomu powiedzieć.

— Naprawdę?

Reacher skinął głową.

— Nie mam wyboru, prawda? Jeśli coś powiem, świat zawali się Ricie na głowę. Jest jedynym żyjącym świadkiem. Zamęczą ją na śmierć: prokuratorzy, policja, gazety, telewizja. Wyciągną wszystkie obrzydliwe szczegóły tego, jak została zgwałcona, jak znaleziono ją nagą w wannie wypełnionej farbą. Spotkałaby ją straszna krzywda. A ja nie chcę, żeby spotkała ją krzywda.

Odpowiedziała mu cisza.

— Dlatego wasza tajemnica jest bezpieczna — zakończył Reacher.

Blake wbił wzrok w blat stołu. Skinął głową.

— W porządku — powiedział w końcu. — Na to mogę się zgodzić.

— Ale będziemy cię wciąż obserwować — nie wytrzymał Deerfield. — Przez cały czas. Nie zapomnij o tym.

Reacher uśmiechnął się po raz kolejny.

— Tylko uważajcie, żebym was na tym nie złapał. Wiecie, że powinniście uważać, bo pamiętacie, co się stało z Petrosjanem. Nie zapominajcie o tym, panowie. Dobrze?

• • •

I tak to się skończyło. Remis, ostrożny rozejm. Nikt nie miał nic więcej do powiedzenia. Reacher wstał, obszedł stół i opuścił pokój. Znalazł windę, zjechał nią na poziom ulicy. Nikt za nim nie poszedł. Znalazł podwójne drzwi z podrapanej dębiny. Otworzył je, wyszedł na chłodną i opustoszałą późną nocą anonimową ulicę Portland. Zatrzymał się przy krawężniku. Nie patrzył na nic w szczególności.

— Cześć, Reacher — powiedziała Harper.

Stała za nim, w cieniu jednej z kolumn znajdujących się po bokach wejścia do budynku. Odwrócił się, zobaczył plamę jej włosów i pasmo bieli, część koszuli widoczną w rozcięciu marynarki.

— Cześć — odparł. — U ciebie wszystko w porządku?

Harper podeszła do niego.

— Nic mi nie będzie. Mam zamiar poprosić o przeniesienie. Może nawet tutaj? Podoba mi się tu.

— Pozwolą ci?

Skinęła głową.

— Jasne, że pozwolą. Nie zamierzają huśtać łodzią, nie teraz, gdy trwają przesłuchania budżetowe. Załatwią sprawę tak cichutko, jak jeszcze żadnej nie załatwili.

— Nie było żadnej sprawy — powiedział Reacher. — Tak to ustaliliśmy tam, na górze.

— Więc masz z nimi spokój?

— Miałem spokój i mam spokój.

— Poparłam cię — powiedziała Harper. — I do diabła z konsekwencjami.

Reacher skinął głową.

— Wiedziałem, że mnie poprzesz. Powinno być więcej takich jak ty.

— Weź to. — Harper podała mu kawałek lichego papieru: kupon podróżny wystawiony przez biuro w Quantico. — Będziesz miał za co wrócić do Nowego Jorku.

— A ty?

— Powiem, że gdzieś mi zginął. Przyślą drugi.

Harper podeszła jeszcze o krok bliżej. Pocałowała go w policzek. Odsunęła się, odeszła. Miała swoje sprawy.

— Powodzenia — pożegnała Reachera.

— Nawzajem.

• • •

Poszedł na lotnisko: dwadzieścia kilometrów poboczem dróg zbudowanych dla samochodów. Zajęło mu to trzy godziny. Wymienił kupon FBI na bilet i odczekał godzinę, do pierwszego połączenia. Spał cztery godziny w powietrzu, trzy według stref czasowych. Wylądował na La Guardii o pierwszej po południu. Resztę drobnych zużył na autobus, który dowiózł go do metra, a metro na Manhattan. Wysiadł przy Canal Street, poszedł Wall Street na południe. W holu budynku, w którym mieściła się kancelaria Jodie, znalazł się parę minut po drugiej, niesiony falą tłumu powracających z lunchu pracowników. W sali recepcyjnej firmy nikogo nie było. Nikt nie stał za ladą. Wszedł do środka przez szeroko otwarte drzwi, poszedł korytarzem o ścianach udekorowanych stojącymi na dębowych półkach prawniczymi tomami. Biura po lewej i po prawej były puste. Na biurkach piętrzyły się papiery, na oparciach krzeseł wisiały marynarki. Ani śladu ludzi.

Podszedł do zamkniętych podwójnych drzwi, usłyszał stłumiony szmer toczących się po ich drugiej stronie rozmów, brzęk szkła uderzającego o szkło. I śmiech. Otworzył drzwi po prawej, hałas uderzył go jak cios. Zobaczył salę konferencyjną pełną ludzi: czarne garnitury, śnieżnobiałe koszule, szelki, stonowane krawaty, surowe ciemne suknie, czarne nylony. Była tam ściana oślepiających okien i długi stół, przykryty białym obrusem, a na stole szeregi kryształowych kieliszków oraz setki butelek szampana. Dwaj barmani leli pienisty złoty płyn najszybciej, jak potrafili. Ludzie pili z kieliszków i unosili je w toastach. Za Jodie.

Poruszała się w tłumie, przyciągając ich do siebie jak magnes. Gdziekolwiek się pojawiła, podchodzili i formowali wokół niej krąg. Kręgi, niewielkie, promieniujące ekscytacją, rozpadały się i formowały od nowa, a ona znajdowała się w centrum każdego z nich. Obracała się to w lewo, to w prawo, uśmiechała się, trącała swym kieliszkiem inne kieliszki, a potem przesuwała się w przypadkowym kierunku, jak kulka elektronicznego bilardu, prowokując nowe wyrazy uznania. Dostrzegła stojącego w drzwiach Reachera w tej samej chwili, w której dostrzegł on samego siebie, odbitego w lustrze wiszącym na ścianie nad rysunkiem Renoira. Był nieogolony, ubrany w wygniecioną koszulę khaki, ozdobioną nieregularnymi zaciekami zieleni. Ona miała na sobie suknię za tysiąc dolarów, przed chwilą wyjętą z szafy. Setka twarzy odwróciła się wraz z jej twarzą, zapadła martwa cisza. Jodie wahała się przez krótką, niemal niezauważalną chwilę, jakby podejmowała decyzję, a potem przedarła się przez tłum i zarzuciła mu na szyję ręce, z których jedna trzymała kieliszek szampana.

— Zostałaś wspólniczką — powiedział Reacher. — Dopięłaś swego.

— Jasne — powiedziała Jodie.

— No to gratulacje, mała. I przepraszam, że się spóźniłem.

Wciągnęła go w tłum, kręgi zaczęły się formować wokół nich. Potrząsał dłońmi setki prawników, tak jak potrząsał dłońmi generałów obcych armii. Ty nie zaczynaj ze mną, to ja nie zacznę z tobą. Przewodnikiem stada był stary gość, czerstwy na twarzy, syn jednego z założycieli firmy. Jego garnitur musiał kosztować więcej niż wszystkie ubrania, które Reacher kiedykolwiek nosił, ale świąteczny nastrój sprawił, że w jego stosunku do gościa nie było złośliwości. Wyglądało na to, że z równą radością potrząsnąłby dłonią windziarza Jodie.

— To wielka, bardzo wielka gwiazda — powiedział. — Jestem szczęśliwy, że przyjęła naszą ofertę.

— Najsprytniejsza prawniczka, jaką zdarzyło mi się spotkać! — powiedział Reacher, przekrzykując hałas.

— Będzie pan jej towarzyszył?

— Towarzyszył gdzie?

— Do Londynu — wyjaśnił stary gość. — Nic panu nie mówiła? Pierwszym zadaniem zlecanym nowemu wspólnikowi jest kierowanie jednym z biur europejskich. Przez kilka lat.

W tym momencie Jodie pojawiła się przy jego boku, promiennie uśmiechnięta. Odciągnęła go na bok. Tłum już dzielił się na mniejsze grupki, ludzie rozmawiali o pracy i dyskretnie plotkowali. Znaleźli kawałek wolnego miejsca przy oknie z metrowym widokiem na port i pospolite budynki po jego obu stronach.

— Dzwoniłam do tutejszego FBI — powiedziała. — Bałam się o ciebie, a formalnie rzecz biorąc, ciągle jestem twoją prawniczką. Rozmawiałam z biurem Alana Deerfielda.

— Kiedy?

— Dwie godziny temu. Nie chcieli mi nic powiedzieć.

— Bo nie ma nic do powiedzenia. Traktują mnie przyzwoicie, ja traktuję przyzwoicie ich.

Jodie skinęła głową.

— A więc wreszcie spełniłeś ich oczekiwania. Zawahała się. — Wezwą cię na świadka? — spytała. — Będzie proces?

Potrząsnął głową.

— Nie będzie procesu.

— Będzie pogrzeb, tak?

Wzruszył ramionami.

— Nie ma żyjących krewnych. W tym rzecz.

Jodie znowu się zawahała, jakby przygotowywała się do zadania najważniejszego pytania.

— Co teraz czujesz? — spytała. — Odpowiedz mi jednym słowem.

— Spokój.

— Zrobiłbyś to samo? W tych samych okolicznościach?

Teraz on zastanawiał się przez chwilę.

— W tych samych okolicznościach? — powtórzył. — Bez wahania.

— Będę pracowała w Londynie. Przez dwa lata.

— Wiem. Stary mi powiedział. Kiedy wyjeżdżasz?

— Pod koniec miesiąca.

— Nie chcesz, żebym pojechał z tobą?

— Będę bardzo zajęta. Biuro jest małe, a roboty wiele.

— Poza tym to cywilizowane miasto.

Jodie skinęła głową.

— Tak. To cywilizowane miasto. A ty, chcesz ze mną pojechać?

— Na całe dwa lata? Nie. Ale może odwiedzałbym cię od czasu do czasu?

Uśmiechnęła się niewyraźnie.

— Byłoby wspaniale.

Reacher milczał.

— To okropne — rzekła nagle Jodie. — Przez piętnaście lat nie mogłam żyć bez ciebie, a teraz dowiaduję się, że nie mogę żyć z tobą.

— Wiem. To wyłącznie moja wina.

— Czujesz to samo?

Reacher spojrzał jej w oczy.

— Chyba tak.

— Mamy czas do końca miesiąca — powiedziała Jodie.

Skinął głową.

— To i tak więcej, niż ma większość ludzi. Możesz wziąć sobie wolne popołudnie?

— Mogę wszystko. Jestem wspólniczką. Robię, co mi się podoba.

— No to idziemy.

Odstawili puste kieliszki na parapet. Przedarli się przez tłum do wyjścia. Wszyscy bez wyjątku odprowadzili ich wzrokiem, a kiedy znikli, powrócili do swych bardzo ważnych rozmów.

Polecamy thrillery z Jackiem Reacherem

SPRAWA OSOBISTA

„Możesz się rozstać z armią, ale armia nie rozstaje się z tobą. Nie zawsze. I nie do końca". I nie w przypadku Jacka Reachera.

W samym centrum Paryża snajper oddaje strzał do prezydenta Francji. Wystrzelony z odległości tysiąca pięciuset metrów pocisk zatrzymuje kuloodporna szyba. Wszystko wskazuje na to, że chodziło tylko o próbę generalną przed zbliżającym się szczytem G8, który ma się odbyć w Londynie, a jednym z potencjalnych celów jest prezydent USA.

Wywiad wojskowy, FBI i CIA zwracają się do Reachera z prośbą o pomoc w schwytaniu zamachowca. Według nich może nim być John Kott, którego przed szesnastu laty wpakował za kratki. Z natury podejrzliwy wobec służb specjalnych Reacher nie wierzy w tę teorię i próbuje się trzymać z dala od całej sprawy. Do czasu, aż na własne oczy zobaczy zdjęcia ze swoją twarzą, na których Kott po opuszczeniu więzienia ćwiczył strzelanie do celu właśnie z odległości tysiąca pięciuset metrów...

NIGDY NIE WRACAJ

Dotarcie z zasypanej śniegiem Dakoty Południowej do Wirginii zajęło Reacherowi sporo czasu. Po drodze kilka razy coś go zatrzymało, parokrotnie otarł się o śmierć. Nie zadawałby sobie tyle trudu, gdyby nie obietnica, jaką złożył pewnej kobiecie w randze majora, pełniącej od niedawna funkcję komendanta 110-tej jednostki specjalnej żandarmerii wojskowej, którą sam dowodził kilkanaście lat temu. Choć nigdy nie widział jej na oczy, urzekł go jej głos w słuchawce telefonu. Przekraczając bramę wjazdową do jednostki, miał wrażenie, jakby wracał do domu – jedynego, jaki kiedykolwiek posiadał. Niestety, wbrew oczekiwaniom, nie było tam Susan Turner. Zamiast kobiety za biurkiem dowódcy siedział mężczyzna – niejaki podpułkownik Morgan, facet o wyglądzie urodzonego biurokraty. Co stało się z Susan? Tego Reacher się nie dowiedział. Morgan nie omieszkał natomiast przekazać mu trzech naprawdę złych wiadomości: że właśnie został przywrócony do czynnej służby w armii USA, że czeka go sprawa karna o zabójstwo sprzed szesnastu lat oraz że wniesiono przeciwko niemu pozew o ojcostwo. Czy zarzuty wobec Jacka miały jakiś związek z tajemniczym zniknięciem major Turner? Komuś zależało, by szybko pozbyć się Reachera? Bo jeśli tak, to nieświadomie popełnił najgorszy błąd w swoim życiu...